KORENBLAUW

Van Leila Meacham verscheen eerder:

Rozen

Leila Meacham

KORENBLAUW

DE KERN

Eerste druk, juli 2013

Oorspronkelijke titel: *Tumbleweeds*
Oorspronkelijke uitgever: Grand Central Publishing, a division of
Hachette Book Group
Copyright © 2012 by Leila Meacham
Copyright © 2013 voor deze uitgave:
De Kern, een imprint van Uitgeverij De Fontein, Utrecht
Vertaling: Ans van der Graaff
Omslagontwerp: Wil Immink Design
Omslagillustratie: © Elizabeth Watt
Opmaak binnenwerk: Hans Gordijn, Baarn
ISBN 978 90 325 1369 6
ISBN e-book 978 90 325 1370 2
NUR 302

www.dekern.nl

Voor jou, Ann Ferguson Zeigler,
met waardering voor het genoegen van je gezelschap
tijdens de reis.

Onze zonden, net als onze schaduwen,
verschijnen zelden als de dag op z'n hoogtepunt is.
Tegen de avond lijken ze groot en monsterlijk.

— SIR JOHN SUCKLING

Proloog

JUNI 2008

Het telefoontje dat hij al tweeëntwintig jaar verwachtte, kwam om middernacht toen hij nog laat aan zijn bureau zat te werken. Hij schrok even op, het soort schokje dat hij de eerste jaren vaak had gevoeld wanneer de telefoon in het holst van de nacht ging. Met het verstrijken van de tijd was hij er door de plichten van zijn functie echter aan gewend geraakt dat die midden in de nacht rinkelde.

De naam van de beller verscheen in het schermpje en zijn hart maakte een achterwaartse salto. Hij pakte de hoorn van de haak voordat hernieuwd gerinkel iedereen in huis wakker zou maken. 'Hallo?'

'John Caldwell?'

'Trey?'

Gegrinnik, droog, spottend. 'De enige echte. Ben je nog wakker?'

'Nu wel. Waar bel je vandaan?'

'Daar kom ik zo op. Hoe is het met je, Tiger?'

'Verrast. Het is lang geleden.'

'Niet zo lang dat je mijn stem niet herkende. Dat vind ik een prettige gedachte. Ik kom naar huis, John.'

John schoot overeind in zijn stoel. 'Echt waar? Na al die tijd? Waarom?'

'Ik moet nog een paar dingen afhandelen.'

'Vind je niet dat het daar een beetje laat voor is?'

Weer gegrinnik, vreugdeloos dit keer. 'Nog steeds dezelfde oude John – hoeder van mijn geweten.'

'Daar lijk ik gruwelijk in te hebben gefaald.'

9

'O, dat zou ik niet willen zeggen.'

John wachtte en weigerde in het aas te bijten dat de beladen toon inhield. Na een doordringend zwijgen voegde Trey eraan toe: 'De Tysons hebben belangstelling om het huis van mijn tante te kopen. Ik heb tegen Deke gezegd dat ik naar Kersey zou komen om het te bespreken. Ik moet toch al iets regelen voor de spullen van tante Mabel, of ze opruimen.'

'De Tysons? Ik dacht dat ze naar Amarillo waren verhuisd en dat Deke daar een bedrijf in woningbeveiliging had overgenomen.'

'Dat is ook zo, maar Deke gaat met pensioen en wil weer in Kersey komen wonen. Zijn vrouw heeft altijd al een oogje gehad op het huis van mijn tante. Een verrassende wending, vind je niet?'

'Niet zo verrassend als sommige andere. Waar ben je nu?'

'In Dallas. Een aansluitende vlucht zou door de late aankomst in Amarillo mijn indigestie geen goed hebben gedaan. Ik vlieg er morgenvroeg heen, haal mijn auto op en ontmoet de Tysons omstreeks elf uur bij het huis van tante Mabel.'

'Blijf je lang?'

'Zolang als nodig is. Een paar dagen denk ik.'

Na een kort behoedzaam zwijgen vroeg John: 'Waar logeer je?'

'Nou, ik hoopte dat ik bij jou terecht zou kunnen.'

Geschokt vroeg John: 'Hier? Wil je hier in Harbison House logeren?'

Weer een droge lach. 'Waarom niet? Ik heb geen problemen met een stel kinderen met snotneuzen. Zijn de Harbisons nog steeds bij je?'

John antwoordde behoedzaam, walgend bij het idee dat Trey Don Hall onder het dak van de Harbisons zou slapen. 'Ja... Lou en Betty zijn hier nog steeds. Ze helpen me de boel hier te runnen.'

'Dat is vast fijn voor je,' zei Trey. 'Ik rij na mijn gesprek met de Tysons naar je toe. Dat zou op tijd moeten zijn voor de lunch. Dan kunnen we samen een hapje eten en misschien kan de goede padre mijn biecht aanhoren.'

'Ik dacht niet dat je zo lang van plan was te blijven.'

Hij grinnikte weer, maar deze keer klonk het vertrouwd. 'Zo ken ik je weer. Het zal fijn zijn je weer te zien, John.'

'Insgelijks,' zei John, die zich tot zijn verbazing realiseerde dat hij het meende.

'Reken daar maar niet te zeer op, Tiger.'

De verbinding werd verbroken. Trey's laatste woorden veroorzaakten een tinteling in Johns nek. Hij legde langzaam de hoorn neer, stond op en merkte dat hij lichtelijk zweette. Hij liep naar een ingelijste foto aan de muur. Het was een officiële foto van het American football-team van Kersey High School van 1985. Het onderschrift luidde DISTRICTSKAMPIOENEN. John was wide receiver geweest van het team dat het staatskampioenschap had gewonnen, en op de foto stond hij naast de lange, grinnikende quarterback en ooit zijn beste vriend, Trey Don Hall. Ook toen al werd Trey 'TD' Hall genoemd, de bijnaam die een sportverslaggever hem had gegeven en die tijdens zijn speeljaren in het team van zijn universiteit en de daarna volgende carrière als quarterback in de National Football League was blijven hangen. Er hingen nog drie andere groepsfoto's van het team aan de muur; allemaal vertegenwoordigden ze overwinningen van de Kersey Bobcats in de volgende play-offs, maar de districtswedstrijd tegen Delton High School herinnerde John zich het beste. Naar die groepsfoto dwaalde zijn blik het vaakst af.

Wat bracht Trey na tweeëntwintig jaar terug naar huis? John geloofde geen moment dat het iets met de verkoop van het huis van zijn tante te maken had. Dat was sinds Mabel Church was overleden en haar neef het huis waarin hij was opgegroeid had geërfd, al twee jaar onbewoond en afgesloten, met alles er nog in, behalve de bederfelijke etenswaren en de parkiet. Trey hechtte geen sentimentele waarde aan de spullen van zijn tante of het leuke bakstenen huis waar ze gedrieën – Trey, Cathy en hij – alle jaren van hun jeugd hadden rondgehangen. Hij had mensen die het voor hem konden verkopen en kon zich van een afstand van de bezittingen ontdoen. Wat dan? Was hij op zoek naar verzoening en vergiffenis? Absolutie? Boetedoening? John had die mogelijkheden kunnen overwegen als Trey's toon dat had gesuggereerd, maar die had juist spottend en geheimzinnig geklonken. Hij kende zijn vroegere vriend en teamgenoot goed. TD Hall kwam met een ander doel naar huis, een dat waarschijnlijk niet voor iedereen evenveel goeds voorspelde. Hij moest Cathy waarschuwen.

DEEL EEN

1979-1986

I

In de nacht van de eerste januari 1979, toen het nieuwe jaar krap twee uur oud was, zag Emma Benson een kruis door de maan. Wakker geworden door een vreemd gevoel van onrust stapte ze in haar oude flanellen badjas vanuit haar huis van gepotdekselde planken in het dorp diep in de Texas Panhandle waar ze al haar hele leven woonde, naar buiten en keek ze omhoog naar de onnatuurlijke aanblik, bezorgd door het vage gevoel dat het kruis een slecht voorteken voor haar persoonlijk inhield.

De volgende dag kreeg ze te horen dat haar enige overgebleven kind en zijn vrouw waren overleden tijdens een auto-ongeluk toen ze na een oudejaarsfeestje op weg naar huis waren. De beller identificeerde zich als dr. Rhinelander, een buurman en goede vriend van Sonny en haar schoondochter. Zijn vrouw en hij zouden Cathy, de elfjarige dochter van het stel, bij zich houden, zei hij, tot de rechtbank of wie er dan ook het gezag over haar had, besliste wat er met haar moest gebeuren.

'Hoe bedoelt u... de rechtbank?' vroeg Emma.

Ze hoorde een gekwelde zucht. 'Ik heb het over pleegzorg, mevrouw Benson.'

Pleegzorg. Mijn kleindochter, bloed van mijn bloed, die bij vreemden opgroeit?

Maar wie kon haar anders opnemen? Waar kon ze anders heen? Er was geen familie meer over. Emma's schoondochter was enig kind geweest, geadopteerd door een stel dat de vruchtbare jaren allang was gepasseerd en inmiddels was overleden. Haar andere zoon, Buddy, was in Vietnam om het leven gekomen. Zij was de enige overgebleven bloedverwant van het kind, maar het meisje had haar maar één keer eerder ontmoet en was haar waarschijnlijk vergeten, want Emma vermoedde dat haar naam

15

en woonplaats zelden of nooit ter sprake kwamen in het gezin van haar zoon.

Ze hoorde zichzelf echter zeggen: 'Als u het goed vindt dat Catherine Ann bij u blijft tot ik er ben, dr. Rhinelander, dan neem ik haar mee naar huis.'

Emma, die nog nooit had gevlogen en maar twee keer, in haar jeugd, met de trein had gereisd, boekte een vlucht van Amarillo naar Santa Cruz in Californië. Tijdens de zes uur in de beperkte ruimte van de middelste stoel in de rij – met watjes in haar oren om het irritante gejengel, de nukkigheid en het wangedrag van het vierjarige jongetje achter haar buiten te sluiten – vroeg ze zich bezorgd af in welke mate de genen van haar tweede zoon zouden zijn overgedragen op zijn dochter. Het was haar opgevallen dat oudste dochters negen van de tien keer naar hun vader aardden, niet alleen fysiek en wat temperament betreft, maar ook in karakter, terwijl eerstgeboren zoons meer op hun moeder leken. Haar eerstgeboren zoon Buddy was geen uitzondering gebleken.

Maar Sonny, die later was gekomen, had geen druppel sap van de stamboom in zijn lijf. IJdel, materialistisch, vol van zichzelf en met een empathisch vermogen dat door het oog van een naald paste, had hij gemeend voor iets verheveners in de wieg te zijn gelegd dan de vlakte waar hij was geboren. 'Ik ben voor iets beters voorbestemd dan dit hier', herinnerde Emma zich dat hij had gezegd, waarmee hij haar vreselijk had gekwetst. Bij de eerste de beste gelegenheid was hij ervandoor gegaan om de vergissing die moeder natuur had gemaakt te herstellen. Hij was zelden terug naar huis gekomen en na zijn huwelijk met een vrouw die zijn ideeën deelde, nog maar één keer. Hij zei dat hij was gekomen om Emma aan zijn vrouw en dochter voor te stellen, maar hij was in werkelijkheid gekomen om het geld van de levensverzekering te lenen dat aan haar was uitbetaald toen zijn broer was gesneuveld. Ze had hem dat geweigerd. Sonny's onvrede met haar bleef bestaan, opgestookt door zijn stijlvolle echtgenote, die nauwelijks had kunnen verhullen dat ze haar neus ophaalde voor de omgeving waarin haar man was opgegroeid. Emma had uit haar laatdunkende houding opgemaakt dat Pasen en Pinksteren op één dag moesten vallen voor ze haar dochter weer meenam naar de plek waar haar vader was geboren en de strenge, nuchtere vrouw die hem had grootgebracht. Emma had het inderdaad juist geïnterpreteerd; ze waren nooit teruggekomen en hadden haar nooit bij hen in Californië uitgenodigd. Ze herinnerde zich echter heel goed het tengere, overweldigend knappe vierjarige meisje dat zich zodra Emma hallo zei had teruggetrokken in de veiligheid van haar vaders schoot en niets met haar te maken had willen hebben.

Emma had haar erbarmelijk verwend gevonden. Je hoefde alleen maar naar de dure kleren en het dure speelgoed te kijken, het gekoer en de babypraat te horen, te zien hoe de ouders meteen aan elke wens en elk verlangen van het meisje voldeden om te weten dat ze wanneer ze ouder werd even weinig karakter zou hebben als een suikerklontje. Toch was het een betoverend klein ding, met haar vaders blonde krullen en grote blauwe ogen die – verlegen of gereserveerd, dat wist Emma niet – onder lange wimpers door keken, die wanneer ze sliep als donsveertjes op de zoete, roomkleurige welving van haar wangen lagen. Emma had een foto van haar uit die periode op haar nachtkastje staan.

Catherine Ann was nu elf jaar oud, mogelijk erfgename van de eigenschappen van haar vader, haar gedrag al bepaald door haar opvoeding en de gebruiken en leefwijze van de staat waar ze was geboren. Hoe bracht je een kind van palmbomen, strand en toegeeflijk ouderschap over naar prairie, schrobberstruiken en een grootmoeder die nog vond dat kinderen moesten leren dat ze je weliswaar dierbaar waren, maar niet het middelpunt van je universum? Het jongetje in de stoel achter haar was een goed voorbeeld van de nieuwe opvoedingsnormen. De hemel verhoede dat hij ondanks de beperkte ruimte rekening zou moeten houden met de trommelvliezen van de mensen om hem heen.

Er zouden zich ongetwijfeld conflicten voordoen, die ze wellicht nooit te boven zouden komen, maar Emma kende haar plicht en was op haar tweeënzestigste bereid opnieuw haar hart op het spel te zetten voor het verlies van nog een kind.

2

'We zijn er, Catherine Ann,' zei Emma Benson op luchtige toon toen ze de garage van haar huis in Kersey, Texas, binnen reed. 'Het zal niet lang duren voor het huis warm is, maar we zullen het een beetje bespoedigen met een kop warme chocolademelk. Heb je daar zin in?'

Zoals elke keer tijdens hun ontmoeting in Santa Cruz was het antwoord van haar kleindochter slechts een ondoorgrondelijke starende blik, maar Emma kon wel raden wat zich achter die blauwe ogen afspeelde nu Catherine Ann een eerste glimp van haar nieuwe thuis had opgevangen.

'Ik ga er maar van uit dat dat ja betekent,' zei ze en ze haastte zich om de keukendeur te openen voor het kind te lang aan de vrieskou werd blootgesteld in een jas die veel te dun was voor de winters in de Panhandle. 'Verdorie,' zei ze. De sleutel wilde niet omdraaien – dat gaf vast een prima eerste indruk – en nu moest ze buitenom door de harde wind naar de voordeur om hen binnen te laten.

Haar kleindochter stond naast haar te bibberen, zwijgend, stoïcijns, uitdrukkingsloos als ze de hele week al was.

Selectief mutisme, had dokter Rhinelander haar toestand genoemd, daarbij aangevend dat hij slechts kinderarts was en geen kinderpsychiater, maar dat Catherine Ann alle symptomen ervan vertoonde. 'Het is gewoonlijk een tijdelijke stoornis die verband houdt met angst of een trauma en wordt gekenmerkt door het onvermogen onder bepaalde omstandigheden te praten,' had hij uitgelegd. 'Cathy is momenteel stom bij iedereen behalve degenen die ze goed kent en vertrouwt.' Hij had een snelle, klinische blik op Emma's ruim een meter tachtig lange, onopgesmukte, magere gestalte geworpen. 'Het is niet beledigend bedoeld, mevrouw Benson, maar u ziet er nogal ontzagwekkend uit, en Cathy is stom in uw gezelschap omdat ze zich bij u niet veilig voelt. U bent een vreemde voor haar. Ze kiest ervoor te zwijgen omdat ze gezien alles wat er is gebeurd veiligheid ervaart in de stilte. Ze gaat vanzelf wel praten wanneer ze u vertrouwt.'

Emma probeerde de sleutel nog eens. 'Die verdraaide sleutel doet het niet. Ik weet niet wanneer ik deze deur voor het laatst op slot heb gedaan. Volgens mij was dat jaren geleden. In dit dorp doen we de deuren nooit op slot.' Ze gaf haar pogingen op en draaide zich naar Cathy om. 'Weet je wat, ga jij maar weer in de auto zitten, zodat je warm blijft terwijl ik via de voorkant van het huis ga om de deur van binnenuit open te doen. Oké?'

Resoluut stapte het meisje naar een plank in de garage en ging op haar tenen staan om een blik motorolie te pakken. Ze gaf het blik aan Emma. *Probeer dat eens,* zei ze met haar ogen, haar communicatiemiddel de afgelopen zeven dagen.

Emma nam het blik aan, bemoedigd door zelfs dit kleine gebaar. 'Wat ben jij slim!' zei ze. 'Waarom heb ik daar zelf niet aan gedacht?'

Een drupje op de sleutel en enkele tellen later stonden ze in de keuken. Emma haastte zich om het fornuis en een gevelkachel aan te maken terwijl het meisje bewegingloos, verstijfd van de kou en haar gebalde vuisten in haar jaszakken, stond te wachten. *Ze denkt waarschijnlijk dat ze net als Alice in Wonderland in een konijnenhol is gevallen,* dacht Emma, die voelde dat het meisje haar ouderwetse keuken met een verbijsterde blik inspecteerde. De keuken in Santa Cruz was net als de rest van het huis groot en zonnig geweest en net zo modern als de laatste ontwerpen in *Better Homes and Gardens.*

'Wil je alvast in de kamer gaan zitten terwijl ik chocolademelk maak?' vroeg ze. 'Je zit daar prettiger zodra het er wat is opgewarmd.'

Het kind reageerde met een knikje en Emma ging haar voor naar een plezierig sjofele kamer, waar ze tv keek, las en haar naaiwerk deed. Het meisje schrok van het plotselinge *woesj* en het opflakkerende vuur achter het rooster toen Emma de gevelkachel aanzette. Thuis in Californië hadden ze natuurlijk centrale verwarming.

'Wil je even tv kijken?' vroeg Emma.

Een bijna onmerkbaar hoofdschudden. Het kind ging met haar jas nog steeds aan op een stoel dicht bij de kachel zitten en draaide zich om naar Emma's boekenverzameling, die een hele wand besloeg. Ze was bibliothecaris van beroep en had haar boeken gerangschikt op interesse in plaats van op auteur. Catherine Ann haalde *De kleine prins* van de plank met jeugdboeken. Ze keek Emma aan. *Mag ik?*

'Natuurlijk. Heb je dat boek nog niet gelezen?'

Haar kleindochter stak twee vingers op. *Twee keer.*

'O, je hebt het al twee keer gelezen? *De kleine prins* is het zeker waard om meer dan eens te lezen. Het is altijd goed om terug te keren naar vertrouwde dingen. Die kunnen ons aan gelukkige momenten herinneren.'

Dat was geen slimme opmerking. Emma zag diep in de blauwe ogen iets flakkeren, alsof er een herinnering boven was gekomen, en er viel een sluier van droefenis over haar gezichtje. Het meisje zette het boek terug in de kast.

'Nou,' zei Emma, en ze slikte, 'dan ga ik maar snel chocolademelk maken.' In de keuken leunde ze tegen het aanrecht, toegevend aan een gevoel van overweldigende hulpeloosheid. Ze had gedacht dat ze wel tegen deze taak opgewassen zou zijn, maar hoe was het mogelijk, als je bedacht hoeveel haar kleindochter had verloren en hoe weinig Emma te bieden had, om het gat te vullen dat in het leven van het meisje was geslagen? Hoe zou ze ooit haar ouders kunnen vervangen? Hoe konden de scholen in Kersey, met hun nadruk op American football en andere sporten, haar de kwaliteit van onderwijs en de culturele mogelijkheden bieden die ze gewend was? Hoe zou dit meisje met haar air van verfijning overweg kunnen met de plattelandsmanieren van haar klasgenoten? En hoe ter wereld kon ze gelukkig worden in Emma's bescheiden huis als ze was opgegroeid in een luxueus ingerichte woning met haar eigen tv, stereo-installatie en – glimmend in een hoek van de woonkamer – een heuse vleugel, en een achtertuin met een zwembad, een speelhuis en alle denkbare toestellen om vanaf te glijden, op te klimmen en op te springen?

Hoe kon Emma redden wat er nog van haar kindertijd overbleef?

'Geef haar de tijd,' had dokter Rhinelander tegen haar gezegd. 'Kinderen zijn heel veerkrachtig, en Cathy meer dan gemiddeld. Het komt wel goed met haar.'

Was die man gek? In een week tijd waren de ouders van Catherine Ann gestorven en was haar ouderlijk huis te koop gezet. Ze was weggehaald van haar vrienden, haar piano, de vooruitstrevende particuliere school waarop ze vanaf de kleuterklas had gezeten, de leuke plaats waar ze haar hele leven had gewoond – van iedereen en alles wat haar dierbaar en vertrouwd was – om in de Texas Panhandle bij een grootmoeder te gaan wonen die ze niet kende.

En de streek had er nooit zo deprimerend uitgezien als vandaag. Toen Emma vanaf Amarillo de Highway 40 naar Kersey op was gedraaid, had het kind haar ogen opengesperd, wat veel beter dan woorden haar paniek tot uiting bracht dat ze naar het eind van de wereld was afgevoerd. Emma kon het moeilijk met die indruk oneens zijn. De prairie bood in de winter beslist geen aanblik om te bejubelen, maar strekte zich doods en bruin uit tot een grenzeloos, eindeloos niets, hier en daar slechts onderbroken door een boerderij ergens in de verte of een stel koeien die ellendig op een kluitje bijeen stonden in de door de wind opgejaagde natte sneeuw. De dorpjes waar ze doorheen reden toen ze de snelweg hadden verlaten, zagen er op deze grauwe zondagmiddag extra troosteloos uit met hun verlaten hoofdstraten, donkere winkeletalages en de laatste kerstversieringen die nog aan lantaarnpalen hingen en door de wind werden geteisterd.

In een poging het meisje uit haar melancholie te bevrijden had Emma de prairie in de lente beschreven, wanneer die een eindeloos tapijt van wilde bloemen leek. 'De mooiste transformatie die

21

je ooit hebt gezien,' zei ze, en toen werd haar enthousiasme onderbroken doordat ze het kind vol ontzag met haar vinger zag wijzen.

'O, mijn god,' zei Emma.

Een massa grauwe tumbleweeds suisde over de prairie op hen af, tientallen gedroogde en van de wortel afgebroken struiken die door de wind werden voortgedreven en eruitzagen als een troep kwaadaardige geesten die de auto wilden aanvallen. Emma kon niet stoppen voor de horde hen had bereikt en aan Catherine Anns kant van de Ford klauwde. Haar kleindochter gilde, drukte haar ellebogen in haar flanken en beschermde haar hoofd met haar handen.

'Rustig maar, Catherine Ann,' zei Emma, die de auto stilzette om het ineengedoken lijfje van haar kleindochter in haar armen te nemen. De tumbleweeds hadden zich al verspreid en buitelden verder, althans degene die niet door de aanval op de Ford uiteen waren gevallen. 'Het zijn maar gedroogde planten, onkruid,' legde ze teder uit. 'Je vindt ze in het hele zuidwesten. In de winter, wanneer de planten volwassen zijn, breken de bovengrondse delen los van de wortel en tuimelen ze met de wind mee weg. Daarom heten ze tumbleweeds, tuimelstruiken. Soms gaat een hele troep er tegelijk vandoor en krijg je een fenomeen zoals we net zagen. Het ziet er dan wat angstaanjagend uit, maar ze kunnen geen kwaad.'

Ze voelde het angstige bonken van het kinderhart door de stof van haar jas heen. De meeste kinderen die zoiets zagen zochten de veiligheid van de armen van de dichtstbijzijnde volwassene op, maar dat had Catherine Ann niet gedaan. Ze had bescherming gezocht bij zichzelf. Die observatie had bij Emma een gevoel van afwijzing teweeggebracht dat ze maar al te goed herkende.

'Cathy is erg onafhankelijk, ondanks de adoratie van haar ouders,' had Beth, de vrouw van dokter Rhinelander, haar verteld.

Onafhankelijk. Emma haalde het deksel van een bus Nestlé Quick. Was dat een ander woord voor de onverschilligheid jegens ouderlijke liefde en leidraad die ze bij de vader van het kind had gezien?

Bij hun hernieuwde kennismaking had de koele blik in Ca-

therine Anns blauwe ogen haar zo sterk aan die van Sonny herinnerd dat ze het er koud van kreeg en onmiddellijk het conflict
tussen liefde en afkeer had gevoeld dat haar gevoelens voor hem
had gekenmerkt. In de hectische week waarin de begrafenis moest
worden geregeld, het huis gereed moest worden gemaakt voor de
verkoop en de dozen voor vervoer naar Kersey en bagage voor het
vliegtuig ingepakt moesten worden – dat alles zonder dat er een
woord over de lippen van het meisje kwam – had Emma naar
genetische aanwijzingen gezocht die haar als Sonny's dochter ken-
merkten. Afgezien van de fijne trekken en de teint en haarkleur
van haar vader had ze er geen gevonden, maar ze waren dan ook
moeilijk te herkennen achter een muur van stilzwijgen.

Het merendeel van wat ze over Catherine Ann te weten was
gekomen, had ze van Beth. 'Ze is erg pienter en leergierig, wordt
vaak voor jonger aangezien dan ze is omdat ze klein is voor haar
leeftijd. Maar u komt er snel genoeg achter met wie u te maken
hebt. Ze is heel goed geweest voor onze verlegen dochter Laura.
Ze heeft haar zelfvertrouwen gegeven dat Laura anders niet zou
hebben gehad.'

Toen Emma Catherine Anns schoolgegevens was gaan ophalen
bij Winchester Academy, een instituut dat speciaal voor begaafde
kinderen was opgericht, had het schoolhoofd Beths indruk van de
intelligentie van haar kleindochter bevestigd.

'U weet toch wat Cathy wil worden als ze groot is?' had hij gevraagd.

Emma had moeten toegeven dat ze geen idee had.

'Arts. Bij de meeste kinderen die met dat idee spelen is die wens
minder sterk dan crêpepapier in de regen, maar ik zie Cathy haar
doel wel bereiken.'

Emma keek even de tv-kamer binnen; haar kleindochter zat
nog op dezelfde plek, haar handen gevouwen in haar schoot, haar
enkels over elkaar, roerloos, de blik van een in de steek gelaten
kind in haar ogen maar met haar vaders onafhankelijkheid zichtbaar in elke lijn van haar houding. Emma werd overspoeld door
wanhoop. Ze had al een hoop verdriet te verduren: het treinon-

geluk van haar echtgenoot al vroeg in hun huwelijk, dat haar tot weduwe en haar zoons vaderloos had gemaakt, de dood van haar eerstgeborene in Vietnam, zijn broers jarenlange vervreemding van haar en nu zijn eeuwige verlies zonder nog enige hoop op verzoening – maar zou ze de weigering van Catherine Ann om de liefde te aanvaarden die ze haar zo graag wilde geven ook kunnen verdragen? Zou ze opgewassen zijn tegen haar zoons onverschilligheid in de kleine robot die zijn dochter was?

Emma bracht de bekers chocolademelk naar binnen. 'Kijk eens aan...' begon ze, maar haar stem brak en ze kon niet verdergaan. Verdriet legde een brok in haar keel, verdriet om haar jongens die ze nooit meer zou zien, om de zoon die ze in de oorlog had verloren en de zoon die ze vanaf zijn geboorte was kwijt geweest, degene van wie ze het meest had gehouden. Er rolden tranen over haar wangen en toen stond tot haar verbazing de kleine robot op en kwam stijfjes voor haar staan, een frons in haar gladde voorhoofd – *wat is er aan de hand?* – en een blik vol medeleven in haar ogen. *Niet verdrietig zijn.*

In haar binnenste ontkiemde het zaadje van hoop dat, zo realiseerde Emma zich nu, Beth Rhinelander er had willen planten toen ze afscheid van elkaar hadden genomen. 'Cathy heeft een heel eigen karakter,' had ze in haar oor gefluisterd. Emma hield nog steeds de warme bekers vast en toen haar kleindochter ertussenin kwam staan, bukte ze zich om de armen van het kind om haar nek en het zachte klopje van een kleine hand op haar rug in ontvangst te nemen.

3

Door het keukenraam dat uitkeek over haar achtertuin keek Mabel Church toe terwijl haar elfjarige neefje, Trey Don Hall, en zijn beste vriend, John Caldwell, in het laatste licht van de winterse middag een bal naar elkaar overgooiden. Op Trey's gezicht was nog steeds enige humeurigheid te zien, in contrast tot de goedgehumeurde uitdrukking van John, die Mabel hoorde zeggen: 'Ach, kom op, TD. We hoeven maar een week of zo op haar te passen en dan loopt de dienstovereenkomst al af!'

Dienstovereenkomst. Een van de woorden uit de woordenschat van de zesdeklasser. Trey gebruikte vaak dubbele negatieven om stoer te klinken, maar beide jongens genoten ervan nieuwe woorden in hun gesprekken te verweven, een gewoonte waarvan Mabel hoopte dat die indruk zou maken op Catherine Ann Benson. Helaas klonk Emma's kleindochter te intelligent in haar eigen voordeel – zeker voor Kersey Elementary School, een van de redenen dat Emma Mabel had verzocht de jongens te vragen haar de eerste paar weken onder hun hoede te nemen. De andere reden was zelfs nog ontmoedigender in een lagereschoolomgeving. Emma's kleindochter leed aan 'selectief mutisme', maar dat was maar tijdelijk, had haar oude vriendin haar uitgelegd, 'tot Catherine Ann aan haar nieuwe omgeving gewend is geraakt.'

Emma had het idee dat Catherine Anns overgang naar Kersey Elementary School gemakkelijker zou verlopen als Trey en John, de onbetwiste leiders van de zesde klas, het voorbeeld zouden geven van hoe ze behandeld moest worden: met beleefdheid en respect. 'Doe een beroep op hun mannelijke ijdelheid,' had ze voorgesteld. 'Vertel ze dat omdat zij de belangrijkste personen van hun klas zijn, de anderen naar hen zullen kijken en hun voorbeeld zullen volgen.' Emma was ervan overtuigd dat niemand het zou wagen Catherine Ann te plagen als de jongens haar onder hun vleugels namen.

Mabel had het onderwerp die middag ter sprake gebracht toen de jongens aan haar keukentafel huiswerk zaten te maken. Zoals ze had verwacht was het gezicht van haar neefje betrokken alsof hij rapen moest eten toen ze uitlegde wat het inhield om op Catherine Ann te passen.

'Vergeet het maar, tante Mabel. We gaan geen babysit spelen voor een stomme, in de kantine naast haar zitten en op het speelplein bij haar staan. Wat denk je dat ze dan van John en mij zullen zeggen? We zitten aan de jongenstafel en spelen tijdens de pauze American football.'

'Ze is niet stom,' had Mabel getracht uit te leggen. 'Ze is gewoon voor een poosje de wil om te spreken kwijtgeraakt. Het is een aandoening die is ontstaan door de schok van de plotselinge dood van haar ouders en het feit dat haar hele wereld in een paar dagen tijd op z'n kop is komen te staan. Ze is weggehaald bij alles en iedereen die ze kent en zit nu in een haar onbekende omgeving tussen vreemden. Ze is in één klap wees geworden. Geen wonder dat ze haar stem kwijt is. Dat begrijp je toch zeker wel, of niet, Trey Don?'

John had geantwoord. 'Natuurlijk begrijpt hij het. Wij allebei.' Hij keek Trey aan. 'Denk je eens in, TD, de ouders van dat meisje zijn pas dood. Ze is wees. Wij weten hoe dat is. Miss Emma heeft gelijk. De andere kinderen zullen haar uitlachen als wij haar niet beschermen. Je weet hoe gemeen Cissie Jane en haar groep kunnen zijn.'

Mabel had het hartverwarmend gevonden. Ze vond het fijn als hij haar *tante* noemde. John Caldwell was niet haar neefje, maar ze voelde zich met hem net zo verbonden als met het kind van haar zus. Het was op momenten als dit dat ze duidelijk de gevolgen zag van erfelijke factoren, een onderwerp waarover Emma en zij vaak spraken en het met elkaar eens waren. Door Johns aderen stroomde het grootmoedige bloed van zijn moeder, God hebbe haar ziel, en door die van Trey Don het bloed van haar zelfzuchtige jongere zusje. Maar Johns opmerking over wezen had bij haar neefje een gevoelige snaar geraakt. Zijn ouders leefden nog. Ze wisten alleen niet waar. Trey's vader was al verdwenen voor hij werd geboren en zijn moeder was ervandoor gegaan met wie weet wat voor tuig nadat ze haar vierjarige zoontje 'voor een paar dagen' bij Mabel en haar echtgenoot had achtergelaten.

Ze hadden haar nooit meer gezien.

Trey had schoorvoetend gevraagd: 'Hoe ziet ze eruit?' met in zijn donkere ogen de hoop dat ze niet op Miss Emma zou lijken.

'Nou, ik ben blij dat je het vraagt,' zei Mabel opgewekt. 'Emma zegt dat ze erg knap is. Een blondine met blauwe ogen. Ze is klein van stuk, maar onafhankelijk en dapper, en helemaal geen plakker.'

'Het doet er niet toe hoe ze eruitziet,' zei John. 'We doen het, tante Mabel. U kunt op ons rekenen. Wanneer ontmoeten we haar?'

'Pas volgende week maandag. Ik heb voorgesteld dat jullie eerder kennis zouden maken, maar dat vindt Emma geen goed idee in verband met het spraakprobleem.'

Trey had haar verbolgen tegengesproken, maar Johns opmerking over wezen had de wind uit de zeilen van zijn tegenwerpingen genomen. Hij had wel nog het laatste woord gehad door te zeggen: 'Denk maar niet dat we haar boeken gaan dragen!'

Het was te koud voor ze om buiten te blijven spelen, maar Mabel keek nog een paar minuten naar hen voordat ze een poging ging doen hen binnen te roepen. Het was goed te begrijpen waarom ze de prinsen van de zesde klas waren. Op hun elfde al waren ze ontluikende atleten, lang, goedgevormd en knap; hartenbrekers in de dop. Ze waren ook intelligent, hadden belangstelling voor hun lessen en haalden goede cijfers. Ze waren geen van beiden dom, maar wat zou Emma's beschaafde kleindochter van hen vinden, en de jongens van haar? Het kind kon Frans lezen en spreken, was opgegroeid met kunst, had sinds haar zesde op ballet gezeten en speelde uitmuntend piano – 'en ik heb niets eens een piano voor haar', had Emma aan de telefoon betreurd.

Mabel herinnerde zich Sonny Benson nog heel goed. Hij had Emma's hart gebroken. God helpe haar beste vriendin als het meisje op haar vader leek, en god helpe Catherine Ann als ze met zijn laatdunkende houding op de lagere school in Kersey zou komen aanzetten.

Zes dagen later, laat op een zondagmiddag, vertrok Trey bij Johns huis en maakte hij een omweg. Gewoonlijk liep hij van John rechtstreeks de straat af naar tante Mabels huis op de hoek, maar die middag besloot Trey naar de straat te lopen waar Miss Emma woonde, ook al had hij een hekel aan de kou, de wind en de sneeuw.

Hij had nog nooit ergens zo tegen opgezien als tegen de verandering in zijn leven wanneer John en hij vanaf morgenochtend als Catherine Ann Bensons bodyguards moesten optreden. Hij had John laten beloven dat ze het niet meer dan een week zouden doen. Miss Emma belde dagelijks een nieuwsbulletin over de vorderingen van het nieuwe meisje bij het verwerken van haar 'cultuurshock' (zoals zijn tante het noemde), maar hij had nog steeds geen idee wat John en hem te wachten stond.

Het meisje begon eindelijk een beetje te praten, en Miss Emma had haar mee naar Penney's in Amarillo genomen om een warmere jas, schoenen, jeans en flanellen bloezen te kopen, het soort kleren dat de meisjes in de zesde klas van de lagere school in Kersey droegen. Hij was opgelucht geweest toen hij dat hoorde. Het zou vreselijk gênant zijn geweest als ze in het soort kleren was komen opdagen dat ze op die particuliere school in Californië droegen: een schooluniform en kniekousen, had Miss Emma tante Mabel verteld. Stel je voor, kniekousen!

Miss Emma had geprobeerd haar bezig te houden met dingen als koekjes bakken om naar het bejaardenhuis te brengen, fotoalbums bekijken van haar vader als jongetje, en het zoeken naar scheuren in de grond van de bloembedden die erop duidden dat de narcissen gauw hun kopjes boven de grond zouden steken. Hij begreep niet hoe iemand zijn tijd daarmee kon volmaken, maar hij nam aan dat meisjes dat soort dingen leuk vonden. John en hij hadden zich afgevraagd hoe Miss Emma's kleindochter zou reageren op Sampson, de oude schildpad die in haar achtertuin woonde en eruitzag als een prehistorisch monster. Trey had gewed dat ze ter plekke flauw zou vallen wanneer hij op zijn krachtige reptielenpoten uit zijn hol kroop en als een legertank in de aanval rechtstreeks op het lekkers in Miss Emma's zak afstevende. Tot zijn verbazing hadden die twee het meteen goed met elkaar kunnen vinden en voerde het meisje hem nu elke dag. De dag ervoor, nadat het 's nachts hevig had gesneeuwd, had Miss Emma haar geholpen een sneeuwman te maken, of beter gezegd een sneeuwkoningin. Miss Emma had er tegen zijn tante maar niet over opgehouden hoe creatief ze was geweest in het kiezen van een gegroefde fruitschaal als kroon, een barbecuevork als scepter en een stuk rood oliedoek als sjerp. Het was voor het eerst van haar leven dat het nieuwe meisje sneeuw zag.

Een grote pick-up met ACE PLUMBING op het portier stond aan zijn kant van de straat tegenover het huis van Miss Emma geparkeerd. Hij bleef ernaast staan. Zijn voeten in de laarzen begonnen te tintelen van de kou. De sneeuwkoningin stond in de voortuin. Ze had zwarte flessendoppen als ogen, een trechter als neus en rode knopen in een boogje als glimlachende mond. Het zag er eigenlijk best leuk uit.

De voordeur ging open en Catherine Ann Benson holde naar buiten. Zonder muts, zonder wanten, met haar jas open rende ze naar de sneeuwkoningin, haar wangen bijna meteen rood, haar haren dansend in de wind, haar kleine witte handen fladderend als vlinders terwijl ze de sjerp, de trechter en een scheef zittende knoop goed deed. Daarna vloog ze weer het trapje op en deed ze de deur achter zich dicht.

Trey bleef stokstijf op het trottoir staan. Omdat hij achter de pick-up verscholen stond, had ze hem niet gezien. Hij ervoer een gevoel dat hij nooit eerder had gekend. Hij kon zich niet verroeren, alsof hij gevangen was in de lichtstraal van een ruimteschip. Hij voelde de kou en de wind niet meer. Zijn handen en voeten bestonden niet meer. Hij voelde alleen de schok van wanneer je een engel naar de aarde ziet afdalen en dan weer verdwijnen, het mooiste wezen dat hij ooit had gezien. Toen zijn voeten hem eindelijk weer gehoorzaamden, keerde hij naar huis terug, de sneeuw als magisch stof onder zijn laarzen. Hij zou zijn korte blik op Catherine Ann Benson voor zich houden, een geheim dat hij niet met John zou delen, tot hij zich morgenvroeg aan haar zou voorstellen en voor de rest van haar leven haar beschermer zou zijn.

4

Voorovergebogen in de ijzige wind die aanvoelde alsof er splinters in haar gezicht sloegen, rende Cathy Benson met haar grootmoeder van de Ford naar de ingang van de lagere school van Kersey. Vlinders fladderden wild door haar buik en maakten haar nog misselijker dan ze al was. Ze zou wel willen roepen: *laat me hier niet achter. Neem me mee terug naar huis!*

Cathy wist zeker dat ze zouden omdraaien en teruglopen naar de auto zodra ze het zei, maar het probleem was dat ze het niet kon zeggen. Het had bijna een week geduurd voor ze haar tong voldoende los kon maken om tegen de vrouw te praten die zich haar grootmoeder noemde, maar die was weer helemaal verlamd en zij had zich teruggetrokken op de stille plek waar haar ouders zich bevonden en alles warm, veilig en vertrouwd was.

'Nou, Catherine Ann, je kent het telefoonnummer voor het geval je naar huis wilt,' zei haar grootmoeder voor wel de tiende keer toen ze binnen waren. 'Het is geen schande als je me belt of ik je wil komen halen.'

Maar dat zou wel een schande zijn. De vrouw wilde niet dat ze leed, maar Cathy voelde aan dat Emma wilde dat ze doorzette, dat ze een flinke meid was. Ze herinnerde zich plotseling dat haar vader eens boos had gezegd: 'Dat verdraaide mens is zo hard als staal.'

Dat verdraaide mens, zo realiseerde Cathy zich, was zijn moeder geweest, de lange vrouw die haar grootmoeder was. Die zou willen dat zij ook zo hard was als staal.

Ze kneep zacht in haar grootmoeders hand. *Het gaat vast wel goed.* De vrouw beloonde haar met een trotse blik.

Een zwaargebouwde man in pak haastte zich naar hen toe; er lag een vleesplooi op de hals van zijn te strakke kraag. De harde glans van de gangvloer strekte zich koud en weinig uitnodigend achter hem uit en Cathy hoorde het gebabbel van leerlingen achter de gesloten deuren. De eerste les van de dag was al begonnen. Iedereen zou al op zijn plaats zitten wanneer ze binnenkwam. Ondanks haar inspanningen om dapper te zijn, gingen haar oren dichtzitten zoals in een dalend vliegtuig.

'Weldon, dit is mijn kleindochter over wie ik je heb verteld,' hoorde ze door de watten in haar oren heen. 'Catherine Ann, dit is meneer Favor, het hoofd van de school.'

Nee, nee, mijn naam is Cathy, wilde Cathy haar corrigeren. Het was prima dat ze haar thuis Catherine Ann noemde, maar op school wilde ze Cathy genoemd worden.

'Hallo, Catherine Ann,' zei het schoolhoofd, en hij schudde haar de hand. Zijn hartelijkheid deed Cathy aan de mannen denken die voor haar vader werkten bij de Jaguar-dealer waar hij de leiding had. 'Welkom op de lagere school van Kersey. Lieve hemel, wat een mooie meid ben je, en heel pienter ook, heb ik begrepen.' Hij schonk haar grootmoeder zijn brede glimlach. 'Maakt u zich maar geen zorgen, Miss Emma. We zullen goed op haar passen.'

'Dat mag ik hopen,' zei haar grootmoeder op een toon die zo fris was als verse sla. Passend voor de voorzitster van het schoolbestuur, vermoedde Cathy. De vrouw wendde zich tot haar. 'Je lunch zit in je schooltas, Catherine Ann. Ik wens je een fijne dag en ik wacht straks hier bij de deur op je wanneer de school uit is. Oké?'

Cathy slikte en knikte toen. *Oké.*

De vrouw bukte en keek haar in de ogen. 'Ga je weer zwijgen, liefje?'

Cathy schudde nadrukkelijk haar hoofd. *Nee!*

'O, hemeltje.' Haar grootmoeder keek bezorgd naar het schoolhoofd en trok haar wenkbrauwen op.

Meneer Favor stak zijn grote handpalmen omhoog. 'Zoals ik al zei, Miss Emma, maak u geen zorgen. De jongens passen wel op haar. Ze zullen ervoor zorgen dat niemand haar plaagt.'

Gealarmeerd trok Cathy aan de mouw van haar grootmoeder. *Welke jongens?*

Haar grootmoeder zuchtte en legde het uit. 'Mabel Church, mijn beste vriendin, heeft een neef die bij haar woont, zoals jij bij mij. Hij heet Trey Don Hall. Het leek me een goed idee om hem en zijn beste vriend, John Caldwell, te vragen deze eerste week een oogje op je te houden en je te helpen je draai te vinden. Meneer Favor was het met me eens. Je zult beslist blij zijn met hen naast je. Ze zijn de leiders van de zesde klas, nietwaar, meneer Favor?'

Het schoolhoofd rolde overdreven met zijn ogen en zei: 'Ik vrees dat u gelijk hebt.'

Cathy wilde geen jongens naast zich. Alle jongens die ze op Winchester kende, waren ofwel mager of te dik en renden in kleine groepjes rond. Haar vriendinnen en zij noemden ze de klungelkudde. Waarom had haar grootmoeder geen meisjes kunnen rekruteren?

'Oké, jongedame, laten we maar eens naar je kluisje gaan kijken,' zei het schoolhoofd, en hij stak haar zijn hand toe, maar Cathy pakte haar schooltas met beide handen vast – *waarom meende iedereen haar toch als een kleuter te moeten behandelen?* – en liep zonder nog naar haar grootmoeder achterom te kijken met hem mee, maar haar hart verkrampte in haar borst toen ze hoorde dat de klink omlaag werd gedrukt en de deur even later door de wind werd dichtgeslagen.

'Je boeken liggen al in je kluisje,' zei het hoofd. 'Je grootmoeder heeft ze gebracht zodat je niet meteen al met een zware tas hoefde te slepen.'

De afgelopen twee dagen had Cathy haar lesrooster uit het hoofd geleerd en haar schoolboeken doorgebladerd. Ze vond de lesstof vreselijk simpel. Ze was vooral teleurgesteld toen ze hoorde dat ze hier in de zesde klas geen natuurkunde gaven, maar aardrijkskunde, en dat ze pas in het tweede jaar van de middelbare school biologie zou krijgen. Op Winchester was haar klas al bezig met anatomie en het spijsverteringsstelsel. Volgend jaar zouden de leerlingen kikkers gaan ontleden. Haar grootmoeder, die wist dat Cathy arts wilde worden en haar teleurstelling had opgemerkt, had gezegd dat ze zich maar geen zorgen moest maken. Ze zou

33

materiaal voor thuisstudie laten opsturen dat onderwerpen op medisch gebied behandelde, dan kon Cathy dat bestuderen.

Meneer Favor legde uit dat haar eerste les in het eigen klaslokaal was, waar de presentielijst werd gecontroleerd, mededelingen werden gedaan en de leerlingen hun huiswerk maakten. Dat laatste vond Cathy maar vreemd. Op Winchester maakte je je huiswerk thuis. Midden voor een rij metalen bergkastjes die tegen de muur waren bevestigd – heel anders dan de geboende houten kastjes op haar vorige school – bleef hij staan. 'Miss Emma heeft om een kluisje bovenin, tussen Trey Don Hall en John Caldwell gevraagd,' zei hij met een brede grijns. 'De meeste meisjes in je klas zouden daar een moord voor doen.'

Daar had je die namen weer. Waarom zou onverschillig welk meisje een moord willen plegen voor een kluisje tussen twee jongens? Cathy keek toe terwijl het schoolhoofd voordeed hoe ze het kluisje kon openen door aan een combinatieslot te draaien. Ze leerde de getallen meteen uit haar hoofd, maar hij herhaalde ze nog diverse keren en drong erop aan dat ze ze in haar agenda schreef en met het slot oefende. Daarna volgde ze hem naar de dichte deur van een klaslokaal waarachter luid gelach en gepraat klonk.

Het gezicht van meneer Favor werd roze van ergernis. 'Juf Whitby moet haar klas beter in de hand houden,' zei hij alsof hij Cathy een verklaring schuldig was. 'Ik weet niet hoe vaak ik dat al tegen haar heb gezegd.' Hij glimlachte naar haar. 'Nou, jongedame, ben je er klaar voor?'

Cathy knikte zwijgend en het schoolhoofd deed de deur open.

Het gepraat verstomde meteen. Ieders aandacht ging naar hun binnenkomst. Diverse leerlingen die niet op hun stoel zaten, lieten zich, gebiologeerd en nieuwsgierig, snel zakken. De lerares, die juf Whitby moest zijn, hield met iets van paniek in haar blik onmiddellijk op met op het bord schrijven.

De vlinders zwermden omhoog naar Cathy's keel en benamen haar de adem. De gespannen gezichten vervaagden als sterren achter de wolken. Slechts eentje scheen door de wolken heen en straalde als de maan: het gezicht van een knappe jongen op de achterste rij, die met kop en schouders boven iedereen uitstak, uitgezonderd de vervaagde gestalte van een andere jongen twee tafeltjes verderop.

Juf Whitby herstelde zich en kwam met een geforceerde glimlach naar hen toe. Ze was erg knap en leek te jong om les te geven. 'Jij moet Catherine Ann Benson zijn. Ik verwachtte je pas morgen. Dank u, meneer Favor. Ik neem het nu wel over.'

Meneer Favor sprak zacht vanachter zijn hand: 'U moet uw leerlingen aanpakken, juffrouw Whitby, en ik had tegen u gezegd dat ze vandaag zou komen.' Hij liet zijn hand zakken en sprak de klas toe. 'Jongens en meisjes, dit is Catherine Ann Benson, de kleindochter van Miss Emma. Ze komt uit Californië. Ik wil niet horen dat er iemand onaardig tegen haar doet, begrepen?' Hij keek streng de klas rond. 'Jullie weten wat er anders gebeurt.' Tegen Cathy zei hij: 'Aarzel niet om naar me toe te komen als je me nodig hebt, Catherine Ann.'

Cathy. Ik heet Cathy! wilde ze roepen en ze kromp inwendig ineen van gêne om de introductie. Het hoofd had de leerlingen kennelijk gedreigd en behalve om alles wat er toch al anders was aan haar, zouden ze haar nu alleen al om die reden haten.

Ze sloeg haar ogen neer om aan hun blikken te ontsnappen en hoorde een stem achter in het lokaal roepen: 'Laat haar hier maar komen zitten, juf Whitby.' Cathy keek steels onder haar wimpers door en zag dat het gebod van de knappe jongen op de laatste rij kwam. Hij wees naar het tafeltje tussen hem en de andere lange jongen. Er werd gegiecheld en sommige meisjes sloegen hun hand voor hun mond, maar de spreker lachte niet. In volmaakte ernst zette hij zijn boekentas opzij alsof hij verwachtte te worden gehoorzaamd.

'Goed dan, Trey Don,' zei juf Whitby na een kort stilzwijgen. 'We zullen het een poosje proberen. Ga maar zitten, Catherine Ann.'

In volmaakte stilte liep Cathy tussen de tafeltjes door en nam ze plaats, zich bewust van elke blik die haar volgde; nieuwsgierigheid vermengd met verbazing en opwinding. Stijfjes richtte ze haar aandacht op het openen van de rits van een compartiment van haar boekentas om er pen en papier uit te halen zodat ze de tekst van het bord kon overschrijven. Haar bewegingen bleven de klas fascineren, alsof ze verwachtten dat ze kunstjes zou gaan doen.

De jongen die Trey Don Hall heette en de neef van haar grootmoeders beste vriendin bleek te zijn, boog naar haar over. 'Hi. Ik ben Trey Hall. Ik moet op je passen. John en ik. Dat daar is John Caldwell.'

Ze wendde zich tot de andere jongen en knipperde verlegen met haar ogen. *Hallo.*

'Hi,' zei hij en hij glimlachte naar haar.

Ze waren heel anders dan de jongens die ze kende. Ze waren helemaal niet sullig. Ze dacht dat ze misschien een jaar waren blijven zitten, want ze waren wel erg groot voor de zesde klas. Het was moeilijk te zeggen wie van de twee knapper was. Ze hadden allebei bruine ogen en donker haar, al krulde dat van John iets meer. Vergeleken met haar waren ze groot en sterk en ze voelde zich nog kleiner nu ze tussen hen in zat.

De jongen die John heette, zei: 'Je kunt je pen en papier wel wegstoppen. Tijdens dit uur hoeven we niets te doen.' Hij merkte de starende leerlingen op en wuifde hen met zijn handruggen geïrriteerd weg, alsof hij kippen wegjoeg. Onmiddellijk draaiden alle schouders als in één beweging terug naar voren.

Ze zat dus echt tussen de onbetwiste leiders van de zesde klas in. Trey Hall boog zich weer naar haar toe. 'Je mag me TD noemen. Dat doet iedereen.'

Ze keek hem aan en wilde iets zeggen, maar was tot zwijgen gedwongen door de bekende machteloosheid van haar tong.

De jongen aan de andere kant fluisterde over haar tafeltje heen naar hem: 'Ze is stom, TD. Weet je nog wel?'

Cathy draaide zich geschokt naar hem om. *Stom? Ze was niet stom!*

'O, sorry, dat was ik vergeten,' zei Trey. Hij glimlachte haar toe. 'TD staat voor "touchdown".'

Ze moest hen duidelijk maken dat ze kon praten. Ze keek de andere jongen aan, maar hij begreep het verdriet in haar ogen verkeerd en legde uit: 'Net als in American football. Trey is de quarterback van ons team.'

'Hou je van American football?' vroeg Trey.

Ze keek hem wezenloos aan. *American football?* Haar vader vond American football iets voor apen.

Trey grinnikte. 'O, dat geeft niks. En het is prima dat je bent zoals je bent. Wij begrijpen dat wel, hè, John?' Hij raakte even haar arm aan. 'John en ik hebben ook geen ouders. Mijn ouweheer ging ervandoor voor ik werd geboren en mijn moeder liet me bij mijn tante achter toen ik vier was en ik heb haar nooit meer gezien. Johns moeder is gestorven toen hij zeven was en zijn pa – als je hem zo kunt noemen – is er nog wel, maar we zien hem zelden. Dus...' Trey grinnikte breeduit. 'We zijn zo'n beetje samen wees geworden.'

Wees... De woorden staken als een pijl uit een boog dwars door haar heen en drongen haar geheime plek binnen. Pijn overspoelde de plek waar haar ouders gezond en wel waren geweest, verblindde haar, dwong haar het te zien.

'Catherine Ann, voel je je wel goed?' vroeg John.

Er welden tranen in haar ogen op. Haar mond trilde. 'Cathy,' zei ze. 'Ik heet Cathy.'

5

'Waardoor ging ze nou opeens huilen, John?'

'Ik denk dat het door het woord "wees" kwam, TD. Misschien realiseerde ze zich tot jij het zei niet echt dat haar ouders dood waren. Het duurde bij mij ook een poosje voor ik besefte dat mijn moeder er niet meer was, tot ik op een ochtend wakker werd en het echt tot me doordrong dat ze dood was en dat ik haar nooit meer zou zien.'

'Ik herinner me die ochtend nog,' zei Trey. 'Je rende rond alsof je door horzels achterna gezeten werd.'

'Het is het vreselijkste gevoel dat er bestaat.'

'O, jeetje, John, het was niet mijn bedoeling dat ze zich zo zou gaan voelen.'

'Natuurlijk niet. Dat weet zij ook wel.'

'Ik wil iets aardigs doen om het goed te maken.'

'Wat dan? Bloemen voor haar plukken?'

'Allejezus, John, waar zou ik hartje winter bloemen moeten vinden?'

'Je zou ze ook kunnen kopen.'

'Waarvan? Mijn zakgeld is allang op.'

'John! Trey! Hou jullie mond dicht en let op!' Dat kwam van coach Mayer, hoofdcoach van het team van de negende klas. Hij stond bij het bord en tikte met een meetlat tegen de diagrammen van spelwijzen. Het lesrooster van John en Trey was zo aangepast dat ze de lessen lichamelijke oefening konden bijwonen met de football-spelers van de middenschool, die in de zevende tot negende klas zaten. Het was in feite een praatsessie, die de coaches extra tijd gaf om hun spelers te onderrichten. In de lange geschiedenis van het succesvolle sportprogramma van de school waren John en Trey de jongste leerlingen en de enige zesdeklassers die ooit aan de les hadden mogen deelnemen. Men had hoge verwachtingen van hun respectievelijke talenten wanneer ze ouder werden en in de hogere divisies gingen spelen – Trey als quarterback en John als wide receiver.

De jongens gingen recht zitten en richtten hun aandacht op het schoolbord, maar Trey's lange, pezige vingers tikten in hoog tempo op zijn tafelblad, voor John een teken dat hij na zat te denken. Dat kon goed zijn, of niet. Eén ding wist John zeker; Trey had het zwaar te pakken van Catherine Ann – Cathy – Benson. Nou ja, wie zou dat niet hebben? Ze zag eruit als een engeltje met haar blonde krullen, blauwe ogen en de kuiltjes in haar wangen wanneer ze glimlachte. Wat voorlopig niet zo vaak zou gebeuren. Na die ochtend dat John had beseft dat zijn moeder voorgoed weg was, was zijn wereld een hele tijd duister geweest. Het zou een poosje duren voor Trey en hij die kuiltjes weer te zien kregen.

Trey knipte met zijn vingers. 'Ik weet het! We geven haar een puppy,' fluisterde hij. 'Gil Baker vertelde me dat de collie van Wolf Man vorige week een nest heeft gekregen.'

John zag coach Mayer naar hen fronsen en schreef op zijn aantekenblok zodat Trey het kon lezen: *denk je dat hij ons er een zal geven?*

Geluidloos zei Trey: 'Waarom niet?'

Tot hun consternatie lieten de coaches de klas tijdens deze laatste les van de dag niet gaan voordat de bel ging en Cathy was al weg tegen de tijd dat ze bij het lokaal voor huishoudkunde arriveerden om met haar naar haar kluisje te lopen. Afgezien van sport volgde ze dezelfde lessen als zij en ze hadden haar dus het grootste deel van de dag scherp in de gaten kunnen houden. Ze had er eenzaam en verloren uitgezien en was erg op zichzelf gebleven, had tegen niemand gepraat en ook nauwelijks tegen hen, maar iedereen wist van het nieuwe meisje op school en dat Trey en hij haar onder hun hoede hadden genomen. Toen ze eindelijk weg mochten, renden ze de gang door om haar te onderscheppen voor ze kon vertrekken, alleen maar om een glimp van haar blonde krullen onder haar muts op te vangen toen ze met Miss Emma de voordeur uit liep.

'Catherine Ann!' riep Trey met bedroefde stem, overstemd door het einde-van-de-schooldagrumoer.

John voelde een steek van sympathie voor hem. Hij had Trey nog nooit voor iemand zien zwijmelen en tijdens de middagpauze in de kantine was John haast verlegen geworden namens Cathy om alle aandacht die Trey haar schonk. 'Is deze stoel goed, Catherine Ann?' 'Wat wil je drinken? Dan haal ik het wel voor je.' 'Je mag mijn pudding wel hebben, als je wilt. En mijn koekje ook.'

En tegen John had hij naderhand gezegd: 'Heb je gezien hoe beschaafd ze at, John? En is het je opgevallen hoe schoon haar nagels zijn – net kleine witte halvemaantjes.'

In feite had Cathy erg weinig gegeten van de boterhammen die Miss Emma voor haar had klaargemaakt en niets van de rest van wat ze in haar tas had gestopt, maar John moest toegeven dat ze heel verfijnd kauwde, dat haar handen mooi en tenger waren en eigenlijk niet thuishoorden aan het eind van de mouw van het flanellen shirt dat ze droeg. De kraag van haar shirt was te ruim voor haar hals en hij vermoedde dat Miss Emma een grotere maat had gekocht voor het geval het shirt zou krimpen, of misschien dacht ze dat Cathy er wel in zou groeien. Miss Emma was niet zo rijk als tante Mabel en kon het zich waarschijnlijk niet veroorloven telkens nieuwe kleren te kopen wanneer Cathy eruit groeide.

Cathy had naar Trey gekeken alsof hij uit een ander zonnestelsel was komen aanvliegen en had hem meestentijds genegeerd. Ze hadden een plekje gevonden aan een andere dan de jongenstafel, naast de tafel waar Cissie Jane als een koningin over haar dwaze hofhouding heerste. Er had een hoop gegiechel uit die richting geklonken en John was er vrij zeker van dat Cathy de oorzaak van het gelach was geweest.

Trey's belangstelling was waarschijnlijk tijdelijk, maar voorlopig was ze de maan en sterren in zijn hemel. In die van hemzelf ook, trouwens.

'Kalm aan, TD. We zien haar morgen weer,' zei hij, en hij legde zijn hand troostend op Trey's schouder.

Trey schudde die af, alsof hij niet getroost wilde worden. 'Sodejanus! We hadden samen met Catherine Ann met Miss Emma mee kunnen rijden naar huis als coach Mayer niet zo langdradig was geweest. Oké, laten we met Wolf Man over die pup gaan praten.'

'Nee, wacht eens, TD. Misschien wil ze wel liever een kitten,' zei John toen ze op weg waren naar hun kluisje. 'Die geven minder gedoe dan honden en ik wed dat we er een van Cissie Jane kunnen krijgen. Haar poes heeft drie weken geleden een nest gekregen en ze probeert daar een thuis voor te vinden.'

Trey slaakte een kreet. 'Een kitten! Niks ervan! Katten hebben geen ziel, man. Honden wel en een hond kan Catherine Ann beschermen als hij groter is.'

'Cathy,' corrigeerde John hem. 'Ze wordt liever Cathy genoemd, TD.'

'Ik vind Catherine Ann veel leuker klinken.'

'Nou, maar ze heet Cathy.'

Trey wuifde het weg. 'Ik zal je eens wat vertellen, Tiger. Cissie Jane gaat ons echt geen kat voor Catherine Anne geven.'

'Hoe weet jij dat?'

'Heb je niet gezien hoe Cissie naar haar keek toen we met haar zaten te lunchen? Die groene ogen van d'r – van haar, bedoel ik – schoten vuur.'

'Waarom corrigeer je jezelf? Dat is irritant,' zei John.

'Ik moet van nu af aan opletten hoe ik praat. Het is niet fraai om de Engelse taal te verminken, zoals mijn tante altijd zegt.'

John hervatte de discussie. 'Cissie Jane is jaloers op haar, TD. Ze is nu niet meer het knapste meisje van de klas.'

'Zeker niet, en Catherine Ann is ook veel slimmer en aardiger dan zij. Dat kun je zo zien. Ik weet zeker dat ze een puppy geweldig zou vinden. Collies zijn heel warm en knuffelig. Ik wed dat ze er graag een vast zou willen houden, nu meteen.'

John was het met hem eens. Een hond zou beter zijn dan een kussen vasthouden. Hij kon het weten, maar als Miss Emma nou geen hond in huis wilde? 'Denk je niet dat we Miss Emma eerst moeten vragen of ze het goedvindt dat we Cathy een puppy geven? Collies ruien nogal.'

'In vredesnaam, John, waarom moet jij toch altijd zo nadenken? Als we het aan Miss Emma vragen, is de kans groot dat ze meteen nee zegt. Als we haar ermee overvallen en Catherine vindt de pup leuk, moet ze hem wel houden.'

Er zat iets in, in wat Trey zei, maar zoals gewoonlijk was het een beetje schimmig. 'Weet je wat,' zei John. 'Laten we het er met je tante over hebben. Zij kent Miss Emma beter dan wie ook. Als zij denkt dat het in orde is om Cathy een hond te geven, dan gaan we Odell Wolfe om een jong uit zijn nest vragen.'

Trey's gezicht klaarde op. Hij stak zijn hand omhoog en John gaf hem een high five. 'Goed idee, Tiger!'

Trey noemde hem vooral Tiger wanneer hij het eens was met zijn manier van doen. Trey had John die bijnaam gegeven toen ze nog bij de jongsten American football speelden en hij Trey's pass had benut en twee tackelaars mee over de doellijn had genomen. Daarbij had Trey geroepen: 'Zo doe je dat, Tiger!'

John wist dat Trey van plan was zijn tante het idee te verkopen, in plaats van het haar gewoon voor te leggen. Hij kreeg altijd zijn zin bij haar, maar misschien was dat deze keer wel in orde. Tante Mabel had hun verteld dat Miss Emma nu al gek was op haar kleindochter en dat haar hart wel 'een roestige oude kofferbak leek die werd opengepeuterd'. Ze zou waarschijnlijk overal mee instemmen als het Cathy maar gelukkig maakte.

6

'Nee, jongens! Geen sprake van.' Mabel Church schudde driftig haar hoofd om haar zeldzame handhaving van gezag over haar neef kracht bij te zetten. 'Ik kan niet toestaan dat jullie naar Odell Wolfe gaan voor een puppy. We weten helemaal niets over hem en wie weet wat er kan gebeuren als jullie zijn huis binnen gaan?'

'We gaan niet naar binnen,' zei Trey. 'Hij houdt zijn hond heus niet in huis, tante Mabel. Ze zal wel in een van die krakkemikkige schuurtjes liggen.'

'Eigendom! Als jullie je op zijn eigendom begeven, had ik moeten zeggen,' corrigeerde Mabel zichzelf. 'Jullie zullen iets anders moeten bedenken om aan Catherine Ann te geven.' Ze huiverde bij het idee dat twee elfjarige jongetjes zaken deden met de kluizenaar die aan het eind van een verlaten weg in het minst aantrekkelijke deel van haar wijk woonde. Wolf Man noemde iedereen hem, en die bijnaam plaatste de man in het minst gunstige licht van de soort. Vies en onverzorgd, zijn rode haar en baard één samengeklitte massa, was hij zeker tien jaar geleden vanuit het niets opgedoken en in een bouwvallig huis getrokken dat leegstond sinds de eigenaren in de jaren vijftig waren vertrokken. Weinigen zagen hem ooit. Niemand kende zijn verhaal, wist hoe oud hij was of waar hij van leefde. Het gerucht ging dat hij 's nachts ronddoolde, een zweep bij zich droeg en vechthanen fokte in de vervallen hokken in de achtertuin. Mabel vond het een goede gewoonte je niet in te laten met mensen van wie je niets wist.

'Ik wíl niets anders bedenken,' jengelde Trey. 'Catherine Ann heeft een puppy nodig, hè, John?'

'Een puppy zou waarschijnlijk wel een troost voor haar zijn, tante Mabel,' zei John. 'Ik geloof niet dat Miss Emma er nee tegen zou zeggen. Ze zal willen dat Cathy gelukkig is.'

Mabel voelde haar verzet afnemen. Johns inzichten deden altijd iets in haar binnenste smelten. *Uit de mond van een kind.* 'Het is niet de puppy waar ik bezwaar tegen heb, John,' legde ze uit, 'maar het feit dat jullie met Odell Wolfe omgaan. En hoe komen jullie trouwens op het idee dat hij jullie er eentje gratis zou geven?'

'Waarom zou hij dat niet doen?' zei Trey. 'Hij maakt ze anders toch maar dood. Hij zal waarschijnlijk blij zijn als we hem er een uit handen nemen.'

'We sluiten een compromis,' zei Mabel. 'Dit weekend rij ik met jullie naar het asiel in Amarillo, dan kunnen jullie daar een puppy voor haar halen. We kunnen haar zelfs meenemen zodat ze zelf kan kiezen als ze wil. En in de tussentijd leggen we het idee aan Miss Emma voor.'

'Ach, tante, dit weekend is te laat. Ze heeft er vanavond een nodig, en we willen haar zelf met een puppy verrassen!'

'En door er een van Wolf Man te nemen, redden we er ten minste één van het nest,' opperde John.

Zoals gewoonlijk in dit soort woordenwisselingen voelde Mabel zich hulpeloos. Ze had ermee ingestemd dat een huisdier misschien net was wat het meisje nodig had om het trauma van alles wat haar was overkomen te helpen verwerken. Toen Mabel had gebeld om te vragen hoe Catherine Anns eerste schooldag was verlopen, had Emma gezegd: 'Niet goed. Ze ligt nu in foetushouding opgekruld in haar slaapkamer en zegt helemaal niets tegen me. Er moet vandaag iets vreselijk mis zijn gegaan op school.'

Ja, dacht Mabel, *een pup was misschien precies het juiste cadeau voor Catherine Ann, maar niet ten koste van de gezondheid van de jongens.* 'Het spijt me,' zei ze tegen hen, 'maar jullie zullen moeten wachten tot zaterdag, wanneer jullie vrij van school zijn. En nu wil ik het woord van jullie allebei dat jullie meneer Wolfe niet om een van zijn pups gaan vragen. Ik verbied jullie om hem te benaderen, is dat duidelijk?'

Het woord van haar neef was van twijfelachtige waarde, zo wist ze inmiddels. Hij had zijn geheel eigen oneerlijke eerlijkheid – van zijn moeder – maar als zijn woord aan dat van John gekoppeld was, zou hij er niet op terugkomen. John zorgde dat hij ethisch bleef. Hun vriendschap was heel bijzonder. De twee leken net een tandem, altijd samen maar nooit op gelijke voet; de een stuurde, de ander trapte, de een voorop, de ander achterop, maar vaak wisselend van plaats. Ze had geen idee wat hen met elkaar verbond, maar sinds Johns moeder en zij ze op vierjarige leeftijd met elkaar hadden laten kennismaken waren ze met elkaar verbonden, zij het niet via hun ziel (de Heer mocht weten waar Trey uiteindelijk terecht zou komen, terwijl John vast en zeker naar de hemel zou gaan), dan toch op z'n minst in hun hart, want over de aantrekkingskracht van het hart viel niet te twisten. Ze hadden weleens onenigheid, maar dat duurde nooit lang. Trey hield het niet langer dan een dag vol voor hij het goedmaakte. John was de enige in zijn leven die hij niet leek te kunnen missen, de enige relatie waar hij zuinig op was.

'Ik geef u mijn woord,' zei John.

'Trey?'

'Ik ook.' Hij keek verslagen of had plotseling zijn belangstelling voor de zaak verloren, wat niet ongebruikelijk was voor hem. Het ene moment was hij ergens razend enthousiast over, maar even snel als een zomerbuitje kon zijn enthousiasme weer verdwijnen.

Tevreden zei Mabel: 'Goed dan. Wat gaan jullie nog doen voor het avondeten, en vergeten jullie je huiswerk niet?'

Trey antwoordde prompt: 'We gaan naar John. Ik heb mijn baseballhandschoen bij hem thuis laten liggen.'

'Prima,' zei Mabel, 'maar zorg dat je om zes uur terug bent. Je weet dat jij ook welkom bent, John. We eten draadjesvlees.'

'Dat klinkt heel goed, tante Mabel,' zei John.

Ze haastten zich naar buiten zonder tijd te nemen voor iets lekkers en pas toen Mabel de slaapkamer van haar neef binnen stapte om zijn pas gewassen ondergoed en pyjama in zijn ladekast te leggen, zag ze zijn baseballhandschoen er bovenop liggen.

Cathy lag in bed met haar knieën tot aan haar kin opgetrokken, een deken over haar hoofd en haar gezicht in het kussen gedrukt.

Het drong nu eindelijk tot haar door, helemaal tot in de vettige substantie in de kern van haar botten, dat haar ouders niet meer op deze wereld waren en dat zij ze nooit meer zou zien. Ze zou nooit meer hun stemmen horen, haar moeder die haar bij haar koosnaampje Honey Bun noemde; haar vader die elke morgen zei: 'Goedemorgen, mijn zonnetje, tijd om op te staan.' Ze zouden haar niet komen halen en mee terug nemen naar huis, naar haar mooie kamer met erker, recht tegenover die van Laura, wat hen een geheim communicatiekanaal bood. Cathy zou nooit meer samen met haar klasgenoten een klaslokaal op Winchester Academy binnen stappen en les krijgen van haar fantastische docenten. Alles en iedereen waar ze van had gehouden was in rook opgegaan toen ze het woord *wees* hoorde, en nu moest ze voor altijd bij de oude vrouw blijven wonen die haar oma was, in dit afgeleefde huis op een grauwe, koude plek waar nooit de zon scheen, en waar haar enige vrienden twee jongens waren die ze niet kende, die cowboylaarzen droegen en in dubbele ontkenningen praatten.

Er was in haar binnenste niets meer dan loze ruimte waar ooit haar ouders hadden gehuisd.

Ze hoorde haar grootmoeder bij haar deur en wist dat ze luisterde of ze wakker was. Cathy bleef stokstijf en muisstil liggen tot ze de schuifelende voetstappen weer door de gang naar het warmere deel van het huis hoorde verdwijnen. Toen trok ze de dekens dichter om zich heen en begroef ze haar hoofd dieper in het kussen.

7

'Oké, laten we voor het geval tante Mabel kijkt maar in de richting van jouw huis lopen, John,' zei Trey.

John keek hem scherp aan. 'Daar gaan we ook heen.'

'Nee, daar gaan we niet heen. We gaan naar Wolf Man.'

John bleef staan. 'Wat? Je hebt je tante je woord gegeven dat je daar niet heen zou gaan.'

'Nou moet je even naar me luisteren, Tiger,' zei Trey. 'Denk eens goed terug aan wat ze zei en waarmee wij akkoord zijn gegaan. Ze liet ons beloven dat we meneer Wolfe niet om een pup zouden vrágen, dat we hem niet zouden benáderen. Dat waren exact haar woorden, John. Ík heb goed geluisterd.'

'Dus?' zei John.

'Dus gaan we hem niet benaderen en vragen hem al helemaal niets. We pikken gewoon een van z'n pups zonder dat hij ons te zien krijgt.'

John deed zijn mond dicht om te voorkomen dat zijn tanden zouden bevriezen. Het was vreselijk koud op dit tijdstip van de namiddag, wanneer de zon verdween en de wind uit het noorden woei. Hij wilde de kou uit, zelfs al betekende dat dat hij naar huis moest, waar het naar ranzige bonen stonk. Hij liep door. 'Je bent gek, TD. Hoe halen we een pup weg zonder dat Wolf Man ons te pakken krijgt?'

Trey haastte zich achter hem aan. 'Hij zal ons helemaal niet zien. We gaan via het steegje achterom. Die arme ouwe moederhond ligt waarschijnlijk met halfbevroren tepels onder een of ander hok. We horen haar pups wel, pakken er gewoon een en gaan ervandoor.' Hij trok aan Johns arm om hem tegen te houden. 'John, als we het nu niet doen, is het morgen misschien te laat. Hij legt hun kopjes onder de bijl, dat is zo zeker als wat.'

'Ze zijn nog niet eens gespeend,' zei John. 'Als een pup te vroeg bij de moeder wordt weggehaald, kan die doodgaan.'

'John, waarom moet je nou weer zo verrekte praktisch zijn? En wat dan nog? Als wij dat beestje niet redden, leeft het niet lang genoeg meer om gespeend te worden. En wij kunnen voor moeder spelen en de pup melk uit de fles voeren. Catherine Ann zal het waarschijnlijk heerlijk vinden om dat kleine ding vast te houden en het te voeren als een baby. Het geeft haar iets anders om aan te denken dan haar verdriet.'

'Dat is waar,' zei John. Trey had er een handje van hem met woorden te bewerken. Meestal luisterde hij daar niet naar, maar deze keer klonk hij heel zinnig. Had hij maar iets gehad om vast te houden en lief te hebben toen zijn moeder was gestorven, maar hij kon het risico niet nemen dat zijn vader een hond of kat door het huis zou schoppen. Deze keer had Trey gelijk. Als het om Trey ging leek het wel of hij altijd moest kiezen tussen wat juist was en wat bijna juist was. Hij wilde boven alles dat Cathy de pup kreeg. Anderzijds hadden ze tante Mabel gezworen dat ze niet naar Odell Wolfe zouden stappen en hoe Trey het ook verwoordde, ze zouden hun belofte verbreken. 'Je weet dat Gil Baker altijd overdrijft,' zei hij. 'Hoe weet hij dat de collie van Wolf Man puppy's heeft?'

'Omdat Gil daar altijd rond loopt te snuffelen op zoek naar iets waarvoor hij de politie op hem af kan sturen. Zijn ma wil dat Wolf Man wordt weggestuurd, maar ook al is hij een kraker, she-riff Tyson wil niets ondernemen tenzij er bewijzen zijn dat hij iets verkeerds heeft gedaan.'

'Waarom kunnen we niet wachten tot je tante met ons naar het asiel gaat?' vroeg John, die met zijn tanden knarste om te voorko-men dat ze gingen klapperen.

'Omdat ik wat ik tegen Catherine Ann heb gezegd goed wil maken, nú, vanavond nog! Ik wil haar gezicht zien als ik haar de pup geef.'

Dat was ook echt iets voor Trey: als hij eenmaal een plan had bedacht, kon hij niet wachten om het ten uitvoer te brengen. Het moest onmiddellijk gebeuren. 'We zullen iets nodig hebben om het beestje in te wikkelen.'

Trey sloeg hem op zijn schouders. 'Goed bedacht, John. Ik stop het wel onder mijn jas.'

Ze moesten hun neus bijna dichthouden toen ze bij het Cyclone-hek van Odell Wolfe's achtertuin kwamen. 'Godallemachtig,' zei Trey, 'heb je ooit zo'n stank geroken?'

'Er zit een hangslot op het hek, TD,' merkte John op. Er hing ook een groot bord met VERBODEN TOEGANG aan het hek.

'We gaan eroverheen.'

'Er kan maar een van ons tweeën gaan. De ander moet aan deze kant blijven en hem een voetje geven.'

De jongens keken elkaar in de ogen. Ze hoorden het zachte getok van kippen die zich opmaakten voor de nacht. De schemering was ingevallen, grauw en koud als bevroren staal, en de wind was gaan liggen, alsof die op de vlucht was gejaagd door de avond die snel naderde. In de kippenren brandde een enkele lamp, in het bouwvallige huis geen, al kringelde er wel rook uit de schoorsteen omhoog.

'Dan ga ik,' zei Trey. 'Zorg jij dat je klaar staat om de pup op te vangen als ik hem laat vallen.'

John bekeek de strook grond tussen het steegje en een reeks aangebouwde schuurtjes. Het was een niemandsland van afval, rommel en roestende metalen onderdelen van onbestemde herkomst. In het halfduister zou Trey, onbesuisd op weg naar de schuurtjes, een kapotte fles of het deksel van een blikje dat gewoonweg uitnodigde om erop te trappen, niet zien. Trey zou geen acht slaan op zulke gevaren en waarschijnlijk nog een hels kabaal maken ook, en wat nou als de moeder haar pup niet wilde afstaan?

'Ik heb een idee,' zei John. 'Laten we steen, papier, schaar doen. Degene die wint, klimt over het hek.' Het was een spelletje dat hij bijna altijd van Trey won.

'Waarom blijft degene die wint niet hier staan?' opperde Trey.

'Ik ga, TD. Ik ben stiller dan jij en honden zijn gek op me.'

'Geen denken aan, Tiger. Ik ga die pup halen zodat ik dat tegen

Catherine Ann kan zeggen. Jij hebt me natuurlijk geholpen, maar ik heb hem voor haar gehaald.'

'Je verpest het vast en als Wolf Man achter je aan komt, ben je de sigaar.'

'Maak je over mij geen zorgen, John,' zei Trey. 'Je maakt je altijd veel te veel zorgen over mij.'

'Dat is ook wel nodig,' zei John en hij vouwde zijn handen samen tot een stijgbeugel. 'Kijk in godsnaam uit waar je je voeten neerzet.'

'Dat zal ik doen, John.'

Trey was binnen een paar seconden over het hek heen en landde met een zachte bons op de grond. Hij stak zijn duim op naar John, en liep ver vorover gebukt naar de schuurtjes. John haakte zijn vingers door het gaas van het hek en hoopte met ingehouden adem dat Trey het juiste schuurtje had gekozen toen hij hem met de schaduwen zag versmelten. De kippen moesten hem gehoord hebben. John luisterde ontzet naar het onrustige gekakel. In minder dan een seconde flitste er in het huis een lamp aan, die hij vaag kon zien door het smerige keukenraam. Johns hart sloeg een slag over. *O, mijn god.*

Luid fluisterend riep hij: 'Trey!'

Maar het was te laat. Een gestalte met een ruige baard kwam stilletjes door de achterdeur naar buiten en deed die zachtjes weer dicht. *Wolf Man!* Hij had iets in zijn hand. *Een geweer?* De duisternis viel snel, maar de man zag John staan, beval hem: 'Blijf waar je bent!' en hief het voorwerp in zijn hand op.

De krachtige lichtstraal van een zaklamp scheen John precies in de ogen en verblindde hem zo volkomen dat hij bijna achterover-viel.

'J-ja, meneer,' zei John.

Hij hoorde voorzichtige voetstappen naderen. 'Wat doe je daar, knul?'

John bracht zijn handen omhoog om zijn ogen tegen het licht te beschermen. 'Ik... ik...'

'Laat je handen zakken, zodat ik je gezicht kan zien.'

'Dan zie ik niets.'

'Dat kan me niet schelen. Ik kan jou zien, daar gaat het om. Wat sta je daar door mijn hek te spioneren?'

'Ik spioneerde niet, meneer.' John hield zijn vingers gespreid voor zijn ogen, zodat hij ertussendoor kon kijken. Hij hoorde sleutels rammelen, maar dacht dat hij wel door het steegje zou kunnen ontsnappen voor de man het hek van het slot kon halen en hem achterna kon komen.

'Waardoor heb je mijn kippen van streek gemaakt?'

'Nergens door,' zei John.

'Nou, er moet toch iets gebeurd...' Hij zwaaide de zaklamp de andere kant op. John, die nog steeds verblind was, had niets gehoord, maar de man had de oren van een wolf. 'Nee, maar, wat hebben we hier?' zei hij, en John wist dat Trey betrapt was. Toen de schittering in Johns ogen afnam, zag hij dat Trey in de licht-straal gevangen was, een bobbel onder zijn jas. En hij zag nog iets anders: de man had een opgerolde zweep in zijn andere hand.

'Wat doe je op mijn erf, jongen?' vroeg Odell Wolfe aan Trey. 'Wat voor streken kwam je hier uithalen?'

John zou willen roepen: *lopen, Trey, lopen*, maar vermoedde dat Wolf Man de zweep sneller kon uitrollen dan een ratelslang kon toeslaan en Trey's hoofd van zijn schouders kon slaan voor die twee stappen had kunnen zetten.

'Niets,' antwoordde Trey. 'Ik kwam hier helemaal geen streken uithalen.'

'Wat doe je dan hier?'

'We zijn gekomen om een van uw puppy's mee te nemen,' ant-woordde John door het hek heen. 'We hadden gehoord dat uw collie een nest had en dachten dat... u eentje daarvan niet zou missen.'

De zaklamp zwaaide weer naar John en opnieuw schermde hij zijn ogen af voor het plotseling felle licht. 'En waarom dachten jullie dat dan wel?' vroeg Wolf Man.

'Het doet er niet toe waarom,' zei Trey. 'Loop weg, John... nu!'

'Ach ja... zolang ik een van jullie tweeën heb om in de pan te doen, kan de ander me niet zoveel schelen,' zei de man lijzig, en John, nog steeds met zijn vingers om het gaas geklemd, voelde zijn darmen week worden als boter.

'Wat willen jullie met een van mijn pups?' vroeg Wolf Man aan Trey terwijl hij de lichtstraal weer op zijn gezicht richtte.

'We willen hem hebben voor Miss Emma's – mevrouw Bensons – kleindochter. Allebei haar ouders zijn pas gestorven en nu is ze wees. We dachten dat een pup haar zou opvrolijken.'

Trey sprak zonder zijn kaken te bewegen. Hij bibberde zichtbaar van de kou en John voelde diezelfde kou door zijn kleren heen. Wolf Man droeg een dunne jas, de slippen van zijn overhemd hingen uit zijn broek en hij droeg mocassins zonder sokken, alsof hij deel uitmaakte van de nacht en de vrieskou.

'We zouden wel naar het asiel in Amarillo zijn gegaan om er een te halen,' zei John door het Cyclone-hek heen, 'maar dan hadden we moeten wachten tot zaterdag en Cathy heeft die pup nu nodig.'

'Emma Benson,' zei de man peinzend, en hij liet de lamp zakken. 'Is die pup voor haar kleindochter?'

'Ja,' zei Trey.

'Waarom heb je me er dan niet gewoon om gevraagd in plaats van mijn erf op te sluipen en er een te stelen? Ik geloof niet dat Miss Benson het daarmee eens zou zijn.'

'Omdat mijn tante heeft gezegd dat ik u niet mocht benaderen, daarom,' zei Trey.

'O, heeft ze dat gezegd? Wie is je tante?'

'Gaat u niks aan.'

Johns hart ging sneller kloppen toen Wolf Man Trey weer in het felle licht van zijn zaklamp ving. Hij wreef met de zweep langs zijn dijbeen en John zag dat hij de greep stevig beet hield. 'Hé, ik ken jou,' zei de man. 'Jij bent die snelle kleine quarterback waar iedereen van Kersey zijn hoop op heeft gevestigd voor over een paar jaar, en jij,' zei hij, de lichtstraal weer op John richtend, 'bent John Caldwell, zijn receiver. Wel, wel.'

'Hoe weet u wie wij zijn?' vroeg Trey.

'Ik heb jullie zien spelen.' Hij grinnikte. 'Mabel Church… dat is je tante. Ze had groot gelijk dat ze je waarschuwde van mijn erf weg te blijven.' Hij haakte een sleutelring van zijn broek los en gooide die over het hek naar John, die automatisch zijn hand uitstak en hem opving. 'Goed gevangen,' zei Wolf Man. 'Maak het hek open.'

'Bedoelt u… dat u Trey laat gaan?' vroeg John.

'Hij zal de pup pijn doen als hij eroverheen klimt.' De man lachte zachtjes en schudde zijn hoofd. 'Jullie moeten dat meisje wel heel bijzonder vinden als jullie voor haar het risico nemen naar me toe te komen. Is ze knap?'

'Ja. Heel knap,' zei Trey.

'Is ze leuk?'

'Ja!' riepen de jongens in koor.

'Dat verbaast me niets, aangezien ze Miss Emma's kleindochter is en zo.' De mond van Wolf Man vertrok in een glimlach. 'Twee jongens en een mooi meisje. Uit die optelsom is nog nooit iets goeds voortgekomen. Gooi die sleutels naar me terug, John Caldwell, en maak dat jullie wegkomen. Jullie moeten vast eten. Maar denk erom dat je dat beestje voert voor je zelf aan tafel gaat. Doop de punt van een handdoek in warme melk en laat hem daarop zuigen. En als je weer eens iets van me wilt, vraag het dan gewoon.'

John was er eindelijk in geslaagd met zijn door de kou verdoofde handen het hek open te krijgen. 'Dat zullen we doen, meneer,' zei hij, en hij wierp hem de sleutels toe, zijn zenuwen nog steeds tot het uiterste gespannen omdat hij bang was dat Wolf Man van gedachte zou veranderen en zijn zweep om Trey heen zou slaan om hem tegen te houden.

Wolf Man liet Trey echter ontsnappen en zodra hij buiten het hek stond, renden de jongens naar het eind van het steegje, Trey met zijn armen beschermend om de kleine bobbel onder zijn jas. Toen stopten ze om op adem te komen en van het wonder van hun triomf te genieten. Hijgend zei John: 'Wolf Man is zo kwaad nog niet. Stel je voor dat hij ons heeft zien spelen, en hij klinkt alsof hij Miss Emma kent.'

53

'Ja,' stemde Trey met hem in. 'Hij had een elektrische kachel in het schuurtje gezet voor de honden en een heel stel dekens voor ze neergelegd. Wat denk je dat hij bedoelde toen hij het over die optelsom had?'

'Geen idee,' zei John.

8

Mabel Church keek hen streng en afkeurend aan toen ze de achterdeur binnen kwamen stuiven en de warmte hun als een hitteschild in het gezicht sloeg. 'Nee, tante Mabel, zegt u maar niets,' zei Trey, die zijn jas openritste. 'Ik weet dat ik in de problemen zit, maar we moeten eerst deze pup verzorgen. Hij moet gevoerd en warm gehouden worden.'

John zei schuldbewust: 'We moeten de punt van een handdoek in warme melk dopen en hem daarop laten zuigen, tante Mabel.'

'Is dat zo?' vroeg ze, haar toon verbazingwekkend mild. Ze nam het rillende bolletje bont met gesloten oogjes van Trey over en wikkelde het in een dikke badhanddoek die ze al klaar had liggen. Daarna haalde ze een bakje warme melk uit de magnetron, vulde er een pipetje mee en stak dat in het kleine bekje. De jongens keken elkaar aan, en hun verbaasde blikken zeiden: *hoe wist ze dat?*

'Jullie hebben dus toch met Odell Wolfe gepraat, wat ik jullie expliciet had verboden. John, jij bent niet mijn verantwoordelijkheid, maar Trey Don, jou zal ik moeten straffen.'

'Ja, tante,' zei Trey alsof ze met niet meer dreigde dan dat hij geen toetje zou krijgen als hij zijn melk niet opdronk. Tegen John merkte hij achteloos op: 'Ze heeft natuurlijk mijn baseballhandschoen zien liggen en uitgevogeld wat we van plan waren.'

'Dus jij blijft hier terwijl John en ik dit kereltje gaan afleveren,' zei Mabel, 'en het zal je plezier doen te horen dat Miss Emma helemaal achter het idee van een puppy voor Cathy staat.'

Trey's mond viel zo ver open dat John de vulling in de kies in zijn onderkaak kon zien. 'Wat?' riep hij. 'Tante Mabel, dat kunt u niet menen! Ik heb mijn leven geriskeerd voor die pup.'

'Precies. Fijn dat je dat toegeeft. En nu ga je zonder avondeten naar je kamer en je komt er niet uit voordat ik je morgenvroeg kom roepen.'

'Tante Mabel, alstublieft... U kunt me toch wel op een andere manier straffen.' Trey's ogen en stem vulden zich met smart. 'Alstublieft, tante Mabel. Dat kunt u me niet aandoen.'

Toen de melk op was, legde tante Mabel de ingebakerde pup in een doos met een deken erin die ze had klaargezet. 'Ik vrees van wel, Trey. Je moet leren dat het consequenties heeft als je je woord breekt. Ik geef je nog één kans om te bewijzen dat je woord kunt houden. Ik wil dat je me belooft dat je niet eens je hoofd om de deur steekt of de deur zelfs maar opendoet eer het tijd is voor het ontbijt. Ik vermoed dat je tegen die tijd wel honger zult hebben.'

'Tante Mabel...' Trey's smeekbede ging over in een klaaglijke kreet.

'Beloof het me... nu meteen!'

'O, goed dan. Ik beloof het.'

'Spreek je belofte uit ten overstaan van God, John en mij.'

Trey liet zijn hoofd hangen en zei: 'Ik beloof dat ik mijn slaapkamerdeur niet open zal doen of erdoor naar buiten zal komen voor u me morgenochtend roept.'

John stond er stil en verstard als een totempaal bij en durfde Trey niet aan te kijken. Zijn blik zou verraden hebben wat ze allebei wisten. Trey zou uit zijn slaapkamerraam geklommen en onderweg naar Miss Emma zijn voordat zijn tante de sleutel in het contact van haar Cadillac had omgedraaid... en dat allemaal zonder ook maar een woord van zijn belofte te breken. Ze was de liefste vrouw die hij kende, maar hoe kon ze toch zo... nou ja, dom zijn?

Tante Mabel trok haar jas aan en hing haar handtas over haar schouder. 'John,' zei ze, 'ik neem aan dat jij vanavond bij Miss Emma en haar kleindochter blijft eten. Zij eten ook draadjesvlees.' John keek nog steeds niet naar Trey toen ze de doos oppakte en die in zijn onwillige armen duwde. Ze wendde zich tot haar neef. 'Trey, ga meteen naar je kamer en begin aan je huiswerk.'

'Ja, tante Mabel,' zei Trey.

'En waag het niet met de deur te gooien.'

'Nee, tante Mabel.'

John zei: 'Ik zal Cathy vertellen dat jij de pup voor haar hebt gehaald, Trey.'

'Zeg maar dat ik hoop dat ze er blij mee is,' zei hij, en hij schuifelde door de gang weg. Ze hoorden zijn slaapkamerdeur zachtjes dichtgaan.

Met een uitgestreken gezicht zei John: 'Ik vond dat hij het aardig goed opnam.'

'Vind je ook niet?' zei Mabel.

John hield de doos op zijn schoot terwijl Mabel de paar straten naar het huis van Emma Benson reed. Het zou maar een kwestie van tijd zijn voor Trey opdook en zich erin ging mengen – nadat zijn tante bij Emma was weggegaan natuurlijk – maar hij, John, zou de eerste zijn die Cathy's gezicht zag als ze de jonge collie ontwaarde. Na haar was de pup het leukste wat John ooit had gezien. De pup sliep nu en lag te dromen, en John zag al voor zich hoe het roze neusje van de hond tegen Cathy's zachte wang duwde en zij vol verrukking haar ogen sloot om die zachte aanraking, zoals meisjes dat doen. Hij voelde even wroeging omdat hij blij was dat Trey niet als eerste Cathy's dankbaarheid zou zien, en dacht aan tante Mabels teleurstelling wanneer ze thuiskwam en merkte dat Trey weg was. Misschien zou ze niet in zijn kamer gaan kijken. Misschien zou haar vertrouwen in hem haar voor die teleurstelling behoeden.

Emma deed de voordeur al open voor ze konden aankloppen. 'Ik heb Cathy over de puppy verteld,' zei ze, en ze deed een stap opzij zodat ze naar binnen konden komen. 'Dat bracht haar snel op de been. Ik kan je niet genoeg bedanken, John.'

'Het was Trey's idee om haar een puppy te geven, Miss Emma.'

'Ik zal hem te zijner tijd ook wel bedanken. Hoe vatte hij zijn straf op, Mabel?'

'Heel goed, eigenlijk. Hij besefte dat hij deze keer te ver was gegaan. Ik heb hem gestraft zoals je had voorgesteld – hem de kans ontnomen de pup persoonlijk af te leveren – en nu zit hij tot morgenvroeg in zijn kamer.'

'Uh-huh,' zei Emma. Ze gaf haar vriendin een schouderklopje. 'Nou, ik ben trots dat je voet bij stuk hebt gehouden, Mabel. Laten we nu maar naar mijn kleindochter gaan, zodat ze haar nieuwe metgezel kan ontmoeten. Ze staat in de keuken in het vlees te roeren. John, jij blijft natuurlijk hier eten.' Ze trok zijn muts van zijn hoofd en hing hem aan de staande kapstok in de gang. Geen van beiden zag de glimlach op Mabels lippen.

John wist zeker dat zijn haren rechtovereind stonden. Door de doos in zijn handen kon hij ze niet met zijn vingers terug op hun plaats kammen en hij hoopte dat Cathy het als door een wonder niet zou opmerken. Dat deed ze niet. Ze leek hem zelfs helemaal niet te zien toen ze zich omdraaide van het fornuis, haar tere gezichtje rood door de warmte en de opwinding over wat hij bij zich had. Ze keek meteen in de doos en John maakte van dat moment gebruik om snel even naar zijn weerspiegeling in het keukenraam boven het aanrecht te kijken. Hij verslikte zich bijna in een hap lucht toen hij Trey's gezicht zag. Het verdween meteen uit het zicht zodra zijn tante zich omdraaide om John op zijn rug te kloppen.

'Alles goed, John?'

'Prima, tante Mabel, prima. Mijn luchtpijp leek even verstopt.'

'Ooooh…' koerde Cathy toen ze het kleine bolletje bont uit de doos pakte en onder haar kin hield, ieder detail van haar verrukking exact zoals John het zich had voorgesteld.

Emma keek John goedkeurend aan. 'Een goed idee, jongen. Geef mijn complimenten ook maar door aan je makker.'

'Hij is zo zacht en warm,' kirde Cathy, en ze drukte een kus op het kopje. 'Is hij echt voor mij, grootmoeder? Mag ik hem houden?'

'Je mag hem houden,' zei Emma.

'Ik heb nooit eerder een huisdier gehad. Hij is… hij is gewoon prachtig.'

'Is het goed dat het een jongen is?' vroeg John enigszins bezorgd. 'We wisten niet…'

'Het is perfect dat het een jongen is.' Haar blik dwaalde verbaasd naar John en zijn hart trok samen bij de stellige indruk dat ze hem voor het eerst echt zag. 'Waar is je maatje eigenlijk?'

'Hij zit thuis zijn huiswerk te maken,' zei Mabel, 'maar ik weet zeker dat hij het geweldig zal vinden dat je zo blij bent met de pup. Ik ben trouwens Mabel Church, Trey's tante.'

'Ik heb veel goeds over u gehoord,' zei Cathy, en ze trok haar kleine hand onder de deken vandaan. John bedacht dat ze vreselijk beleefd en volwassen leek toen tante Mabel haar de hand schudde. 'Het is heel fijn u eindelijk te ontmoeten. Wilt u Trey voor me bedanken? En, John...' Ze wendde zich weer tot hem en hij had weer moeite met zijn ademhaling toen ze hem in de ogen keek. 'Jij ook heel erg bedankt. Ik vind hem geweldig.'

'Nou, dan ga ik maar weer op weg,' zei Mabel.

Emma volgde haar naar de deur en John bleef wat onbehaaglijk staan. Zijn blik ging van Cathy's blonde hoofd dat over de pup in haar armen heen gebogen was naar het keukenraam. John had nog steeds de doos in zijn handen en wist niet waar hij hem neer moest zetten. Er stonden drie diepe borden met lepels ernaast op tafel, en een extra placemat tegenover de plek waar hij aannam dat hij moest gaan zitten.

Hij wist voor wie de placemat was toen Emma weer de keuken in kwam en zei: 'John, zeg even tegen Trey Don dat hij binnenkomt. We willen niet dat hij daarbuiten doodvriest.'

9

Ze wist zeker dat de jongens haar zouden vergeten zodra de nieuwigheid eraf was. Ze was immers een meisje en jongens speelden niet met meisjes. 'Hoelang moeten Trey en John nog op me passen?' vroeg ze aan haar grootmoeder. Het was eind februari. De narcissen kwamen al op. Hun tere gouden kopjes braken door de grond heen en Rufus had geleerd er! ij weg te blijven. De jongens hadden haar bijna elke middag geholpen hem te trainen.

'Nee, nee, Rufus!' zeiden ze wanneer ze hem naar de bloembedden zagen lopen; ze klapten daarbij zachtjes in hun handen om hem niet bang te maken. 'Hierheen, jongen. Hierheen.' En dan klopten ze tegen een boom of lokten ze hem ergens anders naartoe.

'Waarom? Begin je genoeg van hen te krijgen?' vroeg haar grootmoeder.

'O nee. Ik vroeg me alleen af wanneer ze niet meer bij me hoefden te blijven.'

'Als er al iets over een bepaalde tijd is gezegd, is die allang verstreken, lieverd. De jongens zijn graag bij je. Ze vinden het fijn met je bevriend te zijn.'

Ze vond het raar om twee grote jongens als haar vrienden te hebben, maar het was ook leuk. Zonder Trey en John zou ze Laura en haar thuis nog meer hebben gemist. Haar klasgenootjes in Kersey waren vriendelijk genoeg, maar lieten zich verder niet met haar in. Het had niet lang geduurd voor ze hadden gemerkt dat ze heel intelligent was. Ze was altijd als eerste klaar met proefwerken, las bibliotheekboeken als ze haar werk af had en de leraren wendden zich tot haar wanneer niemand anders in de klas het antwoord wist en lazen haar opstellen voor als voorbeeld voor de klas. De leraren prezen haar om haar nette en goede werk terwijl zij gloeide van schaamte onder de zijdelingse blikken van haar klasgenoten, maar niet genoeg om naar hun niveau af te dalen door slordig werk te gaan leveren.

Trey en John voelden zich bij haar volkomen op hun gemak en hadden er geen problemen mee dat ze 'begaafd en getalenteerd' was, dat ze arts wilde worden en Frans kon spreken. Ze vonden het niet vreemd dat ze met een rechte rug en haar enkels over elkaar geslagen in de klas zat. Een goede houding, had ze geleerd, kon je langer maken.

Het was nog te vroeg voor het baseballseizoen, wanneer de jongens na school moesten trainen, dus konden ze veel tijd met haar doorbrengen. Ze doken overal op met hun dwaze grijns en probeerden haar het idee te geven dat ze toevallig langskwamen of in de buurt waren. Het was niet ongebruikelijk dat ze hen de bibliotheek binnen zag slenteren, waar haar grootmoeder werkte, wanneer de bus Cathy daar na school had afgezet, of in het park waar ze Rufus uitliet, of in de First Baptist Church, waar haar grootmoeder had geregeld dat ze op het priesterkoor op de piano kon oefenen. Ze leken elk excuus en elke uitnodiging om met haar samen te zijn zelf te creëren.

'Trey en ik hebben hulp nodig met wiskunde, Cathy. Is het goed als we na school naar je huis komen?'

'Natuurlijk, John.'

'Mijn tante heeft een zolder vol jachttrofeeën. Wil je die zien, Catherine Ann?'

'Dat lijkt me leuk, Trey.'

'Laten we vandaag na school met Rufus gaan frisbeeën. Wat zeg je daarvan?'

'Ik vind het prima, jongens.'

'Tante Mabel heeft een zak oude sla voor Sampson. Vind je het goed dat we hem dat komen voeren?'

'Wat een goed idee.'

Ze verwachtte dat ze wel weg zouden blijven tegen dat de narcissen verwelkt waren, maar dat gebeurde niet.

Op een middag merkten ze dat ze somber was. 'Wat is er aan

de hand?' vroeg John terwijl hij naast haar op de schommelbank op de veranda van haar grootmoeders huis ging zitten. Trey nam plaats aan de andere kant, naast Rufus.

'Mijn papa heeft helemaal geen geld voor mijn verzorging nagelaten en nu ben ik mijn grootmoeder financieel tot last,' zei ze.

'Eh, hoe weet je dat?' vroeg Trey.

Cathy vertelde hun over het gesprek tussen haar grootmoeder en Miss Mabel dat ze had gehoord. 'Zoals ik al vermoedde, was Sonny helemaal blut toen hij stierf', had Emma haar vriendin toevertrouwd toen ze dacht dat Cathy naar buiten was. 'Ze leefden ver boven hun stand en betaalden hun leefwijze met behulp van kredieten. Hij betaalde zijn verzekeringspremies niet en er rustte een hoge hypotheek op het huis. Het geld van de verkoop van het huis en de bezittingen gaat naar de crediteuren. Er blijft niets van over.'

Ze had verder nog gezegd dat ze nu echt op de centen moest letten om goed voor Cathy te kunnen zorgen, maar dat ze zich wel zou redden. Ze had Buddy's verzekeringsgeld nog en dat zou helpen bij de kosten van haar studie. Ze had de autoriteiten gevraagd of haar pensioenleeftijd opgeschoven kon worden, en wat dan nog als ze die geplande reis naar Engeland nooit zou maken?

Cathy had al begrepen dat haar grootmoeder niet veel geld had. Ze keek altijd goed wat alles kostte, zette restjes op tafel en deed de lampen uit wanneer die niet nodig waren – dingen waar Cathy's ouders nooit naar hadden gekeken. Het deed haar vreselijk pijn dat haar grootmoeder dingen moest opgeven vanwege haar.

'Ze houdt van je, Catherine Ann,' zei John. 'Dat zal haar opofferingen makkelijker maken.'

'Ja,' zei Trey. 'Ze geeft haar geld liever aan jou uit dan aan zo'n stomme reis naar Engeland.'

Cathy kreeg een warm gevoel over zich, wat de pijn minder hevig maakte. Soms voelde ze zich tussen de twee jongens net een beschut dal tussen vriendelijke bergen die de wind en stormen voor haar tegenhielden. 'Denken jullie dat echt?'

'Ja!' zeiden de jongens in koor.

Ze waren zo verschillend als eieren en spek, en toch pasten ze zo goed bij elkaar. John was rustig en kalm, geduldig en gelijkmatig. Hij paste overal bij. Trey was iemand die opviel. Je wist altijd dat hij er was, in de klas, de gangen, de kantine, de schoolbus. Je zag hem niet over het hoofd. 'Onstuimig', had zijn tante hem beschreven, en daar was Cathy het mee eens. Haar grootmoeder had uitgelegd dat Trey's onbezonnen gedrag een schild was tegen de pijn en vernedering van het feit dat zijn ouders hem niet hadden gewild. Als zijn oom nog had geleefd, zou Trey misschien een andere jongen zijn geworden. Harvey Church was een stoere man geweest, een visser en jager op groot wild die hem stevig onder handen zou hebben genomen, en Trey zou hem daarom aanbeden hebben. Vier maanden nadat Trey bij hen was komen wonen, was zijn frisse en gezonde oom echter onverwachts overleden aan een hartinfarct en was Trey alleen achtergebleven met zijn oudere tante die niet was toegerust om een vroegwijs en weerbarstig neefje aan te pakken.

En de moeder van die arme John was gestorven toen hij zeven was, waardoor hij aan de genade van zijn dronkenlap van een vader was overgeleverd.

Trey's opmerking die dag in juf Whitby's klas was dus juist geweest. Ze waren feitelijk alle drie wezen en dat schiep een bijzondere band tussen hen. Zonder Trey en John zou ze het niet hebben gered op de lagere school van Kersey.

De winter maakte plaats voor de lente en het trio werd twaalf. Gedurende twee weken in maart was Trey ouder dan John. Trey zag het leeftijdsverschil van twee weken in elk geval voor zichzelf als reden voor een feestje, omdat het hem in zekere zin een voorsprong op zijn vriend gaf.

De jongens schoten flink door en terwijl Cathy haar kleinemeisjespostuur kwijtraakte, verloren ze ook hun kinderlijke gelaatstrekken. Om hun laatste jaar van onschuld luister bij te zetten, besloot Mabel een feest in haar achtertuin te geven voor de verjaardag van Trey en John. Het was voor het eerst dat Cathy

Johns vader, Bert Caldwell, zag. Ze wist dat hij op de olievelden werkte en een groot deel van de tijd weg was. John had het nooit over hem en bracht de dagen dat Bert thuis was bij Miss Mabel door. Hij dronk zwaar tussen de verschillende klussen door. Hij verscheen nuchter en gladgeschoren op het feest, in een gesteven spijkerbroek en een net wit overhemd met lange mouwen, de feestkleding voor het 'mansvolk' van Kersey, zoals Cathy's grootmoeder hen noemde. Hij was kleiner en gedrongener dan John, steviger gebouwd, en John was op zijn hoede in zijn aanwezigheid, zoals ook meneer Caldwell slecht op zijn gemak leek te zijn bij John. Cathy had medelijden met hen allebei. Realiseerde meneer Caldwell zich niet wat voor geluksvogel hij was met een zoon als John, en besefte John niet hoe blij hij mocht zijn dat hij een vader had?

Om haar verjaardag in april te vieren, nodigde haar grootmoeder Laura uit om in de voorjaarsvakantie te komen logeren, een tijd waarin de beloofde wilde bloemen zich volop aandienden op de prairie. 'Wat heb je in vredesnaam...?' riep haar beste vriendin, modebewust gekleed in een pakje met bijpassende baret, uit zodra ze Cathy in de wachtruimte van het vliegveld van Amarillo zag staan.

Cathy liet de omhelzing die ze haar had willen geven achterwege en trok haar spijkerjasje dichter om zich heen. 'Dat dragen ze hier allemaal.'

Alleen Trey en John konden Laura's ontsteltenis over haar nieuwe woonomgeving wat temperen. 'Zij zijn geweldig,' zei ze. 'Voor hen zou ik ook wel cactussen en klissen kunnen verdragen.'

Laura was het vriendelijkste meisje dat Cathy kende. Het was niet haar bedoeling Cathy te kwetsen met haar medelijden voor Cathy's minder gunstige omstandigheden, of haar verlangen te wekken naar haar ouders, Winchester, haar vroegere klasgenootjes en het mooie huis en de buurt waarin ze was opgegroeid.

John merkte haar trieste stemming meteen op toen Laura weer weg was. 'Je mist haar, is het niet?' zei hij. Het was de eerste keer dat ze er getuige van was dat John en Trey bijna op de vuist gingen.

'Ja,' zei ze, 'en mijn leven zoals het vroeger was.'

'Luister naar me, Catherine Ann,' beval Trey, en hij ging voor haar staan alsof zijn lengte en postuur alle gedachten aan haar vroegere leven zouden kunnen tegenhouden. 'Wij zijn nu je vrienden. Je hebt het hier naar je zin. Zeg ons dat je niet terug wilt naar waar je vandaan komt.'

'Laat haar met rust, TD,' zei John, en hij trok Trey aan de mouw van zijn jack.

'Nee!' Trey rukte zijn arm los, zijn gezicht vertrokken van jaloezie en paniek, zag Cathy. 'Je wilt toch niet bij ons weg, of wel, Catherine Ann?'

'Ik...' Tranen welden op in haar ogen en rolden over haar wangen. Haar keel trok samen door de pijn van de herinneringen – bezoekjes aan het strand met haar ouders, pianorecitals, uitstapjes naar musea en concerten en dagen vol zonneschijn en een koele bries van zee – en ze kon hem niet het antwoord geven dat hij wilde horen.

'Zie je nu wat je hebt gedaan?' mopperde John tegen Trey. 'Ze is haar stem weer kwijt. Het is al goed, Cathy. Je mag Laura en je oude leventje zoveel missen als je wilt.'

'Hou je kop, John!' Trey gaf zijn vriend een duw. 'Het is helemaal niet goed. Zo haal je haar nog over om bij ons weg te gaan.'

John duwde terug en keek Trey aan met een woedende, duistere blik die ervoor zorgde dat Cathy tussen hen in ging staan voor er klappen zouden vallen.

'Jongens, jongens! Ik ga nergens heen,' zei ze, door de schok bevrijd uit haar zwaarmoedigheid. 'Hoe zou ik mijn grootmoeder, jullie en Rufus in de steek kunnen laten?'

Trey wendde zijn boze blik van John af en keek haar weer aan. 'Beloof je dat?' zei hij, en ze zag dat het vuur in zijn ogen langzaam doofde.

'Dat beloof ik.'

'En toch mag je best verdrietig zijn, Cathy,' zei John met weer een blik naar Trey, die hem uitdaagde dat te betwisten.

De bijna-vechtpartij had Cathy het verbazingwekkende belang

duidelijk gemaakt dat ze in hun leven had, en ze besloot de plannen voor zich te houden die Laura en zij hadden besproken om
samen aan de Universiteit van Zuid-Californië te gaan studeren en
zodoende hun droom om arts te worden waar te maken.

10

De kinderen werden tieners en Emma en Mabel letten goed op eventuele veranderingen in de relatie van het drietal en hadden het daar geregeld over. Het was slechts een kwestie van tijd voor de jongens de ontluikende borsten van Cathy zouden opmerken, en hoe kon Cathy hun groeiende bicepsen over het hoofd zien? Voorlopig waren ze echter nog steeds gewoon vrienden. Wanneer Trey en John niet moesten sporten, kwamen ze na school met Cathy naar huis om met Rufus te spelen. De meeste avonden maakten ze gezamenlijk hun huiswerk en soms bleven de jongens er zelfs bij als Cathy haar thuislessen maakte. Vaak bleven ze eten, wat ze allebei geweldig vonden. John moest thuis voor zijn eigen eten zorgen en Trey gaf de voorkeur aan Miss Emma's uitstekende kookkunst boven de altijd smakeloze happen van tante Mabel. Ze bleven zelfs naar de First Baptist-kerk gaan om Cathy piano te horen spelen.

Ze leken nooit genoeg van haar te krijgen en waren trots dat zij dingen wist die ze hen kon leren, zoals hoe je een spalk moest zetten en hoe je Frans sprak. De beide vrouwen vonden het fantastisch om hen de paar zinnetjes te horen oefenen die ze aan hun eettafels hadden geleerd en waarmee ze natuurlijk in de schoolkantine pronkten tegenover hun vrienden.

'Passe-moi le sel, s'il te plaît, Trey.' (Geef me het zout eens aan, als je wilt, Trey.)

'Avec plaisir, mon amie. Et le poivre aussi?' (Met plezier, mijn beste vriendin. De peper ook?)

'Oui, s'il te plaît.' (Ja, als je wilt.)

'Il me plaît.' (Dat wil ik.)

Zou hun eenheid vanzelf uiteenvallen als de jongens belangstelling begonnen te ontwikkelen voor de natuurlijke verleiding van andere meisjes, die zich al aan hen begonnen op te dringen, zo

vroeg Emma zich af. Wat zou dat met Cathy doen? Haar kleindochter had nog steeds geen hechte vriendschappen gesloten met
de meisjes in haar klas. Ze had kennissen van haar sekse op de
zondagsschool en in de schoolband, maar geen van hen was een
boezemvriendin geworden met wie ze na school tijd kon doorbrengen.

Of zou de vriendschap een voorspelbare wending nemen, waardoor John in de kou zou komen te staan? Want het was iedereen
– behalve Cathy misschien – wel duidelijk dat Trey verkikkerd was
op Cathy. En natuurlijk zag iedereen behalve Trey dat John ook
dol was op Cathy. Was het mogelijk dat zich een driehoeksverhouding zou ontwikkelen die tot haar eigen reeks pijnen en zorgen
zou leiden?

De vrouwen wachtten af en keken toe terwijl de verjaardagen
van de kinderen kwamen en gingen, en de drie onafscheidelijk
bleven, hun samenzijn zonder smet.

'Wat is het toch aan Cathy waardoor Trey zo van haar ondersteboven is, vooral gezien haar mening over American football?'
vroeg Emma aan Mabel. 'Van John begrijp ik het nog wel. Hij
herkent een medepelgrim in Cathy, een verwante geest, een verwante ziel, maar Trey Don? Denk je dat het komt doordat ze alle
drie wees zijn?'

'Ongetwijfeld, maar ik geloof dat Trey zowel in John als in Cathy ziet waaraan het hem ontbreekt. Hij is natuurlijk te jong om
zich dat te realiseren, maar hij is als een jong boompje in het bos
dat instinctief naar de zon reikt om te overleven.'

'Waar heb je het over, Mabel Church?'

'Ik heb het over integriteit,' antwoordde Mabel. 'Gewone ouderwetse integriteit die Cathy en John van nature in zich hebben, maar
die Trey mist. Hij heeft hun goede voorbeeld nodig. Het heeft lang
geduurd voor ik het doorhad, maar ik ben er trots op dat Trey toch
verlangt naar de zon, terwijl hij makkelijker de schaduw zou kunnen opzoeken.'

Emma peinsde even over Mabels opmerkingen en besloot dat
ze, ondanks de ingewikkelde bewoordingen, de spijker op z'n kop

had geslagen. Natuurlijk hadden John en Trey genoeg met elkaar gemeen om een tweeling te kunnen zijn en welke warmbloedige Amerikaanse jongen zou niet verliefd worden op Cathy, maar Emma was het met Mabel eens dat die redenen niet volstonden om te verklaren waarom Trey hen zo nodig had. Het draaide allemaal om zijn bewondering voor hun betrouwbaarheid (al wist Emma nog niet hoe Cathy aan die van haar kwam). Trey onderkende dat hij beter functioneerde, en veiliger was, in het licht van hun invloed. Emma vond dat Mabel alle recht had om trots te zijn op haar neefje, omdat hij met zijn steeds knappere uiterlijk en atletische talenten, intelligentie en charme bijna overal mee weg zou kunnen komen en door iedereen vergeven zou worden. Ze maakte zich alleen zorgen dat Trey's onwankelbare vertrouwen in Cathy en John hem kwetsbaar maakte voor teleurstellingen – en haar kleindochter en John voor de gevolgen daarvan. Ieder mens kon een ander weleens teleurstellen, en Trey was van het slag dat, als hij eenmaal bedrogen was, de banden die hem ooit hadden verbonden, onherstelbaar zou verbreken. Ondanks de ontwakende hormonen en zich ontwikkelende lichamen, bleven ze echter een sterke eenheid vormen.

En toen brak de lente van hun zestiende verjaardag aan.

II

Hij was ziek. Daar bestond geen twijfel aan. Hij had koorts en zijn kaken waren gezwollen. Trey had geen idee wat er mis was met hem, maar hij kon het coach Turner niet vertellen. De coach zou hem naar huis sturen. Het was de eerste dag van de voorjaarstraining en hij zou misschien de scrimmage van vrijdagavond missen, waar hij de coach iets kon geven om de komende zomer naar uit te kijken: een jonge quarterback met een wide receiver die het team de komende twee jaar best eens naar de staatskampioenschappen zouden kunnen leiden. De coach had iets nodig wat plezier in zijn leven bracht, met een zieke vrouw thuis en een dochter om wie hij zich druk maakte. Bovendien zou er vrijdag een talentscout van de Universiteit van Miami in Florida op de tribune zitten om John en Trey hun kunstje te zien uithalen, en zonder voldoende training zou hij hun kansen op een beurs om voor de Miami Hurricanes te spelen misschien wel verprutsen.

Hij kon dit de baas; dat wist hij gewoon. Veel drinken en goed rusten. Het was een virus of zo dat zich in zijn tanden had genesteld. Zijn tandvlees was rood en geïrriteerd. Of misschien was het een ontstoken verstandskies, zoals de kies die Cathy vorig jaar had moeten laten trekken. Hij zou aspirine nemen en zijn mond spoelen met mondwater voor wat verlichting, en aan het eind van de week zou hij naar de tandarts gaan.

Dit was een periode op de kalender die hij nooit zou vergeten. Om te beginnen was het een van de weinige keren in zijn leven dat hij ziek was geweest. De meeste kinderziektes waren hem bespaard gebleven en hij had nooit last van verkoudheid, griep of een maag die van streek was. En afgelopen vrijdag, de laatste dag voor de voorjaarsvakantie, had hij Catherine Ann gevraagd of ze verkering met hem wilde. Hij had altijd al iets anders voor haar gevoeld dan gewoon vriendschap, vanaf die eerste ijzige januaridag dat ze de deur uit was komen rennen om naar haar sneeuwkoningin te kijken, maar nooit zoals toen dat gevoel in iets anders veranderde, toen hij meer dan een speciale beste vriend wilde zijn. Het was op een dag vroeg in de lente gebeurd, toen ze bij de Engelse les binnen kwam lopen. Ze droeg een nieuwe trui in 'azuurblauw', had hij gehoord, een kleur die haar haren, teint en de kleur van haar ogen prachtig deed uitkomen, en zijn hart had plotseling een slag overgeslagen. De glimlach die ze hem had geschonken, was overgegaan in een bezorgde blik en terwijl ze ging zitten vroeg ze: 'Wat is er?'

Hij had geen lucht in zijn longen om antwoord te geven. De manier waarop hij altijd over haar had gedacht was plotseling volkomen verdwenen, als het denkbeeldige vriendje van het jongetje in het kinderliedje 'Pugg, the magic dragon'. Zijn vroegere gevoelens voor haar waren gewoon voorbij. De Catherine Ann die hij kende bestond niet meer. *Draken leven eeuwig, maar kleine jongetjes niet...* en kleine meisjes ook niet.

Hij had niet geweten wat hij aan moest met die nieuwe gevoelens voor haar. Ze maakten hem eigenlijk triest. Hij geloofde dat als hij er iets mee deed, hij iets zou opgeven wat nooit meer terug zou komen. De bijzondere wereld die John, Cathy en hij voor hen drieën hadden geschapen, zou nooit meer hetzelfde zijn.

Hij had er een poosje over nagedacht, wat hij zou kwijtraken afgewogen tegen wat hij ervoor terug zou krijgen, maar ze werd met de dag knapper en de jongens uit de hogere klassen liepen al om haar heen te draaien – jongens op wie hij geen invloed had – dus hij wist dat hij in actie moest komen.

'Ik wil Catherine Ann vragen of ze mijn vriendin wil worden,' zei hij tegen John.

'Ze is je vriendin al, TD.'

'Nee, nee. Dat bedoel ik niet.'

'Je bedoelt dat je Cathy voor jezelf wilt... zonder mij in de optelsom.'

Het woord 'optelsom', uitgesproken op Johns eigen, rustige, serieuze manier, kwam uit zijn herinnering naar boven. *Dat woord had Wolf Man gebruikt!* Trey was het vergeten, maar John had het onthouden. Nu begreep hij wat de man had bedoeld. Maar... verdergaan zonder John? Verdorie nee, dat bedoelde hij helemaal niet! John was zijn maatje. Hij was zoals de stok waaraan zijn tante haar tomatenplanten vastbond – niet dat hij het gevoel had dat hij in zijn eentje niet overeind kon blijven, maar John was zijn ondersteuning, ook al waren ze het de helft van de tijd ergens niet over eens.

'Dat kwam er verkeerd uit,' protesteerde hij. 'Ik bedoel dat ik wil dat ze op een andere manier mijn vriendin wordt. Je weet wel, dat ze mijn sportjack draagt en zo. We doen nog steeds van alles met elkaar – jij, ik en Catherine Ann – maar ze zal mijn vriendinnetje zijn en jouw vriendin. Dat vind je toch wel goed? Jij houdt van haar als een broer, maar ik hou van haar als van een... vriendinnetje. Jij ziet haar toch als een zusje, nietwaar?'

'Natuurlijk doe ik dat,' had John gezegd. 'Cathy is... het zonnetje in mijn leven.' Hij had Trey broederlijk tegen zijn schouder gestompt. 'Jij bent de donkere wolk.'

Hij had terug gegrinnikt. 'Ik wist wel dat je het goed zou vinden, maar ik wilde het toch even zeker weten. Catherine Ann houdt ook van jou, weet je... alleen niet op dezelfde manier.'

'Ik weet het, TD.'

Hij had haar zaterdagavond voor Miss Emma's deur gevraagd nadat ze John thuis hadden afgezet. Ze zaten in Trey's nieuwe Mustang, die tante Mabel voor zijn verjaardag had gekocht. 'Catherine Ann, ik wil je iets vragen,' had hij gezegd.

Ze had haar blauwe kijkers op hem gericht. 'Oké.'

'Eh...' Hij had moeten slikken en gehoopt dat ze het niet zou merken. 'Ik weet niet zo goed hoe ik het moet zeggen.'

'Wat zeggen?'

'Zeggen wat ik voor je voel.'

'Ik weet wat je voor me voelt.'

'Nee, nee, ik bedoel niet zoals... wat jij denkt.' Verhit van gêne onder haar gestage blik, wilde hij maar dat hij niet over het onderwerp was begonnen voordat hij zeker wist dat ze hetzelfde voor hem voelde. Ze hadden zelfs nooit elkaars hand vastgehouden, laat staan dat ze elkaar hadden gekust! Ze vond hem aardig, daar was hij van overtuigd, maar had ze hem ook net zo hard nodig als hij haar nodig had? Ze was zo… zo onafhankelijk!

'Dat wil zeggen,' zei hij, 'ik wil graag… dat je met me gaat en… ik bedoel dat je mijn meisje wordt, maar alleen als jij dat wilt, Catherine Ann. Ik wil wat we nu samen hebben niet verpesten.'

Ze glimlachte en liet hem allejezus hard schrikken door dichter naar hem toe te schuiven en haar armen om zijn hals te slaan. Ze waren zacht en geurden naar bloemblaadjes en haar gezicht was als dat van een engel, omlijst door haar blonde, zijdezachte haren; hij had er in weg kunnen smelten. Ze had hem recht in de ogen gekeken. 'Ik ben je meisje al,' zei ze zacht. 'Had je dat niet in de gaten?' Ze had die blik waarmee ze John en hem soms aankeek wanneer ze hun het antwoord op een calculusberekening uitlegde.

Zijn antwoord was achter in zijn keel blijven steken, maar hij had zijn armen om haar heen geslagen en, klein als ze was, had haar lichaam erin gepast alsof het ervoor was gemaakt. 'Ik… ben bang van niet,' zei hij, en hij klonk alsof hij een zware strottenhoofdontsteking had.

'En nu je het wel in de gaten hebt, vind je niet dat je me zou moeten kussen?'

'Dat… zou ik echt heel fijn vinden,' zei hij, en toen hij zijn lippen op de hare drukte, was dat net zo heerlijk als chocoladetaart.

En dat was het dan. Zo simpel als de zeilen van zijn boot de wind vingen, waren ze een stel en hij voelde zich helemaal nergens triest om.

Achter de spelers die in de kleedkamer om coach Turner heen zaten zette hij zijn helm op. Meestal zat hij met John vooraan om de laatste instructies van de coach aan te horen voor ze het veld op gingen, en hij zette nooit zijn helm op vóór hij het veld op liep, maar hij kon niet riskeren dat een van de coaches zijn gezwollen kaken zag. Alleen Cathy wist dat hij niet helemaal fit was, maar hij had haar laten zweren dat ze niets tegen zijn tante of John zou zeggen. Hij zou dit in zijn eentje doorstaan tot de voorjaarstraining voorbij was.

Vanaf de plek waar zij met Rufus dicht bij de bovenste rij van het podium zat keek Cathy bezorgd naar het veld waar Trey en John hun passes en vangballen oefenden. 'Je gooit tijdens het trainen nooit recht naar een quarterback,' hadden de jongens haar verteld tijdens een van de vele keren dat ze haar het spel hadden proberen uit te leggen. 'Je zou zijn duim kunnen verwonden of zelfs breken. Je gooit hem naar iemand naast hem, die de bal dan naar de quarterback gooit.'

'O.' Dat verklaarde waarom ze het werpen en vangen niet meer oefenden op het plein voor de First Baptist-kerk wanneer zij daar op de piano oefende.

Vandaag had ze meer om zich zorgen over te maken dan Trey's duim. Hij zou niet op het veld moeten staan, maar in een tandartsstoel moeten liggen. De pijn in zijn kaak moest moordend zijn onder die strakke, warme helm, maar voor geen goud wilde hij coach Turner teleurstellen, die erop rekende dat Trey volgend seizoen de positie van starting quarterback zou innemen. Als ze zaterdag bij Trey was geweest, toen zijn tand begon op te spelen, had ze erop gestaan dat hij naar de tandarts ging, maar na het keerpunt in hun relatie op vrijdag was ze de volgende ochtend vertrokken voor een meisjesweekend in Amarillo dat was georganiseerd door de kerk.

'Vergeet me niet terwijl je weg bent,' had hij gezegd, teleurgesteld dat hij haar de volgende dag niet zou zien.

'Alsof ik dat zou kunnen,' zei ze.

Toen ze zondagavond terugkwam had ze hem zoals beloofd gebeld en een verandering in zijn stem gehoord die haar zorgen baarde. Had hij er spijt van dat hij verkering met haar had gevraagd? Hij legde echter uit dat hij kiespijn had en op dat moment geen goed gezelschap was. Hij zou haar de volgende avond wel zien, zei hij, en liet haar beloven dat ze niemand over zijn kiespijn zou vertellen, ook haar grootmoeder niet, die het tegen zijn tante zou zeggen. 'Beloof het me, Catherine Ann.'

'Ik beloof het als jij belooft dat je naar de tandarts gaat als het nog erger wordt.'

'Dat beloof ik.'

Maar dat had hij kennelijk niet gedaan en als je naar de vaardigheid en volmaakte timing van zijn onfeilbare passes naar John keek, zou je nooit denken dat er iets met hem aan de hand was.

Er werd goedkeurend geknikt onder de westernhoeden en petten langs het hek achter de zijlijnen, en er klonk bewonderend gemompel van de menigte op de tribunes. De mensen achter het hek waren vaders van de spelers, plaatselijke zakenlui, ranchers en boeren die een dag vrij hadden genomen voor de eerste voorjaarstraining om een idee te krijgen wat ze in het najaar van de Bobcats konden verwachten; op de tribune zaten leerlingen, leraren en dorpelingen. Onder hen bevond zich ook pastoor Richard van de katholieke St.-Matthew's-kerk, die hierheen was gekomen vanuit zijn parochie in Delton, het andere dorp in het district en de rivaal van Kersey High School, om zijn voormalige misdienaar te zien spelen. John zou het leuk vinden als ze hem dat vertelde. Sinds het overlijden van zijn moeder ging John niet meer regelmatig naar de kerk, maar hij keek tegen pastoor Richard op als Trey tegen coach Turner.

Aan de zijlijnen stonden ook, gekleed in hun met lovertjes bezette pakjes en zwaaiend met hun pompons, de cheerleaders onder leiding van Cissie Jane Fielding, die lief deed in Cathy's gezicht, maar intussen een dolk achter haar rug hield. Achter hen, op een speciale tribune, stonden de Bobettes met hun grijze en witte wimpels te zwaaien. Haar twee vriendinnen Bebe Baldwin, Cissie Jane's beste vriendin, en Melissa Tyson, de dochter van de sheriff, waren er lid van en Cathy zwaaide naar hen terug toen ze hen zag staan.

Bebe en Melissa hadden Cathy aangemoedigd zich aan te melden voor de cheerleaders – 'het zou kat in 't bakkie zijn' – of tenminste bij de Bobettes te gaan, maar ze speelde liever fluit in de band. Ze had geen belangstelling om cheerleader te worden of lid te zijn van een organisatie die er alleen maar was voor het amusement van atleten, van wie sommige zo dom waren dat het nog een wonder was dat ze hun eigen veters konden strikken. Elke Bobette werd 'toegewezen' aan een atleet en het was vooral tijdens het sportseizoen – en met name bij American football – haar verantwoordelijkheid om ervoor te zorgen dat het de speler aan niets ontbrak. Ze bakte koekjes voor hem, versierde zijn kluisje, maakte posters om gewag te maken van zijn status, hielp hem met zijn huiswerk – alles wat nodig was om hem in een goede stemming te houden. Cathy vond zo'n slaafsheid walgelijk.

'Je lijkt wel een feministe!' beschuldigden haar vriendinnen haar. 'Waaróm wil je dat niet? Je zou aan Trey worden toegewezen!'

'Ik wil aan niemand worden toegewezen!' had Cathy geroepen, ontzet bij het idee alleen al.

Nu was Tara, de dochter van coach Turner, aan Trey toegewezen. Ze was lichamelijk goed ontwikkeld en had de reputatie gemakkelijk te zijn; Trey geneerde zich voor al haar aandacht en deed wat hij kon om haar te ontmoedigen. Bebe zorgde voor John.

In al de jaren dat Cathy nu in Texas woonde had ze nooit het waanzinnige enthousiasme van de staat voor het school-football begrepen, of het belang dat eraan werd gehecht boven andere schoolactiviteiten of -prestaties. Ze maakte er tegenover Trey en John geen punt van, maar de jongens wisten dat het spel haar niets deed. 'Geen probleem,' zei John op een avond toen ze bekende dat ze nooit iets had gezien in een sport waarvan het gewelddadige doel was een bal over een doellijn te krijgen.

'Inderdaad, geen probleem,' had Trey grinnikend gezegd en hij had zijn vuist zacht tegen haar kin geduwd. 'Het betekent dat je van ons houdt om wie we zijn, niet omdat we American football spelen.'

Ze keek nu met een gevoel van trots en bezitterigheid omlaag naar het stel op het veld. Rufus zat naast haar te rillen van het verlangen om met hen mee te doen en volgde aandachtig elke beweging die ze maakten. Zoals Laura had opgemerkt nadat Cathy wat foto's had meegestuurd met haar laatste brief, waren ze 'meer dan cool'. Ze waren de afgelopen winter allebei doorgeschoten naar ruim 1,80 m en een gespierde 80 kilo. Ze waren ontsnapt aan acne, beugels en brillen. Ze waren intelligent, gevat en grappig. Ze haalden uitstekende cijfers en ze had het afgelopen jaar nog bijna met hen moeten wedijveren voor het houden van de afscheidsrede van de negendejaarsleerlingen, die naar de middelbare school gingen.

Het was echter hun vaardigheid op het sportveld die hen tot de lievelingen van de school en de helden van het dorp maakte. Vorig jaar al, toen ze nog maar vijftien waren, waren er recruiters van diverse universiteiten naar hen komen kijken, mannen wier werk het was de roosters in hun football-programma's te vullen, en Trey en John rekenden erop dat ze aan het eind van dit schooljaar een beurs aangeboden zouden krijgen aan de universiteit van hun keuze. Ze wilden allebei ergens gaan studeren waar nooit een eind aan de zomer kwam en allebei droomden ze ervan naar de Universiteit van Miami te gaan, die in 1983 voor het eerst het nationale kampioenschap had gewonnen.

Trey had het twee jaar geleden al helemaal uitgedokterd, toen hij wist dat ze arts wilde worden en samen met Laura naar de Universiteit van Zuid-Californië wilde.

'Vergeet Californië,' had hij gezegd. 'Je gaat gewoon met John en mij naar Miami. Ze hebben daar een fantastische medische faculteit, en wat is het verschil tussen het zand en de golven in Californië en de stranden van Florida?' Hij was geobsedeerd door het idee dat zij drieën bij elkaar zouden blijven en tot haar verbazing was haar grootmoeder het idee gaan ondersteunen.

'Wat heeft de medische faculteit van ucs dat de Miller School of Medicine in Miami niet heeft?' vroeg ze. 'Je zou voor de vakanties en feestdagen een lift naar en van school hebben en ik zou het prettiger vinden als ik wist dat de jongens een beetje op je pasten.'

Cathy had al een poos geweten dat afgelopen vrijdagavond eraan zat te komen en had zich afgevraagd hoe het de aard van de relaties binnen hun driemanschap zou beïnvloeden, omdat John altijd bij Trey en haar was. Andere kinderen die ze kende experimenteerden al met seks en Cissie Jane was, zo gingen de geruchten, ontmaagd door de captain van het football-team van vorig seizoen. Tot afgelopen vrijdag hadden Trey en zij elkaar zelfs nog nooit gekust.

Toch had ze bijna sinds die eerste dag in de klas van juf Whitby een sterke band met Trey gevoeld. Ze was niet aan hem vastgebonden, maar wel sterk met hem verbonden. Het was alsof, ongeacht waar ze heen ging en met wie, of wat ze deed, zij de kust was en hij de oceaan, weliswaar bij laag tij, maar altijd in het zicht. Waarom het Trey was en niet John wist ze zelf niet. John was een droom en als haar er expliciet naar werd gevraagd zou ze moeten zeggen dat ze meer bewondering en respect voor hem koesterde dan voor Trey. John hield ook van haar, op dezelfde manier als Trey. Hij had dat nooit met een woord of gebaar uitgedrukt – en dat zou hij ook nooit doen – maar ze wist het. Ze voelde erg met hem mee, maar tussen Trey en haar was er een onmiskenbare chemie die er altijd al geweest was, stil en onaangesproken, maar de laatste tijd, wanneer ze zag dat hij haar vanonder zijn wenkbrauwen aankeek, voelde ze haar huid tintelen en had ze het gevoel dat alle lucht uit haar longen werd gezogen. Op die momenten voelde ze de oceaan in beweging komen, dichter naar het land toe komen en ook daar kreeg ze het warm van. Op een dag zou het tij opkomen en het strand innemen. Dat was maar een kwestie van tijd.

Rufus spitste plotseling zijn oren. Er was iets aan de hand op het veld. Er was iemand gevallen. De spelers verzamelden zich rondom hun teamgenoot, coaches en trainers renden er vanaf de zijlijn heen en duwden zich tussen de spelers door. Van de tribunes en langs het veld steeg bezorgd gemompel op. Cathy zocht naar Trey en John, maar zag hen geen van beiden. Rufus jankte en zou van de tribune zijn gesprongen als ze hem niet bij zijn halsband had gepakt. Opeens zag ze John naar de tribunes kijken alsof hij haar zocht. Ze zwaaide en hij wees naar het parkeerterrein waar ze hun auto's hadden geparkeerd. Hij had zijn helm afgezet en zag bleek. *O, mijn god!* Trey was degene die gewond was. Hij werd nu overeind geholpen. Zijn helm was af en zelfs hiervandaan kon ze de rode zwelling op zijn gezicht zien.

Bebe en Melissa keken verbijsterd naar haar achterom toen ze Rufus' riem aan zijn halsband vastklikte. *Het is maar kiespijn,* hield Cathy zich voor. Toch wachtte ze met haar knokkels tegen haar mond gedrukt naast haar grootmoeders auto tot de jongens eindelijk, onder begeleiding van de hoofdcoach zelf, uit de kleedkamer tevoorschijn kwamen – John nog in zijn voetbaltenue en Trey in schoolkleren. Kennelijk werd zij geacht Trey naar huis te brengen terwijl John de training vervolgde. Er klonk applaus van een grote groep bezorgde volwassenen en leerlingen die zich hadden verzameld om uit de eerste hand te horen wat hun quarterback scheelde.

'Het is in orde, mensen!' riep coach Turner de groep toe. 'Trey heeft alleen maar een ontstoken kies. Hij is over een paar dagen weer terug. Cathy brengt hem naar huis, zodat hij naar de tandarts kan.'

Trey glimlachte zwakjes naar haar, het enige waartoe hij in staat was, en Cathy hield Rufus' riem strak, zodat die niet tegen hem op kon springen. 'Het spijt me dat ik u heb teleurgesteld, coach,' mompelde Trey.

Coach Turner legde een hand in Trey's nek en gaf er een kneepje in. 'Je hebt me niet teleurgesteld, jongen. Maak je geen zorgen. Je raakt je plek in het team echt niet kwijt. Je komt weer terug, maar niet voordat je helemaal beter bent, oké?'

'Oké,' zei Trey. Hij wendde zich tot John. 'Mocht ik voor vrijdagavond niet terug zijn, Tiger; je hebt mij niet nodig om die scout van Miami te laten zien wat je in je mars hebt.'

'Je bent wel op tijd terug, TD.'

Cathy liet Rufus op de achterbank van de Ford terwijl John Trey in de auto hielp. Haar hart bonkte in haar keel toen ze de auto startte. 'Zit je goed?' slaagde ze erin te vragen.

Trey legde zijn hoofd achterover en deed zijn ogen dicht. 'Ik zit goed. Breng me naar huis, Catherine Ann.'

Een van de coaches had al contact opgenomen met Mabel. Ze had haar Cadillac al uit de garage gereden en stond op de veranda te wachten toen ze eraan kwamen.

'Dokter Wilson wacht op ons,' zei ze. 'Hij zal meteen met die kies afrekenen. Lieve hemel, Trey, moet je nou toch eens zien! Hoe kan ik over het hoofd hebben gezien dat je zo ziek was?'

'Omdat ik niet wilde dat u het zag, tante Mabel. Ik dacht dat het wel over zou gaan.' Hij raakte het puntje van Cathy's neus aan, zijn ogen waterig van de pijn. 'We spreken elkaar vanavond wel, Catherine Ann,' zei hij.

Cathy knikte en Mabel zei: 'We kunnen maar beter gaan, jongen.'

'Ik wil graag eerst een glas water, tante Mabel.'

Binnen zei Mabel: 'Ga zitten, Trey, dan haal ik een glas water voor je.'

'Ik hoef geen water, tante Mabel.'

'Wat? Maar je zei…?'

'En ik heb ook geen tandarts nodig, maar een dokter.'

'Wat?'

'Het zijn niet mijn tanden. Er is iets anders aan de hand…' Hij liet zijn blik naar zijn kruis afdalen. 'Daar beneden.'

'De bof?' zei Mabel verbaasd toen dokter Thomas haar zijn diagnose meedeelde.

'Dat is het. Die arme knul dacht in eerste instantie dat de zwelling werd veroorzaakt door een rotte kies.'

Mabel drukte haar handen tegen haar wangen. 'Mijn zusje heeft hem als baby waarschijnlijk niet laten inenten. Goeie genade, ik voel me verschrikkelijk dat ik het niet eerder heb opgemerkt, maar Trey is de laatste tijd zo op zichzelf, hij at zelfs niet thuis. Ik dacht dat het gewoon pubergedrag was. Als hij nou maar iets had gezegd…'

'Neem jezelf alsjeblieft niets kwalijk, Mabel. Welke knul die zich voorbereidt op de eerste voorjaarstraining zou zijn tante nou vertellen dat hij zich niet goed voelt – en vooral de quarterback van het team? Hij moet natuurlijk in quarantaine en de school moet worden ingelicht, maar gelukkig is de bof de minst besmettelijke kinderziekte, en het is zeldzaam dat een jongen van Trey's leeftijd de bof krijgt.' Hij schreef een recept uit. 'Deze medicijnen helpen de pijn te verlichten en de koorts te laten zakken, en ik geef je wat informatie mee over hoe hij zich wat beter zal voelen. En over een jaar zullen we wat tests moeten doen.'

'Tests? Wat voor tests?'

De dokter keek haar strak aan. 'Ik denk dat je dat wel weet, Mabel.'

Mabel voelde het bloed uit haar gezicht wegtrekken. 'O, dokter, u denkt toch niet…'

'Laten we het zekere voor het onzekere nemen, oké?'

12

'Hier, jongen, laat mij dat maar doen,' zei Bert Caldwell tegen John.

John keerde zich onwillig van de spiegel naar zijn vader, zodat die de das van zijn smoking goed kon strikken; hij hield zijn mond dicht om te voorkomen dat hij Berts whisky-adem binnenkreeg. Tot Johns verbazing was die vertrouwde geur afwezig; soms bleef zijn vader nuchter tussen twee klussen in. Vandaag was dat ook het geval. Om een of andere reden vond hij de avond van zijn zoons eerste schoolbal reden genoeg om de fles te laten staan, in elk geval tot John was vertrokken.

Bert deed een stap achteruit om zijn handwerk te bewonderen. 'Zo zit het goed,' zei hij. 'Heb je hulp nodig met de sjerp?'

'Nee, dank je, dat lukt wel,' zei John terwijl hij de geplooide sjerp van bruine zijde om zijn middel vastmaakte. John voelde zich ongemakkelijk onder de blikken van zijn vader en wilde dat hij wegging toen hij het jasje met satijnen revers van het hangertje haalde en het aantrok, waarna hij zich naar de spiegel omdraaide om de dubbele manchetten van zijn overhemd goed te doen.

'Niet slecht voor een gehuurd pak,' merkte Bert op. 'Maar ik had er wel een voor je willen kopen. Je zult in Miami nog wel vaker een smoking nodig hebben.'

'Dat duurt nog meer dan een jaar,' zei John en hij schonk zijn vader een glimlachje. 'Misschien groei ik voor die tijd nog wel een centimeter of vijf.'

Bert knikte en stak zijn handen in zijn zakken. 'Ik neem aan van wel. Je ziet er… elegant uit, jongen. Ik wou dat je moeder je nu kon zien.'

'Ik ook,' zei John.

Er viel een ongemakkelijke stilte. 'Weet je zeker dat je niet met mijn auto wilt? Je ziet er veel te chic uit om in een pick-up rond te rijden.'

'Nee, dank je. Ik heb Old Red gewassen en in de was gezet, zodat hij volop blinkt, en ik heb hem gestofzuigd. Dat is goed genoeg.'

'Nou dan...' Bert haalde een paar biljetten uit zijn portemonnee. 'Neem dit dan. Je moet wel genoeg bij je hebben op een avond als deze. Dit maak je maar eens in je leven mee.'

John stak zijn eigen portemonnee in het jasje van zijn smoking. 'Dat hoeft niet. Ik heb het niet nodig. Alles is al betaald.'

'Neem het toch maar aan.' Bert duwde de biljetten in zijn hand. 'Ik zou het prettig vinden te weten dat je wat extra's bij je hebt.'

John nam het geld aan. 'Dank je,' zei hij.

De twee mannen keken elkaar even in de ogen. Bert moest daarvoor omhoogkijken. 'Dat meisje dat je meeneemt naar het bal... hoe heet ze ook weer?' vroeg hij.

John had hem dat nooit verteld, maar hij zei: 'Bebe Baldwin.'

'Het benzinestation aan Main Street is van haar vader.'

'Dat klopt.'

'Ze is een van de Bobettes.'

'Klopt ook.'

'Nou, ze mag van geluk spreken. Ik neem aan dat een stel aantrekkelijke sporters als jij en Trey ze voor het uitkiezen hebben.'

'Ik ben degene die van geluk mag spreken. Bebe is een leuke meid.'

Bert knikte om aan te geven dat hij waarschijnlijk gelijk had. 'Dat geloof ik zeker,' zei hij. 'Nou, ik wens jullie veel plezier vanavond. Rij voorzichtig.' Hij tikte twee vingers tegen zijn voorhoofd ten groet en liep de kamer uit.

John zag hem met gebogen schouders wegschuifelen en had even medelijden met hem. Er waren dingen die je nooit meer in orde kon maken, hoe graag je ook opnieuw zou willen beginnen. John had die dag negen jaar geleden kunnen vergeten als zijn vader zijn leven had gebeterd, als de momenten van spijt zich niet alleen hadden voorgedaan tussen de sletjes en zuippartijen door, die hem in een monster veranderden dat in staat was een jochie van acht af te ranselen.

Hij gooide het geld op het bureau en haalde opnieuw een kam door zijn haar, boos op zijn vader omdat die de herinnering aan die middag negen jaar geleden weer boven had gehaald. Johns moeder was een jaar dood toen hij van school thuis was gekomen en een vreemde vrouw bij zijn vader in bed had aangetroffen. 'Waarom heb je niet geklopt, verdomde kleine klootzak!' had Bert gebulderd terwijl hij de dekens van zich af wierp en John had zichzelf niet in veiligheid kunnen brengen voordat Bert een riem uit de broek had getrokken die hij over een stoel had gegooid.

Trey hoorde de commotie. John en hij liepen altijd samen naar huis en godzijdank was Trey nog maar bij het hek toen hij besefte wat er aan de hand was. Hij rende naar het huis van de buren om sheriff Tyson te bellen en rende toen terug, liep naar binnen en riep: 'Hou op! Hou op!' Hij ging tussen John en de riem staan en kreeg zelf een paar klappen voordat de blonde slet Johns vader waarschuwde dat er een politieauto was gestopt. Voor John het wist waren de sheriff en zijn hulpsheriff het huis binnen gestormd en beval Deke Tyson zijn vader de riem te laten vallen.

'Ik peins er niet over. Dit is mijn huis, Deke. Ik kan hier verdomme doen wat ik wil.'

'Misschien wel, maar je mag je zoon geen kwaad doen.'

'Mijn zóón! Hij is verdomme niet eens mijn zoon. Hij is van een of andere klootzak die mijn vrouw heeft genaaid toen ik op het olieveld zat!'

Er viel een stilte zo zwaar als een steen. Sheriff Tyson en de hulpsheriff keken van Bert naar John en zagen wat John zich plotseling ook realiseerde. Hij leek helemaal niet op zijn vader met diens zwarte haar en blauwe ogen. Trey sperde zijn ogen wijd open en juichte opgetogen. 'Hé, dat is cool, John! Hij is niet je ouweheer. Dus jij hebt ook geen ouders.'

John was op handen en knieën overeind gekomen. Hij keek naar zijn vader omhoog, die met afgewende blik op zijn lip stond te bijten. 'Ben je niet mijn vader?'

Bert Caldwell gooide de riem neer. 'Vergeet dat ik dat heb gezegd. Je draagt toch mijn naam, niet dan?'

'Ben je niet mijn vader?'

Bert spuugde op de vloer. 'Dat had ik niet moeten zeggen.'

'Maar dat heb je wel gedaan.'

'Hou je brutale mond! Dat heb ik niet gezegd. Ik zei dat het soms moeilijk te geloven is dat je mijn zoon bent. Dat zei ik.'

'Leugenaar!' riep Trey en hij dook naar Berts knieën.

Sheriff Tyson had hem tegengehouden door Trey zachtjes bij zijn schouders te pakken en naar de hulpsheriff te duwen. Deke Tyson was een grote, sterke man, een voormalige groene baret, en John zag dat Bert zelfs in zijn dronken toestand wel beter wist dan het conflict met hem aan te gaan. 'Wij nemen John vanavond mee, Bert,' zei Deke. 'Als je morgenvroeg nuchter bent, moeten we praten.'

John had wel een idee waar ze over hadden gepraat. In de Texas Panhandle had een sheriff zo ongeveer de vrije hand om te doen wat hij nodig vond om de bewoners van zijn rechtsgebied te beschermen, een vrijheid die Deke Tyson niet zou aarzelen te gebruiken om een kind ergens voor te behoeden. Johns vader had hem nooit meer geslagen.

De vage littekens zaten er echter nog steeds, op zijn rug en in zijn hart, en hij had nooit meer hetzelfde gevoeld voor de man die hem had grootgebracht.

John stak de kam in zijn zak, pakte zijn sleutels en nam de doos van de bloemist met een anjercorsage erin onder zijn arm. Hij zou vanavond geen vervelende herinneringen moeten ophalen. Hij had andere onprettige gedachten om zich mee bezig te houden. Trey had vanavond plannen met Cathy.

'Wat denk jij, John? Vind je niet dat de tijd er rijp voor is?' had Trey eerder die week aan John gevraagd nadat hij hem had verteld dat hij een motelkamer in Delton had gereserveerd.

John was neergehurkt om zijn schoenveter te strikken. Ze waren in de kleedkamer, net klaar met douchen en aankleden nadat ze rondjes hadden gelopen op de atletiekbaan.

Zijn kaakspieren verstrakten toen hij ten slotte zei: 'Er is maar één manier om daarachter te komen, TD, en hoe eerder hoe beter, gezien het feit dat we volgend jaar allemaal samen naar Miami willen. Maar waarom na het schoolbal? Cathy zal haar mooiste jurk aanhebben, en haar haren opgestoken en zo. En als jullie twee daarna niet naar het ontbijt komen, zal iedereen weten waar jullie zijn, wat jullie aan het doen zijn. Ze zullen gaan kletsen. Je moet om Cathy's reputatie denken.'

'Waarom zou ik daaraan moeten denken? Iedereen weet dat ze mijn meisje is en dat altijd zal blijven. Ik ga met haar trouwen als we klaar zijn met studeren.'

'Dat is nog ver weg, Trey. Er kan voor die tijd nog van alles gebeuren.'

'Er gaat helemaal niets gebeuren tussen ons. Dan kan niet. Dat sta ik niet toe.' Frustratie verduisterde zijn blik. 'Ik kan niet meer van haar afblijven, John. Ik moet haar hebben of het uitmaken, en ik ga nog liever dood dan dat ik haar opgeef.'

'Heb je dit met Cathy besproken?'

'Welk gedeelte?'

'Allebei, TD, in godsnaam. Weet ze hoezeer je naar haar verlangt en kent ze de consequenties als ze jou je zin niet geeft?'

'Zoals jij het zegt klinkt het net of ik haar chanteer!'

'Dat is toch ook zo?'

'Nee, verdomme! Jezus, John, ik dacht dat jij het zou begrijpen. Als je zo verliefd op iemand was als ik op Catherine Ann, zou je verdorie wel weten wat ik doormaak.'

John zei een paar minuten niets. Hij opende zijn kluisje om zijn nieuwe sportjack eruit te halen, de mouwen vol met opgenaaide badges van allerlei sporten waarin hij uitblonk. Trey had er ook zo een, maar dat hing in Cathy's kluisje, veel te groot voor haar, en hij droeg zelf dat van vorig jaar. John hoopte dat zijn wangen niet rood waren. Hij wist verdorie precies wat Trey doormaakte.

'En heb je aan Miss Emma gedacht?' vroeg John. 'Ze zal opblijven voor Cathy en zodra ze haar ziet, zal ze weten wat jullie hebben uitgehaald.'

'Daarom gaan we ook naar een motel. Dan kan ze zich naderhand opknappen en haar grootmoeder zal helemaal geen verschil zien.'

Ga daar maar niet van uit, dacht John. 'Waarom heb je Cathy niet verteld wat je voelt?' vroeg hij.

'Omdat ik haar niet wil laten schrikken.'

'Cathy schrikt niet zo makkelijk.'

'Dat weet ik, en ik denk dat dat mij juist bang maakt... het verklaart waarom ik zo lang heb gewacht. We zijn hecht, maar zou ze ook... intiem willen worden? Wat nou als ze... mij niet wil zoals ik haar wil?'

'Als ze nu nog geen seks wil, betekent dat nog niet dat ze niet van je houdt of dat ze het later niet zal willen. We zijn pas zeventien. Cathy is misschien wel bang om zwanger te worden.'

Trey draaide aan het combinatieslot om zijn kluisje af te sluiten. Zijn kaaklijn verstrakte. 'Dat laat ik niet gebeuren.'

'Hoe denk je dat te voorkomen? Condooms werken niet altijd even goed, niet zoals jij waarschijnlijk tekeergaat.' Trey was een paar jaar geleden ingewijd in de gymnastische seks door een populaire cheerleader, maar ze had dat geheim veilig meegenomen toen ze in het daaropvolgende najaar naar de universiteit was vertrokken. John wist van twee andere meisjes met wie Trey seks had gehad – middelbare scholieres uit Delton. Cathy had nooit iets over die uitspattingen vernomen. John vroeg zich af wat er anders zou zijn gebeurd. Zou ze jaloers zijn geweest, gekwetst, woedend? Zou ze Trey hebben gedumpt en naar hem toe zijn gekomen? Of zou ze Trey's overspel niet hebben gezien als een schending van haar vertrouwen of als ontrouw, maar als zijn manier om haar tegen zichzelf te beschermen tot zij er klaar voor was? Het was moeilijk te zeggen. Hoewel ze over bepaalde dingen een open boek was – zoals opvattingen, principes en haar sterke zelfbeeld – was Cathy verder niet zo gemakkelijk te lezen of te voorspellen. Van hen drieën was zij het meest volwassen. Ze mocht er dan klein en weerloos uitzien, fysieke grootte deed er niet toe als je over de kracht van een gezond besef van eigenwaarde beschikte, en dat moest Trey bij Cathy nog ondervinden.

'Die meisjes betekenen niets voor me, John,' had Trey hem verzekerd. 'Het enige meisje dat iets voor me betekent en dat altijd zal blijven doen is Catherine Ann. Ze is mijn wereld, mijn leven, mijn hart. Ik zou zonder haar niet kunnen ademhalen. Ik heb het geprobeerd. Ik heb me afgevraagd hoe het zou zijn om het met haar... een poosje op een laag pitje te zetten en wat rond te kijken, maar dan bedenk ik hoe het zou zijn om haar kwijt te raken...' Zijn stem stierf weg en hij staarde voor zich uit als een getraumatiseerde oorlogsveteraan.

John kon zich best voorstellen hoe het zou zijn om Cathy kwijt te raken; erger nog dan van een afstandje van haar houden, maar ze was vanaf het begin naar Trey toe getrokken, wat de reden was dat hij nooit zelfs maar door een oogopslag had laten merken wat hij voor haar voelde.

Hij probeerde een laatste argument. 'Vind je niet dat je Cathy op z'n minst van tevoren moet inlichten over je plannen, haar de kans moet geven om "liever een andere keer" te zeggen?'

Trey maakte een vuist en sloeg tegen het kluisdeurtje. 'Dat is nou echt iets voor jou, John... mensen de gelegenheid geven om iets af te wijzen waarvan je diep vanbinnen wéét dat het het beste voor hen is.'

Het had geen zin om te proberen Trey duidelijk te maken dat wat hij als het beste voor iemand anders beschouwde feitelijk het beste voor hemzelf was, vooral omdat hij vaak gelijk had.

Daarom hoopte John van ganser harte dat wat er na het schoolbal ook zou gebeuren tussen Trey en Cathy, ze daar allebei klaar voor waren.

13

Trey keek voor het laatst in de passpiegel in de slaapkamer van zijn tante. Hij was te lang om zichzelf er helemaal in te kunnen zien en bukte even om te controleren of zijn zwarte dasje gelijk zat met zijn bijpassende sjerp. Hij had zich er niet echt op verheugd een apenpakje aan te trekken voor het schoolbal – dat moest hij na het bal immers weer uittrekken – maar hij zag er toch wel heel goed in uit en de meisjes zouden het geweldig vinden. Hij hoopte dat dat ook voor Cathy gold.

Hij pakte nog een zakdoek uit zijn la, niet uit de doos met frisse nieuwe linnen exemplaren die zijn tante per se had willen kopen toen ze zijn smoking gingen uitkiezen – 'je kunt gewoon niet rondlopen met een alledaagse zakdoek in het borstzakje van je smoking, Trey, lieverd' – maar van de oude stapel. Zijn voorhoofd was klam, een uiterlijk teken van de zenuwen. De spanning in zijn buik irriteerde hem, want zijn uiterlijk vertelde hem dat geen enkel meisje hem vanavond zou kunnen weerstaan.

Zijn uiterlijk zou wellicht echter geen effect hebben op Cathy. Zij viel gewoon niet voor de dingen waarmee je andere meisjes in de wacht sleepte. Ze leek in niets op de andere meisjes die hij kende. Andere meisjes zagen er goed uit, ze hielden van een lolletje en boden hun gunsten vrijelijk aan. Ze huppelden en sprongen, flirtten, gooiden hun haren achterover en knipperden met hun lange wimpers. Hij glimlachte wel terug, maar geen van hen kon zijn hart vangen zoals Cathy had gedaan. De eerste keer dat hij het nummer 'My Funny Valentine' van Frank Sinatra had gehoord, was op een van tante Mabels oude langspeelplaten. De tekst had hem aan Cathy doen denken. Ze speelde fluit in de band en droeg een uniform dat een maat te groot was voor haar tengere gestalte en een hoed die haar dwong haar hoofd iets achterover te buigen om onder de rand door te kunnen kijken wanneer ze tijdens de spelpauze over het veld marcheerde. Maar zoals bij alles wat ze deed, bleef ze in de pas lopen en maakte ze nooit een foutje. Ze vond het vreselijk dat ze niet lang was en zag haar minder dan gemiddelde lengte als een lichamelijke onvolkomenheid, maar in zijn ogen was ze precies goed. Ze was zijn Funny Valentine, en hij had niet gewild dat ze anders was.

Nu wilde hij echter dat hij toch de stemming alvast wat had gepeild, zodat hij een indicatie had gehad van haar bereidheid om vanavond in zijn dromen mee te gaan. Het was niet zo dat ze niet vrijden, maar dat gebeurde op een meer... spiritueel peil, een speciaal niveau alleen voor hen gereserveerd, en dat was ook heel bevredigend. Hij was tevreden geweest met de keren dat ze samen studeerden, naar de televisie of de capriolen van Rufus keken, hun benen tegen elkaar, zijn arm om haar heen, nu en dan kussend maar nooit meer dan dat. Niets was te vergelijken met de kippenvelmomenten wanneer hun blikken elkaar ontmoetten in een menigte, of wanneer ze in het voorbijgaan met haar hand over zijn schouder of door zijn nek streek, of zijn kraag goed deed, achteloos, zoals je dat doet bij iemand die jou toebehoort; hij voelde zich dan intiemer met haar verbonden – fysiek meer bevredigd – dan wanneer hij met een ander meisje op de achterbank van zijn Mustang lag te vrijen.

Wachten had iets opwindends gehad, zoals een stuk gebak waar je een hap van wilde nemen, maar het glazuur niet van wilde verpesten.

Dus had hij nergens op aangedrongen. Het moment zou vanzelf wel komen, had hij gedacht. En nu was het zover. Hij hield zo veel van haar dat het pijn deed en hij had het punt in hun relatie bereikt waarop hij die liefde tot uitdrukking moest brengen en haar liefde voor hem wilde voelen. Was dat niet waar het bij seks om draaide? Maar als haar gevoel voor hem nou niet hetzelfde was? De angst dat dat niet het geval was, maakte hem bijna misselijk, maar hij moest het weten en hij was van plan er vanavond achter te komen.

Hij depte zijn voorhoofd droog en stopte de zakdoek in een andere zak. Hij zou deze gebruiken en het linnen exemplaar bewaren voor het geval Cathy die nodig had.

'Trey Don? Ben je klaar voor je close-up?' vroeg zijn tante, die zijn kamer binnen kwam. 'Ik heb de camera klaar.'

'Zo klaar als ik zijn kan,' zei hij, ervan overtuigd dat zijn tante de ironie van zijn opmerking niet zou begrijpen. Hij draaide zich naar haar om. 'Hoe zie ik eruit?'

'Gewoon veel te knap,' zei Mabel. 'Wanneer is mijn kleine neefje uitgegroeid tot zo'n lange, duistere en onmogelijk aantrekkelijke jongeman?'

Ze kon er niets aan doen, maar dat 'mijn kleine neefje' maakte hem alleen maar nog zenuwachtiger. Het had 'mijn kleine zoontje' moeten zijn. Hij dacht de laatste tijd veel aan zijn ouders, vroeg zich af waar ze waren en of hij ze ooit nog zou zien, of ze trots zouden zijn als ze hoorden dat hij tot de beste highschool-quarterbacks van de staat Texas behoorde en dat hij zulke hoge cijfers haalde. Tante Mabel hield haar lippen op elkaar als het over zijn ouders ging, maar hij vermoedde dat zijn vader zijn moeder buiten het huwelijk zwanger had gemaakt en vervolgens niets meer met haar of haar kind te maken had willen hebben. Hij vermoedde dat zijn moeder van het wispelturige slag was dat geen greintje moederinstinct in haar lijf had en hem daarom aan tante Mabel en zijn oom had gegeven, die geen kinderen konden krijgen. Trey voelde zich beter bij dat idee dan bij de gedachte dat zijn moeder hem niet had gewild.

Hij voelde zich schuldig over zijn dromerijen over zijn ouders terwijl tante Mabel zo goed voor hem was geweest. Als wees had hij het beter getroffen dan John, zelfs beter dan Cathy, hoewel Miss Emma heel veel van haar hield. Johns vader – of hoe je hem ook wilde noemen – was als vader nog geen stuiver waard, en Miss Emma had het financieel moeilijk met de zorg voor Cathy. Tante Mabel was goed verzorgd achtergebleven dankzij Trey's oom, die een bedrijf in landbouwwerktuigen had gehad. Dat was de reden waarom tante Mabel een smoking voor hem had kunnen kopen

91

terwijl John, die Bert Caldwell alleen het hoogstnoodzakelijke liet betalen, een pak had moeten huren van het geld dat hij in de kerstvakantie had verdiend als vakkenvuller bij Affiliated Foods.

Een beurs zou voor hen allemaal een godsgeschenk zijn en de enige kans voor Cathy om naar de vooropleiding voor haar medische studie te gaan en voor John om een diploma in handelswetenschappen te halen. Hijzelf zou niet langer hoeven te profiteren van tante Mabels vrijgevigheid. En ze zouden het allemaal samen doen. Ze zouden afstuderen, hij en Cathy zouden trouwen en hij zou in de NFL gaan spelen; de National Football League, het hoogste niveau van prof-football. Als dat niets werd, kon hij nog terugvallen op zijn studie handelswetenschappen en ze zouden allemaal nog lang en gelukkig leven.

Maar eerst was er nog vanavond. 'Ga je gang met je camera, tante Mabel,' zei hij. 'Dit wordt een avond die ik niet wil vergeten.'

'Gaan jullie niet samen met John en Bebe?' vroeg Emma aan Cathy. 'Waarom niet?'

Achter de handdoek die ze had gebruikt om haar gezicht te beschermen tegen de wolk haarlak die Emma op haar feestkapsel spoot, zei Cathy: 'Ik neem aan dat John alleen wil zijn met Bebe.'

'Sinds wanneer?' vroeg Emma. 'Jullie zijn altijd nog samen op stap gegaan.'

'Nou, ik denk sinds ze... hechter zijn geworden,' antwoordde Cathy. 'We zien ze wel op het bal en daarna aan het ontbijt.'

'En daarna kom je direct naar huis, hè?'

Cathy liet de handdoek zakken en Emma's adem stokte. Haar kleindochter zag er betoverend uit. Ze gebruikte voor het eerst make-up en haar massa uitbundige krullen werd uit haar gezicht weggetrokken met een stel haarspelden met strasssteentjes erop, die pasten bij de lange jurk van blauwe chiffon die ze bij Lillie Rubins winkel in avondkleding in Amarillo hadden uitgekozen. De haarspelden waren een suggestie van de verkoopster geweest en waren behoorlijk duur, maar nu ze zag hoe prachtig ze bij de jurk en Cathy's blonde haar pasten, was Emma blij dat ze ze erbij had genomen.

'Natuurlijk kom ik direct naar huis,' zei Cathy. 'Waar zou ik anders heen moeten?'

'Jij en Trey… doen jullie…' Emma maakte een hulpeloos gebaar. 'Nou ja, je weet wel…'

'Ja, ik geloof dat ik het wel weet,' zei Cathy met een geamuseerde glimlach, 'en nee-ee, grootmoeder, Trey en ik doen het niet. We hebben een stilzwijgende afspraak om te wachten tot we ouder zijn en meer klaar voor dat soort dingen.'

Meer klaar? Emma zette de bus haarspray weg. Trey was er allang klaar voor en had daar ook al naar gehandeld, maar ze wist zeker dat het niet met Cathy was geweest. Je zag altijd iets aan een jongen wanneer hij geen maagd meer was. Emma had twee zoons grootgebracht, dus ze wist daarvan. Het verbaasde haar dat Cathy het niet had gezien, maar misschien was dat wel zo en had ze ervoor gekozen het te negeren. Er ging heel wat in dat pientere hoofdje om waar Emma geen weet van had, maar haar kleindochter was er zo op gebrand een studie geneeskunde te gaan volgen – haar lerares scheikunde noemde haar nu al dokter Benson – dat ze blind leek voor alles wat andere meisjes van haar leeftijd meteen in de gaten zouden hebben gehad.

'Lieverd,' zei Emma, en ze schraapte haar keel, 'als jij en Trey ooit besluiten dat… jullie er klaar voor zijn, dan weet je toch wel wat je moet doen, hè?'

'U bedoelt om te voorkomen dat ik zwanger word?'

'Dat is precies wat ik bedoel.'

'Natuurlijk. Dan ga ik gewoon aan de pil.'

'Aha, mooi zo,' zei Emma enigszins geschokt, 'dat is heel volwassen.'

Cathy glimlachte. 'Maak u geen zorgen, grootmoeder. Ik weet al heel lang hoe het met de bloemetjes en de bijtjes zit.'

De deurbel ging. 'Daar is Trey,' zei ze, en ze schonk haar grootmoeder een brede, opgetogen glimlach die haar ogen deed sprankelen. 'Ik ben zo benieuwd hoe hij eruitziet in zijn smoking!'

'Ik laat hem wel binnen,' zei Emma gehaast. 'Kijk jij nog maar een keer goed in de spiegel.'

Emma deed de voordeur open. *Lieve hemel!* De jongen zag er zo goed uit dat ze zelf nog haast voor hem uit de kleren zou gaan, was haar onfatsoenlijke gedachte. Voor even sprakeloos stapte ze opzij en liet ze Trey in de kleine woonkamer. 'Goedenavond, Trey. Je ziet er… leuk uit.'

Trey grinnikte. 'Leuk? Kunt u niets beters bedenken, Miss Emma?'

'Je bent verwaand genoeg,' zei ze en toen hoorde ze het zachte ruisen van chiffon achter zich. Ze zag Trey's ogen groter worden en zijn mond langzaam openvallen.

'Catherine Ann…' Verder kwam hij niet in zijn ontzag voor haar. 'Je… wat ben je mooi…'

'Ja, dat is ze zeker, en ik wil dat je haar ook zo terugbrengt, als je begrijpt wat ik bedoel, Trey Don Hall,' zei Emma kordaat.

'Grootmoeder…' schimpte Cathy lachend en ze schonk Trey een gemaakt gekwelde blik.

'Ik begrijp het, Miss Emma,' zei Trey, zijn ogen op Cathy gericht. 'Vertrouw me maar, ik breng haar mooier dan ooit bij u terug.'

14

'Weet je het zeker, Catherine Ann? We kunnen wel wachten,' zei Trey met een frons van bezorgdheid op zijn voorhoofd en twijfel in zijn donkere ogen. 'Misschien had ik je moeten waarschuwen...'

'Ik ben blij dat je dat niet hebt gedaan,' zei ze. Haar hartslag klonk als een paar tennisschoenen in de droogtrommel.

'Zou je... nee hebben gezegd?' vroeg hij, aarzelend tussen hoop en wanhoop.

Ze stonden voor de deur van de kamer die hij had gereserveerd; zij reikte nog niet eens tot aan zijn brede schouders, haar hoofd kwam nauwelijks tot aan zijn vlinderdasje. Hij had de kamersleutel in zijn hand, een paspoort naar een moment in haar leven vanwaar ze wist dat ze niet terug zou kunnen naar hoe het daarvoor was geweest.

Ze slikte, draaide zich naar hem om en streelde zijn wang om zijn spanning te verlichten. 'Geef jij ooit iemand de kans om nee te zeggen?' vroeg ze glimlachend. 'Maar nee, ik zou geen nee hebben gezegd. Ik zou alleen wat spullen hebben meegebracht, dat is alles.'

Hij leek van slag. 'O, daar had ik niet aan gedacht. Ik... heb wel een nieuwe tandenborstel en tandpasta voor je meegebracht.'

'Ik weet zeker dat ik verder niets nodig heb.'

Hij had de kamer van tevoren geregeld en had zelfs de sleutel al opgehaald, zodat ze niet onder het felle licht van de ingang in de auto zou hoeven wachten terwijl hij hem van de receptionist in ontvangst nam. Er stonden bloemen op het nachtkastje en er lagen een paar van de kussens van zijn tante op het bed, de kussens die Cathy gebruikte om haar schoolboeken op te leggen wanneer ze bij hem thuis studeerden of wanneer Trey met zijn hoofd op haar schoot lag. 'Zal je tante die niet missen?' vroeg ze.

'Ik verzin wel iets om tegen haar te zeggen. Ik dacht dat je je daardoor wat meer… thuis zou voelen.'

'Dat is lief van je, Trey.'

'Catherine Ann, ik…' Hij kwam dicht voor haar staan en ze zag de spanning in de spieren van zijn hals toen hij uit zijn woorden probeerde te komen.

'Wat is er, Trey?'

'Ik hou van je. Ik hou met heel mijn hart van je. Ik hou al van je sinds die eerste keer dat ik je zag toen je het huis van je grootmoeder uit kwam rennen om naar je sneeuwkoningin te gaan kijken. Ik moet je alleen nog laten zien hoeveel ik van je hou.'

'Nou,' zei ze, en ze sloeg haar armen om zijn nek, 'dan stel ik voor dat je begint.'

'Ik wil je niet laten gaan,' zei Trey toen hij uren later voor Miss Emma's voordeur haar gezicht tussen zijn handen nam. De hartstochtelijke intensiteit van de afgelopen paar uur was nog steeds zichtbaar in de diepe blos op zijn gezicht, de koorts in zijn ogen.

'Ik weet het,' zei Cathy zacht, 'maar ik moet naar binnen. Ik weet zeker dat mijn grootmoeder nog niet slaapt.'

'Denk je dat ze me zal vermoorden als ze je ziet? Ik had beloofd dat ik je mooier terug zou brengen dan ooit, maar ik bedoelde…'

'Ik weet wat je bedoelt en ik voel me ook mooier dan ooit.'

'Dat ben je ook, als dat al mogelijk is. Heb je er geen spijt van?'

'Nee, Trey. Ik heb er geen spijt van.'

'Komt dat nog, denk je?'

'Nooit. Welterusten, *mon amour.*'

Ze trok zijn handen van haar gezicht nadat hij haar had gekust en ze keken elkaar nog even smachtend aan toen ze naar binnen stapte voor hij haar, onder de buitenlamp waar iedereen die om drie uur 's nachts nog op was hen kon zien, weer kon gaan kussen. Er zat een klein, decoratief ruitje in de voordeur. Toen ze de deur dicht had gedaan, drukte hij zijn hand tegen het glas en ze reageerde daarop door de hare er ook tegenaan te drukken. Even later verbraken ze het contact, maar Cathy liet de buitenlamp branden tot ze zijn Mustang hoorde wegrijden.

Rufus was naar de woonkamer gekomen om haar te begroeten. Hij kwispelde en ze wist zeker dat zijn grote onderzoekende ogen vroegen of het goed was gegaan. Ze lachte zachtjes en knielde in een wolk van chiffon neer om hem te omhelzen. 'Ja, ja, het is goed gegaan,' zei ze met een fluistering die op een golf van geluk bij haar naar boven borrelde. Het was stil in huis. In de keuken brandde nog licht en toen ze er binnen stapte zag ze een theepot, kop en schotel en lepeltje in de wasbak, haar grootmoeders duidelijke boodschap dat ze was opgebleven tot ze het niet meer vol kon houden. Cathy was blij. Haar kapsel was verpest, net als haar make-up. Ze zou die ochtend nog vragen genoeg te beantwoorden krijgen, maar de rest van de nacht wilde ze alleen zijn om van haar herinneringen te genieten.

In haar kamer kleedde ze zich langzaam uit. Ze raakte zichzelf aan waar Trey's handen haar hadden aangeraakt en voelde hem nog steeds warm en krachtig in haar. Ze had het gevoel gehad dat de afgelopen nacht vroeg of laat zou komen, maar niet na het schoolbal en niet in een motelkamer. Dat was een complete verrassing voor haar geweest. Zelfs toen hij zwoel in haar oor had gefluisterd: 'Laten we het ontbijt overslaan. Ik heb iets alleen voor ons tweeën gereserveerd', vermoedde ze niet wat hij van plan was. Naïef als ze was, had ze gedacht dat hij om met haar alleen te zijn, haar wilde meenemen naar Denny's in Delton voor pannenkoeken en worstjes.

Het was allemaal zo vanzelfsprekend geweest als een bij die haar roos vond. Het had helemaal niets onwennigs of onbehaaglijks gehad om zich voor elkaars ogen uit te kleden. Het voelde alsof ze hun hele leven al samen hun kleren hadden opgehangen. Ze waren elkaar blijven aankijken tot ze alle kledingstukken hadden uitgetrokken en toen had hij haar met zijn ogen verslonden terwijl hij haar buitengewoon respectvol en zorgzaam had meegetrokken naar het bed. 'Catherine Ann...' mompelde hij telkens weer als in een gebed terwijl hij haar vasthield en streelde, en zijn lijf had zo juist, zo volmaakt aangevoeld naast het hare dat ze nauwelijks de korte felle pijnscheut had opgemerkt op het moment dat de oceaan naar de kust golfde en zand en zee één werden. Het was zo heerlijk geweest dat ze naderhand tot haar verbijstering en ontsteltenis iets nats op haar wang had gevoeld, waarop ze zich in zijn armen had omgedraaid en hem had zien huilen. 'Trey!' had ze met bonkend hart uitgeroepen. 'Wat is er?'

'Niets,' zei hij, haar stevig tegen zich aan trekkend. 'Er is niets. Het is alleen dat ik… me geen wees meer voel.'

Emma hoorde Cathy binnenkomen en op haar tenen door de gang naar haar kamer lopen met Rufus achter haar aan. Zijn nagels tikten op de hardhouten vloer, waardoor Cathy er niet in slaagde haar kamer heimelijk te bereiken. Emma had de hele nacht wakker gelegen, de gordijnen voor een van de ramen open zodat ze naar de sterren kon kijken. De nachtelijke sterrenhemel schonk haar om een of andere reden altijd troost. Ze had de gewoonte ernaar te kijken als ze zo bezorgd was als nu. Misschien beschreef 'triest' haar gevoelens het beste. Het was gebeurd. Dat wist ze zeker. Haar kleindochter was ontmaagd. Een grootmoeder voelde dat soort dingen aan. Cathy en Trey waren na het schoolbal niet naar het ontbijt in de Kiwanis Club gegaan. Een van de leraren had haar gebeld omdat ze zich zorgen maakten toen de koning en koningin van het bal niet waren komen opdagen. Als wat Emma vreesde inderdaad was gebeurd, zou ze maandagochtend meteen een afspraak maken met dokter Thomas zodat die Catherine Ann de anticonceptiepil kon voorschrijven.

Mabel keek op haar wekker. Kwart over drie in de ochtend. Trey was thuis. Haar slaapkamer was naast de garage en ze had hem daar naar binnen horen rijden. Ze voelde zich gedeprimeerd. Vaak ging ze wanneer hij van huis was zijn kamer controleren op contrabande – dingen als drugs, seksblaadjes, alcohol, huiveringwekkende agenda's. Dat allemaal met het doel om te ontdekken wat er gaande was in het leven van haar neef. Ze had het doosje condooms lang geleden al gevonden, weggestopt in een bureaulade, en toen opgelucht ademgehaald. Trey had geen gehoor willen geven aan haar smeekbeden om terug te gaan naar dokter Thomas om de aanbevolen tests te laten uitvoeren, en Mabel had haar gebrek aan invloed op haar neef nooit zo sterk gevoeld. 'Als ik er klaar voor ben,' had hij tegen haar gezegd, maar hij nam gelukkig wel voorzorgsmaatregelen voor het geval de uitslag zou meevallen. Van tijd tot tijd was het aantal condooms in het doosje geslonken, maar nooit wanneer hij een afspraakje had met Cathy. Vannacht ontbraken er diverse.

Ze hoopte dat Trey voorzichtig was geweest met Cathy en dat hij zoveel van haar zou blijven houden als hij altijd al had gedaan, maar haar neef was vreselijk wispelturig van aard. Cathy had echter een grip op hem die geen enkel ander meisje waarschijnlijk ooit zou hebben. Cathy was eenmalig in haar soort, het soort dat hij nodig had om hem compleet te maken.

John liet zichzelf binnen en werd overvallen door de stank van vettig eten die hem altijd begroette wanneer zijn vader thuis was. Hij had het lampje van de afzuigkap voor hem aangelaten en dat scheen op de pan met spekvet en spetters die het restant van zijn avondeten vormden, de wasbak met vuile borden erin, de smerige theedoek die aan de ovendeur hing, zijn vaders kapotte sokken en versleten schoenen onder de keukentafel waar hij ze had uitgetrokken. John voelde de misselijkheid waartegen hij de hele nacht had gevochten weer op komen zetten. Hij trok aan zijn dasje en liep de keuken door zonder iets te drinken te pakken om zijn droge keel te verlichten. In zijn slaapkamer ging hij met zijn kleren aan op bed liggen, vouwde zijn handen achter zijn hoofd en tuurde naar het plafond.

Hij zou 's morgens naar de mis gaan, besloot hij. Dat was al een tijd geleden. Toen zijn moeder nog leefde was hij elke zondag met haar naar St.-Matthew's gegaan, maar nu ging hij alleen nog wanneer hij haar miste en de vrede zocht die hij daar voelde. Morgen zou hij er heen gaan voor een ander soort vrede.

15

De lente maakte plaats voor de zomer. In voorgaande jaren hadden Cathy, Trey en John tijdens de drie maanden durende zomervakantie elke gelegenheid benut om samen de zon op te zoeken. Ingesmeerd met zonnebrandolie hadden ze in Mabels weelderige achtertuin liggen zonnebaden, wandeltochten gemaakt en gepicknickt in de Palo Duro Canyon. Met Trey's zeilboot Lake Meridian bevaren en paarden gehuurd om de attracties van het Caprock Canyon State Park te verkennen. De huid van Trey en John werd zo bruin als kastanjes, die van Cathy kreeg de diepe kleur van ongezuiverde honing. Het haar van de jongens werd een tint lichter en dat van Cathy kreeg dezelfde kleur als de manen van haar favoriete palomino.

Deze zomer voor hun laatste jaar middelbare school was echter anders. Ze hadden alle drie een vakantiebaantje. Trey en Don pakten de boodschappen van klanten in bij Affiliated Goods, een van de supermarktketens in de Panhandle. Ze hadden de concurrentie voor de paar voor tieners beschikbare baantjes met gemak verslagen omdat de manager geloofde dat hun sterrenstatus goed zou zijn voor de zaken. Geen van tweeën gaf hem reden om spijt van die keus te krijgen. Beide jongens waren harde en betrouwbare werkers; van Trey bleek dat nu pas, maar John had zich in de kerstvakantie al bewezen. De klanten stonden in de rij voor de kassa's om de kans te krijgen een praatje te maken met de plaatselijke supersterren, van wie werd verwacht dat ze dat najaar als laatstejaars de Kersey Bobcats naar hun eerste staatskampioenschapstitel voor American football zouden leiden.

Cathy had een baan als hulpje bij dokter Graves, de plaatselijke dierenarts. Dokter Thomas, de dorpsarts, had haar ook een baantje aangeboden, maar Trey had haar afgeraden op het aanbod in te gaan. 'Bij dokter Thomas mag je waarschijnlijk alleen papieren opruimen, maar bij dokter Graves kun je veel meer over geneeskunde leren, ook al gaat het dan om dieren', had hij tegen haar gezegd. En hij had gelijk gehad. Cathy werkte nog maar een paar weken bij de dierenarts toen dokter Graves, onder de indruk van haar intelligentie en haar omgang met de patiënten, haar een schort gaf en haar bij sommige kleine medische ingrepen liet assisteren.

John en Cathy hadden het vakantiebaantje hard nodig om de studiekosten te betalen die niet onder de beurs vielen die ze hoopten te verwerven. Trey had het werk nodig om te voorkomen dat hij zijn vrienden te veel miste tijdens de lange uren die hij anders alleen in de zon moest doorbrengen.

De zomeravonden waren ook anders. In voorgaande schoolvakanties waren ze altijd gedrieën bij Emma of Mabel bij elkaar gekomen. Nu kwam, tenzij John was uitgenodigd, Trey aan het eind van de dag alleen naar Cathy. 'Ik voel me wel schuldig omdat ik hem buitensluit,' zei hij. 'We hebben altijd alles samen gedaan, maar, Cathy, ik kan de dag niet afsluiten als ik je niet een poosje voor mezelf heb gehad.'

'Haar voor zichzelf hebben' betekende vaak simpelweg dat ze ergens heen reden om onder de sterrenhemel bij de muziek van de radio over hun dromen en de gebeurtenissen van die dag te praten, Cathy met haar hoofd tegen Trey's schouders genesteld. Andere keren zaten ze gewoon bij Mabel in de salon of bij Emma in de woonkamer tv te kijken. Met andere stelletjes in volle auto's of pick-ups door Main Street rijden, in Amarillo naar de film gaan of de beest uithangen op feestjes sprak hen niet aan.

'Je zou haast denken dat het een oud getrouwd stel is,' zei Emma soms tegen Mabel, doelend op de keren dat de twee er al tevreden mee leken gewoon in elkaars gezelschap te zijn. Maar de beide vrouwen wisten maar al te goed wat ze deden wanneer ze veel later thuiskwamen dan gewoonlijk. Mabel dacht aan de condooms die de dag na het schoolbal uit Trey's bureaulade verdwenen waren en Emma aan het recept voor de gele pilletjes waarvoor ze Cathy naar de apotheek in Amarillo had gestuurd, en allebei waren ze dankbaar dat het verstand van de kinderen zegevierde over hun hormonen.

Trey, John en Cathy waren het sterrentrio van het dorp. In hun eerste highschool-jaar had Cathy de hoogste score in de geschiedenis van Kersey High School gehaald voor de voorbereidende schoolkeuzetest, wat haar een trede hoger op de ladder bracht in haar streven de National Merit-beurs te verwerven, en werd ze tot 'Allerknapste' gekozen (dankzij de stemmen van de jongens, die tegen de meerderheid van de meisjes hadden gestemd, die voor Cissie Jane hadden gekozen). Trey en John werden gedeeld 'Klassenfavoriet' en 'Allerpopulairst' en in hun laatste jaar werd verwacht dat het trio met elkaar zou wedijveren om de titel 'Meest waarschijnlijk te zullen slagen', omdat ze na hun diplomering naar de Universiteit van Miami in Florida zouden gaan en vandaar verder naar grote eer en roem – Cathy als arts en de jongens in de NFL.

'Catherine Ann, weet je waarom jij het enige meisje voor me bent?' vroeg Trey op een avond. Ze lagen naast elkaar op de gewatteerde deken die Trey altijd in zijn Mustang had liggen. Hij had van 'knuffeldekentjes' gehoord en wist dat John er een had. Zijn moeder had die voor hem gemaakt toen hij klein was en Trey had hem een keer opgevouwen hoog in Johns kast zien liggen.

'Wat is dat?' had Trey gevraagd.

'Wat is wat?'

'Die blauwe deken.'

'Dat is de deken die mijn moeder voor me heeft gemaakt toen ik een baby was.'

'Sabbelde je erop?'

'Nou… ja, soms.'

'Wanneer?'

'Als ik bang was.'

'Sleepte je hem achter je aan?'

'Ja, TD. Waarom vraag je dat? Wat kan het jou schelen?'

'Omdat ik er nooit een heb gehad.'

Maar nu had hij er wel een. Hij zou het tegenover niemand in de wereld ooit toegeven, maar dit was zijn knuffeldeken, de deken waarop hij zich koning van de wereld voelde telkens als hij er met Cathy op lag. Deze deken was hem heilig. Hij bevatte hun geur en lichaamssappen. Geen enkel ander meisje had er ooit op gelegen. Hij waste hem van tijd tot tijd in de plaatselijke wasserette zodat tante Mabel het niet zag, maar dat verwijderde niet de herinneringen die eraan kleefden.

'Waarom ben ik het enige meisje voor jou?' vroeg Cathy. Ze wist dat ieder meisje op school een oogje op hem had en dat ze allemaal in hun erg korte shorts en haltertopjes naar de supermarkt kwamen om schaamteloos met John en hem te flirten. Ze vroeg zich – verbaasd dat ze niet eens jaloers was – af of Trey ooit in de verleiding kwam daarop in te gaan.

Trey ging met zijn vinger van haar hals naar haar tepel, die hij zo zoet vond als een kleine pruim. Hij nam haar in zijn armen, vervuld van de muziek en de donder die ze in hem wakker maakte. 'Omdat je van me houdt zoals ik dat nodig heb.'

Ook anders, of intenser voelbaar dan in vorige zomers, was het besef dat het dorp de tijd uitzat tot de droge, verzengende hitte plaatsmaakte voor mildere dagen en koelere nachten en de toon zette voor de American football-manie die Kersey tot december in zijn greep zou hebben, wanneer iedereen verwachtte naar de beslissende wedstrijd voor het staatskampioenschap te zullen gaan kijken. Niemand twijfelde eraan dat de kampioenschapstrofee voor klasse 3A zou worden gewonnen door de Kersey Bobcats. Ze zouden worden aangevoerd door de beste quarterback en wide receiver in hun divisie, volgens de supporters zelfs in 'de hele verrekte staat': TD Hall en John Caldwell.

De enige smet op hun vertrouwen dat ze de districtstitel zouden winnen, was echter de opkomende dreiging vanuit het andere dorp in het district, het thuis van de grootste rivaal van Kersey, de Delton Rams. Om te kunnen meedingen naar de lauwerkrans moesten de Bobcats eerst van de Rams winnen, en uit de sportverslagen bleek dat Delton voor het eerst in jaren een sterke concurrent voor de districtstrofee zou zijn en Kersey mogelijk zelfs uit de play-offs zou gooien voor het zelfs maar een voet tussen de deur had. Het vooruitzicht van zo'n tegenvaller droeg bij aan de gespannen discussies overal waar mensen elkaar zagen: het postkantoor, de drogist, het biljartlokaal, de kerk, de Masonic Lodge, Bennie's Burgers en in voortuinen waar buren na het avondeten hun tuinstoelen bij elkaar zetten om van de verkoeling van de avond te genieten.

Voor de mensen in het dorp leken John en Trey onaangedaan door al dat gepraat, maar Cathy, die het vreselijk vond dat er zo veel druk op hen werd gelegd, merkte een verandering in Trey op toen augustus ten einde liep, een week voor de eerste wedstrijd van het seizoen.

'Wat is er aan de hand?' vroeg ze die zaterdagmiddag, maar ze dacht dat ze het wel wist. 'Je bent ongewoon stil vandaag.'

Die avond zou op het rodeoterrein de kick-off-barbecue van de supportersclub worden gehouden, een traditioneel evenement waar de teamspelers met petten op en de genummerde shirts in het grijs en wit van de schoolkleuren aan over een rode loper zouden paraderen wanneer hun naam werd afgeroepen. De spelers uit de beginopstelling werden het laatst gepresenteerd, met Trey en John – de hoofdattracties – als laatsten. De verwachtingen van het hele dorp waren een zware last op hun schouders.

'Ik maak me zorgen,' zei Trey.

'Waarover?'

'Die clausule in het aanbod van Miami.'

Cathy fronste. Ze kende de inhoud van de brief waarin de Universiteit van Miami Trey een volledige beurs aanbood om voor de Hurricanes te komen spelen. Er hadden twee belangrijke voorwaarden in gestaan: Trey's cijfers en scores voor het toelatingsexamen voor de universiteit moesten voldoen aan de eisen en zijn spelniveau mocht niet tot onder de verwachtingen van de coach zakken.

'Waar maak je je dan precies zorgen om?'

'Als we het districtskampioenschap nou niet winnen? Dan zou

coach Mueller op Signing Day alsnog van gedachten kunnen veranderen over mijn toelating.'

Ook de naam Sammy Mueller kende Cathy goed, omdat die vaak over Trey's tong rolde. Mueller was de machtige hoofdcoach van de Miami Hurricanes. Ze was ook helemaal op de hoogte van het belang van Signing Day. Dat was een evenement waar de media veel ruchtbaarheid aan gaven, dat traditioneel op de eerste woensdag in februari werd gehouden, wanneer laatstejaars highschool-leerlingen een bindende verklaring tekenen dat ze zich verbinden aan de universiteit van hun keuze, die hun een beurs aanbiedt. Het was een datum waar Trey constant mee bezig was en die rood omcirkeld was op Mabels kalender. De brief van coach Mueller had duidelijk gemaakt dat hij maar een beperkt aantal spelers per positie zou aannemen en wanneer die posities ingevuld waren, werd het aanbod van de beurs ingetrokken. Die bewoordingen gaven Miami een extra ontbindende clausule, opdat coach Mueller en zijn staf niet vast zouden zitten aan een speler die ze op Signing Day niet meer wilden hebben. Trey was tot dusver echter de enige sterspeler die voor Miami in aanmerking kwam.

Ze streek over Trey's gespierde bruine arm. Hij droeg een mouwloos shirt om Cathy te helpen bij het smerige karwei van het schoonmaken van de dierenhokken achter in de dierenartspraktijk. Op zaterdag sloot de praktijk om twaalf uur, en ze waren alleen. 'Ik zal je vertellen wat John zou zeggen. "Speel gewoon wedstrijd voor wedstrijd en doe je uiterste best. Meer kun je niet doen".'

'Ja, John heeft makkelijk praten,' zei Trey, en er klonk irritatie door in zijn stem. 'Maar ik kan niet zo *laissez-faire* doen! Ik heb verantwoordelijkheden!'

Trey gebruikte graag Franse woorden, een hebbelijkheid die haar heimelijk amuseerde, maar nu glimlachte ze niet. Hij was echt van streek en ze wist niet hoe ze het voor hem 'in orde moest maken', zoals hij haar vaak teder vroeg op dagen dat hij terneergeslagen was. 'Verantwoordelijkheden?' herhaalde ze.

'Ja, Catherine Ann.' De frustratie in zijn stem impliceerde dat ze iets voor de hand liggends over het hoofd zag. 'Het komt door mij dat John en jij je hebben aangemeld voor Miami. Als ik jullie niet beïnvloed had, zou jij usc – University of Southern California – als je eerste keus hebben opgegeven op het formulier dat je naar de nationale studiebeurscommissie hebt gestuurd, en zou John American football gaan spelen voor de Universiteit van Texas. Ik maak me zorgen dat als we het districtskampioenschap niet halen, coach Mueller John en mij op Signing Day niet meer zal willen hebben, en wat moeten we dan? De posities bij andere teams zijn dan al ingevuld en de grote academische beurzen al vergeven. John kan niet op eigen kosten gaan studeren en zal moet pakken wat er overblijft. Zelfs tante Mabel kan zich het collegegeld voor Miami niet veroorloven. Dat behoort tot de hoogste in het land. We zullen uit elkaar gehaald worden en dan moet jij alleen naar Miami.'

Zijn wanhoop was zo tastbaar dat het leek of het onheil al was geschied. En nu hij het had verwoord, moest Cathy toegeven dat wat Trey zich voorstelde helemaal niet onmogelijk was. Het zou zo kunnen gebeuren. Ze had er nooit over nagedacht wat de gevolgen zouden zijn als hij zijn droom moest laten varen. Ze maakte zich alleen zorgen dat hij geblesseerd zou kunnen raken. Heel even liep er een rilling over haar rug.

Hij haalde een handdoek over zijn gezicht als om het beeld uit zijn gedachten te vegen. 'Dat zou ik niet kunnen verdragen, Catherine Ann. Ik zou het niet kunnen verdragen om jou en John te moeten missen.'

Ze pakte zijn hoofd beet en trok het omlaag tot voor haar ogen. 'Luister naar me, Trey Don Hall,' zei ze. 'Wist je dat nog geen negentig procent van de zorgen van mensen uitkomen? Je moet de toekomst voor je zien als een berg die je wilt beklimmen en niet eens stilstaan bij mogelijke omwegen die misschien op je pad komen. Als dat gebeurt, dan gebeurt het, maar dan is de berg er nog steeds en we komen wel boven… wij allemaal, en samen.'

Zijn zorgenrimpels werden minder diep. 'Je bent zo goed voor me, Catherine Ann. Wat zou ik toch zonder jou moeten?'

Ze gaf een tikje tegen zijn wang. 'Dat is één zorg die je alvast van je lijstje kunt schrappen. Hou nu maar op met al die negatieve gedachten en ga je thuis douchen en omkleden voor je grote avond. Ik zie je wel bij de barbecue.'

'Dat zal ik doen, maar eerst…' Hij sloeg de handdoek om haar taille en trok haar naar zich toe. 'Kom hier, jij.' Nadat hij haar uitgebreid had gekust vroeg hij zoals gewoonlijk, met een blik vol verlangen: 'Je vergeet me toch niet als ik weg ben, hè?'

Ze duwde hem lachend weg en gaf hem het gebruikelijke antwoord: 'Hoe zou ik dat nou kunnen?'

'De show begint om halfzes. Zorg dat je op tijd bent. Ik wil dat mijn meisje daar apetrots naar me zit te kijken.' Hij kuste haar snel nog een keer. 'Red je je wel in je eentje?'

'Natuurlijk wel. Er is geen levende ziel in de buurt. Iedereen maakt zich klaar om naar het rodeoterrein te gaan.'

Bij de voordeur riep hij nog achterom naar het kennelgedeelte, waar ze een puppy uit zijn bench haalde omdat die schoongemaakt moest worden: 'Vergeet de deur niet op slot te doen, Catherine Ann!'

'Oké,' riep ze terug, en ze hield de kleine beagle in haar arm terwijl ze het papier van de bodem van zijn bench haalde. Ze bleef het wriggelende reutje vasthouden, ook nadat ze het papier had vervangen en zijn bakjes had gevuld met vers voer en water. Ze genoot ervan dat het tongetje over haar kin likte, maar na een poosje moest ze hem toch terug in zijn bench zetten. 'Sorry, kereltje, maar ik moet naar huis om me te gaan verkleden voor de barbecue.'

De beagle begon meteen te janken, waarop de andere weekendlogés mee gingen doen. Het lawaai overstemde bijna het gerinkel van de voordeurbel. Haar nekharen gingen overeind staan. Ondanks het bordje met GESLOTEN erop was er iemand binnengekomen.

Ze sloot de bench af en liep stilletjes te midden van het lawaai naar de deur van de ontvangstruimte. Ze opende hem op een kiertje, hapte toen zachtjes naar adem en hield in toen ze zag wie er aan de balie stond. Wolf Man! Ze had hem nog nooit gezien, maar toen ze het klittende rode haar en zijn ruige verschijning zag, wist ze meteen dat het niemand anders kon zijn dan de angstaanjagende kluizenaar die in het oude huis helemaal aan het eind van Miss Mabels straat woonde. Hij hield een bloedende zwart-witte collie met een grijze snuit in zijn armen. De moeder van Rufus? Trey vertelde nog steeds graag hoe John en hij Rufus op een bitterkoude avond in januari uit Wolf Mans achtertuin hadden gered als verrassing voor Catherine Ann.

Het kostte Cathy maar een paar tellen om te beslissen wat ze moest doen. Dokter Graves zou gezegd hebben dat ze stil moest zijn en de tussendeur op slot moest houden tot Wolf Man wegging, maar de arme hond moest dringend geholpen worden, en wel meteen. Het was haar plicht de hond te redden, ook al werd ze daarom ontslagen. De man tikte ongeduldig op de bel op de balie toen ze de deur openduwde.

'Kan ik u helpen?' zei Cathy, die zich zo ver mogelijk uitrekte om enigszins een air van gezag uit te stralen.

Hij keek haar aan vanonder wenkbrauwen die net zo ruig en rossig waren als zijn haar en baard. 'Ja, juffrouw, dat kunt u,' zei hij. 'Mijn teef is gewond. Ze heeft ruzie gehad met een coyote.'

De man was duidelijk erg bezorgd om zijn hond en toonde geen enkele belangstelling voor een meisje in een korte broek en T-shirt dat alleen in een kantoortje was met geld in de kassa.

'Ik vrees dat dokter Graves op het moment niet aanwezig is,' zei Cathy. 'Ik ben het vakantiehulpje, maar ik wil met plezier kijken of ik iets kan doen.'

'Hoelang blijft hij weg?'

'Tot maandagmorgen. Er is wel een nummer voor noodgevallen dat ik kan bellen als u wilt.' Dokter Graves zou zelfs niet komen als de patiënt de secretaris van de Verenigde Naties was. Hij was voorzitter van de Bobcat-supportersclub en had de leiding over de presentatie van het team vanavond, een taak waar hij al de hele week vol trots naar uitkeek. Hij was al op het rodeoterrein.

'Hij zal me afpoeieren als u hem vertelt hoe ik heet,' zei de man, 'maar mijn hond heeft nu hulp nodig.'

'Ik weet zeker dat hij naar uw naam zal vragen,' zei Cathy. 'Wilt u dat ik even kijk of ik iets kan doen?'

De hond kermde meelijwekkend. Wanneer de teef inademde liep er vers bloed uit de diepe wonden in haar zij.

'Dat zou ik erg op prijs stellen, juffrouw.'

'Volgt u me dan maar naar de behandelkamer.'

Ze kon zwaar in de problemen komen door wat ze op het punt stond te gaan doen. 'Leg de hond op de tafel en blijf bij haar tot ik haar heb verdoofd,' instrueerde ze hem.

'Dank u, juffrouw.' De man boog zich voorover naar het oor van de hond en Cathy ving een vleugje boerderijlucht op. 'Rustig maar, Molly. Dit aardige meisje gaat je beter maken.'

Dat hoopte ze zelf ook wel, maar als ze Molly nou niet beter kon maken? Wat dan? De man zag er zo woest uit en het was zo stil buiten door de afwezigheid van verkeer in het dorp dat hij zelfs een pitbull angst zou kunnen aanjagen. Toch was Cathy niet bang. Ze was in haar element. In de behandelkamer was ze altijd kalm en geconcentreerd, ongeacht de ernst van de toestand van het dier of het temperament van de eigenaar. Cathy vulde snel een injectiespuit en stak de naald voorzichtig in het trillende vlees. 'Zo, dat stilt de pijn voor een poosje, zodat ik de wonden kan schoonmaken en hechten.'

'Hoe erg is het, juffrouw?'

'Ze heeft diepe rijtwonden. Ze overleeft het wel, maar ze zal niet meer zo uitbundig zijn als voorheen.' Cathy trok latex handschoenen aan, bond een operatiemasker voor en ging aan het werk. Het middel werkte al, maar de man bleef stoïcijns bij de tafel staan en streelde de kop van de hond. Cathy drong niet aan op de vaste regel dat de eigenaren van patiënten in de ontvangstkamer moesten wachten. Ze dacht dat ze daarmee misschien te veel risico nam en de man hield duidelijk veel van zijn hond. 'Hoe oud is Molly?' vroeg ze. Ze zag dat de collie gesteriliseerd was.

'Bijna tien. U bent Cathy Benson, is het niet?'

Cathy keek hem over het masker heen verbaasd aan. 'Dat klopt.'

'Emma Bensons kleindochter, het meisje voor wie jongens hun leven riskeren om haar een puppy te geven.'

Cathy schoor het haar van de hond rondom de diepe wonden weg. 'Dat verhaal doet de ronde.'

'Dat was bij mij,' zei Wolf Man trots en hij keek haar indringend aan – om te zien of ze schrok van die informatie, vermoedde Cathy.

'Dat heb ik ook gehoord.'

'Dus u weet wie ik ben?'

Terwijl ze de rafelige rijtwonden schoonmaakte, zei Cathy: 'Ja, dat weet ik.'

'Van de beschrijving, zeker?'

Cathy twijfelde of ze vriendelijk moest zijn of de waarheid moest zeggen. Na een korte stilte, waarin ze snel doorwerkte voordat de verdoving uitgewerkt zou zijn, zei ze: 'Ja, meneer, van de beschrijving.'

Wolf Man lachte goedkeurend. 'Nou, u zegt het in elk geval gewoon zoals het is. U bent inderdaad de kleindochter van Miss Emma.' Hij streelde het oor van de hond. 'Uw puppy is de zoon van dit beestje hier. Uw vriendjes hebben hem weggepakt uit het enige nest dat ik Molly heb laten houden, omdat niemand een puppy van een hond van Wolf Man zou willen hebben. Ik ben niet zo onverantwoordelijk als sommige mensen u misschien willen doen geloven.'

'Dat merk ik.'

Wolf Man zei niets meer terwijl Cathy haar behandeling van de verdoofde hond voortzette – schoonmaken, hechten en verbinden. Toen ze klaar was trok ze het masker omlaag en deed ze de handschoenen uit. 'Dat zou voldoende moeten zijn, meneer Wolfe. Ik geef u wat antibiotica en pijnstillers mee en iets voor Molly's misselijkheid wanneer ze bijkomt. Geef haar de medicijnen wanneer en zo lang als wordt voorgeschreven. U moet zorgen dat ze zich minstens drie weken rustig houdt en dat ze comfortabel ligt om de wonden de kans te geven te genezen.'

'U wordt op een dag vast een goede arts, juffrouw.'

Verbaasd zei ze: 'Hoe weet u dat ik arts wil worden?'

Hij grinnikte en ze keek in het donkere gat van zijn mond. Zijn lippen waren tussen zijn rode gezichtshaar niet te zien. 'Er gebeurt nauwelijks iets in dit dorp waar ik niet van op de hoogte ben, juffrouw. Nou, wat ben ik u schuldig?'

De kans was groot dat hij niet kon betalen, zelfs als ze het hem vroeg. Ze kon het echter niet riskeren een rekening voor hem uit te schrijven. Ze had zojuist een medische behandeling uitgevoerd en medicijnen toegediend zonder vergunning. 'Niets,' zei ze. 'Als u het goedvindt, houden we uw bezoek geheim, en als Molly meer hulp nodig heeft, neemt u dan maar contact met me op via mijn grootmoeder, dan zal ik kijken wat ik kan doen.'

Hij streek over zijn baard met een twinkeling van samenzweerderig begrip in zijn ogen. 'Nou, dat is heel vriendelijk van u, juffrouw. U hebt wat van me te goed, en denk maar niet dat ik dat zal vergeten. Ik vergeet een vriendelijk gebaar evenmin als een verwonding. Molly en ik zijn u heel dankbaar.'

Hij pakte zijn hond op en Cathy deed de deur voor hem open. Op weg naar buiten bleef hij even staan. 'Nog één ding, juffrouw, als ik zo vrij mag zijn.'

'Zegt u het maar, meneer Wolfe.'

'De jongen die u hebt gekozen… ik vond het jammer dat hij het was. Pas op voor uw hart met hem.'

Cathy stond daar nog steeds met de deur open en haar lippen in verbazing vaneen toen de telefoon ging. Ze keek op de klok aan de muur. *O, mijn god!* Het was al halfzes geweest!

16

Zodra Trey hem had gebeld om te zeggen dat hij naar hem toe kwam, had John geweten dat hij iets in zijn schild voerde. Waarom zou hij John thuis willen opzoeken, zonder Cathy, op een koude, grauwe zondagmiddag, terwijl hij warm en gezellig bij tante Mabel of Miss Emma kon zitten – en hij, John, ook bij hen kon zijn? Hij kon zich niet herinneren dat hij ooit een zondagmiddag bij een van beiden had doorgebracht en 's avonds mee was blijven eten.

Hij had Trey nog nooit zo bezorgd over een wedstrijd meegemaakt als over de aanstaande match tegen Delton. Trey was ervan overtuigd dat zijn hele toekomst – en die van Cathy en John – ervan afhing dat ze Delton vrijdagavond versloegen, en daarmee het enige obstakel op weg naar het districtskampioenschap uit de weg werkten, zodat Kersey een goede kans op het kampioenschap zou hebben. Hoe kon iemand op het veld zo kalm en messcherp zijn en zo vreselijk zenuwachtig buiten het veld? Alles ging prima. Begin oktober hadden ze bezoek gehad van coach Sammy Mueller in hoogsteigen persoon. Hij was in zijn nette pak naar Amarillo gevlogen, had een auto gehuurd, de rit van een uur naar Kersey gemaakt en een nacht in een motel geslapen, alleen maar om kennis te komen maken met Johns vader en tante Mabel en hun te vertellen hoezeer hij, de andere coaches en de Hurricanes zich erop verheugden John en Trey in het oranje, groen en wit van de Universiteit van Miami te zien. Tot dusver stonden de Bobcats op 9-0; ze hadden alle tegenstanders nog met gemak verslagen. Trey's grote en enige zorg was Delton – ook nog ongeslagen – maar John meende dat de Rams te hoog werden aangeslagen. Ze hadden een goede verdedigingslinie en een vechtlustige kleine quarterback, maar die knul was geen goede veldgeneraal. Hij haalde het niet bij Trey als het erom ging de verdediging van het andere team te beoordelen en de speltactiek snel te veranderen als hij iets zag wat hem niet aanstond. Trey hield altijd de leiding over het spel en John en hij waren hard op weg om voor het All-District-, en misschien het All-State-team te worden geselecteerd.

Nu was Trey net met een krankzinnig plan naar John toe gekomen, dat alles op het spel zou kunnen zetten.

'Jezus, TD, wat haal je in je hoofd? Ben je gek geworden?'

'Verre van dat, Tiger. Luister eens… met dit scheerapparaat kun je een babykontje scheren zonder dat de baby wakker wordt.' Trey demonstreerde het op batterijen werkende apparaat door het over zijn onderarm te halen. 'Zie je?' Hij hield het scheerapparaat omhoog om de haren die eraan hingen en de kale huid van zijn arm te laten zien. 'Ik heb niets gevoeld.'

'Waar heb je dat vandaan? Heb je het uit de praktijk van dokter Graves gestolen?'

'Ik heb het niet gestolen. Ik heb het geleend. Ik leg het terug zodra we er klaar mee zijn.'

'We?' John keek hem vol ontzetting aan. 'Deze keer niet, TD. Ik wil niets te maken hebben met wat je nu van plan bent. Je doet het maar alleen, of je doet het helemaal niet. Je bent onze quarterback, in godsnaam. Quarterbacks halen het soort stunts waar jij het over hebt niet uit.'

'Daarom zullen ze nooit weten dat wij het zijn geweest. Toe nou, John! Zie je de gezichten van die idioten al voor je als ze hun mascotte zien?'

'Ik zie het gezicht van coach Turner voor me als we betrapt worden.'

Trey had voorgesteld stroken van de vacht van het schaap af te scheren zodat het leek of hij door een rode lynx, een bobcat, was gekrabd. Hij had ontdekt dat Donny Harbison, een jongen van hun leeftijd, voor de ram zorgde toen tante Mabel hem naar Donny's moeder had gestuurd om eieren en groenten te halen. De Harbisons woonden op een boerderij aan de rand van Delton. John kende het gezin, dat katholiek was, vaag van de St.-Matthew's-kerk.

Trey was er volstrekt van overtuigd dat het scheren van hun mascotte de Rams zou demoraliseren en hij wilde het de volgende middag doen.

'We worden heus niet betrapt,' hield hij vol, 'dat probeer ik je duidelijk te maken. Mevrouw Harbison heeft tegen tante Mabel gezegd dat ze tot donderdag de stad uit zullen zijn. Hun lomperik van een zoon repeteert op maandag na school met de band. We kunnen spijbelen bij Engels en ruim op tijd voor de training terug zijn op school.'

'Ik wil niet spijbelen bij Engels.'

'We zeggen gewoon dat we tegen de tijd dat de laatste les begon zo misselijk waren door iets wat we bij Bennie's Burgers hadden gegeten dat we de Engelse les moesten missen, en dat we even zijn gaan liggen rusten in het lokaal van huishoudkunde. Verdorie, John, we zijn zowat de besten van de klas en bovendien team captains. Waarom zouden ze ons niet geloven?'

'Het enige wat we ermee zullen bereiken is dat de ram er geschoren uit zal zien, niet gekrabd, en dat zal de Rams niet bang maken, maar alleen nog vastberadener om te winnen.'

Trey stond boos van het bed op. Johns kamer bood hem niet veel ruimte om te ijsberen. Een tweepersoonsbed, een commode, een bureau en een stoel namen bijna alle ruimte in en twee jongens van hun postuur de rest.

'Laten we naar buiten gaan,' stelde John voor. 'Je hebt frisse lucht nodig.'

'Wat ik nodig heb is jouw hulp hierbij, Tiger. Dát is wat ik nodig heb.' Trey's ziedende blik en toon verdwenen toen hij John begon te paaien. 'Waarom begrijp je toch niet wat er op het spel staat? Geloof me, coach Mueller ziet ons niet meer staan als we niet nog een paar overwinningen meer behalen op het districtskampioenschap. Wil jij meemaken dat we allemaal onze eigen weg moeten gaan als we geen beurs krijgen voor Miami? Dat Cathy alleen moet gaan… zonder mij? Nou, wil je dat?' Trey keek hem vertwijfeld aan.

'Jij wordt op basis van je cijfers toch wel op Miami toegelaten,

TD. Doe niet zo melodramatisch. Je bent niet afhankelijk van een sportbeurs.'

'Zonder jou?'

Het idee klonk ondenkbaar en John moest toegeven dat het aanvoelde als een stomp in zijn maag. Soms dacht hij dat het bijna ongezond was, zo hecht als zij drieën waren, maar de waarheid was dat hij zich niet kon voorstellen dat hij zonder Trey en Cathy zou moeten leven. Ze waren zijn familie. Ze waren de enigen op aarde die van hem hielden en van wie hij hield. Ze waren een voor allen en allen voor een en ze verheugden zich er al zo lang op om samen naar de Universiteit van Miami te gaan, dat ze alle andere scholen uit hun hoofd hadden gezet.

'Bovendien,' zei Trey, 'kan ik zonder beurs niet van tante Mabel verlangen dat ze mijn opleiding in een andere staat bekostigt als ik ook naar een net zo goede school hier in Texas zou kunnen. De enige reden dat we naar Miami gaan is de prestige van hun football-programma, dat ons de NFL in kan helpen.'

John probeerde zo ondoorgrondelijk mogelijk te kijken, maar Trey wist dat hij tot hem door begon te dringen.

Trey ging naast hem op het bed zitten. 'We zullen vrijdagavond alle hulp nodig hebben die we kunnen krijgen, Tiger, en ik vind dat we elk idee in overweging moeten nemen dat ons een voorsprong zou geven. Kun je je echt niet voorstellen wat de spelers zullen denken als ze hun mascotte vrijdag langs de zijlijn zien staan? Die strepen zullen ze de stuipen op het lijf jagen.'

'O, Trey…'

'Als jij me niet helpt, vraag ik Gil Baker om met me mee te gaan. Ik kan dit niet in mijn eentje.'

Gil Baker? Gil Baker, een van hun verdedigers, zou zijn mond nog niet kunnen houden als die was dichtgenaaid. Hij zou het geheim van hun dwaze streek al snel verklappen – erover opscheppen – en tegen de tijd dat dinsdagmorgen de school begon zou het hele dorp weten wat ze hadden gedaan. Coach Turner zou niet aarzelen om hen allebei uit het team te trappen – zo'n soort coach was hij – en wat zou coach Sammy Mueller dán van Trey vinden?

Hun grap was misschien zelfs wel tegen de wet en kon Trey problemen opleveren met sheriff Tyson.

Maar John kende Trey. Als hij zich eenmaal iets in het hoofd had gehaald, was hij daar met geen enkele logica meer van af te brengen.

'Ik beloof je, Tiger, dat ik je nooit van mijn leven meer iets zal vragen wat je niet aanstaat als je me hier nu bij helpt.'

'Dat vraag ik me af. Oké dan, maar dit is echt de laatste idiote schelmenstreek waartoe ik me door jou laat overhalen, TD, en de enige reden dat ik ermee instem is dat ik zeker wil weten dat je de ram geen pijn doet.'

Trey stak zijn hand op voor een high five. 'Je bent klasse, John.'

Op maandag zette Trey het plan in gang zodra Cathy, hij, John en Bebe na een hamburgerlunch bij Bennie's – de plaatselijke tent voor de vette hap, zoals die werd genoemd – in zijn Mustang stapten om terug naar school te gaan voor de middaglessen.

'Ik voel me niet zo goed,' zei Trey.

'Wat is er dan aan de hand?' vroeg Cathy.

Trey boog over het stuur en greep naar zijn maag. 'Ik denk... ik denk dat ik misschien iets verkeerds heb gegeten.'

'O, hemeltje. Ik hoop dat het geen voedselvergiftiging is.'

'Misschien wel.'

John rolde met zijn ogen en keek naar buiten.

Tegen de tijd dat ze bij hun kluisjes waren, had Trey een bezorgd kijkende Cathy ervan overtuigd dat hij ziek was door iets wat hij bij Bennie's had gegeten. 'Ben jij ook niet misselijk, Tiger?'

'Ja, maar niet door iets wat ik bij Bennie's heb gegeten.'

De rest van de dag verliep volgens Trey's verwachtingen, en John en hij arriveerden bij de boerderij van de Harbisons tegen de tijd dat in de Engelse les het derde hoofdstuk van *Woeste hoogten* werd besproken.

'Fluitje van een cent,' zei Trey, en het zag er inderdaad uit alsof het gemakkelijk zou gaan. Het was een rustige, blauw met goudgele middag in de herfst en er stond maar een zuchtje wind. Het enige wat ze hoorden was het geritsel van de bladeren onder hun voeten toen ze naar de achterkant van het huis liepen.

Ze zagen vrijwel meteen het hok met de kleine ram die uit zijn trog stond te eten. Hij keek met vriendelijke ogen op en blaatte – een leuk kereltje, dacht John. 'Doe voorzichtig met hem, TD,' zei hij.

'Ja, dat zal ik doen.' Trey deed het hek open met het op batterijen werkende scheerapparaat in zijn hand. 'Hou hem heel goed vast, John.'

Toen gebeurden er twee dingen tegelijk die John in een verward waas registreerde. Ten eerste liet Trey het scheerapparaat vallen en haalde hij de klauw van een of andere grote kat uit zijn jaszak en ten tweede hoorde John de achterdeur dichtslaan. Ze draaiden zich verrast om en zagen Donny Harbison, een mager jochie dat meer dan een kop kleiner was dan zij, met een deegroller naar hen toe komen rennen.

'Ga bij dat hek weg, Trey Hall!' riep de jongen.

John keek geschokt naar Trey. Hij herkende de voorpoot als onderdeel van de opgezette lynx op de zolder van tante Mabel. 'Ik dacht dat je zei dat er niemand thuis zou zijn.'

'Nou, dat had ik dan mis.'

Het was voorbij voor ze in de gaten hadden wat er gebeurde. Woedend liet Donny Harbison de deegroller hard op Trey's schouder neerkomen en Trey liet de poot vallen, die John weggriste en weggooide voordat Trey hem tegen Donny zou kunnen gebruiken. Toen probeerde Trey uit alle macht de slagen met de deegroller te ontwijken.

'Pak hem die deegroller af voor hij mijn arm kapotslaat, John!' riep Trey, die Donny ten slotte bij de keel pakte en die dichtkneep terwijl de jongen zich probeerde te bevrijden en de twee als in een krankzinnige dans om elkaar heen draaiden.

'Trey, laat los!' riep John. Hij trok aan Trey's armen en, hevig geschrokken door Donny's verstikte kreten, stootte hij uiteindelijk zijn schouder tegen Trey's knie. Trey kreunde en liet Donny los, waarop ze alle drie neervielen. Er klonk gekraak toen iemand met zijn hoofd de picknicktafel raakte.

John stond als eerste op, daarna Trey. John schudde zijn hoofd om helder te worden; Trey wreef over zijn schouder. 'Verdomme, hij had me mijn sportbeurs kunnen kosten, John.'

'Dat zou je verdiend hebben, Trey.' Hij stak een hand omlaag naar Donny. 'Kom, ik zal je overeind helpen,' zei hij en toen stokte zijn adem. 'O, god…'

'Wat is er, John?'

'Hij beweegt niet.'

Ze lieten zich naast het bewegingloze lichaam van Donny Harbison op hun knieën vallen. 'Hé, man,' zei Trey terwijl hij de jongen tegen zijn wangen tikte. 'Hou ons niet langer voor de gek. Het spijt ons, maar zeg nu alsjeblieft iets!'

Donny staarde met volmaakt stille ogen omhoog.

Verdoofd van angst voelde John in de hals van de jongen naar een polsslag en hield hij zijn oor bij diens mond. Niets. Vol afgrijzen kwam John overeind en keek hij in de dode ogen van de jongen. Hij kreeg het plotseling zo koud alsof hij in ijswater was gesprongen. 'Hij… hij ademt niet, TD.'

Trey's gezicht werd krijtwit. 'Maar dat moet. Hij is alleen maar bewusteloos. Alsjeblieft, word wakker, alsjeblieft,' smeekte hij, de jongen aan zijn kraag optrekkend.

John pakte Trey's handen beet terwijl het koude zweet over zijn rug stroomde. 'Niet doen, TD. Dat helpt niet. Ik… ik denk dat hij dood is.'

'Hij is alleen flauwgevallen. Ik zie geen bloed of iets wat er gebroken uitziet…'

'Er is wel iets gebroken, in zijn hoofd, waar je het niet kunt zien.'

'Hij kan niet dood zijn. Hij is alleen maar… knock-out.' Trey begon te huilen en streek het shirt van de jongen glad alsof dat gebaar hem weer tot leven zou kunnen wekken. 'Hoe kan hij nou dood zijn?'

'Hij viel met zijn hoofd tegen de picknicktafel.'

Trey wierp een beschuldigende blik op de betonnen schuldige. 'O, god, John. Dit was niet mijn bedoeling. Hij hoorde niet thuis te zijn. Wat moeten we nu doen?'

John prevelde tussen verstarde lippen door: 'Ik weet het niet. Een ambulance bellen, neem ik aan.' De rillingen liepen over zijn lijf.

Trey kreunde en sloeg zijn handen voor zijn gezicht. 'O nee. O nee...'

'Of misschien sheriff Tyson.'

Trey trok zijn handen terug. 'Hij zal me arresteren, denk je niet, me in de gevangenis stoppen?'

'Nee, nee. Dit was een ongeluk.'

'Hoe leggen we uit waarom we hier waren?'

John kon niet antwoorden. Hij kreeg zijn mond niet open.

Trey keek wezenloos omlaag naar het lichaam. 'Kijk naar hem, John. Mijn vingerafdrukken worden al zichtbaar rond zijn nek. Hoe leggen we dat uit? En kijk eens naar zijn shirt. Er is een knoop af en je ziet sporen op de grond. Sheriff Tyson zal weten dat er gevochten is. Dan word ik beschuldigd van... van moord.'

'Nee, Trey, niet als je hem de waarheid vertelt. Je verdedigde jezelf, dat kan ik getuigen.'

'En als ze ons niet geloven? O, god, John...'

Trey, beschuldigd van moord? John drukte zijn handpalmen tegen zijn voorhoofd. Hij kon niet nadenken. Het voelde alsof er een houtblok in zijn hoofd zat, maar toch vertelde zijn verstand hem dat Trey weleens gelijk kon hebben. De politie zou hen misschien niet geloven, maar ze konden niet weggaan en Donny Harbison zo laten liggen. Dan zou iemand anders wellicht de schuld krijgen van zijn dood.

'Kunnen we... kunnen we het eruit laten zien of er iets anders gebeurd is?' vroeg Trey. 'Bijvoorbeeld dat hij... zichzelf heeft opgehangen?'

Johns gedachten werden meteen weer helder. 'Nee, TD. Geen sprake van! Echt niet! Donny is katholiek. Katholieken geloven dat je naar de hel gaat als je zelfmoord pleegt. We kunnen Donny's ouders niet laten geloven dat Donny voor eeuwig in de hel moet blijven.'

'Wat kunnen we anders doen, John?' Trey klonk alsof zijn strottenhoofd verbrijzeld was. 'Ze zullen het misschien geen moord noemen, maar wel doodslag: "het zonder voorbedachte rade doden van een persoon". Herinner je je die omschrijving nog van maatschappijleer? We hadden hier niets te zoeken. We kwamen om rottigheid uit te halen. Zo zullen ze het zien, vooral mevrouw Harbison. Ze mag me niet, en ze zal proberen ze zover te krijgen dat ze me de maximale straf geven. Jou niet. Jij loopt geen gevaar. Dit was mijn idee, dus het is allemaal mijn schuld, maar ik kom misschien wel in de gevangenis terecht.'

'Dat weet je niet.'

'Kun jij me met zekerheid zeggen wat er gaat gebeuren?'

Dat kon John niet. Trey's paniek was gerechtvaardigd. De kans was groot dat hij in staat van beschuldiging zou worden gesteld. Hij was zeventien. In Texas was je dan al verantwoording verschuldigd voor je criminele daden.

John kon zijn beste vriend – die als een broer voor hem was – niet naar de gevangenis laten gaan. Het idee van Trey achter de tralies, zijn toekomst naar de maan, zijn leven geruïneerd, bracht een dermate smerige smaak naar boven dat John moest spugen om te voorkomen dat hij zou gaan overgeven. Cathy zou eraan kapotgaan. En bovendien, als hij niet had geprobeerd een einde aan het gevecht te maken, was Donny misschien niet met zijn hoofd op de picknicktafel gevallen. Daar had Trey hem niet aan herinnerd. Dat was niet nodig. John kneep zijn ogen dicht en dacht terug aan een incident in de zomer dat ze negen waren. Er was een stier achter hem aan gekomen toen Trey en hij door een weiland liepen. Trey had geroepen en geschreeuwd en stenen naar de stier gegooid tot die van richting veranderde en achter hém aan ging. Trey had het hek net bereikt toen de stier met zijn hoorns het achterwerk van zijn broek schampte. Zo was het bij Trey altijd geweest... hij zou een grot vol beren binnen zijn gestapt voor John.

De kleine ram blaatte bedroefd. Hij had zich uit zijn hok gewaagd om op onderzoek uit te gaan en keek naar zijn verzorger, die op de grond lag. Johns maag draaide zich om. Donny was dood… hij kon niet worden teruggebracht, maar Trey leefde nog. *God, vergeef me voor wat ik op het punt sta voor te stellen.* Hij keek Trey versuft aan. 'Kunnen we… kunnen we iets met die… perverse vorm van masturbatie die Gil Baker ons in dat blad liet zien, die waarbij je klaarkomt door jezelf te verstikken?'

'Auto… erotische… asfyxie?' Trey struikelde over de term. John bedoelde het blaadje waar Gil in de kleedkamer mee had gezwaaid en waarin de techniek van wurgseks werd gedemonstreerd. Er stonden foto's in van mensen die zichzelf ophingen om de zuurstoftoevoer naar de hersenen te onderbreken teneinde een orgasme intenser te maken. John en Trey hadden de foto's en het hele idee obsceen en walgelijk gevonden. John had het blad niet eens aangeraakt, maar de kluisjes op school werden geregeld gecontroleerd en Gil had Trey overgehaald het blad samen met diverse andere met dezelfde seksueel expliciete inhoud in zijn auto te bewaren tot Gil een andere plek had gevonden om ze voor zijn moeder te verbergen. Ze lagen nu onder de voorstoel van zijn Mustang.

'Dat bedoel ik,' zei John, misselijk van weerzin bij de gedachte dat de ouders van de jongen hem in zo'n toestand zouden vinden. 'Dan lijkt het alsof hun zoon niet de bedoeling had te sterven. Hij wilde gewoon een seksueel hoogtepunt beleven.'

Trey kwam overeind en veegde door zijn natte ogen. 'Dat verbergt de kneuzingen… O, god, John, je bent geniaal.'

Plechtig maar snel droegen ze het levenloze lichaam naar de schuur. Trey nam het shirt van de jongen mee toen hij naar zijn Mustang rende om de ongeoorloofde blaadjes te halen. Daarna maakten ze, de aanwijzingen opvolgend, een strop van een verlengsnoer, trokken Donny's kleren uit en hesen het lichaam in een positie die dood door auto-erotische asfyxie suggereerde. Trey verspreidde de blaadjes rond de voeten van de jongen, waarbij hij er eentje open liet op de instructiepagina, en John legde Donny's schoenen, ondergoed, spijkerbroek en riem op een stoel.

Toen ze klaar waren zei John: 'Trey, we moeten even voor hem bidden', en hij wees naar het symbool van zijn geloof en dat van de jongen, een kruisbeeld dat aan het dakspant hing.

Trey knikte en ze pakten elkaars koude, klamme hand vast en bogen hun hoofd. 'In de naam van de Vader, de Zoon en de Heilige Geest vertrouwen we het lichaam van Donny Harbison aan U toe, Heer, en moge U ons vergeven wat we hebben gedaan.'

'Amen,' zei Trey. John draaide zich snel om om te gaan; Trey hield nog steeds zijn hand vast. 'Nog één ding, John.' Trey hield hem tegen. In het gefilterde licht van de schuur leken Trey's ogen donkere stukjes gebroken glas. 'We kunnen nooit iemand vertellen – zeker Cathy niet – wat hier vandaag is gebeurd. Afgesproken? Dit moet ons geheim blijven – voor altijd en eeuwig – anders komen we zwaar in de problemen.'

John aarzelde. Voor altijd betekende… voor altijd. De ouders van de jongen zouden de rest van hun leven niet weten hoe hun zoon werkelijk was gestorven, maar hij was het aan Trey verplicht. Hij zou het nooit vertellen. 'Afgesproken,' zei hij.

Trey kneep in zijn hand. 'Je bent klasse, John.'

Het zonlicht was aan het afnemen en ze wisten dat de football-training al was begonnen. In het laatste jachtige moment dachten ze eraan de grond te harken, besloten ze het hok van de ram open te laten, zodat het dier eruit kon om gras te eten. Ze pakten het scheerapparaat, raapten de knoop op en namen de deegroller mee, omdat ze geen idee hadden wat ze daar anders mee moesten doen. Pas halverwege de weg naar huis herinnerden ze zich dat ze de poot van de lynx hadden vergeten.

17

Vier dagen later was Deke Tyson, de sheriff van het district Kersey, net aan tafel gaan zitten voor een laat avondmaal toen de telefoon ging. Zijn vrouw nam op, maar gebaarde hem door te eten toen hij hoorde dat het voor hem was. Op vriendelijke toon zei ze dat haar man geen dienst had en adviseerde ze de beller het bureau van de sheriff te bellen voor hulp. Na een paar happen merkte Deke aan de toon van zijn vrouw dat degene aan de andere kant van de lijn zich niet liet afwimpelen en stak hij zijn hand uit naar de hoorn.

Geërriteerd gaf Paula hem die. 'Zijn stem klinkt bekend, maar hij wil niet zeggen wie hij is. Hoe komen ze erbij om je na zo'n lange dag ook nog thuis bellen.' Ze uitte haar klacht hard genoeg om er zeker van te zijn dat de persoon aan de andere kant van de lijn het ook hoorde. 'Je hebt nog geen tijd gehad om je uniform uit te trekken.'

Deke gaf haar een sussend tikje tegen haar wang en sprak toen in de hoorn: 'Sheriff Tyson. Wat kan ik voor u doen?'

De aard van het telefoontje moest aan zijn gezicht af te lezen zijn, want toen hij ophing had Paula haar handen in de zij gezet. 'Zeg dat het niet waar is. Je moet weer weg.'

'Wil je een plak van dat gebraden vlees afsnijden en het voor me tussen twee sneetjes brood leggen, liever? Het wordt een lange avond.'

'Deke...'

'Doe het nou maar gewoon, Paula.'

De beller was Lou Harbison geweest. Hij had Deke gevraagd alleen, zonder hulpsheriff, naar hen toe te komen en niemand over de aard van hun korte gesprek te vertellen. Lou en zijn vrouw Betty waren teruggekeerd na een paar dagen in Amarillo en hadden hun zeventienjarige zoon dood in de schuur aangetroffen. Hij had zich opgehangen. Lou had niet naar het bureau gebeld omdat hij niet wilde dat iemand anders dan Deke het lichaam als eerste zag. Er was iets wat Lou en Betty stil wilden houden voor het publiek en de rest van de familie, als dat tenminste mogelijk was. Deke zou het wel zien als hij er was.

Terwijl hij over de snelweg reed, hoorde de sheriff steeds weer Lou's gekwelde stem en kon hij alleen maar aan zijn eigen kinderen denken – een zoon van negentien die aan Texas Tech studeerde en een dochter in het laatste highschool-jaar, die nu met de band aan het repeteren was voor het optreden tijdens de pauze in de wedstrijd van vrijdag – en aan wat zo'n tragedie met zijn vrouw en hem zou doen. Paula hield van hun dochter, maar hun zoon was haar grote oogappel. Paula zou een verlies als dat van Betty nooit te boven komen. Deke vermoedde dat hetzelfde voor Betty gold.

Hij nam een hap van zijn boterham en bedacht hoe weinig hij wist over het gezin, aangezien ze uit het andere dorp in zijn district kwamen. Hij wist dat ze in een oude boerderij op een flink stuk grond buiten het dorp woonden. Ze hadden het huis en de grond geërfd toen Betty's vader was overleden. Lou Harbison werkte als monteur voor het nutsbedrijf en Betty was een huisvrouw die daarnaast wat eieren en groente verkocht. Ze woonden allebei hun hele leven al in het district. Ze hadden twee kinderen; hun dochter Cindy, die in Amarillo woonde en met iemand uit Oklahoma City getrouwd was. Hun zoon Donny was wat onverwachts gekomen, zes of zeven jaar na Cindy. Deke's dochter Melissa had verteld dat ze hem afgelopen zomer tijdens het kamp van de band had ontmoet. Ze had hem leuk gevonden, maar geen hoop gekoesterd dat het ooit iets zou worden tussen hen, omdat hij op de grootste rivaal van Kersey High zat.

De enige keer dat de sheriff gelegenheid had gehad tot een officieel bezoek aan de Harbisons was een paar winters geleden, toen hij erbij was geroepen omdat een hond van hen hondsdol was geworden. Lou had de hond niet kunnen doodschieten. Deke had die taak op zich genomen en het gezin naar binnen gestuurd met de troostvolle belofte dat Dot niets zou voelen. Hij herinnerde zich een gezellig huis en gastvrije mensen. Betty had hem later een bedankbriefje gestuurd met enkele potjes van haar heerlijke jam.

Bovenal herinnerde Deke zich echter dat de Harbisons toegewijde rooms-katholieken waren, ook Donny. Zelfmoord was binnen de katholieke kerk expliciet verboden op straffe van het verlies van de onsterfelijke ziel van de overledene. Deke vroeg zich af wat Donny in vredesnaam bezield had een eind aan zijn leven te maken en zijn ouders te belasten met de emotionele pijn van het besef dat hun zoon naar de hel was gegaan.

Tegen de tijd dat Deke voor het huis stopte, was de zon helemaal onder en restte er alleen nog een spoortje grijsachtig rood in de eindeloze Panhandle-lucht, als bloed dat uit een ontstoken wond sijpelt. Lou zou waarschijnlijk liever niet hebben dat Deke in zijn dienstauto was gekomen, met het woord SHERIFF op het portier, maar hij was hier uit hoofde van zijn functie en liet het aan Lou over om uit te leggen waarom zijn auto voor het huis geparkeerd stond. Niet dat hij zich er druk over zou hoeven maken wat de buren misschien dachten. Deke schatte dat de naaste buren zeker anderhalve kilometer verderop woonden.

Nog voor Deke zijn gordel los had gemaakt kwam Lou met een gekwelde blik in zijn ogen de veranda op lopen. Hij trok de deur achter zich dicht en kwam Deke tegemoet. 'Loop maar mee achterom naar de schuur, sheriff, en bedankt dat u alleen bent gekomen.'

'Het spijt me dat het om deze reden heeft moeten zijn, Lou. Gecondoleerd.'

Zonder nog een woord te zeggen ging Lou hem voor naar een schuur die een flink eind achter het huis stond. Die was gedeeltelijk omgebouwd om Betty's kippen te huisvesten en de kippenren stonk behoorlijk. Bij de ingang stapte Lou opzij en gebaarde hij de sheriff somber om voor te gaan.

Deke ging naar binnen en voelde een steek in zijn ribbenkast. Aan het uiteinde van een lage balk die werd gebruikt om bloemen en kruiden te drogen hing een jongen die de leeftijd van zijn dochter leek te hebben. Hij was van zijn kin tot aan de tenen van zijn witte sportsokken bedekt met een lichtblauwe deken. Deke zag dat zijn voeten nauwelijks een paar centimeter boven de vloer hingen, net zo dichtbij dat hij op zijn tenen had kunnen staan als hij dat gewild had. Om hem heen lagen diverse bladen met seksueel getinte omslagen, waarvan er eentje was opengevouwen op een pagina met een soortgelijk tafereel. Op een stoel lagen, naast een paar zorgvuldig neergezette, licht versleten schoenen, een netjes opgevouwen spijkerbroek en een witte onderbroek.

'Lieve hemel, Lou,' zei Deke, die zijn neus optrok voor de ontbindingsgeur. 'Wat is hier gebeurd?'

'We dachten dat u het misschien zou weten,' zei Lou. 'Betty en ik begrijpen het in elk geval niet. Haal de deken maar weg, sheriff. Toe maar.'

Afkerig van wat hij zou aantreffen zette Deke voorzichtig een stap naar voren, de plek behandelend als een plaats delict, en trok hij met zijn vingertoppen de deken weg.

'Ach, Jezus, Lou…'

Op zijn sokken na was de jongen naakt, zijn buik was gezwollen en vertoonde al de groenige tint van ontbinding. Er zat een dik, industrieel verlengsnoer om zijn hals geknoopt.

'Zijn moeder heeft hem zo gevonden,' zei Lou. 'Hoe noem je dit soort… seksuele perversie, sheriff?'

'Auto-erotische asfyxie of wurgseks,' antwoordde Deke, die de deken weer over het naakte lichaam van de jongen hing. 'Ik weet er niet veel meer van dan dat het de nieuwste idiote seksrage is.' Hij wees naar de opengeslagen pagina van een van de bladen. 'Het lijkt erop dat het daar wordt uitgelegd. In feite komt het erop neer dat je jezelf wurgt om de bloedtoevoer naar de hersenen te stoppen terwijl je masturbeert. Het gebrek aan bloed en zuurstof draagt kennelijk bij aan de seksuele ervaring.'

Lou zag er beroerd genoeg uit om te kunnen flauwvallen. Deke pakte hem bij zijn arm en leidde hem naar buiten. Voor het keukenraam verscheen Betty Harbisons asgrauwe gezicht. Het zag eruit als een lijk onder water. 'Hoe is je vrouw eronder?' vroeg Deke, maar hij beschimpte zichzelf meteen om de absurde vraag.

'Ongeveer zoals je zou verwachten. Ze is ontroostbaar. Het slaat allemaal nergens op. Sommige dingen hieraan zijn gewoon helemaal niets voor hem.'

'Zoals wat?'

'Betty heeft de jongen goed opgevoed. Hij lijkt in veel dingen op haar, houdt alles graag netjes en opgeruimd. Maar de keukentafel was een rommeltje…'

'Wat bedoel je?'

'Ik weet niets van die… die auto-erotische… hoe je het ook noemt. Ik vermoed dat de aandrang hem overviel toen hij iets zat te eten aan de keukentafel. Hij stond op en liet een half opgegeten boterham en een paar beschuitjes met pindakaas liggen. Er lagen overal kruimels, de pot van de pindakaas stond open, net als die van de mosterd. Zoiets heeft hij nog nooit gedaan. Hij ruimt altijd alles netjes op.'

'Wil je me laten zien wat je bedoelt?'

'Natuurlijk.'

Ze stapten door de achterdeur een keuken binnen die groot genoeg was om een pension vol gasten te herbergen. Betty zat zwijgend en akelig bleek aan de grote ronde tafel. Deke dwong zich de verscheurde blik die ze hem toewierp te beantwoorden.

'Lieverd,' zei Lou teder, en hij pakte haar hand beet, 'de sheriff is hier om onderzoek te doen.'

'Wat valt er te onderzoeken?' vroeg Betty, die hem wezenloos aankeek.

'Nou, ik heb hem verteld dat Donny de keukentafel nooit zo achter zou laten.'

Deke zag wat hij bedoelde. Sinaasappelschillen, een gedeeltelijk genuttigde boterham, besmeerde beschuitjes; het mes dat was gebruikt om ze met pindakaas te besmeren zat aan de tafel geplakt. Maar de ouders van de jongen waren een paar dagen weg geweest. Hij zou voldoende tijd hebben gehad om op te ruimen voor ze terugkwamen.

'Eh, Lou, wanneer zijn jullie naar Amarillo vertrokken?'

'Maandagmorgen na het ontbijt. Cindy's baby werd die middag verwacht. We zijn vandaag weer vertrokken om op tijd terug te zijn voor de football-wedstrijd van morgenavond.'

'Maandagochtend,' herhaalde Deke. Het was nu donderdag. De jongen zag eruit alsof hij sinds maandag of de dag erna dood was. 'Verder nog iets wat er ongewoon uitzag?'

'Nou, ja, Ramsey. Hij was half verhongerd toen we terugkwamen.'

'Ramsey?'

'Ramsey, de mascotte van ons football-team waar Donny op past. Toen we thuiskwamen was zijn hok open. We vonden de lus van de poort in het stro op de grond. Donny heeft dat hok nog nooit opengelaten. Het beest is zo gewend om in zijn hok te blijven, dat hij niet op het idee kwam om eruit te komen. Hij had eruit gekund en gras kunnen gaan eten in de tuin, maar hij bleef in zijn hok en ging bijna dood van de honger. Het enige wat ik kan bedenken,' Lou liep een stukje weg zodat zijn vrouw hem niet zou horen, 'is dat Donny dacht dat hij… een risico nam met zijn leven en verwachtte dat Ramsey wel rond zou gaan lopen als hij zonder eten kwam te zitten.'

'Blijf bij Betty terwijl ik rondkijk,' zei Deke. 'En kun je buiten wat licht aandoen?'

'Natuurlijk,' zei Lou, en hij zette een schakelaar om.

Het achtererf baadde in het licht. Toch nam Deke even de tijd om naar zijn auto te lopen en zijn zaklamp eruit te halen. Hij kwam terug en liet de straal over de grond schijnen op zoek naar… tekenen van een worsteling misschien? Hij zag daar geen aanwijzingen voor, maar de hard aangetrapte grond met hier en daar wat verdroogd gras voor het hok van de ram was onlangs geharkt. Hij scheen met zijn zaklamp het hok in, ving een paar heldere, alerte ogen in de straal en hoorde nerveus gesnuffel, maar de ram kwam niet dichterbij. De lus hing weer aan het hek en er zat vers voer in de trog.

Deke richtte de lamp op de picknicktafel en zag iets in de schaduw eronder. Hij ging op handen en knieën zitten om het met zijn zakdoek op te pakken. Het was een poot van een grijze kat, die van een opgezet exemplaar was gezaagd, te oordelen naar het gebrek aan botten en kraakbeen. Hij leek te groot om van een huiskat te zijn. De klauwen waren gebogen en idioot scherp, en Deke vermoedde dat ze van zoiets als een poema of een lynx waren.

'Lou!' riep hij.

Lou, die door het geopende keukenraam had staan toekijken, kwam meteen naar buiten. Deke hield de afgezaagde poot omhoog. 'Heb je deze ooit gezien?'

Lou wilde hem vastpakken, maar Deke weerhield hem. 'Raak hem maar niet aan. Het zou bewijs kunnen zijn.'

'Bewijs?' herhaalde Lou zwakjes.

'Voor het geval dit geen ongeluk was. Is het van jou?'

Lou keek ernaar met droefgeestige ogen.

'Ik heb het onder de picknicktafel gevonden. Wat deed het daar?'

'Dat weet ik niet. Er was hier vorige week een zwerver; we troffen hem slapend in de schuur aan. We hebben die toen op slot gedaan, maar de volgende avond was hij terug en heeft hij bij de ram geslapen. Misschien was dit van hem. Zijn soort zou zoiets wel bij zich kunnen hebben om geluk te brengen, of als wapen.'

'De grond ziet er aangeharkt uit. Waarom is dat?' vroeg Deke.

Lou keek en haalde zijn schouders op. 'Dat moet Donny hebben gedaan toen we weg waren. Hij hield het altijd graag netjes.'

'Dat vertelde je me, ja,' mijmerde Deke. 'Ik loop even naar de auto om dit in een zakje te doen en dan kom ik terug.'

'Sheriff…' Lou stak zijn handen diep in zijn zakken en plantte zijn voeten stevig neer. 'We willen geen onderzoek. Daarom heb ik u gevraagd in uw eentje te komen. Dit was een ongeluk, heel simpel. Nou ja…' Zijn mond vertrok. 'Zo simpel was het natuurlijk niet. Donny heeft zichzelf dit aangedaan. Alleen God weet waarom. Ik heb nooit gedacht dat de jongen belangstelling had voor pornografie, seksfantasieën…' Hij boog voorover, gebukt onder wat duidelijk een nieuwe aanval van verdriet was.

Deke legde een hand op zijn schouder. 'Laten we het even over die blaadjes hebben,' zei hij zacht. 'Heb je ze ooit eerder gezien? Waar had hij ze kunnen verstoppen?'

'In zijn kamer, waarschijnlijk, en nee, ik heb ze nooit eerder gezien.'

'Zou Betty ze niet ontdekt hebben wanneer ze zijn kleren in de kast legde? Moeders hebben er een neus voor om zulke spullen te vinden.' Deke herinnerde zich de keer dat Paula pikante blaadjes in de weekendtas van hun zoon had gevonden toen ze die wilde luchten.

'Zoons hebben manieren om dat soort dingen voor hun moeder te verbergen,' zei Lou.

Persoonlijk was Deke het niet met hem eens, maar hij zei: 'En ook voor jou? Had je helemaal geen idee dat hij zich met zoiets bezighield?'

Lou schudde zijn hoofd. 'Nee, en dat is juist zo schokkend. Donny hield van meisjes, maar hij had een gezonde belangstelling voor ze, en ook voor seks. Ik bedoel, ik heb hem absoluut nooit iets obsceens horen zeggen of doen…'

'Daarom moeten we de zaak onderzoeken, Lou, en de lijkschouwer de precieze doodsoorzaak laten vaststellen. Er steekt misschien meer achter dan je nu zou denken.'

'Nee!' Lou schudde Deke's hand van zijn schouder. 'Je kunt geen onderzoek instellen, de hulpsheriffs laten komen of een autopsie laten doen. Dan komt dit allemaal in de krant. Dat wil ik niet hebben. De schande zou Betty kapotmaken. We zouden nooit meer met opgeheven hoofd over straat kunnen. Ik wou nu dat ik de jongen had aangekleed, maar ik wilde dat je zou zien dat hij geen… zelfmoord heeft gepleegd. Daar zou het op hebben geleken als ik hem zijn shirt en broek had aangetrokken en die bladen had opgeruimd.'

'Waar ís zijn shirt eigenlijk?' vroeg Deke.

'Wat?' zei Lou.

'Zijn shirt. Waar is dat? Ik neem aan dat hij er eentje aanhad toen hij naar de schuur liep. Het is november, Lou.'

'Nou… ik weet het niet,' zei Lou fronsend. 'We hebben niet bij zijn shirt stilgestaan. We hebben alles gewoon gelaten zoals we het hebben aangetroffen. Hij heeft het niet in de keuken achtergelaten.'

'Luister eens, ik ga dit nu in een zak stoppen, wil jij intussen kijken of je het shirt kunt vinden dat hij wellicht aanhad? Je hoeft er niets over tegen Betty te zeggen. Ik denk niet dat Donny naar zijn kamer zou gaan om het op een haakje te hangen toen de aandrang zich voordeed en dan de keukentafel zo achterlaten als hij heeft gedaan.'

Lou liep onwillig terug naar het huis terwijl Deke naar zijn dienstwagen liep om de kattenklauw in een papieren zak te stoppen. Hij twijfelde hevig. Hij was de handhaver van de wet in dit district. Hoe graag hij de gevoelens en de privacy van de Harbisons ook wilde respecteren, hij was er niet van overtuigd dat Donny's dood een ongeluk was. Zo was er de tegenstrijdigheid tussen de rommel op de keukentafel en de netheid van zijn opgevouwen kleren. Maar wat voor verklaring was er dan nog? Zelfmoord? Nee, Deke meende dat hij dat kon schrappen. Dan zou de jongen zich zo niet hebben laten vinden, en hij zou een briefje hebben achtergelaten.

Bovendien… zou een leerling van Delton High de belangrijkste wedstrijd van het seizoen tegen aartsrivaal Kersey High op vrijdagavond hebben willen mislopen? Delton en Kersey waren in een nek-aan-nekrace om het districtskampioenschap verwikkeld. Dan bleef er moord over, maar wie zou Donny Harbison willen vermoorden, en waarom?

Deke maakte in gedachten een lijstje van dingen die hij wilde onderzoeken toen hij handschoenen aantrok om de tijdschriften en het verlengsnoer in zakken te doen. Hij zou de verzekering bellen, informeren of Donny een levensverzekering had, kijken of er meer pornobladen in zijn pick-up lagen en Donny's vrienden en leerkrachten op Delton High ondervragen. Hij zou de bladen en het verlengsnoer naar het forensisch laboratorium in Amarillo brengen en laten onderzoeken op vingerafdrukken.

Lou stond achter het huis op hem te wachten toen hij terugkwam. 'Geen shirt, sheriff.'

'Vind je dat niet vreemd, Lou?'

'Misschien, maar dat doet er niet toe. Betty en ik hebben het hier over gehad en we willen dat de details over Donny's dood worden stilgehouden. Alstublieft, sheriff, ik smeek u. Stel u eens voor dat het uw zoon was. Hoe zouden u en uw vrouw zich voelen?'

Deke gaf geen antwoord. Paula zou hem ook vragen het stil te houden, maar hij zou willen weten wat er met zijn zoon was gebeurd.

'Daar kan ik geen antwoord op geven, Lou.'

Betty Harbison kwam naar buiten; er stroomden nieuwe tranen uit haar gezwollen ogen. 'Alstublieft, sheriff...' Ze ging op haar knieën voor hem zitten en pakte zijn arm vast. 'Ik smeek u. Laat dit alstublieft niet bekend worden. Onze priester zou hem de heilige mis onthouden als hij het wist. Hij zou hem niet in gewijde grond laten begraven. Hij zou Donny's dood als zelfmoord bestempelen omdat hij bewust iets heeft gedaan wat gevaarlijk is. We willen niet dat onze dochter hoort hoe haar broertje gestorven is. Alstublieft, sheriff...' Ze liet zijn arm los en verborg haar gezicht in haar handen.

'Betty... Betty...' probeerde Lou haar te troosten, en hij liet zich naast haar neerzakken om zijn armen om haar schokkende schouders te slaan.

Beschaamd door hun naakte verdriet, tot in het diepst van zijn vaderziel geraakt, hoorde Deke zichzelf zeggen: 'Goed dan, Betty, oké. Ik zal de politierechter bellen en hem vragen alleen te komen. Hij moet de overlijdensakte tekenen, maar hij is te vertrouwen. Hij zal niets zeggen. Het overlijden zal worden afgedaan als een ongeluk en niemand behalve wij vieren hoeft te weten wat er is gebeurd. Gaan jij en Lou maar naar binnen om de begrafenisondernemer te bellen. Ik wacht in de schuur op Walter. We zullen Donny losmaken en goed voor het lichaam zorgen tot er iemand van de begrafenisonderneming is.'

Betty stortte snikkend in de armen van haar man in elkaar en Deke liep weg om vanuit zijn dienstauto contact op te nemen met de politierechter, omdat hij niet kon aanzien dat Lou's tranen op het achterhoofd van zijn vrouw vielen.

18

De Kersey Bobcats wonnen de wedstrijd tegen de Delton Rams met 41 tegen 6, een zo ongelijke score dat coach Turner Trey en John voor het laatste kwart van de wedstrijd op de bank zette om hen te sparen voor de komende play-offs. In de hele staat beschreven kranten de overwinning van de Bobcats op de Rams als 'staal dat door papier-maché klieft'. Leden van het team namen hun quarterback en beste receiver aan het eind van de wedstrijd op hun schouders, maar noch de fans noch de media wisten met hun camera's de twee helden vast te leggen met een triomfantelijke glimlach op het gezicht.

Op de dag van de historische avond verwachtten Trey en John voortdurend sheriff Tysons dienstwagen te zien voorrijden en zijn officiële klop op hun deur te horen, maar dat gebeurde niet. Over Donny's dood stond niets anders in de regionale krant dan een overlijdensbericht en een kort artikeltje dat uitlegde dat de ouders na een paar dagen afwezigheid terugkeerden en hun zoon verongelukt hadden aangetroffen in hun schuur. De vlag van beide scholen in het district werd halfstok gehangen. De uitvaart en begrafenis werden in besloten kring gehouden, alleen voor familie.

'Waarom kijken jullie zo sip?' vroeg een uitgelaten Ron Turner na de wedstrijd in de kleedkamer aan zijn quarterback en wide receiver. Trey en John waren de laatsten die weggingen. De rest van het team was al luidruchtig vertrokken naar het overwinningsfeest dat de supportersclub in de afgezette hoofdstraat organiseerde. Coach Turner was achtergebleven om zijn groeiende bezorgdheid te verlichten. 'Jullie zouden je T-shirts van je lijf moeten scheuren in plaats van hier te zitten kniezen alsof we het kampioenschap hebben verloren.'

'Niets aan de hand,' zei Trey. 'Dat klopt toch, John?'

John concentreerde zich op het dichtknopen van zijn leren jack. 'Ja, hoor.'

Coach Turner legde een hand op hun beider schouders. 'Wat is er aan de hand, jongens? Jullie twee doen al de hele week afstandelijk tegen elkaar. Jullie hebben toch geen ruzie gehad, is het wel?'

'Nee, meneer,' zei Trey. Coach Turner was een van de weinige mannen die Trey met 'meneer' aansprak. 'John en ik zijn hechter dan ooit. Hè, John?' Zijn ogen smeekten John het met hem eens te zijn.

John knikte. 'Dat klopt,' zei hij.

Ron Turner kneep zijn ogen tot spleetjes. 'Jullie hebben toch niet nog steeds last van dat darmvirus dat jullie bij Bennie's hebben opgelopen, is het wel?'

'Zoiets,' zei Trey met een snelle blik op John.

Coach Turner keek de beide jongens sceptisch aan. 'Hoe komt het toch dat ik jullie niet geloof? Jullie zijn ergens door van slag, maar ik zal vanavond niet proberen het uit jullie te krijgen. Ik wil dat jullie het hier en nu met elkaar uitpraten. Het feest kan wachten. Ik vertel Cathy en Bebe wel waar jullie zijn. We moeten volgende week tegen een ander district spelen en ik wil dat jullie daar klaar voor zijn, maar belangrijker nog, ik wil dat jullie datgene in orde maken wat jullie vriendschap verpest. Jullie hebben een zeldzame, bijzondere band met elkaar die je maar eens in je leven ziet en die weinigen ooit zullen kennen. Sta niet toe dat er iets tussen jullie komt te staan wat met een goed gesprek opgelost kan worden. Oké?'

Coach Turner zag dat zijn woorden geen vonk bij hen deed ontbranden, maar de jongens knikten en Trey zei: 'Oké, coach.'

Toen hij weg was stonden de oude vrienden, voorovergebogen in hun leren jacks, oogcontact vermijdend en slecht op hun gemak bij elkaar. Ze droegen de petten die de supportersclub van tevoren had besteld met DISTRICTSKAMPIOENEN 1985 erop gestikt en die in de opwinding na de wedstrijd aan de spelers waren uitgedeeld. Sinds maandag waren Trey en John als door een of andere vorm van telepathie overeengekomen elkaar, behalve in de klas en tijdens de trainingen, te ontlopen, zodat ze ieder voor zich in het reine konden komen met wat er was gebeurd. John was elke dag na de training naar St.-Matthew's gegaan; Trey had elk vrij uur met Cathy doorgebracht.

Met schaamte op zijn gezicht keek Trey naar John en schraapte toen zijn keel. 'Het spijt me, Tiger. Ik zweer het bij God, het spijt me.'

'Dat mag ook wel, Trey.'

'Ik dacht dat ze sterker waren.'

'Je had het mis. Waarom had je die poot van die lynx meegenomen?'

Trey's gezicht kleurde dieprood. Hij ging op een bankje zitten en zette zijn pet af, kneep zijn ogen dicht en drukte zijn vingers ertegen alsof hij verlichting zocht van migraine. 'Omdat ik het hele seizoen al bang ben… om alles kwijt te raken, John… alles waar we voor hebben gewerkt. Ik werd er gek van. Ik dacht dat een paar schrammen van een echte klauw meer effect zouden hebben.'

Trey keek met van spijt doordrongen ogen naar hem op; de lichte afdrukken van zijn vingers waren zichtbaar op zijn hoge jukbeenderen. 'Ik zweer je dat het idee pas bij me opkwam toen ik zondag in bed lag en me oom Harvey's opgezette lynx op zolder herinnerde. Je kunt het aan tante Mabel vragen als je wilt. Ze hoorde me daar rond middernacht rommelen en kwam naar de zolder om te vragen wat ik aan het doen was. Ik dacht… ik neem de poot gewoon mee om te kijken of ik het durf te doen.'

'En zou je het gedaan hebben?'

'Nee. Toen ik de ram zag, durfde ik niet meer. Ik wist wat je van me zou denken. Toen Donny naar buiten kwam rennen wilde ik je net vragen wat we met het ding zouden kunnen doen om een boodschap voor de Rams achter te laten…'

Geërgerd vroeg John: 'Waarom kun je het spel nou nooit eens eerlijk spelen, TD?'

'Dat heb ik niet in me, Tiger. Daarom heb ik jou nodig. Daarom ben je zo'n kanjer. Jij houdt me op het rechte pad.'

John stak zijn handen in zijn jaszakken en liet gelaten zijn kin naar zijn borst zakken. Hij geloofde het verhaal over de poot van de lynx. Het was typerend voor hoe Trey soms dacht. Hij koos er wel vaker voor de joker uit te spelen terwijl hij een aas in handen had.

'Ik zal het nooit van me af kunnen zetten, TD, nooit.'

'Dat weet ik, John. Dat is het verschil tussen jou en mij. Luister, je… je gaat me toch niet laten vallen, is het wel?' De klank van ongeloof in Trey's stem impliceerde dat hij over die mogelijkheid had nagedacht en die onverdraaglijk vond. 'John, Cathy en jij zijn mijn familie, de enigen die ik heb op de wereld, behalve tante Mabel, en die is al oud.' Er blonken tranen in zijn ogen. 'Ik heb je nodig, man. Ik voel me de hele week al ellendig. Het is alsof je op een kruk met drie poten probeert zitten waar een poot onderuit is gezaagd. Zeg dat ik het deze keer niet heb verpest, dat we nog steeds net zulke goede vrienden zijn. Ik zal alles geloven wat je zegt.'

John gaf hem een handdoek aan en ging naast hem op het bankje zitten. 'Ik laat je niet vallen, TD. Dat zou ik nooit doen. Ik voel me vreselijk om wat er is gebeurd… dat we het lichaam zo achter hebben gelaten… dat de ouders het zouden vinden… en allemaal voor niets.'

'Ik weet het, ik weet het.' Trey sloeg een arm om zijn schouders en schudde hem even heen en weer. 'Denk daar niet meer aan. We komen hier samen wel doorheen. Op een dag zal het allemaal nog maar een vage herinnering zijn. Dat zul je zien. En als ik later een hoop geld verdien bij de NFL zal ik een studiefonds oprichten ter gedachtenis aan Donny Harbison. Wacht maar af. Dat doe ik echt.'

'Dat zal niets goedmaken… niet voor de Harbisons. Zonder hun zoon gaan ze door het leven met het gevoel dat wij hebben zonder onze ouders.' John schudde Trey's arm van zijn schouders. 'Jezus, TD, als er iemand binnenkomt denken ze nog dat we flikkers zijn. Vermoedt Cathy iets?'

'Ze weet dat ik… gespannen ben. Ik had de afgelopen week nooit door kunnen komen zonder haar. Jij bent veel naar de kerk geweest, is het niet? Wat doe je daar? Bidden?'

'Soms, en soms zat ik zomaar in de kerkbank. Dat hielp.' Hij was niet te biecht gegaan. Pastoor Richard zou hem gezegd hebben het enige te doen wat hem van zijn last kon bevrijden – naar sheriff Tyson gaan – maar dat kon hij Trey niet aandoen. Hij zou de rest van zijn leven zonder vergiffenis moeten leven.

Trey stompte hem speels tegen zijn schouder. 'Dus we gaan nog steeds samen naar Miami om ze daar een poepje te laten ruiken? We zijn nog steeds beste vrienden, onlosmakelijk verbonden, hè?'

'Ik vrees van wel.

'En je vergeeft me?'

'Overdrijf het nou niet, TD.'

Trey zette zijn pet weer op. 'Je bent klasse, John.'

In de gestage opmars naar de beslissende wedstrijd voor het kampioenschap van Texas leidde het duo de Kersey Bobcats in afgeladen volle stadions van overwinning naar overwinning. Door Johns sterrenstatus werd Bert Caldwell min of meer een beroemdheid, wat hem ertoe bracht te stoppen met drinken zodat hij, zo zei hij zelf, 'normaal kon functioneren' tijdens de wedstrijden. Dezelfde status werd aan Mabel Church verleend, die glom van trots om de lovende woorden voor haar neef, ondanks haar heimelijke hoop dat de Bobcats zouden verliezen om haar daardoor te verlossen van haar aanhoudende bezorgdheid dat Trey gewond zou raken.

De constante stroom telefoontjes, telegrammen en verzoeken van coaches van universiteitsteams om hen persoonlijk te mogen ontmoeten, en het aantal 'aanbiedingsbrieven' en uitnodigingen van de atletiekafdelingen van prestigieuze universiteiten om hun campus te komen bekijken – tegen vergoeding van alle onkosten – maakten John en Trey tot de meest gewilde highschool-footballspelers van het land. In december legden Mabel en Emma de telefoon van de haak zodat het trio ongestoord hun huiswerk kon maken aan de keukentafel. Aanbiedingsbrieven en telegrammen belandden ongeopend op een stapel in de la. Ongeacht de bijzondere allure van andere scholen, maakten Trey Don Hall en John Caldwell iedereen duidelijk dat ze nog steeds vastbesloten waren naar de Universiteit van Miami in Coral Gables, Florida te gaan, en daarmee uit. Op de eerstvolgende Signing Day, in februari 1986, zouden ze hun naam op de stippellijn zetten om voor coach Mueller en zijn Miami Hurricanes te gaan spelen.

Trey vond alleen verlichting van de stress en de druk om het team naar de finalewedstrijd te leiden wanneer hij met Cathy alleen was, John alleen in de St.-Matthew's-kerk. Pastoor Richard en hij waren filosofische vrienden geworden en de priester nodigde hem vaak voor het avondeten uit wanneer John niet bij Miss Emma of tante Mabel at. Ze praatten voornamelijk over de geschiedenis van de katholieke kerk, die John fascinerend vond, vooral de achtergrond van de Sociëteit van Jezus, waaruit de jezuïetenorde was voortgekomen. Pastoor Richard, een esthetische, vriendelijke man, was ook jezuïet.

Tijdens een van die bezoeken liep John Lou en Betty Harbison tegen het lijf op het pad dat naar pastoor Richards kantoor leidde. Daarvoor had John al talloze keren het graf van hun zoon bezocht en soms bloemen uit Emma's of Mabels bloembedden voor de steen gelegd.

'Jij bent John Caldwell, nietwaar?' zei Betty. Haar man en zij kwamen net terug van de begraafplaats achter de kerk.

'Ja, mevrouw.'

'We volgen jullie, Bobcats, sinds jullie ons hebben ingemaakt,' zei Lou, zijn korte glimlach overschaduwd door de herinnering dat de wedstrijd was gespeeld in de week dat zijn zoon was gestorven.

'En we hopen dat jullie het tot staatskampioen schoppen, zodat het hele district trots op jullie kan zijn,' zei Betty.

'Dank u,' zei John. Hij bleef staan en nam de ongemakkelijke houding van een tienerjongen aan. Hij keek naar zijn voeten en stak zijn handen in zijn zakken. 'We zullen ons best doen,' voegde hij eraan toe.

'Jij bent degene die soms bloemen op het graf van onze zoon legt, is het niet?' zei Betty, haar hoofd buigend om hem aan te kunnen kijken.

John voelde zijn borst samentrekken. 'Ja, mevrouw... soms.'

'Waarom? Heb je Donny gekend?'

'Vaag... van de kerk hier. Ik... vind het heel erg dat hij is overleden.'

'Ja...' zei Betty mijmerend. 'Dat zie ik. Dank je dat je het je aantrekt.'

'Geen probleem,' zei John, en hij stapte opzij om hen door te laten.

Korte tijd later lag er een toelatingsboek van de Loyola Universiteit in New Orleans, een befaamde jezuïetenuniversiteit, bij de Caldwells in de brievenbus.

19

Eindelijk was het zover, de laatste wedstrijd voor de play-offs van het seizoen. De weg naar het Texas Stadion in Irving, waar de wedstrijd om het staatskampioenschap in de 3A-divisie zou worden gespeeld, was lang en zwaar geweest, maar alle verslagen tegenstanders van Kersey hadden er geen twijfel over doen bestaan wie het beste team was. Tegen de Houston White Tigers gingen de Kersey Bobcats echter de wedstrijd in als underdogs.

Het team van Houston bestond uit een groep jongens van de straat; gangsters, noemden sommigen ze, omdat er al een paar met de wet in aanraking waren gekomen. Het stond bekend om zijn brute manier van tackelen en blokkeren. Hun aanvallers waren gemiddeld vijfentwintig kilo zwaarder dan die van Kersey en hadden een reputatie gevestigd doordat ze quarterbacks neerhaalden en korte metten maakten met hun favoriete receivers. Iedereen wist dat de Tigers het op Trey en John gemunt zouden hebben.

Trey was het hele seizoen zo goed als onbeschadigd aan de strijd ontkomen – althans volgens de normen van het spel – omdat coach Turner de aanvallers op het hart had gedrukt dat het hun allerbelangrijkste taak was hun quarterback te beschermen. En dat deden de aanvallers. Dankzij de instinctieve vaardigheid die Trey tot zo'n uitstekend aanvoerder en veldgeneraal maakte, zorgden zijn aanvallers ervoor dat de verdediging van de tegenpartij hem of zijn receivers niet wisten te raken. Trey gaf vaak complimenten en mopperde zelden en op een of andere manier betekende die welwillendheid van hem nog meer voor het team en had meer effect dan wanneer die van John zou zijn gekomen. Bij John was mildheid aangeboren, bij Trey niet. Omdat het team erop vertrouwde dat hun aanvoerder hen succesvol door de storm heen zou leiden, en ongeacht het feit dat de meeste media-aandacht naar hem en zijn wide receiver ging, zouden ze alles voor hem doen.

Maar zou dat nu genoeg zijn?

Cathy ging in de week van de wedstrijd elke avond met angst om het hart naar bed. Wat nou als Trey, en John natuurlijk, geblesseerd raakte? Dan kon alles afgelopen zijn. Waarom waren de jongens geen tennisspelers of golfers? Naarmate het play-offseizoen was gevorderd, was haar afkeer van de sport gegroeid, net als haar weerzin tegen een dorp dat zo veel van de spelers eiste en zo'n druk op hen uitoefende. Maar hoewel ze er een hekel aan had, had ze het ook aan de sport te danken dat Trey en zij nog hechter met elkaar waren geworden. Al sinds de dagen voor de districtswedstrijd leek hij niet zonder haar te kunnen en kon hij na de training niet snel genoeg naar haar huis komen. 'Ik heb je nodig,' zei hij vaak. 'Door jou verdwijnt alle ellende.'

Wat voor ellende? De school en het dorp hadden zich aan zijn voeten geworpen; hij werd alleen maar meer aanbeden omdat hij zichzelf niet op de borst klopte en niet liep te pronken zoals sommige andere spelers, maar de ophemeling aanvaardde met Johns rustige reserve en afstandelijkheid, die sinds de week van de districtswedstrijd nog waren versterkt.

'De droom van een coach – echte teamleiders', noemde coach Turner Trey en John. Ze kregen gratis maaltijden bij Bennie's Burgers en Monica's Café, filmkaartjes en nieuwe jacks van een winkel in sportartikelen aangeboden, maar accepteerden geen van alle.

'Alstublieft, God,' bad Cathy. 'Ik vraag U niet Kersey de wedstrijd te laten winnen, alleen om Trey en John verwondingen te besparen, zodat we allemaal samen naar de Universiteit van Miami kunnen.'

Sportverslaggevers streken in het kleine prairiedorp neer en hingen bij Bennie's Burgers en Monica's Café – tegenover elkaar aan het rechtbankplein gelegen – rond om verslag te doen van de opwinding die de gemeenschap op de vooravond van de grootste American football-wedstrijd in de geschiedenis van haar high school in de greep had. Een verslaggever beschreef de sfeer als zo sterk elektrisch geladen dat 'een brandende lucifer het hele dorp van de landkaart zou kunnen blazen'. Ze klampten iedereen aan die ook maar iets met het Bobcat-team te maken had en achtergrondinformatie kon leveren. Een van hen was de hoofdcoach, die opdook in een artikel dat in de grote Texaanse kranten verscheen en bijdroeg aan Trey's levenslange aversie tegen mensen van de nieuwsmedia.

'Je zou in Kersey moeten wonen om de invloed te begrijpen die deze man heeft,' schreef de verslaggever, die daarmee beweerde dat coach Ron Turner het dorp regeerde. Hij hanteerde strikte regels die zijn coaches, spelers, waterhaler en leerling-assistent – iedereen die met de Kersey Bobcats te maken had – moesten opvolgen. De twee dagen voor de wedstrijd mocht er niet gepraat worden met de media, geen omgang zijn met de plaatselijke vrouwen, inclusief leden van de supportersclub. Na de training werd ieder lid van het team geacht meteen naar huis te gaan om zich in rust en stilte te concentreren op hun op handen zijnde taak. Ze moesten het televisiekijken en telefoneren beperken en afleiding vermijden. Hij liet het aan de moeders over om te zorgen dat hun zoons goed aten, op een fatsoenlijk tijdstip naar bed gingen en stress vermeden.

De 'tweedaagse black-out', zo vervolgde de verslaggever, werd door het hele dorp gerespecteerd en je moest het zelf meemaken om het te geloven. Op woensdag en donderdag kon je laat in de middag, wanneer de schemering inviel, een speld horen vallen op straat. Als om de Bobcats niet te storen bij hun rust spraken kooplui en klanten op gedempte toon, werd er slechts zachtjes gepraat bij bijvoorbeeld Bennie's, werd er bij de drive-in zo kort mogelijk geclaxonneerd om de bediening te roepen en waagde geen enkele tiener met een luidruchtige knalpot het door de hoofdstraat te rijden.

Ron Turner was beslist geen man waar je tegen inging. Hij regeerde met de ijzeren hand van verdiend respect na zes succesvolle seizoenen als hoofdcoach van Kersey High School (al hadden ze nog in geen van die jaren het staatskampioenschap gewonnen).

Hij accepteerde geen gezever van vaders, van stuurlui aan wal of van leden van de supportersclub die de sleutels van het dorp in handen hielden en de aandacht van het schoolbestuur hadden. Hij leefde zelf naar de regels die hij zijn spelers stelde en onthield zich van alcohol, tabak en godslastering. 'Schunnige praat,' zo vertelde hij zijn spelers, 'is de taal van de onwetenden en onzekeren. Roken en drinken zijn de krukken van de zwakken.'

Het artikel stelde dat hij perfect was voor een verwaande, zeer intelligente vaderloze quarterback als Trey Don Hall.

Met een gezicht dat gloeide van vernedering en schaamte las Trey, behalve dat hij als 'recalcitrant' werd beschreven – over de vroege verlating door zijn ouders en dat coach Ron Turner de leegte van een ontbrekende vader had opgevuld. Zich bewust van Trey's gevoeligheid ten aanzien van zijn status als wees, verontschuldigde coach Turner zich bij hem voor de draai die de verslaggever aan het interview had gegeven en vertelde hij hem dat hij Trey had geprezen als de zoon die hij graag had willen hebben. Trey geloofde hem en vond het fantastisch dat de coach zo over hem dacht, maar kromp ineen bij het idee dat de hele wereld nu wist dat zijn ouders hem niet hadden gewild. Die avond hield hij Cathy steviger vast dan ooit.

Afgezien van bewoners van het verzorgingstehuis en een paar hulpsheriffs die op de verkeerde kant hadden gegokt van de munt die bepaalde wie er achter moest blijven, was het tienduizend inwoners tellende dorp op de dag van de wedstrijd bijna verlaten. Een karavaan van allerlei voertuigen met grijs-witte vlaggen uit de ramen en beschilderd met oproepen als VERSLA HOUSTON WHITE was in de vroege ochtend op pad gegaan om de supporters van de Bobcats naar Dallas te brengen. Op die zaterdag midden in december liep er maar één man met zijn enigszins manke hond achter zich aan door de stille, met kerstversieringen opgetuigde straten. Hij hield een transistorradio tegen zijn oor en een opgerolde zweep tegen zijn zij. Lang geleden had de ster van deze show bibberend in zijn achtertuin gestaan, zo herinnerde hij zich terwijl hij naar een voorbeschouwing van de wedstrijd luisterde. Gold de maat die hij de jongen die avond had genomen voor de man die hij zou worden? De tijd zou het uiteindelijk leren. Voor vandaag had de knul wat ervoor nodig was om het hele dorp trots te maken. Morgen was een ander verhaal.

Teamcaptains Trey, John en Gil Baker liepen samen naar de scheidsrechters en de captains van de Tigers midden op het veld, waar de munt zou worden opgegooid. Hun verschijning en houding tijdens die gespannen, dramatische momenten was meteen al onderwerp van legenden. Andere teams lummelden aan hun kant van het veld rond in een grote verscheidenheid aan schoeisel, zolang hun schoenen maar aan de regels voor het spelen op gras voldeden. Omdat er geen standaard was voor uniforme sokken voor highschool-spelers, konden ze lange, korte of helemaal geen sokken dragen. Ook haarlengte en kapsel waren de keuze van de spelers. Dat gold echter niet voor het team van coach Turner. Op zijn instructie was elk onderdeel van het wedstrijdtenue van de Bobcats uniform. De spelers droegen allemaal lange mouwen, de kniekousen opgetrokken tot onder de elastische band van hun broekspijpen, schoenen van hetzelfde merk en model, de haren netjes kortgeknipt.

Als een uniform front stonden de drie captains respectvol zwijgend, hun gelaatsuitdrukking geoefend kalm en onverstoorbaar, naast elkaar te wachten tot de officials het veld op liepen, het teken voor de teamcaptains om zich bij hen te voegen voor het tossen. Het was een indrukwekkend moment toen Trey en John met hun lengte van een meter negentig, met een wat kleinere, meer gedrongen maar niet minder indrukwekkende Gil Baker tussen hen in, ongehaast en in de maat, met kalme blik, de helm op de linkerarm, de rechterarm recht naast hun zij, het veld op gingen.

Een sportverslaggever zou daarover schrijven: 'De captains van de Bobcats traden hun tegenstanders tegemoet met de waardigheid van ridders die op een troep schelmen af zijn gestuurd.'

Zulke beschrijvingen vielen goed bij coach Turner. 'Je schudt iemand niet de hand met handschoenen aan,' legde hij zijn cap-tains uit, 'en je begroet je tegenstanders niet met je helm op. Je be-toont ze de hoffelijkheid door je gezicht te laten zien. Maar zodra er getost is, zet je in hun aanwezigheid je helm op, zodat ze weten dat het jullie menens is.'

In een uitverkocht stadion stond Cathy tussen haar grootmoe-der en Mabel Church in, haar ogen op Trey gevestigd. Een nuch-tere Bert Caldwell stond aan de andere kant van Emma, een ver-rekijker op het veld gericht. Cathy en Mabel hielden elkaars hand vast, beiden in de ban van de gedeelde angst die al het hele seizoen als een steen op hun maag lag. De dirigent van de band had Cathy speciale toestemming gegeven om op de tribune te gaan zitten toen ze naar hem toe was gegaan met het onorthodoxe verzoek om tijdens deze finalewedstrijd te worden vrijgesteld van deelname. Had hij die toestemming niet gegeven, dan zou ze voor het eerst van haar leven bereid zijn geweest haar plaats in het geheel op te geven, hoe inconsequent dat ook mocht zijn. Met andere woor-den, ze zou uit de band zijn gestapt. Ze redeneerde dat de bijdrage van haar fluit in het strijdlied en haar marspositie tijdens het op-treden van de band tijdens de pauze niet zouden worden gemist. Intussen zou zij bij tante Mabel en haar grootmoeder zitten, waar ze Trey in de gaten kon houden en geen moment van de wedstrijd of geen beweging van hem op het veld zou missen.

Zo zal het zijn als hij American football speelt voor Miami of als we getrouwd zijn en hij in de NFL *speelt,* dacht ze, en ze kon nau-welijks ademhalen door het gespannen gevoel in haar borst. Ze zou in constante vrees voor zijn veiligheid leven, een vacuüm van uitgestelde rust tot het einde van het seizoen. Ze vond het vreselijk dat hij American football speelde, maar lieve hemel, hij was dol op de sport en speelde al sinds hij oud genoeg was om een bal vast te houden. Mensen veranderden wanneer ze datgene moesten opge-ven waarvan ze altijd al hadden gehouden, dus wat kon ze anders dan hem steunen, zijn wonden en kneuzingen verzorgen tot ze de week erna opnieuw hoopte en bad dat hij de wedstrijd zou overle-ven?

Om haar heen ging gejuich op. De Kersey Bobcats hadden de toss gewonnen.

Elkaars volmaakte evenbeeld met hun helmen op, liepen Trey en John samen met Gil naar de zijlijn. Heel even keek Trey naar het vak voor de band, waar zij geacht werd te zitten. Haar hart stokte. *Hij weet niet waar hij me moet zoeken*, dacht ze, gegrepen door het dwaze idee dat haar verdwijning zijn concentratie zou kunnen verstoren. *Doe niet zo belachelijk. Niets kan zijn aandacht van de wedstrijd afhouden.*

In de fel verlichte kleedkamer hadden de Kersey Bobcats zich voor de wedstrijd om hun coach verzameld, sommigen op hun knieën, maar allemaal met hun hand op hun helm. De stem van de coach was kalm toen hij zijn laatste peptalk voor de wedstrijd gaf aan de fijnste groep jongens die hij ooit had gecoacht, zo had hij tegen de verslaggevers gezegd. 'Zij zijn groter dan jullie, dat hebben we al gezien,' zei hij, 'maar jullie zijn slimmer, sneller, beter gecoacht en gedisciplineerder. Jullie beschikken over integriteit en moed en zijn zo grootmoedig als het kan. Jullie weten wat je te wachten staat. Wees er klaar voor. Om te winnen zullen ze terugvallen op wie ze zijn, het enige wat ze kennen, maar zorg dat zíj de overtredingen maken die tot penalty's leiden, niet jullie. En, jongens…' Zijn stem haperde even. 'Als jullie terugvallen op wie júllie zijn, het enige wat júllie kennen, dan nemen jullie vanavond de beker mee naar huis. John, als jij ons eens voorging in een kort gebed?'

De voorspelling van coach Turner kwam uit in de laatste minuten van de wedstrijd, toen de Bobcats met 21 tegen 24 achter stonden. Bebloed en uitgeput hield de aanvalslinie de Tigers bij Trey uit de buurt om hem de tijd te geven een van zijn loeiharde passes naar de magische handen van John Caldwell te geven die, op zijn laatste benen, tussen de wanhopig graaiende verdediging van de tegenpartij heen zigzagde tijdens de laatste vijf meter voor een touchdown.

Met nog minder dan een minuut te spelen vloog de bal over de lat tussen de doelpalen voor het extra punt en het geluid van het laatste fluitje was niet eens te horen tussen het uitgelaten gebulder dat aan de Kersey-kant van het Texas Stadion uitbarstte. Cathy en Mabel bleven verbijsterd zitten, hun handen verstrengeld en huilend van opluchting terwijl de omringende dorpelingen hen vreugdevol op de schouders klopten. 'Het is voorbij, Miss Mabel, het is voorbij,' zei Cathy telkens weer.

Ze kon onmogelijk weten hoe profetisch die woorden zouden blijken te zijn.

20

Begin februari 1986 kreeg Cathy per post bericht dat ze tot de finalisten voor een National Merit-beurs hoorde, die haar een plek op de vooropleiding aan de Miller School of Medicine van de Universiteit van Miami garandeerde. Tijdens een schoolceremonie kreeg ze een Certificaat van Verdienste als erkenning van haar uitstekende prestaties in de competitie en werd haar bovendien een volledige studiebeurs verleend door een liefdadigheidsstichting die werd geleid door de First Baptist-kerk van Kersey, Texas. Beide waren onder voorwaarde dat ze in het najaar na haar diplomering een vier jaar durende, ononderbroken studie aan een geaccrediteerde universiteit startte. Ze schreef Laura Rhinelander, met wie ze nog steeds contact had en voor wie het nieuws niet echt als een verrassing kwam, dat ze in september niet samen met haar naar USC zou gaan.

En op de eerste woensdag in februari, die bekendstond als Signing Day, ondertekenden Trey en John onder luid applaus van verslaggevers, televisieploegen, fans en klasgenoten een intentieverklaring om American football te gaan spelen voor de Universiteit van Miami in Coral Gables, Florida. Het was officieel: Trey kon quarterback en John Caldwell wide receiver worden voor de Miami Hurricanes. Sammy Mueller, die na de play-offwedstrijd had gebeld om Trey en John te feliciteren met hun overwinning, belde om hen welkom te heten in het team.

'Wat is dit?' vroeg Bert Caldwell een paar dagen daarna aan John. Fronsend hield hij het toelatingsboek van de Loyola Universiteit omhoog. 'Wat doet dit bij ons in huis?'

John pakte het boek uit zijn hand. 'Ik weet niet wie het me gestuurd heeft. Het lag op een dag in de brievenbus.'

'Je hebt erin gelezen. Sommige bladzijden zijn omgekruld.'

'Ik vond het interessant. Pastoor Richard heeft aan Loyola gestudeerd.'

Bert Caldwells frons werd dieper. Hij had sinds de districtswedstrijd geen druppel gedronken. Hij moest soms nog steeds een tijd weg voor zijn werk, maar dan kwam hij terug naar huis zonder slonzige blondines, een rothumeur of een alcohollucht in zijn adem. Hij had het huis van boven tot onder schoongemaakt en op Mabels advies nieuwe spreien voor Johns tweepersoonsbed, en gordijnen en kussenovertrekken voor de woonkamer gekocht en het vloerkleed vervangen.

'Jullie kunnen ook weleens hierheen komen en een paar avonden bij je ouwe pa doorbrengen,' zei hij tegen John, zijn toon schertsend, maar zijn blik als die van een hond die hoopt dat hij zal worden binnengehaald uit de kou.

John, Trey en Cathy brachten er een paar geforceerde avonden door waarop ze hun tijd uitzaten voor de televisie en playoffwedstrijden bespraken en Cathy de snacks prees waarvoor Bert had gezorgd. John merkte dat hij de voorkeur gaf aan de oude Bert Caldwell van voordat zijn sterrenstatus zijn vader een nieuwe positie binnen de gemeenschap had opgeleverd.

'Die priester kan zich beter met zijn eigen zaken bemoeien,' zei Bert. 'Jij gaat niet naar een of andere dweperige katholieke universiteit. Je gaat naar de Universiteit van Miami waar Trey Don en jij de nieuwe uitblinkers worden wanneer hun quarterback afstudeert en professional wordt. Je gaat iets van jezelf maken.'

Iets van jou maken, dacht John, maar hij zei het niet. Hij zou dankbaar moeten zijn dat de man die hem 'mijn zoon' noemde zijn leven had gebeterd, ongeacht om wat voor misleide reden hij dat dan ook had gedaan, ongeacht zijn waanidee dat wat hij zei ook maar de minste invloed zou hebben op de beslissingen die John over zijn toekomst nam.

'Pastoor Richard zegt dat hij het boek niet heeft gestuurd,' zei John.

De volgende dag was het boek verdwenen.

In mei, de dag na hun diploma-uitreiking, accepteerden Trey en

John coach Muellers uitnodiging om de campus van de Universiteit van Miami te bezoeken, een bezoek dat vanwege de play-offs in december was opgeschort. Het bezoek was niet nodig geweest om hen ervan te overtuigen dat ze naar Miami wilden. Cathy bleef thuis. Voor Trey en John werden de onkosten vergoed, maar Cathy zou de hare zelf moeten betalen en Emma had Mabels aanbod van financiële hulp afgeslagen.

'Ik zou toch maar in de weg lopen,' zei Cathy tegen Trey. 'Dit wordt geacht een jongensavontuur te zijn, en ik zou me dood vervelen tijdens zo'n rondgang langs alle sportfaciliteiten. Ik wacht wel tot ik er zelf heen kan als in het najaar mijn lessen beginnen.'

Twee weken voor hun vertrek liet Trey het onderzoek uitvoeren dat dokter Thomas hem eerder al had geadviseerd, maar dat hij toen had geweigerd. Hij had veel gelezen over de complicaties die zich konden voordoen als jongens op hun zestiende nog de bof kregen. 'Ik ben er klaar voor om het te weten, dokter,' had hij gezegd. 'Ik wil niet langer in onwetendheid verder leven.'

'De procedure is vrij eenvoudig,' zei dokter Thomas, en hij gaf hem een plastic bekertje.

Dokter Thomas deed zijn mededeling de dag voordat de jongens zouden vertrekken. Mabel was er niet bij. Dokter Thomas had erover gedacht haar te bellen, maar Trey was achttien en dus meerderjarig en de jongen had aangegeven dat hij alleen wilde komen. Later zou dokter Thomas, met zijn toestemming, zijn bevindingen met Trey's tante delen.

'Er is semi-slecht en semi-goed nieuws, Trey,' begon hij, en hij liet hem een afbeelding van de mannelijke genitaliën zien. 'Laten we met het eerste beginnen.' Met zijn pen wees hij de delen van Trey's zaadballen aan die ernstig waren beschadigd door de ontsteking die als gevolg van te late behandeling van het bofvirus was opgetreden. 'Je lijdt aan een aandoening die bekendstaat als orchitis,' zei hij. 'Je weet van biologieles wel dat een spermacel eruitziet als een dikkopje dat met zijn staart zwaait. Niet-beweeglijke spermacellen hebben geen zweepdraad en kunnen daardoor niet zwemmen.'

'Wat probeert u me te vertellen, dokter?'

'Je sperma-analyse laat zien dat je spermacellen abnormaal gevormd zijn en niet kunnen zwemmen.'

'En dat betekent?'

'Het betekent dat je momenteel onvruchtbaar bent. Met andere woorden, je spermacellen kunnen zich na de zaadlozing niet van de vagina naar de baarmoeder verplaatsen, maar je huidige toestand zal mogelijk niet je hele leven voortduren. Zesendertig procent van de adolescenten kan tot drie jaar na herstel van de bof nog abnormale spermacellen hebben.' Dokter Thomas legde de afbeelding terzijde en sloeg met een meelevende blik zijn handen in elkaar. 'Als je bij de eerste tekenen van de bof naar me toe was gekomen...'

Trey had het ergste verwacht toen hij hierheen kwam, maar hij was Trey Don Hall, het magisch beschermde wonderkind. Hij wist meestal aan de gevolgen van zijn daden te ontkomen. 'U klinkt alsof ik tot de andere vierenzestig procent behoor,' zei hij.

'Ik zal niet tegen je liegen, Trey. Je testikelweefsel is ernstig beschadigd. Je bent nu twee jaar verder en... een verbetering lijkt hoogst onwaarschijnlijk.'

'Wat is het semi-goede nieuws?'

'Je lijdt niet aan teelbalatrofie, maar...' zei hij, en hij spreidde verontschuldigend zijn handen, 'dat wil niet zeggen dat die zich niet ooit alsnog zal voordoen.'

'Hoe groot is de kans dat dat gebeurt?'

'Bij een derde van de jongens die na de puberteit door de bof veroorzaakte orchitis krijgen, verschrompelt een van de teelballen, of soms zelfs beide. Maar je bent jong en sterk. Je leeft gezond. Er is altijd goed voor je gezorgd. Het zou kunnen dat je in elk geval aan dat lot ontsnapt.'

Een op de drie. Hij zou de rest van zijn leven elke morgen zijn ballen controleren. De realiteit drong met een koude schok tot hem door, verdoofde hem. Hij zou nooit een zoon krijgen... een dochter. Hij zou nooit vader worden. Catherine Ann zou nooit moeder worden... niet van zijn kinderen. Ze was het soort meisje

– het soort wees – dat kinderen zou willen hebben. Ze zou een gezin willen.

'Hoeveel mensen moeten dit weten?' vroeg Trey.

'Niemand, tenzij jij daar toestemming voor geeft. Dit is iets vertrouwelijks tussen patiënt en arts.'

'Mooi. Ik wil niet dat iemand anders het weet.' Trey kwam op gevoelloze benen overeind en las de vraag in dokter Thomas' spijtige blik of Cathy daar ook onder viel.

Ze droegen nieuwe kleren voor de reis. Mabel had erop gestaan een linnen jasje en broek voor Trey te kopen om in het vliegtuig te dragen, en Bert had John verrast met een dure marineblauwe blazer en een pantalon van Hickey-Freeman om 'die lui in Florida te laten zien dat mijn jongen geen boerenkinkel is'.

Toen ze op het vliegveld naar hen keek – zo lang, stoer en knap in hun mooie nieuwe kleren – verbaasde Cathy zich erover hoe goed Moeder Natuur voor hen was geweest. Geen enkele zegening was aan hen voorbijgegaan. Toch ging er onder haar opgetogenheid over hen een vreemde bezorgdheid schuil. Er was de laatste vierentwintig uur iets met Trey aan de hand dat verder ging dan de sombere buien die hem soms overvielen. Hij had hun afspraak van gisteravond afgezegd omdat hij 'zijn spullen moest inpakken'. Gewoonlijk deed Mabel dat echter. Toen ze de bewonderende blikken zag die ze van andere passagiers kregen, merkte ze dat er een gedachte als een ijskoude kogel door haar hoofd schoot: *kom bij me terug, Trey*.

Ze trokken zich even terug om afscheid van elkaar te nemen voordat John en hij aan boord gingen. Ze wachtte tot Trey zijn gebruikelijke afscheidswoorden zou uitspreken, maar dat deed hij niet. 'Ik zal je missen,' zei hij in plaats daarvan, en hij kuste haar op haar voorhoofd… voor het eerst bij een afscheid.

Zij was degene die zei: 'Vergeet me niet terwijl je weg bent.'

'Hoe zou ik dat kunnen?' zei hij, en hij voegde eraan toe: 'Ik laat mijn hart bij je achter.'

Dat voorjaar was de lente amper begonnen toen die bezweek onder de hoogste temperaturen ooit gemeten. De wilde bloemen verdorden al voor ze tot bloei kwamen en het frisse groen van het prairiegras verbleekte in de droge, hete wind die de bodem verschroeide. De hitte dreef, net als de ijzige dagen van de winter, de volwassenen hun huizen in. Het was een periode waarin alleen de jongeren plezier konden vinden.

'Voel jij ook dat er deze lente iets anders in de atmosfeer hangt, Emma?' vroeg Mabel.

'Ja, Mabel, temperaturen boven de veertig graden.'

'Nee, het is meer dan alleen de ongekende hitte. Er is nog iets anders.'

'Triestheid. Onze kinderen gaan bij ons weg.'

'Ja, dat inderdaad… maar er is nog meer…'

Mabel had een van haar helderziende momenten, maar Emma deelde het gevoel dat er iets hun heelal was binnen gedrongen wat ze nog niet konden zien. Misschien was het de eenzaamheid die hen wachtte wanneer Cathy, Trey en John weg waren. Zelfs Rufus voelde het. Hij jankte zonder reden en liep voortdurend dicht achter Cathy aan, waar ze ook heenging. Hij legde zijn kop eerst op Trey's knie en dan op die van John wanneer ze langskwamen, zijn expressieve ogen triest alsof een of ander instinct hem voor hun naderende vertrek had gewaarschuwd.

Trey en John bleven vijf dagen weg. Mabel had hen verrast met geld om een auto te huren en iets van Miami te zien wanneer hun tweedaagse introductie op de campus voorbij was. Ze waren van plan geweest een motelkamer te boeken en de toerist uit te hangen. Aan het eind van hun bezoek hadden ze echter nog maar weinig van de stad gezien. Er was veel te veel te zien en te doen op de universiteitscampus.

Toen ze op het vliegveld van Miami zaten te wachten tot hun vlucht terug naar huis zou worden afgeroepen, zat Trey met zijn hoofd tussen zijn handen voorovergebogen als een man die net het slechtste nieuws van zijn leven heeft gehoord. John zat naast hem, en had helemaal geen medelijden met hem. Trey sprak tussen zijn handen door.

'Ik weet wat je denkt, Tiger.'

'Hoe kon je het doen, TD?'

'Ik ben waarschijnlijk gewoon een waardeloze zak.'

Johns stilzwijgen bevestigde wat hij dacht.

'Er zijn dingen waar je niet van weet,' zei Trey.

John kamde met zijn vingers door zijn haren. 'Vertel het me dan, Trey. Wat bezielde je in godsnaam. Je bent amper van huis weg of je gaat de beest uithangen. Heb je eigenlijk wel een moment aan Cathy gedacht?'

Trey hief zijn gezicht op en keek hem aan met een blik die verscheurd was door smart. 'Natuurlijk wel! Anders zou ik me niet zo ellendig voelen. Ik... ik schaam me, maar ik... wist niet wat ik anders moest doen...'

'Hoe bedoel je, je wist niet wat je anders moest doen?'

'John, de afgelopen dagen hebben me aan het denken gezet...'

'Overdrijf nou niet.'

'Ik... misschien moeten Cathy en ik het een poosje rustig aan doen... tot ik zeker genoeg van mezelf ben om te weten dat ik haar trouw kan blijven. Afstand maakt de liefde sterker... is dat niet wat ze zeggen? Ik moet mezelf de tijd, en de ruimte, gunnen om te begrijpen hoe ik zo... de beest uit kon hangen, zoals jij het zegt, terwijl ik maar vijf dagen bij haar weg was.'

John luisterde; Trey maakte hem misselijk. Maar wat hij hoorde, had hem niet moeten verbazen. Vanaf het moment dat ze de campus betraden, waren ze op sleeptouw genomen door de ongelooflijk knappe Hurricane Honeys, de officiële gastvrouwen van de school, die rekruten de school en de faciliteiten moesten laten zien, net zoiets als de Bobettes, maar ver boven hun niveau. Hij had Trey zien kijken, had de bewondering in zijn stem gehoord voor de meisjes met benen 'helemaal tot hier', had hem horen zeggen dat het leuk was om voor de verandering eens meisjes om zich heen te hebben die belangstelling hadden voor American football. Er waren ook andere studentes geweest die zich aan zijn voeten hadden geworpen – ook bij John – sexy, stijlvolle, wereldwijze schoonheden, tientallen, als rozen die erom smeekten te worden geplukt, heel anders dan de knappe maar – met uitzondering van Cathy – boerse meisjes thuis. Overvallen door al die schoonheid en bereidwilligheid op de Campus had Trey rondgedarteld als een jonge hengst in een veld vol klaver.

'Ik moet erachter komen of ik zo'n lul ben als ik denk te zijn, John… omwille van Catherine Ann. Ze verdient het beste en wat als ik dat nou niet ben? Hoe kom ik daar achter zonder de… vrijheid om het uit te proberen? Ik ben niet zo'n klootzak dat ik het met allerlei meisjes zou kunnen doen terwijl ik nog met Cathy samen ben.'

Verbijsterd zei John: 'Hoe kun je van gedachte veranderen over het meisje op wie je al sinds je elfde verliefd bent, het meisje van wie je hebt gezegd dat ze je hart en ziel, je hele leven, in handen hield, nadat je maar vijf dagen weg bent geweest?'

Trey's gezicht werd rood. 'Het was voor mij ook een schok, Tiger, geloof me. Maar ik ben niet van gedachte veranderd. Ik hou van Cathy. Daar gaat het juist om. Ik wil met haar trouwen, maar is het eerlijk tegenover haar als… Ik ben gewoon niet zoals jij, John. Ik bezwijk voor verleidingen.' Zijn poging tot een glimlach mislukte en zijn gezicht betrok. 'Ik ga haar vertellen dat ik haar ontrouw ben geweest.'

John had het gevoel dat er een blok beton op zijn borst lag. Cathy zou kapotgaan aan Trey's bekentenis.

'Ik zal haar vertellen hoe het met mij zit, hoe het zal moeten zijn tot ik zeker weet dat ik degene kan zijn die zij verdient,' zei Trey. 'Ik hoop maar dat ze het begrijpt en me die kans geeft. We zullen toch allebei in Miami zijn; apart maar toch samen. In het zicht, maar ver genoeg uit elkaar om wat afstand van elkaar te nemen.'

Johns mond vertrok. 'Zodat ze beschikbaar is als je zin in haar krijgt? Is dat het idee?'

'Nee, dat is niet het idee! Als je denkt dat Cathy haar kleren voor me uit zou trekken zodra ik langskom, dan ken je haar niet. Ik bedoel dat ze in de buurt zal zijn als ik zeker weet dat ik mezelf kan vertrouwen. In godsnaam, John, we zijn pas achttien. We hebben nog een leven lang de tijd voor een verbintenis zoals Cathy die wil.

Kijk eens naar de mensen die we kennen die al verliefd waren sinds hun schooltijd, met elkaar getrouwd zijn en nu gescheiden zijn. Ze hebben zich te vroeg vastgelegd, voor ze de kans hebben gehad om eens rond te kijken en te zien wat er nog meer te halen viel.'

'Er is niemand die zo geweldig is als Cathy, TD, en dat weet je. Wanneer ben je van plan het tegen haar te zeggen?'

'Zodra we thuis zijn. Het zou niet eerlijk zijn om het haar niet meteen te vertellen. Jij en ik vertrekken begin augustus voor de trainingen. De zomer zal haar een paar maanden de tijd geven om aan het idee te wennen dat we elkaar niet meer zullen zien voordat we daar... klaar voor zijn.'

Voordat jij er klaar voor bent, bedoel je, dacht John vol walging. Hij kon niet geloven dat hij dit gesprek met Trey voerde. 'Dat je het haar meteen wilt vertellen heeft zeker niets te maken met de telefoonnummers die je in je zak hebt?' vroeg hij.

Trey bloosde weer. 'Misschien.'

'En wat als Cathy tijdens de onderbreking die je voorstelt verliefd wordt op iemand anders? En als ze nou tot de ontdekking komt dat ze wel zonder jou kan leven?'

Heel even blonk er een diepe wanhoop in Trey's ogen. 'Dat risico ben ik bereid te nemen.'

Je neemt helemaal geen risico, want je bent ervan overtuigd dat Cathy wel op je zal wachten, arrogante klootzak dat je bent, dacht John. 'Je zult haar hart breken,' zei hij.

Trey zakte weer voorover. 'Ik weet het. Moge God me vergeven... ik weet het.'

'Ik hoop het voor je, want Cathy zal dat wellicht niet doen. Ze had naar USC gekund, weet je.'

'Ik weet het.'

Ze zeiden nauwelijks iets tegen elkaar tijdens de vlucht naar huis.

Cathy dacht even dat ze vastzat in een nachtmerrie. Het kon Trey niet zijn die haar vertelde dat hij dacht dat het beter zou zijn als ze elkaar wat 'ademruimte' gaven wanneer ze naar Miami gingen.

De lijst van logische argumenten die hij had opgesteld voor hun 'afkoelingsperiode' kon niet uit zijn mond komen.

'We hebben elkaar nooit de kans gegeven andere mensen te leren kennen, Cathy, en… en ik vind dat we dat moeten doen zodat we zeker weten dat we voor elkaar bestemd zijn… En… en ik bedacht dat… wat als jouw ideeën over football nou ons geluk verstoren? Wat als we jouw carrière – die van arts – niet kunnen combineren met die van mij, een stomme football-speler? Dat zijn dingen waar we rekening mee moeten houden, Cathy. Ik… ik wou dat ik ze eerder had bedacht, maar ik ben zo gek op jou geweest… We kunnen elkaar nog steeds zien. We komen immers op dezelfde campus terecht… op een armlengte afstand. Niet echt uit elkaar…'

Er vielen haar diverse dingen op: hij noemde haar niet één keer Catherine Ann, en hij sprak in de verleden tijd. Ze kon niets over haar lippen krijgen. Ongeloof had haar tong lamgelegd en haar keel stak alsof ze een zwerm bijen had ingeslikt.

'Zeg iets… alsjeblieft,' zei Trey. 'Of… of ben je weer stom geworden?'

Ze stond op van de schommelbank op haar grootmoeders veranda. Rufus lag aan hun voeten. Hij kwam onwillig overeind, keek naar haar op en kwispelde onzeker. Trey keek al net zo aarzelend. 'Kom, Rufus,' zei ze, en ze deed de deur open en liet de hond voorgaan. Daarna volgde ze hem naar binnen en deed ze de deur zachtjes achter zich dicht.

21

Ze legde de strip gele tabletjes weg. Ze had de laatste op de eenentwintigste dag van haar cyclus ingenomen en ging niet verder zoals voorgeschreven. Waarom zou ze? Lusteloos, apathisch meldde ze zich voor haar werk in de praktijk van dokter Graves, waar ze deze zomer maar voor halve dagen werkte omdat het niet goed ging met de economie. Haar vrije middagen gaven haar de tijd om haar garderobe voor de universiteit in orde te maken. Er was weinig geld voor iets nieuws. Het geld dat ze aan een paar nieuwe spullen had willen besteden, was nu gereserveerd voor haar vlucht naar Miami, omdat ze niet meer met John en Trey mee zou rijden naar de campus. Dat zou ideaal zijn geweest. Haar nieuwe kamergenote woonde in Miami en had Cathy uitgenodigd de week voor de lessen begonnen bij haar te komen logeren, dezelfde week dat John en Trey zich moesten melden. Ze had wel met John in zijn pick-up mee kunnen rijden, maar hij en Trey reden achter elkaar aan, en het zou niet prettig zijn geweest om gezamenlijk te eten, te pauzeren en in hetzelfde motel te slapen.

Van het beetje geld dat ze kon missen, kocht ze een fatsoenlijke set kleding in een tweedehandswinkel in Amarillo en ze keek uit naar de rit over de verlaten snelweg door de bruine, lege prairie. Trey was een week uit haar leven verdwenen toen ze op een middag in haar grootmoeders auto bij de dierenartsenpraktijk vertrok en naar Johns huis reed.

John lag op zijn bed in zijn slaapkamer rusteloos de catalogus van de Loyola Universiteit door te bladeren die hij uit de vuilnisbak had gered, waar zijn vader hem na Signing Day in had gegooid. Als hij hem had gelezen, snapte John wel waarom hij zo kwaad was geweest. De universiteit had in 1972 het programma voor American football geschrapt en blonk nu uit in andere sporten. John had wel een idee wie de catalogus naar hem had laten opsturen en voelde elke keer dat hij ernaar keek een onderdrukte misselijkheid komen opzetten.

De telefoon ging zowat elk halfuur, maar John liet hem rinkelen en dwong de beller daarmee een bericht in te spreken op het antwoordapparaat. 'John, toe nou!' zei Trey. 'Ik weet dat je er bent. Neem verdomme op!'

Zijn kamer lag aan de voorkant van het huis en hij hoorde Miss Emma's Ford voor hij hem zag. De auto had een vreemd geluid onder de motorkap waar Trey en hij nooit de oorzaak van konden vinden, waarschijnlijk een teken van ouderdom. Hoe moest Cathy zich straks op de campus redden zonder auto? Ze had gedacht Trey's Mustang te kunnen gebruiken als ze vervoer nodig had, en natuurlijk kon ze altijd Johns pick-up lenen.

Hij had Trey sinds hun terugkeer uit Miami niet gezien en had hem maar één keer gesproken sinds hij Cathy de bons had gegeven. Trey had haar zijn ontrouw niet bekend. 'Ik kon het niet,' had hij gezegd. 'Ik kon het gewoon niet. Het was al moeilijk genoeg om te vertellen dat we een poosje uit elkaar moesten gaan en met andere mensen moesten uitgaan. Ik weet dat ik ervan op aan kan dat je haar niet over de meisjes vertelt, John.'

'Alleen omdat ik niet wil dat ze nog meer gekwetst wordt, TD.'

'Ook dat, maar ik weet dat je me nooit zou verraden, Tiger. Je kunt wel naar me uithalen, maar je zou me nooit verraden.'

Het hele dorp had het over hun breuk en wie Cathy's stoïcijnse gezicht zag, wist meteen wie wie gedumpt had. Ze was nu het onderwerp van gemene roddels. De meeste daarvan kwamen van Cissie Jane en haar hersenloze volgelingen, dus als John met Trey zou omgaan, zou hij in zekere zin lijken te vergoelijken wat die had gedaan.

'Hoe nam ze het op?' had hij Trey gevraagd.

'Zoals... Cathy. Ze luisterde gewoon zonder iets te zeggen en toen ik klaar was, stond ze op, riep ze Rufus en ging naar binnen.

Ze keek niet eens achterom. Ze deed de deur dicht en dat was het.'

'Wat had je verwacht dat ze zou zeggen?'

'Nou, hoe ze zich voelde, op z'n minst.'

'Wist je dan niet hoe ze zich voelde?'

'God, ja, natuurlijk wist ik dat, maar ik had verwacht dat ze het zou laten blijken, dat ze zou huilen en me mijn beslissing uit het hoofd zou proberen te praten. Ze liet zelfs geen traan.'

Trey was soms zo'n idioot. Cathy zou zich nooit verlagen tot een poging Trey terug te laten komen op zijn besluit om haar te dumpen.

'Ik dacht even dat ik haar weer stom had gemaakt... dat haar oude toestand terug was gekeerd,' zei Trey, en John hoorde bezorgdheid en spijt in zijn stem, 'maar toen realiseerde ik me dat ze er gewoon het zwijgen toe deed, zoals wanneer ze...'

'...niets te zeggen heeft,' zei John.

'O, god, John.'

'Ja,' had John gezegd en toen had hij opgehangen.

Cathy en hij spraken elkaar elke avond. Hij zorgde ervoor dat hij thuis was omdat hij wist dat ze zou bellen. 'Jij bent mijn beker chocolademelk voor het slapengaan, John,' had ze gezegd. 'Ik kan niet slapen als ik jouw stem niet heb gehoord.'

Niet dat ze anders wel zou slapen, dacht John, of eten. Hij was een paar keer naar de dierenkliniek gegaan om te kijken hoe het met haar ging en elke keer was ze iets magerder geweest.

Hij legde het boek op zijn bed en liep naar de deur; zijn hartslag versnelde. 'Hoi,' zei hij, en hij schrok van haar bleke gezicht.

'Ik hoop dat ik je niet stoor,' zei ze.

'Jij zou me nooit kunnen storen, Cathy. Ik ben blij je te zien. Kom binnen.'

Zodra hij de deur dichtdeed, sloeg ze haar handen voor haar gezicht en begon ze te huilen, luide, hartverscheurende snikken, en John voelde een zekere opluchting. De dam was gebroken. Zonder een woord sloeg hij zijn armen om haar heen en hield hij haar tegen zich aan terwijl ze toegaf aan haar hysterische uitbarsting van verdriet.

'Hoe kon hij dit doen?' snikte ze. 'Wat heeft hij in Miami ontdekt dat hij hier niet kon vinden?'

'Klatergoud... dat heeft hij er gevonden, Cathy. Hij werd erdoor verblind, zag het voor echt aan en kocht het. Het zal niet lang duren voor hij zich realiseert dat hij belazerd is.'

Ze stapte weg uit zijn omhelzing en zijn armen voelden plotseling erg leeg, alsof iemand die hij gewend was vast te houden eruit was weggerukt. Hij glimlachte om de bijna ondraaglijke pijn te verbergen en vroeg: 'Wil je iets drinken? Volgens mij staat er nog cola in de koelkast.'

Ze snoot haar neus in een tissue; haar smalle neusvleugels waren roze. 'Je vader... heeft hij nog ergens drank staan?'

'Eh, ja, ik geloof dat er nog whisky is...'

'Dan wil ik daar graag wat van.'

Ze keken elkaar aan, haar ogen rood van verdriet. 'Cathy... weet je het zeker? Je drinkt niet vaak genoeg om dat zeker te weten.'

'Ik heb er zin in, John. Echt waar.'

Dat moest hij de man onder wiens dak hij woonde in elk geval nageven: Bert had de whisky bewaard om zichzelf te bewijzen dat hij er van af kon blijven – of, waarschijnlijker, om het bij de hand te hebben als hij toch weer aan de drank zou raken. Er was nog een bijna volle fles, die verleiding of redding kon betekenen. John schonk een bodempje in voor Cathy en een voor zichzelf. Het was pas één uur in de middag.

John vroeg zich af of ze niet naar een andere plek in huis moesten gaan, maar zijn slaapkamer was het enige opgeruimde vertrek. Hij zette de radio aan en koos een zender met muziek om de stiltes tussen hun onsystematische gepraat te vullen. Ze gingen ieder op een hoek van het tweepersoonsbed zitten en John zag de whisky zijn werk doen bij het meisje van wie hij al hield sinds hij haar voor het eerst had gezien in juf Whitby's klas. Er was helemaal niets aan Cathy's persoon, persoonlijkheid of karakter wat hij niet bewonderde. De alcohol begon ook zijn werk te doen in zijn eigen hoofd en bloedsomloop en hij bedacht net hoe intiem en gezellig het was om Cathy helemaal voor zichzelf te hebben in zijn slaapkamer toen het nummer weerklonk dat het moment verpestte en elke fantasie over hen tweeën samen de grond in boorde. Het was de vertolking van Sarah Brightman en Cliff Richard van 'All I ask of you'. Cathy en Trey hadden gemeend dat die tekst over belofte en eeuwigdurende liefde speciaal voor hen was geschreven.

John kwam snel overeind. 'Ik zal iets anders opzetten,' zei hij. 'Nee, nee!' zei ze onduidelijk en ze pakte zijn hand. 'Het is al goed. Ik moet leren… leven met… de herinnering…'

Hij ging weer zitten en Cathy begon mee te zingen met het prachtige duet van Sarah Brightman en Cliff Richard, haar stem doorvlochten met valse noten en hartenpijn. Haar lichaam wiegde op de muziek mee. Ze had het whiskyglas nog in haar hand en John stond op van het bed en zette het weg. Ze stond ook op. 'Dans met me, John,' zei ze, en ze sloeg haar armen om zijn nek, hun gewicht vederlicht, de aanraking ervan net zo bedwelmend als de drank. Ze droeg een wit T-shirt en een korte broek en haar vrouwelijke geur drong door de whiskydampen heen en vervulde hem van een zo intens verlangen dat hij wat er daarna gebeurde net zo min had kunnen voorkomen als hij zijn moeder weer levend had kunnen maken.

Ze sloot haar ogen en neuriede aangeschoten mee met de zuivere, heldere klanken van de zangers tegen een achtergrond van de prachtige orkestmuziek terwijl zijn en Cathy's passen en lichamen in een loom ritme op de muziek meebewogen, haar lichaam tegen het zijne duwend, haar hoofd tegen zijn borst.

'Cathy… misschien kun je beter gaan zitten.'

Ze pakte het whiskyglas op en dronk het leeg, nog steeds in zijn armen heen en weer wiegend. 'We zouden ons leven samen doorbrengen, John, net als in dit nummer. We zouden elke dag en nacht met elkaar delen…'

Hij pakte het glas weer uit haar hand. 'Misschien gebeurt dat nog wel,' zei hij, maar hij hoopte dat hij het mis had.

Ze nestelde zich onder zijn kin. 'Ik wil wakker worden in een morgen zonder weer een nacht, John.'

Ze wankelde en hij ving haar op voor ze kon vallen en tilde haar in zijn armen op. *O, god.* Ze had haar ogen dicht. Zijn kruis brandde. Hij legde haar op het bed en wilde weglopen, maar ze pakte zijn arm vast, haar oogleden trillend in een vergeefse poging ze te openen. 'Ga niet weg.'

'Weet je het zeker, Cathy? We zijn dronken, erg dronken.'

'Zeg dat je van me houdt,' fluisterde ze.

Waren dat haar woorden, of die van het liedje?

Hij antwoordde haar met zijn eigen woorden, vanuit zijn eigen hart, zijn keel rauw van verlangen. 'Dat weet je toch,' zei hij. Ze bleef neuriën en haar hoofd draaide van links naar rechts op het kussen terwijl hij zijn spijkerbroek en ondergoed en toen haar korte broek en slipje uittrok, het bloed in zijn hoofd bonkte, de muziek weergalmde en hem verblindde voor alles behalve haar schoonheid en zijn verlangen naar haar. 'Cathy… Cathy, doe je ogen open en vertel me dat je dit echt wilt,' zei hij terwijl hij schrijlings op haar ging zitten, zijn erectie keihard.

Ze spreidde haar benen. Het topje van zijn penis raakte nauwelijks het zachte gleufje tussen haar dijbenen toen ze dromerig mompelde: 'Trey…'

John sprong sneller van het bed dan wanneer er een ratelslang van het plafond op haar kussen was gevallen. Cathy's mond was open gezakt in een diepe, dronken slaap en ze verroerde zich niet toen hij haar slipje en korte broek weer aandeed en haar toedekte met de blauwe deken die hij in de kast bewaarde. Hij zette de muziek uit en liep naar de badkamer om een koude douche te nemen. Hij zag dat de fles bijna leeg was. Vijf uur later maakte hij haar wakker. Ze was nog steeds niet nuchter.

'O, mijn god, John,' kreunde ze met haar hoofd in haar handen. 'Wat is er gebeurd?'

'Je was een beetje dronken… of erg dronken eigenlijk.' Hij glimlachte geforceerd.

'Hoe laat is het?'

'Zes uur.'

'O, mijn god. Grootmoeder is nog in de bibliotheek.' Ze sloeg haar hand voor haar mond. 'John, ik geloof dat ik moet overgeven.'

'Deze kant op. Sorry voor de troep.'

'Sorry voor de mijne.'

Hij wou maar dat hij het toilet had schoongemaakt. Hij wou maar dat dit van vandaag niet was gebeurd. Hij wou een hoop dingen. Ze kwam terug, haar gezicht net zo bleek als de vuilwitte badkamertegels. 'Ik voel me verschrikkelijk,' kreunde ze.

'Ik ook.'

Hij stond in de kamer en met een zucht sloeg ze haar armen om zijn middel en legde ze haar hoofd tegen zijn borst. Hij liet zijn handen in zijn zakken. 'Ik was zeker helemaal van de wereld,' mompelde ze. 'De afgelopen paar uur zijn gewoon... weg. Heb ik iets stoms gezegd of gedaan?'

'Je hebt gezongen.'

'O jee. Verder nog iets?'

'Je snurkt een beetje als je slaapt.'

'Dat heb ik vaker gehoord. Nog iets?'

'Nee.'

'Zeker weten?'

'Zeker weten. Geloof me maar.'

Ze hief haar hoofd op en keek hem vol genegenheid aan. 'Dat doe ik, John, met heel mijn hart. Dat stel ik zo op prijs aan je. Ik kan je volledig vertrouwen.'

'Als ik je eens naar huis bracht en je grootmoeder op ging halen bij de bibliotheek? Jij kunt zo niet autorijden.'

'O, dank je. Je bent zo lief,' zei ze, en ze maakte zich afwezig van hem los om haar tasje te zoeken. Hij had net zo goed een meubelstuk kunnen zijn, handig, betrouwbaar, altijd aanwezig, vergeten. Ze pakte haar autosleutels eruit en gaf ze met een flauwe glimlach aan hem. 'Ik kom hier wel doorheen, John. Wanneer mijn hart het begrijpt, zal mijn verstand het accepteren. Maar voorlopig snap ik er nog niets van. Ik heb voor morgen de palomino gereserveerd en ik wil na het werk gaan rijden. Willen jij en Bebe misschien mee?'

'Ja, natuurlijk,' zei hij, maar de smart brandde als een vuurbal in zijn keel. 'Klinkt goed. Ik bel haar wel.'

De volgende middag reden Bebe en hij echter alleen op hun gehuurde paarden de prairie op. Trey was terug in Cathy's leven.

22

Voor het eerst in zijn leven had hij het helemaal verbruid bij zijn tante en ze was niet in de stemming om hem te vergeven. Ze had van Miss Emma gehoord wat er was gebeurd en de ochtend daarna had ze geweigerd hem aan te kijken, al had zelfs een blinde kunnen zien hoe ellendig hij zich voelde. Ze hadden nooit persoonlijke dingen besproken, vooral omdat hij niet openstond voor openhartige gesprekken. Zij was zijn verzorgster; hij haar pupil. Hun conversaties bestonden uit: 'Trey, heb je je huiswerk gemaakt?' en 'Tante Mabel, hebt u mijn bruine riem gezien?' en dergelijke. Intiemer werden hun gesprekken niet.

Nu wilde Trey echter dat ze een hechtere band hadden gehad, zodat hij zijn tante had kunnen toevertrouwen waarom hij het had uitgemaakt met Catherine Ann.

Ik heb het niet gedaan omdat ik niet meer van Catherine Ann hou, tante Mabel. Ik heb het gedaan omdat ik juist wel van haar hou. Ik wilde niet dat haar verhouding met mij zich verder zou verdiepen, een kerel die waarschijnlijk nooit anders dan losse flodders zal schieten, terwijl ik weet dat ze op een dag kinderen wil. Als ik haar de waarheid vertel, zal ze evengoed bij me blijven. Ze zou me nooit in de steek laten, nergens voor. Zo is ze nou eenmaal. Daarom hou ik zo veel van haar.

Hij zou zijn tante verteld hebben over de blik die hij afgelopen november in de supermarkt in Cathy's ogen had gezien toen ze een baby vasthield terwijl de moeder haar boodschappen op de lopende band legde. *Ik kan misschien nooit die blik in haar ogen brengen, tante Mabel. We zouden uiteindelijk natuurlijk kunnen adopteren, maar alleen God weet wat we dan krijgen. Catherine Ann verdient haar eigen kinderen, blond en met blauwe ogen – net zo prachtig als zijzelf. Denkt u niet dat ik Cathy – en mezelf – beter pijn kan doen door haar in de waan te laten dat ik haar ontrouw ben geweest* (dat was hij ook geweest, zij het niet in zijn hart) *dan door haar de waarheid te vertellen?*

Hij verlangde ernaar het aan zijn tante uit te leggen, de mening van een vrouw erover te horen. Het zou zo'n troost zijn te weten dat ze hem begreep. Ze zou het waarschijnlijk met hem eens zijn en zeggen dat Cathy en hij inderdaad pas achttien waren, vreselijk jong om zich aan één persoon te binden en over trouwen, baby's en eeuwig samenzijn te praten. Ze hadden hun toekomst en carrière – hun leven! – nog voor zich. Zijn tante had echter een muur tussen hen opgeworpen, en de lucht was zo dik van veroordeling dat een lepel er rechtop in zou blijven staan. Tante Mabel was dol op Cathy en hij was nu naar haar mening de grootste hufter aller tijden. Hij maakte zijn eigen bed op zodat ze de tranen op zijn kussen niet zou zien, maar zijn tante had het geïnterpreteerd als een poging weer bij haar in de gratie te komen.

Zelfs John had hem in de steek gelaten en Trey miste hem bijna net zo erg als hij Cathy miste. De afkeer van zijn beste vriend had een ongekende hoogte bereikt en ze hadden nog nooit zo lang niet met elkaar gepraat. Hij wilde dat hij John kon vertellen waarom hij 'de beest uit was gaan hangen', maar hij kon zich er niet toe brengen zijn geheim met hem te delen. Je geslachtsdelen waren nou eenmaal privé – daar werd absoluut niet over gepraat – en je vertelde niet tegen een ander, zelfs niet tegen je beste vriend, dat je niet zo… mannelijk was als hij. Dat zorgde voor ongelijkheid tussen je beiden, om nog maar te zwijgen van de gêne en het onbehagen dat die wetenschap in de relatie zou veroorzaken.

Als hij het nou nog twee maanden kon uithouden zonder Catherine Ann, tot John en hij weg moesten voor de najaarstrainingen, dan had hij het ergste gehad. Intussen was de pijn van het gemis bijna fysiek voelbaar. Die deed hem denken aan de pijn van de bof en er bestond geen verlichting voor. Hij had geen zin om uit de gaan met de meisjes die hem al een paar dagen na zijn breuk met Cathy waren begonnen te bellen. Coach Turners dochter Tara was een van hen. *Jezus, wat een schaamteloze slet! Hoe kon zo'n fantastische man als coach Turner een dochter als Tara hebben voortgebracht?* Trey vroeg zich af hoeveel de coach wist van haar activiteiten buiten het bereik van zijn alziende ogen. Ze was naar tante Mabels huis gekomen onder het voorwendsel dat ze Trey haar jaarboek wilde laten tekenen, en had haar grote borsten tegen hem aan geduwd. Hij had haar jaarboek getekend en haar naar de deur begeleid.

Hij had zelfs de telefoonnummers niet gebeld die hij in zijn broekzak mee naar huis had genomen. Het enige wat hij zag was Cathy, die gekwetst en zwijgend thuis zat door het trauma dat hij had veroorzaakt. Het enige wat hij kon voelen was schaamte, schuldgevoel en pijn. Het enige wat zijn hart vulde was het gevoel dat hij iets opgaf wat hij nooit meer terug zou vinden. Hij zou nooit iemand ontmoeten die zo trouw en loyaal was als Catherine Ann. Hij zou zich bij niemand ooit nog zo veilig en geborgen voelen.

Hij had zich niet meer zo eenzaam gevoeld sinds zijn moeder hem in de steek had gelaten.

Het was zijn tantes ongenoegen met hem waardoor hij ermee instemde naar de Harbisons te rijden om de eieren en groenten op te halen die ze had besteld. Sinds afgelopen november had hij pertinent geweigerd daar in haar plaats heen te gaan, maar die tegenzin was niet ongebruikelijk geweest omdat hij altijd al had gemopperd over de saaie, lange rit en de omgang met mevrouw Harbison. De vrouw had het nooit gezegd, maar uit haar gedrag bleek duidelijk hoe ze dacht over de atletische neef van Mabel Church, die meende dat hij mijlenver boven haar hoorn blazende zoon verheven was. Nu durfde Trey echter niet te weigeren. Hij zou er alles voor over hebben gehad als John met hem mee zou willen gaan, maar hij peinsde er zelfs niet over hem mee te vragen naar de plek van hun ergste nachtmerrie, waarvan Trey de oorzaak was geweest.

Het was vreselijk warm vergeleken met die koude dag in november, maar verder was alles bij de Harbisons nog hetzelfde. Trey stapte verontrust en zonder enige snoeverij naar de grote veranda. Hij hoorde mevrouw Harbison naar de deur komen lopen toen hij had aangebeld en toen ze opendeed knipperde hij verbaasd met zijn ogen. Ze leek enkele jaren ouder dan toen hij haar voor het laatst had gezien. Hij schraapte zijn keel. 'Hallo, mevrouw Harbison. Ik kom de bestelling van mijn tante ophalen.'

Ze hield een arm op die in het gips zat, en een hand die in een mitella rustte. 'Nou, zoals je ziet ben ik een beetje gehandicapt. Ik ben laatst gevallen. Je zult me moeten helpen de eieren te rapen.'

'De eieren? Waar?'

'In de schuur. Je moet maar met me meelopen om de mand vast te houden.'

Trey voelde het bloed uit zijn gezicht wegtrekken. 'Eh, misschien kan ik beter een andere keer terugkomen… wanneer u zich beter voelt.'

'Ik voel me prima. Alleen mijn hand en arm doen pijn. Loop maar om het huis heen. Ik zie je aan de achterkant wel.'

'Ja, mevrouw,' zei Trey.

De stapstenen, het hek en de achtertuin waren nog precies zoals hij ze zich herinnerde. De betonnen picknicktafel en het hok van de ram, die leeg leek, waren er nog steeds. De dichtslaande achterdeur klonk nog precies hetzelfde als op die vreselijke dag toen Betty Harbison het trapje bij de achterdeur af kwam en de eiermand in zijn handen duwde. Ze had ook een mes bij zich. 'Kom maar mee. De deur naar de kippenren is daarbinnen,' zei ze, en ze wees met het mes naar de schuur.

Trey dwong zichzelf naar binnen te gaan. 'We hebben het kippenhok tegen de schuur aan gebouwd en de deur naar de ren erin, zodat stropers niet van buitenaf onze eieren en kippen kunnen stelen,' legde Betty uit. Ze zag dat hij zich niet goed voelde. 'Met deze hitte stinkt het erg, maar dat zul je moeten accepteren.' Ze gaf hem het mes. 'Help me dan ook wat tomaten te plukken, en ik wil je tante een paar van de takjes rozemarijn geven die daar te drogen hangen.' Ze knikte naar de balk waar John en hij haar zoon hadden opgehangen. Het kruisbeeld hing nog steeds aan de muur.

'Ja, mevrouw,' zei Trey, die de dreigende braakneigingen weg-slikte.

Toen alles was verzameld, zei ze: 'Je zult even mee moeten lopen naar de keuken om alles in een zak te doen.'

Trey was met afschuw vervuld. Hij had verwacht dat hij me-vrouw Harbison de cheque van zijn tante zou kunnen geven en zou wachten tot zij met de zak eieren en groente weer naar buiten kwam. Hij voelde zich gevangen in haar blik. Het was het soort blik waaraan je niet kon ontsnappen en haar toon was er een waar je geen nee tegen zei. Ze was waarschijnlijk streng geweest tegen Donny, als een moederbeer die haar jong gemakkelijk een mep gaf, maar hem net zo gemakkelijk vastpakte en beschermde. Er ontbrak iets aan haar wat er voor die dag in november wel was geweest.

'Ja, mevrouw,' zei hij.

Met de mand in zijn hand volgde Trey haar via de achterve-randa de keuken in en deed hij zachtjes de achterdeur dicht, alsof hij anders Donny's geest wakker zou maken. De keuken was groot en luchtig en het rook er lekker, maar de sfeer deed hem denken aan een lege concertzaal nadat het publiek was ver-trokken. Op de grote ronde tafel lagen twee sets in servetjes ge-wikkeld bestek klaar. Een schoolfoto van Donny met een scheve grijns keek vanaf een plank op hem neer, bijna verborgen achter kookboeken en een vaas met bloemen. Trey bleef zwijgend en ongemakkelijk staan tot mevrouw Harbison de mand van hem overnam.

'Was je handen maar even,' zei ze, 'daar aan het aanrecht. Dan pak ik hier ondertussen een zak voor.' Ze scheurde papieren hand-doekjes van een rol en gaf die aan hem. 'En...' Haar toon werd bijna verlegen en ze keek hem niet aan. 'Ik neem aan dat je wel een stuk notentaart lust voor de moeite. Ga maar aan tafel zitten, dan snij ik een stukje voor je af.'

Aan haar tafel eten? Waar Donny had gezeten? 'O, nee, mevrouw, dat kan ik niet aannemen,' zei Trey met een stem die hoger klonk door de paniek. Hij haalde de cheque uit zijn zak. 'Ik betaal u gewoon en dan ga ik weer.'

Ze verstarde en haar mond vertrok tot een smalle streep. Hij kon zichzelf wel wat doen. Die arme vrouw had alleen weer eens een jongen een stuk taart willen geven, en zijn weigering had haar geraakt op een plek waar de pijn nooit zou overgaan. Hij zag het overduidelijk, al zou ze het niet willen laten merken. 'Ik pak die zak even,' zei ze, en ze liep de bijkeuken in.

Moest hij zeggen dat hij het erg vond van haar zoon? Als hij dat deed, zou hij zichzelf misschien verraden. Hij begon de laatste tijd om het minste of geringste te janken. Hij deed zijn mond open toen ze terugkwam en de eieren en groente zonder zijn hulp in de zak begon te stoppen. 'Mevrouw Harbison, ik...'

'Hierzo,' zei ze, en ze gaf hem de zak en griste de cheque uit zijn vingers. 'Bedank je tante voor me. Je weet de weg naar buiten.'

'Ja, mevrouw,' zei hij.

Hij reed met zijn Mustang weg van de plek waar hij hem op die vreselijke dag ook had geparkeerd en het geknerp van het grind was eenzelfde geluid dat hij nooit meer zou vergeten. Er kroop een vreselijke triestheid door zijn borst omhoog naar zijn keel, zijn hoofd. Een eind van het huis verwijderd stopte hij langs de kant van de weg en stapte uit om adem te kunnen halen. Het gegons van zomerinsecten vulde zijn oren – een waterval van geluid, dat beschuldigend klonk. De prairie golfde en vervaagde. 'Catherine Ann...' snikte hij. 'Catherine Ann... Catherine Ann...'

Toen ze haar grootmoeders deur voor hem opendeed, waren zijn ogen rood en gezwollen en hij kon nauwelijks de woorden uitspreken die hij tegen degene wilde zeggen van wie hij het meeste hield. 'Catherine Ann, ik... het spijt me zo. Ik... ik weet niet wat me bezielde. Ik ben de grootste klootzak op aarde. Ik hou zo veel van je. Alsjeblieft, alsjeblieft, vergeef me.'

Haar werk in de dierenkliniek zat erop. Emma was naar de bi-

172

bliotheek. Cathy pakte zijn hand beet en trok hem het door air-conditioning koele huis binnen. Ze belde de manege om de huur van het paard af te zeggen, zei toen tegen een opgetogen Rufus: 'Hier blijven, jongen', en leidde Trey haar slaapkamer binnen.

23

Trey was naar het zomertrainingskamp op de Universiteit van Miami toen de zwangerschapstest van de drogist haar vermoeden bevestigde. Er ging een bom af in haar hoofd. *O nee. O god, nee!* Toen trok de rookwolk van de bom op en was de verwoesting niet zo ernstig als ze had verwacht. Ze was zelfs voorzichtig blij. Een zwangerschap was niet het einde van de wereld. Trey en zij zouden gewoon eerder moeten trouwen dan ze gepland hadden. Het zou niet gemakkelijk zijn, maar niets wat de moeite waard was, was ooit gemakkelijk. Ze zou haar beurzen moeten laten schieten. Die waren alleen voor ongehuwde studentes. Haar studie zou onderbroken worden, maar er waren andere beurzen en toelagen die ze kon aanvragen en die ze dan wellicht volgend jaar zou krijgen. In de tussentijd zou Trey's beurs de kosten moeten dekken en tante Mabel zou vast willen helpen. Trey zou er aanvankelijk misschien niet zo blij mee zijn. Zo snel al een baby en een huwelijk was niet wat ze in gedachten hadden gehad, maar hij zou uiteindelijk wel warmlopen voor het idee, en misschien zelfs opgetogen zijn. Hij had het nooit over kinderen gehad, maar ze wist hoeveel belang hij hechtte aan familie – hoe fijn hij het vond om bij mensen te horen die van hem hielden – en wie kon hem meer liefde geven dan een zoontje of dochtertje? Haar grootmoeder en tante Mabel zouden buiten zichzelf zijn van vreugde. John zou het fantastisch vinden om oom te worden. Ze zouden allemaal samenwerken en Trey en zij zouden het redden.

Hij kwam de week daarna terug uit Coral Gables, en in tante Mabels salon liet Cathy hem er alles over vertellen – hoe de oude quarterback hem onder zijn vleugels had genomen, hoe aardig hij coach Mueller, zijn staf en de andere teamleden vond, hoe goed John en hij het als nieuwelingen hadden gedaan – en toen zei ze: 'Trey, ik moet je iets vertellen…'

'Voor je dat doet, moet ik jou iets vertellen,' zei hij, en hij pakte haar hand vast. 'Ik heb iets voor je verzwegen, Catherine Ann... iets wat je me misschien niet zult vergeven.'

Ze bracht hem tot zwijgen door haar vinger tegen zijn lippen te leggen. 'Te laat voor bekentenissen,' zei ze glimlachend. 'Die veranderen toch niets meer.' Besefte Trey niet dat ze wist waarom hij de vorige keer dat hij terug was gekomen uit Miami een adempauze had voorgesteld? Deze keer had hij haar echter elke avond gebeld om te zeggen hoeveel hij van haar hield en haar miste, en dat hij zo blij was dat ze samen naar Miami zouden gaan, zodat hij niet de ellende hoefde door te maken van niet elke dag bij haar te zijn.

'Wat ik te zeggen heb is vreselijk belangrijk, Catherine Ann,' zei hij met een bezorgde blik.

'Wat ik te zeggen heb ook.'

'Oké. Jij eerst.'

Knus tegen zijn harde borstspieren gevlijd zei ze: 'Ik ben zwanger, Trey,' en ze legde uit dat het gebeurd moest zijn – dat kon niet anders – op die middag dat hij na hun breuk bij haar terug was gekomen en ze niet beschermd was geweest. Ze had gedacht dat het er niet toe deed, dat ze nog in haar veilige periode was.

Ze voelde hem verstijven, volkomen verstarren. Hij liet zijn armen vallen.

'Wat ben je?' vroeg hij.

Ze week terug om hem aan te kijken. Zijn ogen leken wel van glas. Zelfs zijn stem was uitdrukkingsloos en zijn lippen, bleek als die van een mummie, bewogen nauwelijks.

'Ik ben... zwanger, Trey,' herhaalde ze. Er ging een rilling door haar heen en haar onderrug verstijfde, de plek waar het altijd pijn deed als ze gespannen of bang was. 'We krijgen een baby.'

'Weet je dat zeker?'

Haar glimlach haperde. 'Ja. Is het niet... geweldig? Ik weet dat het als een schok komt...'

'Je kunt niet zwanger zijn. Je moet je vergissen.'

'Ik vergis me niet, Trey. Ik ben naar een gynaecoloog in Amarillo geweest om me te laten onderzoeken.'

Hij duwde haar van zich af alsof ze plotseling besmettelijk was geworden. 'Ik geloof je niet.'

Haar mond was zo droog geworden dat haar tong wel van schuurpapier leek. Ze bevochtigde haar lippen. 'Wat geloof je niet? Dat ik zwanger ben? Dat ons dat kon overkomen?' Ze dwong zich te glimlachen. 'Nou, gezien die middag dat je naar me toe kwam, zou het je niet moeten verbazen...'

'Ik vertrouwde je, Cathy. Nog meer dan John vertrouwde ik jou.' Zijn stem viel weg, in zijn ogen brandde iets wat ze alleen maar kon interpreteren als de pijn van verraad. Hij kwam met moeite van de bank overeind.

'Vertrouwde je erop dat ik de pil zou gebruiken?' zei ze verbijsterd. 'Maar, Trey, liever, waarom had ik daarmee door moeten gaan? Je had het uitgemaakt...'

'Ga weg,' zei hij zo zacht en behoedzaam dat ze hem nauwelijks hoorde door het aanzwellende gebulder van haar panische angst heen. 'Maak dat je wegkomt. Nu meteen.'

'Wat?'

'Je hebt me wel gehoord. Ga weg!' Hij keek gejaagd om zich heen en ze realiseerde zich dat hij haar tasje zocht. Hij zag het en gooide het haar toe terwijl ze hem sprakeloos aanstaarde. 'Het is voorbij. Sta op!' Hij greep haar bij de arm en trok haar overeind.

'Trey... wat bedoel je?'

'Ik bedoel...' Zijn stem zwakte af tot een zacht gejammer. 'Hoe kon je ons dit aandoen?'

'Nou, ik heb het niet in mijn eentje gedaan,' zei ze, en ze begon boos te worden. 'Ik had wel wat hulp, weet je. Die dingen gebeuren. Een baby is het eind van de wereld niet.'

'Voor mij wel. Donder op!'

'Dat kun je niet menen.'

'Nou en of ik het meen.'

Hij trok haar aan haar arm mee naar de voordeur en duwde haar ruw naar buiten. Verlamd, niet in staat te bevatten wat er was gebeurd, keek ze met open mond toe toen hij de deur voor haar neus dichtsmeet en op slot deed.

Toen Mabel de volgende ochtend wakker werd, was hij weg, lagen zijn dekens opgevouwen op het bed en lag er een briefje op het kussen. 'Ik hou van u, tante Mabel. Ik ga terug naar Miami. Bedankt voor alles. Trey.'

Cathy rende naar John. Trey had zelfs van hem geen afscheid genomen. 'Leg het me uit, John,' smeekte ze. 'Waarom vindt hij het zo afschuwelijk om een baby te krijgen?'

John was net zo verbijsterd als zij. Deze keer had Trey in Miami niet eens naar andere meisjes gekeken. Hij was vol geweest van zijn liefde voor Cathy en had telkens weer tegen John gezegd hoe stom het was geweest, te denken dat hij zonder haar zou kunnen leven. John had gedacht dat er nu niets meer tussen hen kon komen. Trey was opgebouwd uit een complexe massa kronkels en bochten die voor John soms maar moeilijk te bevatten waren, maar hij had hem nooit geschokt. Het was Trey's manier van doen om op hoge poten weg te stormen als hij boos was op degenen die van hem hielden – John, zijn tante, coach Turner – maar wanneer zijn woede bekoeld was, kwam hij altijd terug, ontwapenend schuldbewust, zoals bij Cathy na hun enige breuk.

John had echter het akelige gevoel dat het deze keer anders was.

'Wat ga je doen?' vroeg hij.

'Afwachten. Hij verandert wel van gedachte. Dat weet ik zeker.'

'En als… hij dat niet doet?'

'Dat doet hij wel, John. Ik ken hem.'

John pakte haar bij haar schouders. 'Als hij niet terugkomt, wil je er dan over denken met mij te trouwen, Cathy? Je weet vast wel wat ik voor je voel. Ik hou van je. Dat heb ik altijd al gedaan. Ik zal van je baby houden alsof het mijn eigen kind is. We kunnen samen een goed leven hebben.'

Ze keek omhoog naar zijn knappe gezicht, dat zo op dat van Trey leek dat ze wel broers hadden kunnen zijn, wat ze in feite waren, alleen geen biologische broers. 'Dat weet ik, en ik hou te veel van je om je met mij te laten trouwen terwijl jij en ik weten dat mijn hart aan Trey toebehoort – wiens kind aan hem toebehoort. Hij houdt van me, John. Het kan een poosje duren, maar hij komt

177

bij me terug. Dat weet ik heel zeker. Ik moet beschikbaar zijn wanneer hij dat doet.'

In de twee weken voordat Cathy naar Miami zou vertrekken hoorden ze niets van Trey. Omdat ze geen idee hadden waar hij was, konden ze geen contact met hem opnemen. John raadde Mabel aan Sammy Mueller te bellen, die haar verzekerde dat Trey gezond en wel op de campus was gearriveerd en in het studentenhuis voor sporters verbleef. John en Cathy schreven brieven, Mabel stuurde telegrammen en liet telefonische boodschappen voor hem achter, maar hij reageerde nergens op. Cathy's wereld verduisterde. Trey en zij waren innig met elkaar verbonden geweest, als een Siamese tweeling, en hadden dezelfde hartslag gedeeld. Ze had het gevoel dat ze uit hem was losgerukt en geen eigen organen had om haar in leven te houden.

Zij en Emma – van wier gezicht haar diepe bezorgdheid en teleurstelling af te lezen vielen – bespraken triest haar opties. Aan abortus dachten ze niet eens en Cathy vroeg zich af waarom Trey, als hij haar nog steeds had gewild maar tegen kinderen was geweest, haar niet had gevraagd abortus te laten doen. Dat zou net iets voor hem zijn geweest, maar hij wist ook dat zij nooit hun kind zou laten weghalen. Dan was er het alternatief, de baby af te staan ter adoptie en door te gaan met haar leven, maar ook dat vond ze ondenkbaar. Hoe kon ze het kind weggeven dat was voortgekomen uit haar liefde voor de vader?

John herhaalde zijn aanbod om met haar te trouwen, maar Cathy wees het opnieuw af. 'Cathy, weet je wel wat je te wachten staat? Ik weet dat we in de jaren tachtig leven en dat de mensen niet meer hetzelfde tegen ongehuwd zwangere meisjes aankijken als vroeger, zelfs niet op een universiteitscampus, maar… ze zullen toch anders naar je kijken. Het zal nog steeds als een schande worden gezien. Denk aan de baby…'

'Dat doe ik, John.'

'Weet je echt zeker dat er geen kans is dat je met me trouwt?' vroeg hij.

'Ik weet het zeker,' zei ze. 'Je verdient beter, John.'

'Beter dan jij is er niet, Cathy.'

De dag voor John in zijn pick-up naar Florida zou vertrekken, belde hij Sammy Mueller.

'Je hebt je beslissing dus nog niet met je vriend besproken?' vroeg de coach hem.

'Dat laat ik aan u over, coach Mueller.'

'We rekenden erop dat jullie samen zouden komen.'

'Trey zal het in zijn eentje ook prima doen.'

'We zullen zien. Het spel zal je missen, John.'

Hij gaf Cathy zijn nieuwe adres. 'Hier kun je me bereiken als je me nodig hebt,' zei hij. 'Aarzel niet me te bellen, Cathy. Beloof me dat.'

Ontzet las ze het briefje. 'Je gaat niet... je gaat...'

'Nee, Cathy. Ik ben van gedachte veranderd.'

Hij had zich al aangemeld en was aangenomen bij de Loyola Universiteit in New Orleans. Hij had alleen onder zijn bindende intentieverklaring met Miami uit gekund omdat hij geen American football zou gaan spelen voor een andere universiteit. Op Loyola wilde hij zich inschrijven voor het programma voor kandidaat-jezuïeten in de hoop uiteindelijk tot priester te worden gewijd.

DEEL TWEE

1986-1999

24

Aan zijn bureau in het Hecht Athletic Center zat Frank Medford, de aanvalscoördinator en quarterback-coach voor de Miami Hurricanes verwoed kauwgum te kauwen, terwijl de teleurstelling zich een weg naar zijn buik brandde. Hij had net te horen gekregen dat John Caldwell zijn beurs om voor Miami te komen spelen had laten schieten om naar de Loyola Universiteit in New Orleans te gaan in de hoop priester te worden.

Frank had zowat een hartaanval gekregen. 'Wát heeft hij gedaan?' had Frank, een katholiek, tegen de brenger van het slechte nieuws geschreeuwd. 'Wat een klootzak! Hou je me nou voor de gek?'

Toen Sammy Mueller, net zo geschokt en teleurgesteld als Frank, hem had verzekerd dat hij hem niet voor de gek hield, had Frank zijn stoel naar achteren geschoven, gevloekt en door het kantoor van de hoofdcoach heen en weer gestampt en gevraagd waarom ze voor de duivel niet eerder op de hoogte waren geweest van John Caldwells religieuze voorkeur.

'We hebben er niet naar gevraagd en hij heeft er niets over gezegd,' zei Franks baas met een mismoedige uitdrukking op zijn normaal blozende gezicht. 'Je moet toegeven dat de reden van de jongen om zich terug te trekken er eentje is voor in de boeken.' Hij zuchtte spijtig. 'We hadden de wide receiver uit Oklahoma kunnen hebben.'

Frank werd het ijsberen moe en liet zich op een bureaustoel zakken. Hij had eerder zulke teleurstellingen meegemaakt, maar nooit een die hem zo vreselijk diep had geschokt. 'Dat verklaart waarom Trey Hall zo vroeg terugkwam naar de campus,' zei hij. 'Ik wist dat hem iets dwarszat. Hij is niet dezelfde knul als toen hij hier na de zomertraining wegging. Maar waarom heeft hij ons in godsnaam niet verteld dat John van plan was ons te laten zitten?'

'Kennelijk wist hij dat niet, Frank. Jij zult het hem moeten vertellen.'

'Hij moet toch een idee hebben gehad van wat zijn vriend van plan was. Hoe verklaar je anders dat Hall zo in de put zit sinds hij terug is?' Frank voelde zijn nek warm worden. Hij was nog steeds tot onder de schoenzolen van zijn Nikes uit het lood geslagen door het nieuws. John Caldwell was voor Trey Don Hall wat brandstof voor een raket was. Ze waren al bijna vanaf hun geboorte beste vrienden. Kon Trey ook zonder hem van de grond loskomen?

'Alles is mogelijk als het om jongens van achttien gaat,' zei coach Mueller. 'Ik wil dat je met die knul praat; zie erachter te komen wat hem dwarszit en of deze breuk zijn spel zal beïnvloeden. Zonder John zal Trey ons misschien teleurstellen.'

Zijn baas had de angst onder woorden gebracht die de opwinding teniet had gedaan die Frank had gevoeld sinds hij filmpjes met Trey Don Hall en John Caldwell had gezien en het dynamische duo tijdens de zomertraining had geobserveerd. Frank was al heel lang coach en had geleerd zijn mening over alle fantastische quarterbacks en receivers op te schorten tot ze zichzelf hadden bewezen waar en wanneer het telde. De nieuwelingen uit de Texas Panhandle – vooral Trey Don Hall – bleken de zeldzame uitzonderingen te worden van de beproefde regel die Frank het soort leed bespaarde dat hij nu ondervond.

Toen ze voor hun eerste rondleiding op de campus waren gearriveerd, had Trey Don typerend geleken voor de lange, knappe, verwaande quarterbacks van wie Frank het als zijn plicht zag ze van hun ivoren highschool-torentjes omlaag te halen.

'Ik geef er de voorkeur aan TD te worden genoemd,' had hij met een brutale grijns op zijn gezicht gezegd toen hij aan de coaches werd voorgesteld.

Frank had lijzig geantwoord: 'Hier moet je die bijnaam eerst verdienen. Voorlopig ben je gewoon maar Trey Don Hall.'

Maar er was niets 'gewoon maars' aan TD Hall. Het werd al snel duidelijk dat hij weleens de stralende belofte van zijn wedstrijdslagen zou kunnen gaan waarmaken; alles aan hem leek te duiden op goud – armen, voeten, heupen en hersens. De aanvalscoaches waren onder de indruk geweest van zijn focus en handelwijze tijdens de zomertraining, toen iedereen had gewed dat hij elke avond naar de clubs in Coconut Grove zou gaan om te ontspannen van de fysieke inspanningen van de dag en John met hem mee zou gaan om hem uit de problemen te houden. Zijn toewijding en zijn onthouding van de lichtzinnigheid waaraan hij zich tijdens zijn eerste bezoek aan de campus te buiten was gegaan, hadden hen verrast, net als zijn onverwachte terugkeer op de campus een paar dagen nadat hij weer naar de Texas Panhandle was vertrokken. Frank had meteen geweten dat er thuis iets mis was gegaan toen de jongen vroeg of hij voor de komende weken zijn kost en inwoning in het studentenhuis van de sportafdeling kon betalen tot zijn beurs begon te lopen. Sinds zijn terugkeer had hij in het isolement van een monnik geleefd – geen meisjes, geen nachtleven – een groot contrast met de vlotte, sociale knul die ze eerder hadden gezien. Hij zat in zijn eentje op zijn kamer, at alleen aan de sporterstafel en ging vroeg naar bed. Overdag bekeek hij wedstrijdfilms, fitnesste hij en oefende hij het gooien van passes naar bewegende doelen, die hij bijna altijd raakte. Hij trok toeschouwers op die dagen – nooit iemand van de coaches, omdat de NCAA (National Collegiate Athletic Association) coaches voor de start van het seizoen elke interactie met hun spelers verbood die als 'preëmptieve instructie' kon worden aangemerkt. Vanuit de kantoren en vanaf de hoogste rijen van de tribunes hadden ze echter door verrekijkers zijn perfecte techniek aanschouwd en hem in gedachten al, omringd door tegenstanders, de bal moeiteloos laag terug zien gooien naar zijn wide receiver, John. Hun tweemanscombinatie was de ultieme droom van iedere aanvalscoördinator.

Nu was die droom voor de helft voorbij, en wellicht ook voor de andere helft, als Trey Don Halls uitzonderlijke vaardigheden en absolute vertrouwen in zijn kunnen onlosmakelijk met die van John Caldwell verbonden waren. Wedstrijdfilms lieten duidelijk hun vertrouwen in elkaar en hun bijna telepathische band zien

waardoor Kersey High School het staatskampioenschap had gewonnen. Zou Trey zonder zijn teamgenoot net zo succesvol kunnen spelen?

'U wilde me spreken, coach Medford?' vroeg Trey vanuit de
deuropening.

'Ja, inderdaad. Kom binnen en ga zitten.' De jongen kwam
rechtstreeks uit de fitnesszaal en was nog in zijn sportbroekje en
een shirtje. Dat Trey Hall consequent aan gewichtheffen deed, was
een andere aangename verrassing geweest. De meeste quarterbacks
hielden daar niet van. Ze vonden dat iets voor de linemen en de
linebackers, maar de nieuweling vond dat quarterbacks snel én
sterk moesten zijn. Met zijn een meter negentig en bijna honderd
kilo getrainde spieren was hij beide. Frank voelde weer een steek
van bezorgdheid. Wat als de knul nou een flop zou blijken?

'Ik vrees dat ik slecht nieuws heb, Trey.'

Trey liet zich bezorgd op de aangeboden stoel neerzakken.
'Toch niet mijn tante, of wel?'

'Nee, niet je tante. Het gaat om John Caldwell. Hij komt niet
naar Miami.'

Frank had het nieuws met opzet zonder inleiding gebracht.
Trey's reactie daarop zou duidelijk maken of hij van Johns beslissing op de hoogte was geweest en misschien al aan het idee
gewend was geraakt om hier in zijn eentje aan te moeten treden.

Het was echter duidelijk dat het nieuws bij de jongen insloeg als
een bom. Alle kleur trok uit Trey's gezicht weg. 'Wat?' zei hij. 'Hoe
bedoelt u, hij komt niet naar Miami?'

'Ik bedoel dat hij van gedachte veranderd is. Hij voegt zich dit
najaar niet bij ons. Hij heeft zijn beurs afgewezen.'

'Maar dat mag hij toch niet, of wel? Wettelijk, bedoel ik?'

'Het mag wel als hij een jaar lang geen football speelt voor een
andere universiteit of opleidingsinstituut.'

'Geen football spelen…'

Duidelijk weer een grote schok. 'Heb je enig idee waarom hij
ons laat zitten?'

'Nee… ik… dacht dat hij waarschijnlijk zou trouwen, ergens

buiten de campus zou gaan wonen, maar niet dat hij Miami en het football zou opgeven. Het meisje... met wie hij trouwt heeft hier ook een beurs.'

'Nou, hij gaat zeer zeker niet trouwen,' zei Frank, 'in elk geval niet met een vrouw. Hij gaat naar de Loyola Universiteit in New Orleans om priester te worden.'

Trey keek Frank aan als iemand die door een vriend in zijn borst was geschoten. Het duurde een paar seconden voor Trey reageerde. Hij duwde zijn stoel achteruit en kwam strompelend overeind. 'Nee, dat zou hij nooit... dat kan hij niet... God, John!' Hij wendde zich van Franks bureau af, sloeg zijn handen voor zijn gezicht en boog voorover alsof hij in elkaar werd geslagen. Hij bleef een paar minuten zo staan voor hij zich weer omdraaide en woest zijn tranen wegveegde.

'Ik zal eerlijk tegen je zijn,' zei Frank. 'Ik heb zelf ook wel zin om een potje te janken. John Caldwell had de beste wide receiver in het universiteits-football kunnen worden. Had je enig idee dat hij dit zou doen?' Hij haalde een doos Kleenex uit een la, die hij bij de hand hield voor zijn niesaanvallen tijdens het hooikoorts-seizoen en schoof die over zijn bureau naar Trey toe. Trey trok een tissue uit het doosje en veegde zijn ogen droog.

'Nee... niet nu. Zoals ik zei, vermoedde ik dat hij zou gaan trouwen.'

Aha, dacht Frank, *dat verklaart de zaak waarschijnlijk. John Caldwell en zijn vriendin hebben ruzie gehad. Maar lieve hemel, om op je achttiende alles op te geven vanwege een meisje om priester te worden en celibatair te gaan leven?* 'Nou, luister eens,' zei hij, op zijn bureau leunend, 'het is nog niet te laat om hem hierheen te halen. We zoeken hem op, dan kun jij met hem praten en hem ervan overtuigen dat hij als de sodemieter hierheen...'

'Nee.'

Verrast door die onmiddellijke reactie zei Frank: 'Waarom niet?'

'Omdat ik hem niet op andere gedachten zou kunnen brengen.'

Frank had verstand van jongens. Trey hield iets voor zich wat hij niet van plan was met hem te delen, een pijnlijk geheim dat hij te persoonlijk vond om te bespreken. Maar voor Frank was er niets persoonlijks wat hij niet al eerder had gehoord. Hij nam zijn vaderlijke houding aan. 'TD, wat is er gebeurd toen je weer thuis was? Ik weet dat zich iets heeft voorgedaan, want je kwam meteen en als een ander mens terug hierheen en nu laat John ons zitten om priester te worden. Ik begrijp dat je het moeilijk vindt om erover te praten, maar wat het ook is, misschien kan ik helpen. Je vertelde ons dat jullie tweeën er al van droomden naar Miami te komen sinds jullie net op de middelbare school zaten. Wat is er dan gebeurd waardoor dat allemaal is veranderd? Als het alleen maar om een meisje gaat, dan moeten we, bij alles wat heilig is, met John gaan praten. Hij is te jong om zo'n beslissing te nemen. Hij kan later altijd nog de geloften afleggen. Dat doen een hoop priesters.'

De ogen van de jongen waren nu droog, al blonk het verdriet er nog steeds sterk in door. Hij duwde zich van zijn stoel omhoog. 'Ik moet gaan,' zei hij.

Verbaasd – Frank besliste wanneer een rekruut zijn kantoor mocht verlaten – zei hij: 'Goed, maar misschien is nog niet alles verloren. Misschien komt John volgend jaar wel terug als hij ontdekt wat zijn geloften zullen inhouden. Ik heb er ooit ook over gedacht priester te worden, tot ik een tijdje had doorgebracht in het noviciaat. Ik hield het niet vol. Armoede, kuisheid en gehoorzaamheid… Dat zijn de geloften. Ik kan John wel twee van de drie zien volhouden, maar kuisheid…?'

Een spiertrekking in het gezicht van de jongen maakte duidelijk dat Frank een gevoelige snaar had geraakt. 'Noviciaat?'

'De proeftijd die een kandidaat voor een geestelijke orde moet doormaken om te bepalen of hij geschikt is voor het priesterleven.'

'Hij is er geschikt voor,' zei Trey, en hij draaide zich om naar de deur.

'Voor je gaat, Hall, wil ik dat je eerlijk tegen me bent,' zei Frank op vasthoudende toon. Het gevoel dat de jongen de overhand had, irriteerde hem. 'Gaat Johns beslissing een negatief effect hebben op datgene waarvoor we jou hierheen hebben gehaald?'

Trey maakte een prop van de tissue en gooide die in de prullenbak naast Franks bureau. Een paar minuten geleden was hij nog een kwetsbare achttienjarige jongen geweest. Nu had hij de houding aangenomen van een volwassen, verbitterde man. 'Nee. Coach. American football is alles wat ik nog heb.'

Terug in zijn kamer liet John zich op zijn bed vallen en haalde hij zijn vingers door zijn haren. *John, die priester wil worden? Lieve hemel!* Hij had iets dergelijks moeten zien aankomen. Al sinds afgelopen november had hij John steeds meer naar zijn katholieke geloof zien neigen, maar hij had nooit gedacht dat John zo ver zou gaan om verlossing te vinden… zeker niet nu. Wat moest er dan van Cathy worden? Hij had met haar moeten trouwen terwijl niemand nog van haar zwangerschap wist. Hoe kon John ervandoor gaan en Cathy in haar toestand achterlaten, tenzij… tenzij…

Trey stond op en trok de bureaula open waarin hij Cathy's brieven bewaarde, vijf stuks, ongeopend, en eentje die hij een week geleden van John had ontvangen, ook ongelezen. Hij scheurde hem open en het netjes geschreven briefje bevestigde zijn vermoeden.

Beste TD,

Ik schrijf je om je te vragen – te smeken – naar huis te komen en je plicht te doen wat Cathy en jullie baby betreft. Ze wil het houden, omdat ze zegt dat ze geen kind weg kan geven dat uit haar liefde voor jou is geboren. Om diezelfde reden wil ze niet met mij trouwen. Ik heb haar gesmeekt dat te doen, TD. Ik hou ook van haar. Ik heb altijd al van haar gehouden, en niet als een broer. Ze weigerde omdat ze zegt dat ze niet met iemand anders kan trouwen terwijl haar hart jou toebehoort. Ze is ervan overtuigd dat jij er hetzelfde over denkt en dat je terug zult komen zodat jullie kunnen trouwen voor de school begint. Je hebt veel gedaan wat ik niet begrijp, TD, maar hier kan ik echt met mijn pet niet bij. Waarom vind je het zo erg om vader te worden? Als je met een meisje als Cathy getrouwd bent, lijkt een gezin mij het mooiste

wat er bestaat. Wil je alsjeblieft naar huis komen en met haar trouwen, zodat we allemaal zoals gepland naar Miami kunnen gaan?
We missen je, makker.

John

Trey verfrommelde de brief in zijn vuist. De tranen liepen over zijn wangen. *Hij heeft geen idee… heeft zelfs geen vermoeden… Cathy ook niet. Als dat wel zo was, zou ze met John zijn getrouwd en niet op mij wachten.*

Hij ging weer zitten en met zijn hoofd tussen zijn handen herbeleefde hij, zoals hij al zo vaak had gedaan, het moment van Cathy's mededeling, en voelde hij weer het moeras van geschoktheid, boosheid, ongeloof en… verlatenheid. Het had slechts enkele seconden geduurd voor hij tot diep in zijn hart met zekerheid had geweten – alsof de bliksem insloeg – dat hij nooit, nooit meer hetzelfde voor haar zou kunnen voelen. Ze had dat ene essentiële element verwoest dat hem aan haar bond.

Hij herinnerde zich nog steeds het gevoel van haar gebruinde huid toen hij haar bij de arm had gepakt en haar de deur uit en zijn leven uit had gezet. Hij had zich met brandende longen schrap gezet tegen de gesloten deur en had haar kleine vuisten tegen het hout horen slaan en haar telkens weer zijn naam horen roepen. *Trey… Trey!* had ze geroepen, zijn gevallen engel, die de poorten van de hemel bestormde om weer te worden toegelaten, maar hij was doof geweest voor alles behalve de stem van dokter Thomas die hem in mei zijn diagnose had verteld.

Wat probeert u me te vertellen, dokter?

Je sperma-analyse laat zien dat je spermacellen abnormaal gevormd zijn en niet kunnen zwemmen.

En dat betekent?

Het betekent dat je momenteel onvruchtbaar bent…

Elke klap tegen de deur had een staak door zijn hart gedreven, maar ze was schuldig aan de enige zonde die hij haar nooit kon vergeven. Ze had hem bedrogen met zijn beste vriend. Hij was liever gestorven dan zich Cathy in Johns armen te moeten voorstellen – terwijl de twee gemeenschap hadden – en dat binnen een week na hun breuk. Eerlijk of niet, hij had erop vertrouwd dat ze hem zelfs tijdens die storm trouw zou blijven. Ze had moeten weten dat die wel over zou waaien. Ze kende hem beter dan hij zichzelf kende. Ze had moeten snappen dat er iets vreselijk mis moest zijn als hij het met haar uitmaakte. Ze had voldoende op zijn liefde moeten vertrouwen om te bedenken dat hij misschien voor haar bestwil had gehandeld.

Uiteindelijk was er een eind gekomen aan haar smeekbeden. Hij had haar bij de deur weg en van de veranda af horen lopen, haar voetstappen aarzelend en traag, als afgevallen blaadjes die door de wind over de stenen werden geblazen. De tranen hadden over zijn wangen gelopen. John zou met haar trouwen, dacht hij toen hij de ironie van het geheel inzag. Hij had vanaf het begin van haar gehouden, net als Trey. Die had zichzelf voor de gek gehouden door te denken dat John haar als een zus beschouwde. Hij zou met haar trouwen en het kind opvoeden waarvan ze dacht dat het van Trey Don Hall was.

Hij was van plan geweest John en haar over zijn... aandoening te vertellen wanneer ze op de campus aankwamen, de waarheid die hij Cathy zou hebben verteld net voordat ze haar sensationele mededeling deed als ze haar vinger niet tegen zijn lippen had gedrukt. *Te laat voor bekentenissen*, had ze gezegd, en hij had gemeend dat ze het over zijn escapades in Miami had, waar ze natuurlijk een vermoeden van had gehad. Later, in de verbijstering die als horzels door zijn hoofd gonsde, had hij zich afgevraagd of zijn capriolen de reden waren dat ze hem had bedrogen, zoals de meeste meisjes uit wraak zouden doen, maar dat was niets voor Cathy, dus had hij moeten aannemen dat ze gewoon naar John was gegaan om zich te laten troosten en dat van het een het ander was gekomen en ze samen in bed waren beland.

Jammer dan. Ze had haar broekje aan moeten houden. Ze had moeten wachten.

Hij had hun zijn geheim niet kunnen vertellen voor hij uit Kersey vertrok. Zijn pijn was te hevig. Cathy en John hadden hem opnieuw tot wees gemaakt. Ze hadden de familie kapotgemaakt die ze samen hadden gevormd en ze verdienden het de verlatenheid en het verlies te ervaren die ze hem hadden laten voelen. Hij had verwacht dat ze al getrouwd zouden zijn tegen de tijd dat ze zich op de campus meldden – of zouden trouwen kort nadat ze zijn nieuws hadden vernomen. *Raad eens, jongens? Ik ben niet de vader van je baby, Cathy. Dat ben jij, John. Dus ik wens jullie een heel goed leven… zonder mij.*

En nu wilde John de enige roeping volgen die een huwelijk tussen Cathy en hem onmogelijk zou maken. *Jezus!* Hoe kon alles zo vreselijk mis zijn gelopen? Hoe konden al hun plannen en dromen zo snel als een knoeibal op de doellijn zijn veranderd en de winnende score hebben verpest?

De lade met Cathy's brieven stond nog open. Ze smeekten om gelezen te worden. Haar handschrift bracht haar tengere, kleine gestalte weer bij hem naar boven, maar de herinnering aan haar bracht alleen maar de rauwe herbeleving van zijn gevoel van verraad met zich mee. Wat was hij stom geweest om te geloven dat ze anders was dan andere meisjes. *Vrouwen!* Je kon ze geen van allen vertrouwen. Zelfs Johns moeder was vreemdgegaan en kijk maar eens wat voor schade haar overspel had aangericht.

Hij zou Cathy's brieven nooit lezen. Hij zou zich niet door sympathie of schuldgevoel – of wroeging over zijn eigen aandeel in de breuk – laten verleiden om haar terug te nemen, want het kon onmogelijk ooit nog goed komen tussen Cathy en hem. Maar wat moest hij doen? Moest hij haar en John de vernederende waarheid over hemzelf vertellen voor het te laat was, of… wachten? Wat zou de waarheid nog voor zin hebben? Hoewel Johns verlies voor het spel bijna een tragedie te noemen was, had hij ervoor gekozen priester te worden. Had Trey Don Hall wel het recht om zich te bemoeien met Johns plannen om boete te doen voor die dag in november? En wat Cathy betrof… ze was pas achttien. Ze zou hem uiteindelijk wel vergeten. Ze was knap, intelligent en vastberaden. Ondanks de baby had ze een veelbelovende toekomst voor zich. En hoeveel ze ook om John gaf, ze hield niet van hem. Zou het niet verkeerd zijn haar omwille van de baby tot een huwelijk met hem te veroordelen terwijl ze later misschien verliefd zou worden op iemand van wie ze echt hield en met wie ze wilde trouwen?

Hij was zich ervan bewust wat zijn stilzwijgen zou kosten... tijdelijk. Tante Mabel en Miss Emma zouden zich wel schamen. Ze waren van de generatie waarin nette meisjes niet ongehuwd zwanger werden, maar de jongere mensen zouden hun schouders ophalen. Nou en? Het gebeurde vaak genoeg... alleen niet bij pientere meisjes als Cathy. Hij voelde zich even extra schuldig toen hij aan het stigma voor de baby dacht. De vriendinnen van zijn tante zouden nooit vergeten dat die als bastaard was geboren, en haar neef zou een klootzak worden genoemd omdat hij Cathy had laten zitten, maar mettertijd zou het dorp hem vergeven. Succesvolle football-spelers vergaven ze altijd. John zou dat waarschijnlijk nooit doen. De priester zou hem misschien vergeven dat hij Cathy in de steek had gelaten, maar de jongen die van haar hield niet. John had moeten weten dat zijn beste vriend bij zinnen zou komen en het zou goedmaken met Cathy, maar hoe had hij anders gekund dan gehoor te geven aan de roep van zijn geslachtsklieren toen ze beschikbaar en gewillig was?

Trey stond op van het bed en duwde de la dicht. Hij zou een jaar afwachten. Als John tot de ontdekking kwam dat hij het niet volhield op Loyola en als Cathy nog steeds verliefd op hem was, zou hij hun de waarheid vertellen. Dan was het verder aan hen. Was geen van beide het geval, dan zou hij zijn geheim gewoon bewaren.

Hij voelde zich meteen beter. Zijn tranen waren opgedroogd. De leemte in zijn borst was er nog steeds, een pijnlijke leegte die gevoelens opriep uit de dagen in tante Mabels salon, maar er zouden andere vrienden en andere meisjes komen om die leegte te vullen. Het zou alleen tijd kosten en die had hij meer dan genoeg.

En in de tussentijd – hij pakte een bal op van zijn bureau en de varkenshuid voelde vertrouwd en vertroostend aan tegen zijn hand – had hij de sport.

25

John zat in zijn kamer toen hij de televisie aan hoorde gaan, zijn vaders eerste daad wanneer hij het huis binnen kwam, gevolgd door de bons van zijn laarzen die naast zijn La-Z-Boy op de vloer vielen, de tweede indicator dat hij thuis was. Daarna klonk het gedreun van zijn voeten in sokken op weg naar de keuken om bier te pakken – waarop hij recht meende te hebben na zijn matiging tijdens het football-seizoen – en daarna zijn voetstappen terug naar zijn stoel, waar hij zich met een hoorbare zucht van tevredenheid neerliet.

'John! Ben je in je kamer?' riep hij hard.

'Ja!' riep John terug.

'Ben je aan het pakken?'

'Ja!'

'Kom hierheen als je klaar bent. Ik heb een verrassing voor je!'

Het was zoals ze altijd met elkaar hadden gecommuniceerd… vanuit verschillende vertrekken door de muren heen roepend. John moest zijn vader nog vertellen dat hij in plaats van naar de Universiteit van Miami in Coral Gables de volgende ochtend naar de Loyola Universiteit in New Orleans zou vertrekken.

Hij had al de ronde gemaakt om iedereen gedag te zeggen. Hij had eerst Bebe Baldwin opgezocht bij het benzinestation van haar vader, waar ze deze zomer de kassa bemande totdat zij en Cissie Jane Fielding in het najaar naar de universiteit van Texas zouden gaan. Bebe zat achter de kassa toen hij binnenkwam en haar gezicht klaarde op bij het onverwachte bezoek. Hij voelde even weer de gebruikelijke spijt dat hij haar gevoelens niet kon beantwoorden. Nu had hij een excuus. Haar glimlach vervaagde toen hij haar het nieuws vertelde.

'Dat kun je niet menen,' zei ze.

'Ik meen het wel, Bebe.'

'Maar je bent veel te… viriel, te sexy, te knap om priester te worden!'

Hij grinnikte. 'Dat kun je als priester allemaal nog steeds zijn, Bebe.'

'Maar het is zo zonde! Je zult de meisjes vast niet op kunnen geven.'

'Ik neem aan dat ik daarachter moet zien te komen.'

Ze zuchtte. 'Nou, bedankt voor de mooie herinneringen, John. Als je ooit van gedachte verandert en er meer wilt maken, bel me dan.'

Daarna was hij naar het huis van tante Mabel gereden, dat leeg en stil was zonder Trey, vervolgens voor een laatste bezoek aan Miss Emma in de bibliotheek en tot slot was hij naar Cathy in het huis van haar grootmoeder gegaan. Cathy had met tranen in haar ogen bij de voordeur gestaan toen hij wegging en Rufus was hem achternagelopen naar zijn pick-up en tegen hem opgesprongen voor hij kon instappen. Het dier had John jankend gesmeekt te blijven. Zijn keel zat dicht toen hij knielde om zijn gezicht in de haren van de collie te drukken. *Pas goed op hen voor me, Rufus.*

'Heb je iets van Trey gehoord?' vroeg tante Mabel.

'Nee, tante Mabel,' had hij gezegd. Hij had de donkere kringen onder haar ogen gezien, symptomen van bezorgdheid en schaamte. 'Hij zal nog wel geen tijd hebben gehad om mijn brief te beantwoorden.'

'Lieve leugenaar,' had ze gezegd, en ze had hem over zijn wang geaaid.

Hij had hetzelfde geantwoord op de soortgelijke vraag van Miss Emma en had de diepere rimpels in haar gezicht opgemerkt.

'Ik begrijp het gewoon niet,' had ze gezegd.

Cathy had zijn naam niet genoemd. Ze had in het Frans gezegd: *'Dieu soit avec toi, mon ami.'* (God zij met je, mijn vriend.)

En hij had geantwoord: *'Et avec toi aussi, mon cher amie.'* (En ook met jou, lieve vriendin.)

Hij had coach Turner gebeld om hem te laten weten waar hij heen ging. De wijziging in zijn plannen had nog niet de ronde gedaan in het dorp. De coach zou verrast en bedroefd zijn, maar niet geschokt. Hij was zich bewust geweest van Johns diepere betrokkenheid bij St.-Matthew's het afgelopen jaar en hij zou begrijpen dat Trey's breuk met Cathy er uiteindelijk toe had geleid dat zijn wide receiver – 'ons morele kompas', zoals de coach hem had beschreven in de *Dallas Morning News* – ervoor had gekozen zijn hart te volgen, in plaats van achter Trey aan te lopen om die voor problemen te behoeden.

John had echter niet gerekend op de felheid van coach Turner. 'Hij is een lastig portret, die jongen,' had hij gezegd, John verbazend door de persoonlijke verbittering in zijn stem. 'Je bent beter af zonder die judas.'

De enige persoon van wie John nu nog afscheid moest nemen was de man die hem, al dan niet naar waarheid, zijn zoon noemde. Hij vroeg zich nu al af of hij ooit helemaal als een jezuïet zou kunnen denken en de heiligheid van alle mensen als kinderen Gods zou kunnen accepteren, ongeacht hoezeer ze hun Schepper hadden beschaamd, maar hij zou het proberen. Bebe had gevraagd: 'Wanneer ben je ons ontglipt, John, en zonder dat iemand iets heeft gemerkt?'

Hij had kunnen zeggen dat het was begonnen op die avond in november toen hij naar de St.-Matthew's-kerk was gegaan om God om vergeving te bidden voor wat hij die middag had gedaan. Hij had een kaars aangestoken, was voor het altaar neergeknield en had gebeden. In de weken daarna was hij heel wat meer dagen na de training teruggereden naar St.-Matthew's zonder dat Trey te vertellen. Zijn ooit onafscheidelijke metgezel was dan de rest van de dag bij Cathy. Maar Trey had het geraden. 'Zeg je ook een gebedje op voor mij als je in St.-Matthew's bent, Tiger?'

Pastoor Richard had zijn komen en gaan opgemerkt en was op een middag voor de beslissende wedstrijd voor de staat naast hem in de bank komen zitten.

'Bid je ervoor dat jullie die wedstrijd mogen winnen?'

Die gedachte was nooit bij hem opgekomen, maar in plaats van een andere uitleg te geven had hij gezwegen.

Pastoor Richard had vol begrip naar hem geglimlacht. 'Er is niets mis mee om leiding te vragen rondom en door de obstakels die ons ervan zouden kunnen weerhouden onze doelen te bereiken.'

Pastoor Richard had het over Johns tegenstanders gehad, maar hij had de ruimere betekenis opgepakt en was gaan bidden voor een richting in zijn leven die hem zou helpen boete te doen voor wat hij had gedaan en hem vrede zou brengen. Hij was zich aangetrokken gaan voelen tot het priesterschap en met name de orde van de sociëteit van Jezus – de jezuïeten – maar hij had genoeg gelezen over de vormende stappen naar de wijding om te beseffen dat hij misschien niet voor het ambt van geestelijke in de wieg was gelegd. Hij zou op Loyola een studie handelswetenschappen volgen en het kandidaatsprogramma doorlopen dat was bedoeld om hem te helpen beslissen of hij jezuïet wilde worden. Deelname aan het programma bracht geen enkele verplichting met zich mee en hij kon zich er elk moment uit terugtrekken.

Toen zijn laatste tas was ingepakt, liep John naar de woonkamer. In de deuropening bleef hij staan. Zijn vader zat in zijn gemakkelijke stoel met een groen-witte pet op zijn hoofd met MIAMI HURRICANES erop. Er verscheen een brede grijns op zijn gezicht. 'Ik heb er voor jou ook een,' zei hij. 'Hij zit in die doos op tafel. Ik heb er twee besteld. Ik dacht dat we ze misschien op konden zetten als we vanavond samen uit eten gaan om het te vieren.'

'Pap…' Zo had hij Bert niet meer genoemd sinds hij een jaar of acht was. 'Ik moet je iets vertellen. Misschien kun je beter even de tv uitzetten.'

'Maar natuurlijk, zoon.' Bert drukte op de afstandsbediening en John kromp ineen van schaamte toen hij zijn vaders gretigheid zag bij deze kans om met hem te praten. Hij haalde zijn voeten van de poef en schoof die naar John toe. 'Ga zitten en vertel je ouwe vader wat je op je hart hebt. Maar eerst dit: zit je tank helemaal vol om morgenvroeg naar Coral Gables te vertrekken? De

197

benzinestations staan ver uit elkaar tot je de Panhandle uit bent.'

'Mijn tank zit vol, maar ik ga niet naar Coral Gables, pap. Ik rij naar New Orleans.'

Bert knipperde met zijn ogen. 'New Orleans? Moet je over twee dagen niet in Miami zijn voor de herfsttrainingen?'

'Dat was zo, maar ik ga niet naar Miami. Ik ga aan de Loyola Universiteit in New Orleans studeren.'

'Wat!' Berts ogen puilden uit. Hij ging rechter in zijn stoel zitten. 'Om de dooie dood niet! Je gaat naar Miami, waar je een beurs hebt en waar je football gaat spelen!'

'Ik heb de beurs afgewezen. Ik ga naar Loyola omdat ik erover denk de priesteropleiding te gaan doen.'

Bert gaapte hem aan als een vis op het droge. Woedend duwde hij zich uit zijn stoel omhoog en keek hij op John neer. 'Dat heeft die godverdomde klootzak van een pastoor Richard je aangepraat, is het niet?'

'Hij heeft er niets mee te maken.'

Bert sloeg met zijn vuist in de lucht. 'Hij heeft er álles mee te maken. Johnny, luister naar me…' Bert ging weer zitten en schoof naar John toe. 'Besef je wel wat je opgeeft: de kans om een van de grootste receivers in het universiteits-football te worden, in de NFL te gaan spelen en veel geld te verdienen, het soort leven te leiden waar de meeste mensen alleen maar van kunnen dromen…'

'Ja, pa, dat weet ik,' zei John, die opstond van de poef, 'maar dat wil ik niet meer. Ik heb behoefte aan iets anders. Ik ga naar Loyola.'

Bert keek naar hem op met een geringschattende blik in zijn ogen. 'Om de rest van je leven zonder seks te leven? Wat is er met je aan de hand?'

'Van alles. Daarom denk ik erover priester te worden. De eerste stap om jezuïet te worden is beseffen dat je een zondaar bent.'

'O, lariekoek! Johnny…' Berts gezicht vertrok helemaal in zijn poging tot John door te dringen. 'Je bent een goede jongen, de beste die ik ken. Je hoeft dit niet te doen. Je hoeft jezelf niet op te offeren om een beter mens te worden.'

'Om die reden zou ik het nooit doen. Ik doe het om de levens van andere mensen beter te maken.'

Bert keek hem boos, vol walging en teleurstelling aan, een blik die hij voortaan altijd zou dragen wanneer hij aan hem dacht, vermoedde John. 'Ik neem aan dat we niet meer samen uit gaan eten,' zei hij.

'Verdomme, nee!' Bert smeet de pet door de kamer. 'Ik ga me bezatten!'

John bracht de rest van de avond bij pastoor Richard door om de details van zijn toelating op de Loyola Universiteit met hem te bespreken.

26

'Ik verkoop het huis wel,' zei haar grootmoeder. 'Het geld van Buddy's verzekeringspolis is ruimschoots genoeg om je mee te redden tot de baby er is en tegen die tijd zal het huis wel verkocht zijn en heb jij een nieuwe beurs. Ik verhuis naar Miami om voor de baby te zorgen terwijl jij op school zit. Ik moet aan het eind van het jaar toch met pensioen…' Ze zaten een paar dagen voordat Cathy zich bij de Universiteit van Miami zou moeten melden rond de keukentafel, hun bezorgdheid als smog tussen hen in. 'Cathy, liefje, er zit niets anders op…'

Cathy stak haar handen op om haar grootmoeder tot zwijgen te brengen. 'Nee,' zei ze. 'Ik sta niet toe dat u vanwege mijn stomme fout – of zeg maar liever twee stomme fouten – uw huis verkoopt en weggaat bij uw vriendinnen en uit het dorp waar u al uw hele leven woont.'

De eerste fout was zwanger raken. De tweede had te maken met haar beslissing aan het begin van het jaar om de volledige vierjarige beurs te accepteren die de First Baptist-kerk haar had toegekend. Bij het accepteren daarvan moest de ontvanger alle andere beurzen laten schieten, met uitzondering van de National Merit-beurs, die weliswaar prestigieus was, maar slechts een deel van haar studiekosten zou dekken. Als gevolg daarvan had Cathy diverse aangeboden beurzen opgegeven die een aanzienlijk verschil zouden hebben gemaakt in het financiële dilemma waarin ze nu verkeerde. De volledige beurs van de kerk waar ze sinds haar elfde heen ging was vanwege een morele clausule herroepen.

Het was de moeilijkste beslissing van haar leven tot dusver geweest om haar dominee over haar toestand in te lichten. Ze had overwogen te wachten met het onthullen ervan tot ze in Miami was en haar zwangerschap zichtbaar werd. Er was immers altijd nog een kans dat Trey zou bijdraaien als ze eenmaal allebei op de campus zaten, maar als hij dat niet deed, zou ze ernstige financiële problemen krijgen en gedwongen worden naar huis te komen als de kerk haar midden in het eerste trimester haar beurs afnam.

De dominee had haar gewaarschuwd nadat hij haar had gevraagd of haar situatie algemeen bekend was. Toen ze zei van niet, zei hij: 'Ik vrees dat wanneer ik de raad van diakens inlicht over de verandering in je… eh, status, het nieuws over je… toestand snel de ronde zal doen, Cathy. De mensen kletsen, weet je, ook al worden ze tot zwijgen gemaand. De raad komt half september bijeen. Je hebt dus nog een paar weken respijt.'

In haar paniek, die net zo geestdodend was als die van Cathy, had haar grootmoeder diverse obstakels voor haar antwoord op de crisis over het hoofd gezien – een waar Cathy zelf ook aan had gedacht tot ze had beseft dat de verkoop van het huis geen oplossing zou hebben geboden, als ze al zelfzuchtig genoeg zou zijn geweest om ermee in te stemmen. Er waren kostbare, onbetaalbare reparaties aan het huis nodig voor het te koop kon worden gezet, en gezien de beperkte aantrekkingskracht en het beperkte aantal potentiële kopers in Kersey kon het wel een jaar of langer duren voor het werd verkocht… als dat ooit al gebeurde. Haar grootmoeders oude Ford liep op z'n laatste benen en zou weldra vervangen moeten worden. Er zouden straks ook doktersrekeningen betaald moeten worden. Financieel gezien had Cathy geen andere keus dan in Kersey te blijven en een baan te zoeken tot ze een beurs kon aanvragen om volgend jaar aan een school in Texas te gaan studeren – als Trey haar tenminste niet kwam halen.

Haar verwachting dat hij op tijd terug zou komen om haar voor de ontdekking van haar zwangerschap te behoeden daalde met de dag. Maar beter laat dan nooit. Hoe meer ze erover nadacht, hoe meer hoop ze vond in het feit dat Trey haar niet had gevraagd abortus te laten plegen of de baby af te staan voor adoptie. Dat betekende vast en zeker dat hij zichzelf gewoon de tijd en ruimte gunde om aan het idee van een huwelijk en het vaderschap te wennen.

'Ik vraag dokter Graves wel om een fulltimebaan en ik blijf hier tot de baby geboren wordt,' zei ze. 'Dat geeft me de tijd om te bedenken wat ik moet doen en om plannen te maken. En ondertussen maak ik er maar gewoon het beste van.' Cathy pakte haar grootmoeders hand vast en voelde zich opnieuw schuldig over de extra zorgenrimpels die door haar toedoen in het oude gezicht waren verschenen. 'Het spijt me dat ik u in deze lastige positie breng. Ik weet dat het is waar u altijd bang voor bent geweest…'

'Ja, dat was ik, maar ik dacht ook: als het dan gebeurt, wat dan nog? Trey en jij zouden trouwen en samen jullie baby grootbrengen. Het leven zou doorgaan, niet precies zoals jullie hadden gepland, maar misschien zelfs wel beter.' Ze schudde haar hoofd. 'Ik begrijp het niet. Zo gek als Trey altijd op je is geweest, had ik nooit verwacht dat hij zich zo zou gedragen. Als ik terugdenk aan de manier waarop hij naar je keek op de avond van jullie schoolbal, dan… hoe jong jullie ook nog waren…' Haar stem stierf weg.

'U dacht dat we voor altijd samen zouden blijven,' maakte Cathy haar gedachte voor haar af. 'Dat dacht ik ook.' Haar keel brandde. Van alle herinneringen was die aan de avond van het schoolbal de mooiste. Het was afgelopen mei nog maar een jaar geleden dat Trey had beloofd haar mooier terug te brengen dan hij haar had meegenomen, en dat had hij inderdaad gedaan. Nu leek het wel een heel leven geleden sinds de jongen in zijn smoking die belofte had gedaan aan de grootmoeder van het meisje in de blauwe jurk.

'De baby zal het hier prima maken tot ik iets voor ons heb kunnen regelen,' zei Cathy. 'En dan zullen zij en ik verhuizen voor ze oud genoeg is om de… schaamte te ondervinden.'

'Zij?'

Cathy glimlachte even. 'Ik heb het gevoel dat het een meisje is.'

Na de breuk deden allerlei geruchten de ronde en er rezen vragen toen Cathy niet zoals verwacht vertrok om te gaan studeren.

'Cathy, wat doe jij in hemelsnaam nog hier?' vroeg dokter Graves toen ze naar zijn praktijk ging op de dag dat ze naar Coral

Gables had moeten vertrekken. 'Ik dacht dat je al op weg zou zijn naar de Universiteit van Miami.'

'Ik ga dit jaar nog niet studeren, dokter Graves. Daarom ben ik hier, om u mijn baan terug te vragen... fulltime als dat kan.'

'Niet studeren! Waarom niet?'

'Ik... dat is persoonlijk,' zei ze, nauwelijks in staat hem aan te kijken. Ze had een flits van inzicht in zijn ogen gezien, hoewel de raad van diakens pas over een week bijeen zou komen.

'Kom even mee naar mijn kantoor,' zei hij zacht.

Hij deed de deur achter hen dicht en zei: 'Ik heb gehoord dat Trey en jij behoorlijk ruzie hebben gehad. Heeft dat misschien iets te maken met je beslissing om niet naar de universiteit te gaan en je beurs op te geven?'

'Dokter Graves, vergeef me, maar dat zijn mijn zaken.'

'Ik vraag het je, Cathy, omdat... wanneer een meisje zoals jij – dat alles mee heeft en geen enkele reden heeft om de kansen die haar zijn geboden te laten schieten – die kansen plotseling toch laat liggen, nou... Dat kan maar één ding betekenen, tenzij je grootmoeder ziek is en je hier moet blijven om voor haar te zorgen.'

'Ze is niet ziek.'

'Ik begrijp het.' Het werd stil. 'Cathy, je brengt me in een moeilijke positie...' Dokter Graves wees naar een stoel en Cathy ging op het randje zitten terwijl hij het uitlegde. Als het aan hem lag, zou hij haar onmiddellijk aannemen, zei hij met oprechte spijt in zijn stem. Ze was de beste assistente die hij ooit had gehad, maar hij moest rekening houden met zijn vrouw... Zij zou niets moeten hebben van een ongehuwd zwanger meisje in de kliniek van haar man. Ze zou het idee hebben dat Cathy's aanwezigheid de verkeerde boodschap zou overbrengen aan andere jonge meisjes en... nou ja, in het huidige economische klimaat moest hij aan zijn bedrijf denken, en anderen zouden misschien net zo tegen de situatie aankijken. Cathy begreep het toch wel, of niet? Hij wilde dat het anders was, maar... Hij haalde spijtig zijn schouders op.

Cathy begreep het inderdaad. Ze bedankte hem voor zijn tijd

en ging weg. Pas toen ze met Emma's auto de hoek om was gereden, stopte ze en ging ze boven het stuur zitten huilen.

Dokter Thomas was tot haar verbazing de eerste die zijn openlijke teleurstelling liet blijken. Hij was een vriendelijke man en leek niet het type dat mensen zou veroordelen, en hij onderzocht haar met zijn gebruikelijke warmte. 'Je bent twee maanden heen, zou ik zeggen. De echo zal daar zekerheid over geven. Ik stuur de zuster naar binnen om die uit te voeren en je te instrueren over prenatale zorg.' Hij trok zijn handschoenen uit en gooide ze met overduidelijke afkeuring in de prullenbak. 'Een mens is nooit te oud om verrast te worden, neem ik aan,' zei hij, en hij liep de kamer uit.

Per brief deelde ze de voorzitter van de commissie die de National Merit-beurs toekende mee dat ze in het najaar niet zoals gepland zou gaan studeren en ze ontving een beleefde reactie dat de toekenning van de beurs dan jammer genoeg moest worden ingetrokken.

Mabel, verbijsterd en geschokt door het gedrag van haar neef, zei: 'Luister nou, Emma, je moet me laten helpen. Het is mijn achterneefje dat Cathy draagt en ik heb dus het recht me ermee te bemoeien. Laat me in elk geval de doktersrekeningen betalen, dan kun je het geld van Buddy's levensverzekering gebruiken om een nieuwe auto te kopen. Je hebt een betrouwbare auto nodig. Stel nou dat Cathy straks moet bevallen en die oude Ford van je wil niet starten?'

Emma weigerde. Het ging niet goed met de olie-industrie in Texas en de aandelen in olie van haar oude vriendin waren flink in waarde gedaald. Emma zou niet toestaan dat Mabel ze ver beneden de waarde verkocht en de winstaandelen opgaf die een aanvulling op haar uitkering vormden. Ze zouden zich wel redden, verzekerde Emma haar vriendin. Cathy zou vast wel een van de baantjes krijgen waarnaar ze in het dorp had gesolliciteerd.

Dat gebeurde niet. De vacatures voor bankmedewerkster, secretaresse bij een verzekeringskantoor en receptioniste op het kantoor van de districtsagent werden door andere sollicitanten ingevuld, waarschijnlijk omdat die hun werkgevers niet te schande zouden maken. De weken verstreken en de kansen op een baan in het district slonken weg of vervlogen helemaal door de instorting van de op olie draaiende economie.

Cathy's tengere, kleine gestalte vertoonde al snel tekenen van haar zwangerschap, wat haar kansen op een kantoorbaan nog verder beperkte, en aan het begin van haar vierde maand parkeerde ze Emma's versleten Ford voor het bord met PERSONEEL GEVRAAGD dat ze al een paar weken voor het raam van Bennie's Burgers had zien hangen.

Ze deed haar ogen dicht en vermande zich bij het idee om bij Bennie's te gaan werken. Ze mocht de eigenaar graag, een kleine, stevige, joviale man van in de vijftig die een baard had en die je zelden zag zonder een gevlekt koksschort voor zijn uitpuilende buik. Hij had de zaak geërfd van zijn vader, Benjamin, die Bennie's Burgers in de jaren vijftig had geopend, en noemde het met grote trots het enige hamburgerrestaurant in het dorp dat een 'familiebedrijf' was. De ongehuwde Bennie woonde bij zijn teruggetrokken levende moeder en haar katten in een huis achter zijn zaak, maar hij beschouwde zijn bedrijf als zijn thuis en zijn klanten als zijn familie.

Bennie's Burgers was echter wat haar grootmoeder een obscure tent noemde; donker en rokerig, met luide jukeboxmuziek, en een prullerige menukaart waar weinig meer op stond dan vette ontbijtkost, hamburgers en friet. 'Een toevluchtsoord voor kakkerlakken,' zei Emma vaak snuivend en ze vond het maar niets dat de laatstejaars highschool-leerlingen (de enigen die van het schoolterrein af mochten om te gaan lunchen) liever naar Bennie's gingen dan naar de modernere en schonere Whataburger aan de andere kant van het dorp. Enkele van Cathy's dierbaarste herinneringen aan haar highschool-periode waren hier ontstaan, met Trey, John en Bebe op de bekraste grenen bankjes bij Bennie's... maar dan als leerling, niet als werkneemster.

'Wil jij híer komen werken, Cathy? Als serveerster?' Bennie Parker keek haar als door de bliksem getroffen aan.

'Ik weet dat ik geen ervaring heb, maar ik leer snel en…'

'Ho!' Bennie stak zijn door het afwassen ruw geworden handen op. 'Je hoeft je aan mij niet te verkopen. Ik weet dat je snel leert. Jij bent het intelligentste meisje in het hele dorp. Daarom ga ik nee zeggen. Dit baantje is niets voor jou.'

'Bennie…' Ze ging zachter praten, zodat enkele koffiedrinkers aan de bar haar niet zouden horen. 'Het is… het enige baantje dat ik kan krijgen.'

Zijn blik daalde af naar haar buik, waar het denim jongensshirt dat haar grootmoeder nog had bewaard van Buddy, de zwelling voorlopig nog maskeerde. Emma had de mouwen op ellebooglengte afgeknipt en de zomen en de hemdslip afgezet met wit zigzagband om er een zwangerschapsbloes van te maken. Die paste perfect bij Cathy's witte katoenen broek.

'Is dat zo?' zei Bennie, uit wiens toon afschuw sprak. 'Dan hoef ik je vast niet voor te stellen het bij de First Methodist-kerk te proberen. Ik heb gehoord dat de secretaresse van de dominee naar Ohio verhuist.'

Cathy antwoordde nog steeds fluisterend: 'Die vacature is al ingevuld.'

Bennie trok een gezicht. 'Pech voor hen. Oké, je bent aangenomen. Ik wou dat het iets was wat beter bij je vaardigheden paste, maar we zullen goed voor je zijn. Wanneer kun je beginnen?'

Het was september. De lessen waren begonnen op de universiteit van Miami, op Loyola en in Zuid-Californië, waar Laura aan de vooropleiding voor haar studie geneeskunde was begonnen. Trey, John en zij zouden inmiddels hun boeken hebben gekocht, hun professoren hebben ontmoet en aan hun toekomst zijn begonnen. Morgen zou Cathy aan de hare beginnen, als serveerster bij Bennie's Burgers.

27

De herfsttrainingen voor het American football waren begonnen. Het studentenhuis voor sporters op de Universiteit van Miami stroomde vol, met aan de ene kant de football-spelers en aan de andere kant de deelnemers aan andere sporten. Terugkerende spelers, die een vaste opstelling hadden, deelden kamers met terugkerende spelers, nieuwelingen deelden kamers met nieuwelingen. Toen iedereen zijn plek had gevonden, verbaasde het Trey dat er niemand kwam om Johns slaapplaats over te nemen. Hij zei er niets over om te voorkomen dat de surveillant het zou doorgeven aan de afdeling huisvesting. In zijn constant slechte humeur stond het idee dat hij de kamer met een vreemde zou moeten delen – dat hij zich aan diens gewoonten en manieren moest aanpassen (stel dat hij naar rapmuziek luisterde) – hem tegen. Trey merkte dat hij naar privacy en eenzaamheid verlangde, en de rust om te huilen, te mokken en met dingen te gooien zonder met iemand anders rekening te hoeven houden.

Vanaf het eerste begin genoot hij zelfs van de gevestigde spelers een respect dat andere nieuwelingen niet werd betoond. De Miami Hurricanes hadden maar één nieuwe quarterback gerekruteerd, en Trey wist dat als hij zichzelf niet bewees, dat respect zou verdwijnen als voetsporen in een zandstorm. Het was vreemd om het veld op te lopen zonder John naast hem. Hij had die hele eerste week van de trainingen voor de start van het seizoen het gevoel dat er iets essentieels aan zijn uitrusting ontbrak. Dat had echter geen invloed op zijn prestaties, een zorg van de toekijkende coaches die hij al tijdens een van de eerste trainingssessies wist weg te nemen. Trey en een gevestigde center werden samen met een kernploeg van nieuwe backs en receivers – 'zeven tegen zeven' – tegenover de beginnende corner backs, linebackers en safety's opgesteld. Het was na de zomerstop de bedoeling dat de veteranen hun vertrouwen en timing weer op peil brachten ten koste van de nieuwelingen.

'Oké, Trey, laat maar eens zien wat je kunt,' zei Frank, die hem tegen zijn billen tikte en het veld op stuurde.

Trey gaf daar gehoor aan door blijk te geven van een abnormaal vermogen om zich in te houden, te observeren wat er op het veld gebeurde en dan met niet meer dan een polsbeweging de bal exact naar de plek te gooien die het spel vereiste. De nieuwe pass receivers lieten de bal soms vallen, maar dat was nooit aan een fout van Trey te wijten. Het spectaculairste vertoon van zijn accuratesse gaf hij toen hij zich terug liet vallen om de serieuze uitval van een linebacker te ontwijken, twee keer op zijn tenen opsprong en de bal toen in een prachtige boog zestig meter ver precies in de handen van zijn receiver in de endzone gooide.

Pogingen om Trey's concentratie te verstoren faalden. Hij knipperde zelfs niet met zijn ogen als hij bezig was. Hij weigerde in zelfs de meest ingewikkelde misleidingstrucjes van de gevestigde verdediger te trappen, trucjes die hem ertoe moesten brengen de bal naar de verkeerde plek te gooien. Bij het speloverleg groeide het vertrouwen in zijn kunnen om het spel te spelen zoals gepland en in zijn vermogen om exact te bepalen welke man gedekt was en welke vrij stond om zijn pass te vangen. De spanning steeg toen de chain marker aangaf dat Trey's groep steeds meer terreinwinst boekte, en meer dan eens wisselde een gevestigde defensive back vanachter zijn gezichtsbeschermer een verbaasde blik met een andere veteraan. De gevestigde center grinnikte vanaf de scrimmage line en plaagde: 'Genieten jullie van je lunch, jongens?'

Aan de zijlijn liet Frank zijn voorzichtige terughoudendheid ten aanzien van veelbelovende quarterbacks varen; hij stak jubelend zijn arm in de lucht. Toen het seizoen begon, had de rekruut uit de Texas Panhandle de angst van de aanvalscoördinator dat hij het zonder John Caldwell niet zou redden helemaal weggenomen. In stilte, en een beetje triest, voelde Frank echter aan dat Trey had geleerd te spelen met een ontbrekende arm. De jongen had zich nog steeds niet hersteld van wat er daar in Kersey, Texas, mis was gegaan.

Na zijn eerste indrukken in juni merkte Trey dat hij niet zo genoot van de Universiteit van Miami en het omringende gebied als hij had verwacht. De school was een particuliere onderzoeksuniversiteit in een tropische tuin in wat werd aangeprezen als een van de mooiste en opwindendste steden van het land, maar de dicht opeen staande hoge flatgebouwen die de horizon blokkeerden, het lawaai en het verkeer begonnen hem langzaam op de zenuwen te werken. Het weer was helemaal wat hij ervan had gehoopt, maar ondanks de grote groene vlaktes van de prachtige campus en de incidentele bries vanaf de Atlantische Oceaan veroorzaakte de hoge vochtigheid van de zomerdagen een milde maar aanhoudende vorm van claustrofobie. Dat gevoel was begonnen toen hij de boomloze vlaktes had verlaten om, alleen, via de Interstate 40 naar het zuiden te reizen. Terwijl hij Louisiana, Alabama en Mississippi doorkruiste was de horizon waarmee hij was opgegroeid geleidelijk verdwenen achter dichte dennen en met kudzu overwoekerde bomen die de wegen omzoomden en uiteindelijk tunnels vormden die hem naar lucht deden happen en het gevoel gaven dat hij verdronk in een moeras. De stranden van Miami waren geweldig en de meisjes prachtig in hun bikini's, maar hij had zich nog nooit zo alleen of verlaten gevoeld als wanneer hij over lange stukken zand langs een eindeloze massa water liep, en hij had ontdekt dat hij het zout op zijn huid vervelend vond.

De Universiteit van Miami was duur, het collegegeld een van de hoogste in het land, en de meeste studenten stamden uit rijke families. Trey had, tijdens zijn en Johns eerste bezoek aan de campus, gedacht dat het opwindend en interessant zou zijn om nieuwe vrienden te maken onder degenen die hem kennis konden laten maken met de materiële genoegens van werelden die hij nooit had gekend. Nu liet, om redenen die hij niet kon verklaren, het idee om 'de rijken te leren kennen' hem onverschillig, misschien omdat

209

hij nog steeds verlangde naar de simpele pleziertjes waarvan Cathy, John en hij in hun relatieve armoede hadden genoten.

Zelfs het klimaat had een onverwacht effect op Trey. In de Panhandle hing de eerste kou van de herfst al in de lucht, maar in dit deel van Florida, land van palmbomen en hibiscus, bleven de temperaturen mild en gematigd, en waren de zonsondergangen nog steeds suikerspinroze en blauw als roodborstjesei-blauw. Thuis in Kersey reden in deze tijd van het jaar 'windruiters' langs de avondhemel, wolkenformaties in de vorm van sterke ruiters met halsdoeken in goud, purper en magenta die achter hen aan wapperden terwijl ze langs de hemelen boven de grenzeloze prairies van de Panhandle trokken.

Dat was althans wat John, Cathy en hij in de wolken hadden gezien.

'Wordt het hier nooit eens football-weer?' vroeg Trey een van zijn teamgenoten toen hij tijdens een wedstrijd zijn gezicht aan de zijlijn droog depte met een handdoek.

De jongen kwam uit Miami. 'Wat nou... ben jij een komiek of zo?' vroeg hij.

Trey had het merendeel van het geld dat hij had verdiend met zijn baantje bij Affiliated Foods uitgegeven om zijn deelname aan het trainingskamp in de zomer te betalen en nu maakte hij zich voor het eerst van zijn leven zorgen over waar hij het geld vandaan moest halen voor zijn volgende tank benzine of een pizza om middernacht. Hij zou wel een parttimebaantje hebben gezocht, maar een NCAA-regel verbood atleten met een beurs om tijdens de herfst en de lente te werken, en hoewel zijn opleiding helemaal werd betaald uit zijn beurs, zat er geen zakgeld bij. Hij schaamde zich niet voor zijn gebrek aan contanten. Door de aantrekkingskracht van zijn uiterlijk, talent en intelligentie, zijn potentieel om een beroemde speler te worden, was geld niet noodzakelijk om te worden geaccepteerd in ongeacht welke kringen hij koos. Hij vond het alleen vervelend omdat hij er een hekel aan had dat hij nog steeds geld moest aannemen van zijn tante. Hij was zich ervan bewust dat haar inkomen flink was gedaald en vaker wel dan niet stuurde hij haar cheques terug – uit schuldgevoel, schaamte, bezorgdheid of omdat hij het gevoel had dat hij haar vrijgevigheid niet verdiende, dat weigerde hij te bepalen – en deed hij het zonder de extra's die hij met geld had kunnen kopen.

Zijn financiële situatie had echter ook een voordeel. Die bood hem een excuus om de uitnodigingen af te wijzen van zijn nieuwe makkers – rekruten net als hij – om de plaatselijke kroegen in te duiken op zondag-, dinsdag- en donderdagavonden, wanneer iedereen ging feesten, om weer scherp te zijn voor de wedstrijd op zaterdag. Hij kon zich die avonden van bier drinken en wild fuiven niet veroorloven, en ze zouden trouwens zijn stemming niet hebben verbeterd.

Hoewel hij het niet begreep (hij had verwacht er volop van te zullen genieten dat hij een nieuwe Jim Kelly zou worden, en dat John en Cathy konden barsten), behield Trey het atypische verlangen alleen te zijn, in zijn eentje te studeren, zonder gezelschap naar de lessen te lopen, te doen alsof hij de vele signalen van de meisjes niet opving; alsof hij door een tunnel liep waar hij aan de andere kant weer zonlicht en blauwe luchten zou vinden.

Zijn milde depressie verergerde toen er vanaf half oktober geen brieven meer kwamen van Cathy. Tot die tijd had hij wekelijks een blauwe envelop – zijn favoriete kleur – uit zijn brievenbus gehaald. De brieven bezorgden hem telkens een licht, duivels genoegen. Hij had er niet één gelezen, maar zolang ze bleef schrijven, gaf ze nog steeds om hem en hij wilde dat ze om hem gaf – dat ze leed – als terechte straf voor haar verraad. Toch was hij teleurgesteld toen hij de rest van oktober dag na dag geen blauwe envelop in zijn brievenbus vond. En hij kreeg een uitzonderlijk leeg gevoel vanbinnen toen hij op een dag toch een blauwe envelop tussen zijn post aantrof en tot de ontdekking kwam dat het reclame was. Hij had hem woest in de prullenbak gegooid en gezworen nooit een abonnement te zullen nemen op *Today's Young Athlete*.

Niet in staat ze weg te gooien, bewaarde hij haar brieven in chronologische volgorde. Zo nu en dan haalde hij het met een elastiek bijeengebonden stapeltje uit de la en streek hij over de blauwe enveloppen, maar binnen enkele minuten verkilde zijn hart en verstrakte zijn kaak. Ze was verleden tijd. De campus wemelde van de lange, wulpse schoonheden die wachtten tot hij een vinger naar ze zou uitsteken. Het probleem was dat hij er nog niet klaar voor was om naar ze te lonken, maar dat kwam nog wel. 'De tijd heelt alle wonden', was een favoriete uitspraak van zijn tante en, zoals hij zich telkens weer voorhield, hij had meer dan genoeg tijd en de opwindendste jaren van zijn leven nog voor zich om Catherine Ann Benson te leren vergeten.

Hij was ervan geschrokken toen tante Mabel hem had geschreven dat Cathy haar beurs van de First Baptist-kerk was kwijtgeraakt en niet naar Miami zou komen. Hij had er flink over in de rats gezeten, maar niet geweten of hij nou opgelucht was dat ze niet op de campus kwam wonen of van streek omdat ze haar droom had moeten laten varen. Hij had die dag zo veel rondjes gelopen dat coach Medford de baan op was gekomen en hem had bevolen te stoppen.

In het begin hadden de brieven van zijn tante hem op de hoogte gehouden over Cathy, en hadden ze vol gestaan met smeekbeden om naar huis te komen en 'je plicht te doen' – alweer die uitdrukking. Toen hij niet reageerde, veranderde zijn tante van strategie en probeerde ze met haar brieven een beroep op zijn geweten te doen.

Cathy is bij Bennie's Burgers begonnen als serveerster. Het is de enige baan die ze kon krijgen. Milton Graves wilde haar niet weer aannemen omdat die zelfingenomen vrouw van hem dat niet zou goedkeuren. Er waren andere vacatures in het dorp, maar dat waren allemaal 'ba{l}ieposities', en de districtsagent, Douglas Freeman van de bank en Anthony Whitmore in zijn verzekeringskantoor zagen het niet zitten om een ongehuwd zwanger meisje aan te nemen. Je hebt vast wel begrip voor de wanhoop die Cathy ertoe dreef om een baan te vragen bij Bennie's – zo vreselijk ver onder haar niveau, intelligentie en

waardigheid – maar ze is tot alles bereid om zichzelf en haar
baby te kunnen onderhouden.
Emma vertelde me dat Cathy diverse terechtwijzingen en
medelijdende opmerkingen van enkele van onze oprechte
dorpsgenoten te horen heeft gekregen, en enkele ongepaste avances
van mannelijke klanten van Bennie's heeft moeten afwijzen.
Mevrouw Miller, je biologielerares, die haar altijd dokter Benson
noemde, spreekt haar nu aan met Cathy.
Ik dacht dat je dat wel zou willen weten.
Rufus wordt ouder. In januari wordt hij acht. Weet je nog toen
John en jij hem bij Odell Wolfe hebben weggehaald voor Cathy?
Dat lijkt of het gisteren was. Je hebt nooit geweten, is het wel, dat
ik je die avond expres naar je kamer stuurde omdat ik er zeker van
was dat je uit het raam zou kruipen om erbij te zijn wanneer John
de puppy aan Cathy gaf, Emma zei dat ze je nooit zo opgetogen
had gezien – of zo koud! Die lieve hond is een grote troost voor
Cathy.

Trey had de brief in zijn vuist verfrommeld en het gevoel gehad
dat hij elk moment kon ontploffen, maar hij had weer niet teruggeschreven en uiteindelijk was zijn tante gaan inzien dat ze, als ze
wilde dat hij met haar correspondeerde, een andere koers moest
kiezen dan die van schuldgevoel en sympathie. Ze spraken elkaar
zelden aan de telefoon en waren dan slecht op hun gemak; tante
Mabel vermeed zorgvuldig de mijnenvelden die een eind zouden
maken aan het gesprek en de zeldzame gelegenheid om naar de
stem van haar enige familielid te luisteren. Naderhand voelde Trey
zich altijd rot dat hij niet de liefdevolle neef kon zijn die ze verdiende, maar haar stilzwijgende, onherroepelijke teleurstelling in
hem wierp een barrière op waar hij niet overheen kon klimmen.

Volgende maand was het Thanksgiving. Tante Mabel ging ervan
uit dat hij naar huis zou komen – 'we zijn maar met ons tweetjes,
een rustige dag dit jaar' – maar Trey zou er niet over hebben ge-
peinsd terug te gaan naar Kersey, hoewel hij ernaar verlangde zijn
tante te zien en het hem verdriet deed dat hij haar kwetste. Opdat

ze niet zou blijven hopen, schreef hij haar al vroeg dat hij een uitnodiging van een vriend had aangenomen om 'kalkoendag' bij diens familie in Mobile, Alabama, door te brengen. Trey schreef het briefje met een brok in zijn keel, wetend dat het de eerste van vele zou zijn waarmee hij zijn tante teleurstelde. Zijn vroegere leven behoorde tot het verleden en de kans was groot dat hij nooit meer de feestdagen in zijn oude thuis zou doorbrengen.

28

'Hoop je op een jongen of een meisje,' vroeg de echoscopiste toen ze gel op Cathy's bolle buik smeerde. Ze lag op een onderzoekstafel in de praktijk van haar verloskundige in Amarillo, haar lange broek tot op haar dijbenen omlaaggeschoven ter voorbereiding op een echoscopie waarbij het geslacht van haar kind en eventuele aangeboren en andere afwijkingen konden worden vastgesteld. Sinds haar eerste prenatale onderzoek door dokter Thomas ging ze liever naar een verloskundige buiten het district. Het was half november en ze was op twee derde van haar zwangerschap.

Cathy kromp ineen. De gel was koud. 'Het maakt me niet uit, maar alles wijst erop dat het een meisje is,' zei ze.

'Wat wijst daarop?'

Cathy grinnikte, ondanks haar nervositeit en het ongemak van een volle blaas, geadviseerd door de verloskundige om een duidelijker beeld van de foetus te kunnen krijgen. 'Oudewijvenpraatjes,' zei ze. 'Ik was de eerste drie maanden erg misselijk. Dat is een teken dat het een meisje wordt, zeggen ze, en dat mijn gezicht zo vol en roze is ook.' Ze zou dit lid van de medische stand niet vertellen over het experiment dat tante Mabel met alle geweld had willen uitvoeren. Ze had een ring aan een draadje boven Cathy's buik gehouden en gezegd dat als die heen en weer zwaaide ze een jongen zou krijgen, en als hij ronddraaide een meisje. De ring had rondgedraaid als een tol.

De echoscopiste leek het amusant te vinden. 'Ik hoop dat je niet gelooft in het bakerpraatje dat het een meisje wordt als je hoog draagt en je moet voorbereiden op een jongen als je laag draagt. Niemand weet ooit precies wat ook weer waarop van toepassing was, maar ik zal je dit vertellen: je baby wordt een behoorlijk grote meid als die oudewijvenpraatjes kloppen... en een heel knappe meid als ze op haar moeder lijkt.' Ze zette de echokop die ze vast-hield aan, een instrument dat de beelden van de foetus naar de computer achter haar zou sturen. 'Klaar?' vroeg ze.

'Klaar,' antwoordde Cathy, haar hoofd naar het beeldscherm gedraaid om de eerste beelden van haar ongeboren kind te kunnen zien.

De echoscopiste bewoog de echokop langzaam over Cathy's gezwollen buik en uiteindelijk verscheen er een wazig beeld op het scherm. De vrouw wees haar op details in het beeld, zoals de hartkamers, het circulerende bloed en afzonderlijke organen. 'O jeetje...' fluisterde Cathy in geschokte verbazing.

'Ja. Het ziet ernaar uit dat de aanwijzingen niet kloppen,' zei de vrouw. 'Gefeliciteerd. Je krijgt een zoon.'

Cathy kleedde zich aan en keek ondertussen verdwaasd naar de echo-afdrukken van het kleine menselijke wezen in haar buik die ze had gekregen. Ze had verwacht – gehoopt – dat ze een meisje zou krijgen dat misschien de eerste jaren in Kersey zou kunnen opgroeien zonder voortdurend te worden herkend als Trey Don Halls dochter. Daarna zou het er niet meer toe doen. Ze zou met haar kind verhuizen naar een stad in Texas met een universiteit waar ze medicijnen kon studeren. Maar een jongen... Was dat TD's neus in het kleine profiel... zijn voorhoofd? *O, god.* Als haar zoon nou werd geboren en sprekend op zijn vader zou lijken?

Ze was er inmiddels van overtuigd dat Trey haar niet meer zou komen halen. Hun baby – een zoon – zou hem daar niet toe kun-nen verlokken. Toen ze begin november bij Affiliated Foods naar de tijdschriften over babyverzorging had staan kijken, was haar oog op de titel van een artikel gevallen dat op het omslag van *Today's Psychology* werd genoemd: 'Waarom bepaalde mannen hun kinderen afwijzen'. Ze had meteen doorgebladerd naar de genoemde pagina en daar een artikel van een psychiater aangetrof-fen dat Trey's verbijsterende afwijzing verklaarde. Onderzoek had uitgewezen dat bepaalde mannen die als kind wees zijn geworden, het idee niet kunnen verdragen de liefde van hun partner te moeten delen met hun nakomelingen. De komst van een kind in zo'n gezin, waar de man de onverdeelde aandacht en trouw van zijn partner nodig heeft, zal bijna zeker leiden tot verstoting van degene die naar zijn idee het vertrouwen van hun verbintenis heeft geschonden en verraden.

Het artikel vertelde verder dat met name bij mannen bij wie deze zeldzame emotionele afwijking was vastgesteld, die in hun jonge jaren door hun ouders in de steek waren gelaten en die iemand vonden die van hen hield op de manier zoals zij dat nodig hadden en wensten, de kans erg groot was dat ze de relatie zouden verbreken. 'Hun gevoel onherroepelijk in de steek te zijn gelaten door degene bij wie ze zich volkomen veilig, gerust en bijzonder voelden, lijkt sterk op de emotie die ze ervoeren toen ze zich ervan bewust werden dat hun ouders hen aan hun lot hadden overgelaten.'

Cathy herinnerde zich de enige keer, een jaar geleden, dat ze Trey in aanwezigheid van een baby had gezien; het was geweest toen ze naar Affiliated Foods was gegaan, waar hij aan het werk was. Een jonge moeder met een baby in haar armen had haar winkelwagentje naar de kassa geduwd waar Trey boodschappen in tassen stopte, en Cathy had aangeboden de baby vast te houden terwijl de moeder haar aankopen op de band legde. Cathy had de baby – een pasgeboren meisje in roze kleertjes – net zo ongedwongen vastgehouden alsof het haar eigen kindje was en ze had naar Trey geglimlacht. 'Leuk,' had ze gezegd.

Hij had haar glimlach en de strekking van haar woorden genegeerd en ze had gezien dat zijn kaakspieren zich aanspanden en dat hij zich extra op zijn werk concentreerde. Ze had zich lichtelijk afgewezen gevoeld maar geconcludeerd dat hij meende dat ze de boel ophield met haar aandacht voor de baby. Het was november en het wemelde van de klanten voor Thanksgiving. Nu realiseerde ze zich dat zijn reactie een eerste aanwijzing was geweest van hoe hij over een kind van henzelf zou denken.

Ze had het tijdschrift gekocht en het artikel meteen aan Mabel laten zien. 'Was Trey zich ervan bewust dat hij in de steek was gelaten toen hij bij u en uw man kwam wonen?' had ze gevraagd.

'O, lieve hemel, ja,' zei Mabel. 'Hij was pas vier, maar oud genoeg om te weten dat hij geen vader had en dat zijn moeder niet meer terugkwam. Hij kwam bij ons als een mager, pasgeboren lam met amper genoeg kleren aan zijn lijf om hem warm te houden, zelfs geen winterjas, en helemaal niets om mee te spelen. Zijn oom en ik voerden hem bij, kochten een mooie garderobe voor hem en meer speelgoed dan hij had kunnen wensen. Hij was verwaarloosd en waarschijnlijk mishandeld, maar hij stond elke dag voor het raam van de woonkamer op zijn moeder te wachten, en ik heb mijn best gedaan de nachten te vergeten dat ik hem in zijn slaap om haar heb horen huilen. Elk jaar verwachtte hij dat ze met Kerstmis terug zou komen en aan zijn verjaardag zou denken, maar dat deed ze nooit. Godzijdank had hij John als vriend. Hun band is vooral in die periode zo sterk geworden.'

Nadere research had het onderzoek uit het artikel gestaafd en Trey's irrationele aversie als een vorm van narcisme gecategoriseerd. Het had haar zelfs helpen begrijpen waarom hij niets meer met John te maken wilde hebben. Ze waren als broers geweest, die gaven en namen. Ondanks de verschillen in hun aard en temperament waren ze gelijkwaardig geweest en hadden ze elkaar aangevuld, maar Trey's laatste actie had de weegschaal doen doorslaan – in elk geval in Trey's ogen. Hij kon onmogelijk een vriendschap voortzetten waarin hij een minder mens – minder man – bleek te zijn dan John.

Cathy was door een overweldigend verdriet overvallen geweest, maar haar bevindingen hadden haar de antwoorden gegeven die ze zocht. Ze stelde zich Trey alleen en eenzaam op de campus in Miami voor, zoekend naar een ander stel armen dat alleen hem zou vasthouden, zoals zij had gedaan; van het ene meisje naar het andere fladderend, zoekend naar dat licht in de duisternis dat uitsluitend en alleen voor hem zou schijnen. Zij was niet langer dat licht. Ze was nu vrij om te doen wat ze moest doen.

In de wachtkamer bij de verloskundige puilden Emma's ogen uit toen ze de foto's zag die van de echoscopie waren gemaakt. 'Kijk nou toch eens!' zei ze over de genitaliën van het kind, en

218

de vreugde in haar stem verried de heimelijke wens – die Cathy allang had onderkend – dat haar achterkleinkind een jongen zou zijn. Cathy's zwijgen maakte dat ze van de foto's opkeek. 'Lieverd, je bent toch niet teleurgesteld, of wel?'

'Nee, natuurlijk niet. Ik... was alleen verbaasd. Ik verwachtte echt dat het een meisje zou zijn en ik moet even wennen aan het idee. Het enige wat ik wil is dat mijn baby gezond wordt geboren,' zei ze, *en dat hij in niets op zijn vader lijkt.*

Ze schreef meteen naar John om hem het nieuws te vertellen en hij antwoordde per kerende post. 'Een jongen!' begon zijn brief, met het uitroepteken als uiting van zijn blijdschap. 'Heb je al een naam in gedachten? Mag ik zijn oom John zijn, want ik ben van plan van hem te houden alsof hij aan me verwant is... zoals ik nog steeds hou van zijn vader en me met hem verwant voel, net als jij diep in je hart, Cathy, dat weet ik zeker. We moeten Trey vergeven. Hij is zelf zijn grootste vijand. Hij zal nooit weten wat er in zijn leven ontbreekt tot hij alles heeft en tegen die tijd zal het waarschijnlijk te laat zijn.'

Cathy vouwde de brief dicht en schoof hem in de familiebijbel waarin ze al zijn brieven bewaarde. *Trey vergeven?* Ze wist niet of dat mogelijk was. Het volstond al dat ze hem niet haatte, maar hoe kon ze hem ook haten zolang haar hart nog vervuld was van liefde voor hem... zolang de herinneringen aan hen samen in tante Mabels salon als vlammen waren die ze onmogelijk kon doven? 'De tijd heelt alle wonden', zeiden de mensen, maar Cathy meende dat de tijd evenmin in staat was haar pijn weg te nemen als de dagelijkse vleugelslag van een arend een berg kleiner zou kunnen maken.

Die dag stond er een foto van Trey in de plaatselijke krant, vrijgegeven door de *Miami Herald*, waarop hij tijdens het vierde kwart van een wedstrijd die de Hurricanes al niet meer konden verliezen een pass naar een wide receiver gooide. PLAATSELIJKE STER STRAALT AAN MIAMI'S FIRMAMENT stond er boven de foto van Trey die een vlekkeloze pass uitvoerde, zijn vertrouwde trekken zichtbaar achter de gezichtsbeschermer. Cathy zag de foto toen ze de krant doorbladerde op zoek naar kortingscoupons en tuurde er verdwaasd naar tot ze er bijna duizelig van werd, verbijsterd over de plotselinge warmte tussen haar dijen.

Bennie fronste toen ze hem de uitslag van de echo vertelde, zijn onuitgesproken zorgen dezelfde als de hare. Een mannelijk lid van de Bobcat supportersclub was al zo onnadenkend geweest om bij Bennie's te speculeren dat Kersey misschien een nieuwe quarterback mocht verwachten.

'Dat is maar te hopen,' had zijn koffiedrinkende makker gezegd. 'De jongen zal het verdomd zwaar krijgen als hij dat voordeel niet heeft.'

Bennie zei met een hoopvolle klank in zijn stem: 'Misschien krijgt de jongen wel het mooie blonde haar en de blauwe ogen van zijn moeder.'

'Misschien,' zei ze, maar de gelijkenis van haar zoon met Trey zou er niet toe doen, want als John naar huis kwam voor Thanksgiving zou ze hem vragen met haar te trouwen en de vader van haar kind te worden.

29

Afgezien van zo nu en dan een brief van zijn tante en allerlei reclame die meteen weg kon, bleef Trey's brievenbus leeg. Er waren
dagen dat hij niet eens de moeite nam te kijken. Gil Baker aan
Texas Tech en Cissie Jane Fielding aan de Universiteit van Texas
hadden graag met hem willen corresponderen (Bebe Baldwin,
Cissie's kamergenote... nooit!), maar ze zouden het steeds over
Cathy hebben en Trey had geen zin in Gils opschepperij of Cissie's zinloze gekwebbel. Trey durfde te wedden dat John massa's
brieven kreeg – van Cathy, Bebe, Gil, Miss Emma, tante Mabel,
pastoor Richard en diverse teamgenoten en meisjes uit hun klas.
Ze hadden allemaal meer opgehad met John dan met hem, omdat
Johns geplaag altijd goedaardig was, terwijl zijn grappen vaak een
scherp kantje hadden. Iedereen had zich veilig gevoeld bij John.
Maar kennelijk had niemand uit Kersey naar zíjn adres gevraagd.
Trey vond de terechtwijzing onrechtvaardig. *Ze moesten eens weten!*
Hij verlangde ernaar iets te horen van iemand uit Kersey in wiens
achting hij niet was gedaald – in elk geval niet als football-speler –
en besloot coach Turner een brief te schrijven.

Miami was het seizoen 1986 gestart op de derde plaats van het
land en was naar de tweede plaats gestegen nadat ze de eerste drie
wedstrijden hadden gewonnen. Trey genoot ervan zijn voormalige
highschool-coach te vertellen dat de gevestigde quarterback hem
dingen leerde die alleen een geweldige speler wist en kon delen.
'Ik leer wat hij zegt te hebben geleerd door op de bank te zitten en
naar mannen als Jim Kelly, Mark Richt en Bernie Kosar te kijken,'
schreef Trey.

*Ik leer mijn beurt af te wachten en naar andere spelers te kijken,
en je kunt naar niemand beter kijken dan naar deze man. Het*

*is een deemoedigende ervaring, maar het leert me bescheiden
te zijn en geduld te hebben, de belangrijkste eigenschap die een
quarterback in zichzelf kan cultiveren, zo leer ik ook... dát en om
hard te blijven werken zodat ik er klaar voor ben als het moment
daar is. Ze hebben me verzekerd dat mijn tijd wel zal komen.
Ze volgen hier een systeem waarvoor u me hebt getraind, coach,
dus welke successen ik in de toekomst ook mag boeken, het begin
daarvan heb ik aan u te danken. Ik ben nu in handen van andere
fantastische coaches, maar geen een is er beter dan u en ik dank u
uit de grond van mijn hart voor al uw geduld en harde werk met
mij.
Groet de jongens namens mij en hou me op de hoogte met nieuws
over u en het team.*

*Hoogachtend,
Trey*

Trey herlas de brief, was tevreden over de inhoud en deed hem
op de post. Hij gaf de brief vier dagen om aan te komen en stelde
zich het genoegen van coach Turner voor wanneer die de envelop
met op de achterkant het adres van zijn voormalige quarterback
opensneed. Hij wachtte nog vier dagen voor hij telkens naar de
brievenbus ging lopen in de hoop op antwoord. Dat kwam niet.
Gefrustreerd en verbaasd schreef hij opnieuw uit angst dat zijn
brief verloren was gegaan. Weer geen reactie. Bang dat coach Turner iets was overkomen belde hij zijn tante om uiting te geven aan
zijn bezorgdheid.

'O, Trey, het spijt me dat ik het je niet heb laten weten,' zei
Mabel. 'Wat onnadenkend van me.'

'Wat?'

'Tara is een maand geleden gestorven.'

'Wát?'

'Aan een gescheurde blindedarm. Het kwam natuurlijk heel
plotseling. De Turners zijn vreselijk bedroefd. Daarom heb je
waarschijnlijk niets van Ron gehoord.'

'Ik... ik zal hem een condoleancekaart sturen en als u hem ziet, zeg dan maar dat ik... aan hem denk.'

'Ik weet zeker dat hij het fijn zal vinden van je te horen, Trey, en dat hij de kaart op prijs zal stellen.'

De kaart en nog een brief bleven onbeantwoord. Trey probeerde de pijn te verzachten van het gevoel dat hij niet meer boven aan het lijstje van de coach stond. Het kostte veel tijd om het overlijden van een dochter te verwerken, maar als je bedacht hoe goed de coach en hij het met elkaar hadden kunnen vinden, verklaarde het verlies van Tara niet waarom hij niet op z'n minst een regeltje had teruggeschreven. Trey moest uiteindelijk wel accepteren dat de coach niet op zijn brieven had geantwoord omdat hij Cathy zo slecht had behandeld. De coach mocht haar heel erg graag. Ze was zijn beste leerling geweest bij geschiedenis en je kon goed merken dat hij had gewild dat zijn dochter wat meer op haar leek. Zijn vaderliefde woog nu zwaarder dan zijn genegenheid voor zijn voormalige quarterback en hij zag die niet meer als een zoon.

Wist de man de waarheid maar.

Op de eerste november haalde Trey tot zijn verbazing een brief uit zijn brievenbus die was verstuurd vanaf de Loyola Universiteit, pas de tweede die hij van John ontving. Enigszins ongerust scheurde hij de envelop open zonder het plan te hebben de brief te beantwoorden. Hij las de brief echter wel, verlangend als hij was om Johns stem vanaf het papier tegen hem te horen praten, want hij schreef zoals hij sprak. Trey verwachtte dat John hem op zijn droge toon weer zou vermanen en hem zou smeken Cathy van haar vernederende bestaan te redden, maar dat deed hij niet. De brief riep echter wel een ander soort afgrijzen op.

Beste Trey,

Ik schrijf je vanuit mijn kamer in Buddig Hall, een studentenhuis dat het grootste gebouw op de campus van Loyola is. Ik woon in een suite met twee slaapkamers die geacht wordt te worden gedeeld met drie anderen, maar vooralsnog zijn we hier maar met z'n tweeën, een andere kandidaat en ik, en hebben we ieder een kamer voor onszelf. Het eten is geweldig. Je koopt maaltijdbonnen waarmee je uitstekende, voedzame maaltijden kunt krijgen zonder dat je boodschappen hoeft te doen, hoeft te koken of af te wassen. Het is heel wat beter dan de afwas doen na pa's chili en goulash. Alles zit hier binnen loopafstand – het studiecentrum, de eetzaal, de bibliotheek – en dus heb ik besloten mijn pick-up te verkopen om het te kunnen redden tot mijn beurs komt. Het deed me verdriet om afstand te doen van Old Red, vanwege de mooie herinneringen, en omdat ik het gevoel heb dat hij door iemand is meegenomen – een Cajun die een viskamp runt – die hem misschien niet met zoveel respect zal behandelen als ik, maar ik had het geld nodig.

Ik ben gestart aan het college voor sociale en geesteswetenschappen en ben van plan twee hoofdvakken te kiezen, filosofie en Spaans. Jezuïeten moeten vloeiend Spaans kunnen spreken en schrijven, dus ik dacht: waarom niet? Het hoofdvak en de carrière laten schieten die ik voor ogen had, was moeilijk, maar ik geloof niet dat ik het in de zakenwereld gemaakt zou hebben. Om het leven te leiden dat ik wil leiden, moet ik het leven leiden van Sint Ignatius, de oprichter van de jezuïetenorde, en dat zou in zakelijk Amerika net zo onmogelijk zijn als een leeuw fokken uit een lam. Ik wilde je schrijven om je te laten weten dat, hoewel ik nooit zal begrijpen waarom je Cathy de bons hebt gegeven, dat niets te maken heeft met mijn beslissing om naar Loyola te gaan in plaats van naar Miami. Sinds die dag in november toen ik terugging naar de kerk, TD, heb ik de roeping gevoeld om meer met mijn leven te doen dan football spelen voor de NFL of geld verdienen in de zakenwereld. In mijn hart wist ik dat zelfs als ik in beide succesvol zou worden, dat me niet de vrede zou brengen waarnaar ik verlang. Hier op Loyola, deelnemend aan het kandidaatsprogramma, vind ik mijn weg naar die vrede. Tenzij ze me eruit trappen, is dit waar ik thuishoor.

Ik volg de successen van de Hurricanes en zie elke wedstrijd op de televisie. De camera vindt je vaak aan de zijlijn, en het is goed

om mijn makker in het oranje, groen en wit te zien. Ik zie aan
je gezicht hoe graag je wilt spelen en ik kan alleen maar zeggen:
'Wacht maar tot volgend jaar, Miami!'
Schrijf me terug wanneer je kunt en laat me weten hoe je het
maakt. Ik mis je, makker, en hoop je met Thanksgiving te zien.

Mijn zegen,
John

Angst balde zich als een ijskoude vuist in zijn binnenste samen. De brief herinnerde hem eraan hoezeer hij zijn vriend miste. Het verlangen naar Johns gezelschap en kameraadschap volgde hem overal als een schaduw die hij niet van zich af kon schudden. Maar de vrede waarnaar John hunkerde… Zou 'het leven leiden van Sint-Ignatius' hem er op een dag toe brengen tegen sheriff Tyson schoon schip te maken over wat er 'die dag in november' was gebeurd en de Harbisons eindelijk vrede te brengen?

Zou hij, TD Hall, de universiteit en de NFL moeten doorlopen, afwachtend tot alles uitkwam?

30

John zette zijn schouder tegen de voordeur van zijn huis en duwde. De sleutel werkte, maar de deur zat klem door onvoldoende gebruik. Zijn vader had kennelijk allang geen gelegenheid gehad hem te openen. Het hout kraakte en de stank van een huis dat lange tijd was afgesloten overviel hem zodra hij naar binnen stapte. Hij liet de deur open om de koude novemberlucht binnen te laten en riep: 'Pa?'

Geen antwoord. John zette zijn plunjezak neer en liep door de woonkamer langs een kleine eetkamer die sinds zijn moeders overlijden niet meer was gebruikt, de keuken binnen. Het verbaasde hem dat die redelijk opgeruimd was. De vaat stond op het afdruiprek, er lagen geen kranten en afhaalzakken op de tafel en het fornuis was schoongeveegd. Een theedoek hing aan het haakje waar die hoorde te hangen. Hij vond geen afval of lege flessen in de vuilnisbak.

Er was iets wat anders was dan de sfeer van afwezigheid tijdens de andere langdurige periodes dat zijn vader weg was geweest en dat bracht hem naar Berts slaapkamer, een plek waar John niet meer was geweest sinds hij er een andere vrouw aan zijn moeders kant van het bed had aangetroffen. Hij trok de kast open en zag tot zijn verbazing dat die leeg was, op een paar verbogen kleerhangertjes na. De laden van de commode waren leeg. Het bed was opgemaakt, maar onder de dekens lagen geen lakens. Hij zocht naar een briefje, maar vond niets.

In zijn eigen kamer ontdekte hij een envelop op zijn kussen, waarop geschreven stond:

Ik ga ervandoor. Het heeft geen zin om nog hier te blijven. Beslis jij maar wat je met de spullen doet. Kijk op de plek waar je moeder altijd haar spaargeld verstopte. B.C.

Bert Caldwell. Niet pa of pap. Nu wist hij het zeker.

Buiten haalde hij een paar stenen uit de fundering van het tuinhuisje waar zijn moeder altijd had zitten lezen, het enige aantrekkelijke in de bruine, door onkruid overwoekerde tuin, en vond een kleine geldkist in haar bergplaatsje. Daarin zat een envelop met tien biljetten van honderd dollar en de eigendomsakte van het huis, dat zijn vader op Johns naam had laten overschrijven.

John voelde even helemaal niets toen hij daar in de buitenlucht stond en de wind aan zijn haren rukte op deze koude maar zonnige Thanksgiving Day. De man die zichzelf zijn vader had genoemd was, misschien wel voor altijd, uit zijn leven verdwenen. In zijn hand hield hij het enige van waarde dat Bert Caldwell had bezeten. Een vreemde triestheid sloop zijn hart binnen. De man had ooit van zijn moeder gehouden. John herinnerde zich vaag hoe zijn op de olievelden geharde vader zijn moeder teder omhelsde, en zijn knorrige aandacht voor John. Maar dat alles was veranderd toen John vier was geworden, en hij realiseerde zich nu dat zijn moeders bekentenis van haar ontrouw Bert Caldwell had beroofd van de echtgenoot en vader die hij had kunnen zijn.

Hoe anders had het leven voor hen allemaal kunnen lopen als ze alleen bij haar priester te biecht was gegaan.

Vrede zij met je, pa.

John schoof de stenen terug en nam het stapeltje biljetten en de eigendomsakte mee naar binnen. Het geld zou hij gebruiken voor zijn onkosten en de akte zou hij meenemen naar Loyola en bewaren tot het moment aanbrak dat hij afstand zou doen van zijn wereldse bezittingen. Hij zou een deel van zijn vrije dagen nodig hebben om het huis dicht te timmeren en de nutsvoorzieningen te laten afsluiten als hij vertrok… dit keer voorgoed, besefte hij met weer een steek van verdriet.

In de keuken realiseerde hij zich hoe moe en slaperig hij was, en dat hij stonk. Het had hem meer dan vierentwintig uur gekost om thuis te komen. Na zijn laatste les gisteren had een medekandidaat hem meegenomen tot Shreveport, Louisiana. Van zijn laatste geld had hij een buskaartje gekocht en na vier uur wachten was hij op de Greyhound-bus naar Amarillo gestapt die daar om zeven uur vanochtend was aangekomen. Hij had zijn vader gebeld, maar die had niet opgenomen, net zo min als hij had gereageerd op zijn brief waarin hij vertelde dat hij van plan was naar huis te komen voor Thanksgiving. Hij had besloten niet naar Mabel Church te bellen om te vragen of ze hem wilde komen halen. Mabel had in de auto vaak al moeite met het verkeer in Kersey. Ze zou nooit het busstation midden in Amarillo weten te bereiken tijdens de ochtendspits. Cathy zou bij Bennie's Burgers aan het werk zijn en haar grootmoeder zou de bibliotheek hebben gesloten voor de feestdag, maar hij zou Miss Emma nooit vragen met haar roestige oude Ford de vijfenzeventig kilometer af te leggen om hem op te halen. Er zat niets anders op dan zijn plunjezak op zijn schouder te hijsen, te gaan lopen en erop te vertrouwen dat God hem wel zou beschermen en voor een lift zou zorgen waarmee hij op tijd thuis zou zijn voor het Thanksgiving-diner bij tante Mabel.

Hij had het niet erg gevonden. Het was ijskoud zo vroeg in de ochtend, maar dat werd wat beter toen het lichter werd en de frisse lucht en rust van de prairie waren een opluchting na de lange uren die hij slapeloos in de volle, veel te warme bus naar het gesnurk, gehoest en babygehuil had zitten luisteren. Hij verwelkomde de gelegenheid om het handwerk van God te bewonderen in dit uitgestrekte, rustige deel van Zijn schepping. De herfst in de Panhandle was zijn favoriete jaargetijde. De zon die door het verkleurende gras scheen veranderde de prairie in een gouden zee. Cathy, altijd leergierig, had de namen van alle herfstbloemen en struiken in de Panhandle geleerd en ze aan Trey en hem onderwezen. Indigostruik, zandsalie, artemisia, paradijsvogelbloem, blauwe spirea... John vroeg zich af of Trey zich de namen nog herinnerde. Ze had hen zo veel geleerd wat ze anders nooit hadden geweten. Op een dag liep hij op de campus langs de muziekzaal en hoorde hij de klanken van Debussy's 'Claire de Lune' door een open raam naar buiten drijven. Hij was gestopt om te luisteren. De wereld viel plotseling stil en hij dacht terug aan de middagen dat Cathy die compositie op de piano in de First Baptist Church had gespeeld terwijl Trey en hij in het middenpad een bal naar elkaar overgooiden. Soms speelde ze een crescendo net wanneer Trey de bal losliet en die door de lucht suisde en in Johns handen viel alsof hij werd gedragen door de akkoorden van een symfonie.

Ervoer Trey, wanneer hij onverwachts aan haar terugdacht, ook van die hartverwarmende momenten? Herinnerde hij zich de magie nog?

John miste zijn oude rode truck en vond het soms jammer dat hij overal te voet heen moest, maar niet op dagen als deze. De sereniteit van de prairie in de herfst en zijn besef van de aanwezigheid van God op zo'n plek vervulde hem met een diepe kalmte en bevestigde de juistheid van zijn beslissing om aan het eind van het jaar aan het noviciaat te beginnen. Toen hij zich op Loyola had ingeschreven, was hij van plan geweest eerst af te studeren en misschien een poosje in de seculiere wereld te werken voor hij zijn geloften zou afleggen, maar hij had de roeping gevoeld om nu al de eerste stappen te zetten naar een religieus leven terwijl hij nog voor zijn graad studeerde.

Hij had het uitvoerig besproken met zijn geestelijk raadsman, die ten slotte had gezucht en tegen hem had gezegd: 'John, normaal gesproken zou ik proberen je ervan te weerhouden alle schepen achter je te verbranden, want als je dat doet kun je nooit meer terugkeren naar je vroegere verlangens, maar in jouw geval zie ik in dat het een existentiële vergissing zou zijn om een andere levensweg te kiezen.'

En dus had hij zich aangemeld voor en was hij toegelaten tot het noviciaat, de eerste trede op de ladder voor een man die een leven als jezuïet overwoog. Toelating bracht geen verplichtingen met zich mee. Het doel van deze eerste twee jaar was de novice te helpen – door intensieve overpeinzing, beoordeling en ontdekking – zijn verlangen te bevestigen om te worden opgenomen in de Sociëteit van Jezus. Pas aan het einde van die twee jaar legde de novice de geloften van armoede, kuisheid en gehoorzaamheid af om de volgende stappen te kunnen zetten op weg naar de priesterwijding. De hele vormingsperiode duurde veertien jaar.

'Lieve hemel, John,' had Cathy gereageerd toen hij haar had geschreven hoeveel tijd het in beslag zou nemen, 'in die tijd kun je arts worden.'

Het eerste semester van zijn opleiding zou in januari beginnen en hij kon nauwelijks wachten.

Hij had al een eind gelopen en begon moe te worden toen zijn gebeden werden verhoord en er vervoer arriveerde. Er stopte een politiewagen naast hem en het raampje aan de kant van de bestuurder ging omlaag. 'Wat zeg je van een lift, John?' vroeg sheriff Tyson.

Johns hart sloeg een slag over, maar hij zei: 'Daar heb ik geen bezwaar tegen', en stapte dankbaar in.

'Ga je naar huis voor Thanksgiving?' vroeg de sheriff.

'Ja, meneer. Dank u dat u het mogelijk helpt maken. Ik begon al te vrezen dat ik te laat zou komen voor het diner bij tante Mabel. Ik heb mijn auto verkocht toen ik in Loyola aankwam.'

'Je had zeker wat extra geld nodig, hè?'

'Ja, meneer.'

'Aan je pa heb je wat dat betreft niet veel, zeker?'

John bloosde. Sheriff Tyson had geen hoge pet op van Johns vader. Dat soort mannen had dat meestal niet. 'Nee, meneer, maar ik red me wel.'

'Heb je het naar je zin op Loyola?'

'Ja, meneer. Ik voel me er prima thuis.'

Deke Tyson keek hem van opzij aan. 'Dat zie ik. Het was voor de meeste mensen een schok toen je naar een katholieke school vertrok. Zonde, zeiden ze, maar ik nam aan dat je wel zou weten wat je deed.'

Niet op zijn gemak met het blijk van waardering dat voortkwam uit de onwetendheid van de sheriff, bestudeerde John het landschap. 'Ik stel uw motie van vertrouwen op prijs.'

'Toch moet ik je de onvermijdelijke vraag stellen. Mis je het football niet?'

'Ik zou liegen als ik zei dat dat niet zo was.'

Deke Tyson trok zijn mond scheef. 'En dat kunnen we nu echt niet hebben, is het wel?'

'Nee, meneer.'

'TD Hall zal je wel missen.'

'Het ziet ernaar uit dat hij zich prima redt zonder mij.'

'Wat hoor jij van hem?'

'Niets, moet ik helaas zeggen.'

'Hier hoort ook niemand iets van hem. Ik neem aan dat het bij Trey uit het oog uit het hart is. Ik geloof niet dat ik de enige ben die zegt dat hij teleurgesteld is in die jongeman. Zijn tante Mabel is afgetakeld in de paar maanden sinds hij is vertrokken, en Miss Emma ook. Cathy Benson houdt het hoofd hoog en bewijst dat ze zo sterk is als ik altijd al heb gedacht, maar het moet verdraaid zwaar voor haar zijn. Die vrouwen zullen heel blij zijn je te zien, John. Nu hebben ze tenminste jouw gezelschap nog om zich op te verheugen tijdens de feestdagen.'

'Ik ben blij dat ik hen heb om naar terug te keren,' had hij gezegd.

John keek naar de eigendomsakte in zijn hand en zuchtte om de ironie van het geheel. Het was iets over elven. Zijn maag rammelde en hij verlangde naar een warme douche en een tukje, maar hij was van slag door sheriff Tysons opmerkingen over Cathy. Hij zou tante Mabel laten weten dat ze hem kon verwachten voor het diner en daarna Miss Emma bellen om haar het naadje van de kous te vragen over hoe het met haar kleindochter was. Cathy had het in haar brieven nooit over de problemen van haar situatie. Ze schreef onderhoudende verhalen over dorpsgenoten en gebeurtenissen. Onlangs had ze geschreven: 'Twee weken geleden heeft iemand het hangslot van Hubert Masons poort doorgeknipt en zijn maffe Ierse setter uit zijn achtertuin gestolen. We vroegen ons allemaal af waarom iemand hem zou willen stelen, want Sprinkle is het ongehoorzaamste beest aller tijden. Nou, toen Hubert gisteren thuiskwam zat zijn hond weer in de achtertuin en hing er een nieuw slot aan de poort.'

De enige negatieve geluiden in haar brieven gingen over de slechte staat van de plaatselijke economie, de verwaarloosbare kansen van de Bobcats om het districtskampioenschap te winnen en Rufus' artrose.

'Nee, Trey komt niet naar huis voor Thanksgiving,' beantwoordde Mabel de vraag van John. 'Een makker uit zijn team heeft hem uitgenodigd Thanksgiving bij hem en zijn familie door te brengen. Ik ben vreselijk teleurgesteld, maar ik neem aan dat het te verwachten was, en we zullen in elk geval het genoegen smaken om jou bij ons te hebben.'

Hij werd overspoeld door teleurstelling, met een steek van iets anders ertussen. *Een makker uit zijn team...*

'Ik zal er zijn, tante Mabel,' zei hij, 'maar pa komt niet mee. Ik leg het later wel uit.'

'Nou, dan komen alleen jij, Cathy en Emma, en op Emma's aandringen een extra gast.'

'Wie?'

John hoorde aan haar toon dat Mabel een grimas trok. 'Odell Wolfe.'

John hing grinnikend en met een warm gevoel in zijn kersverse kandidaatshart op. *Goed gedaan, Miss Emma!* 'Wat u aan de minste van mijn broeders hebt gedaan, hebt u aan mij gedaan' – het credo van de jezuïeten. Hij belde Emma.

'Om je vraag te beantwoorden, John, Bennie is fantastisch voor haar en houdt in alles rekening met haar zwangerschap. Door zijn vriendelijkheid werkt zij natuurlijk alleen maar des te harder, opdat het niet lijkt of ze misbruik maakt van haar toestand. Hij is dol op haar en iedereen weet dat, dus de klanten letten op hun woorden. De reacties van sommige dorpelingen zijn moeilijk te verteren, vooral die van sommige moeders van je klasgenoten. Medelijden is net zo erg als afkeuring, weet je, en natuurlijk is het respect dat ze ooit genoot wel gedaald, maar ze houdt het hoofd hoog.'

John beet hard op zijn lip en stelde zich de terechtwijzingen voor waar Emma het over had. Cissie Jane's moeder had het nooit kunnen hebben dat Cathy haar dochter voorbijstreefde in schoonheid en intelligentie en zij en haar gelijken, wier dochters wel naar de universiteit waren gegaan, zouden zich beslist over Cathy's hachelijke situatie verheugen. 'Ik heb begrepen dat Odell Wolfe ook komt dineren. Hoe is dat zo gekomen?'

'Nou, dat heeft voor een deel met mij te maken. Al jaren knapt Odell zich op maandagmorgen op om naar de bibliotheek te komen en in een rustig hoekje te gaan zitten lezen. Ik zag hem op een ochtend bij de achterdeur rondhangen en zag aan hem dat hij verwachtte dat ik hem weg zou jagen, maar ik vroeg of hij binnen wilde komen. Sindsdien stond hij er elke maandagmorgen als ik opendeed, dus liet ik de deur voor hem open – de enige ochtend dat ik dat doe – en legde ik een kleinigheid te eten op zijn vaste tafel, en dan duurde het nooit lang voor ik hem in zijn hoekje over tijdschriften, kranten of naslagwerken gebogen zag zitten. Hij komt en gaat door de achterdeur en vertrekt zodra er iemand anders binnenkomt. Hij zegt niet veel en ik ben helemaal niets over hem te weten gekomen, maar ik vind altijd een bedankbriefje op de tafel.

'En wat was het andere deel?' vroeg John.

'Dat heeft met Cathy te maken. Ze merkte dat Bennie bij de achterdeur van zijn zaak Odell te eten gaf en nam die taak van hem over. Ze getroostte zich extra moeite voor zijn bord en deed er ook wat restjes voor zijn hond bij. Hij geeft heel hoog van haar op en ik heb het gevoel dat als iemand Cathy ooit lastig zou vallen, diegene er met zijn zweep van langs zou krijgen.'

'Hoe voelt Cathy zich?'

'Dik, zegt ze, maar verder prima. Ze zal blij zijn je te zien, John. Ze heeft iets met je te bespreken dat je volgens mij graag zult horen.'

John hoorde iets van onderdrukte opwinding in Emma's stem. 'Kunt u me een hint geven?'

'Nee, ik heb al te veel gezegd, maar het zal je heel gelukkig maken.'

'Ik kan niet wachten.'

John legde de hoorn terug en voelde zijn moedeloosheid vervagen als een verdreven spook. Wat voor geweldigs wilde Cathy met hem bespreken dat hem heel gelukkig zou maken? Misschien had een rijk iemand – de vrouw van coach Turner? – aangeboden haar studie medicijnen te betalen. Misschien was er een nieuwe man in haar leven. Hij kon zich niet voorstellen dat ze zo snel voor iemand anders zou vallen, maar hij nam aan dat het mogelijk was. Of – de Heer zij geloofd! – misschien had het met Trey te maken. Had Trey haar benaderd over een verzoening?

Het laatste misschien verdrong de andere mogelijkheden en maakte dat hij onder de douche wilde neuriën. Pas toen John de kraan opendraaide verdampte zijn hoop. Als hij het goed had geraden over Cathy en Trey, waarom kwam TD dan niet naar huis voor Thanksgiving?

31

Cathy draaide het bordje GESLOTEN om naar de straatkant en deed de deur op slot. Ze kneep haar ogen dicht, legde haar handen op haar bolle buik en drukte haar rug vermoeid tegen de deur om de pijn in haar onderrug, die doortrok naar haar benen, te verlichten. Ze had gedacht dat de klanten nooit weg zouden gaan, en nu moesten de tafels nog worden gesopt en de afwas nog gedaan voordat ze haar grootmoeder kon bellen om haar op te halen voor de rest van Thanksgiving Day.

'Die zucht hoorde ik, Cathy, meisje,' zei Bennie.

Cathy opende meteen haar ogen. Bennie was de keuken uit gekomen, voorgegaan door zijn in een schort verpakte buik. 'Ik nam alleen even een adempauze,' zei ze.

'Ik wil dat je meer neemt dan dat. Ik wil dat je vertrekt. Ga naar huis en leg je benen omhoog. Ik werk het hier wel af.'

Lieve Bennie. De keuken zag er vreselijk uit. Hij had een paar dagen geleden zijn afwashulp ontslagen omdat die voor een hele week aan hamburgerbroodjes had gestolen, en Romero, de andere ober, was die morgen niet komen opdagen. Het bordje met PERSONEEL GEVRAAGD stond weer voor het raam en hoewel Romero's verdwijning goed was voor Bennie's eindsaldo, moest ze er niet aan denken dat zij met hun tweeën de menigte van acht tot negen moesten bedienen.

Ze weerstond de verleiding haar hand tegen haar rug te drukken, maar god, ze was vreselijk moe – haar zoon was die dag buitengewoon onstuimig geweest – en haar kloppende benen leken te branden. 'Als ik je niet help, mis je de Texas-Aggie-wedstrijd op tv,' zei ze halfslachtig.

'Ik hoef niet naar de tv te kijken. Ik heb toch een radio? Vooruit, ga je grootmoeder bellen.'

'Ik zal de tafels afdoen tot ze hier is,' zei Cathy, te blij dat ze algauw zou kunnen gaan zitten om nog verder met hem te discussiëren.

Ze zou Bennie missen en vroeg zich af hoe hij zijn bedrijf zonder haar hulp draaiende zou kunnen houden als zij wegging. Hij redde het nu al nauwelijks en had het zo druk met het hoofd boven water te houden dat hij geen tijd, energie of geld had om na te denken over veranderingen die zijn omzet zouden kunnen verhogen.

Ze kon Bennie's hachelijke situatie echter niet boven haar eigen noodzaak plaatsen om haar kind een beter leven te bieden. Het welzijn van haar zoon was nu haar belangrijkste – en enige – zorg. Ze zou haar eigen ambities opzij moeten zetten. Kinderen hadden in hun jonge jaren beide ouders nodig. Daar was Trey een uitstekend voorbeeld van. Zoons hadden een vader nodig die ze liefhad, koesterde en dingen leerde zoals alleen een man dat kon, en wie zou dat beter kunnen dan John Caldwell? John hield van haar en ze twijfelde er absoluut niet aan dat zij mettertijd van hem zou gaan houden zoals hij dat verdiende. Ze zou niet anders kunnen. Ze maakte zich er alleen zorgen over of zij over de vaardigheden beschikte die de vrouw van een geestelijke moest hebben, want hoewel John door een huwelijk geen priester meer zou kunnen worden, zou hij toch zeker een carrière in het geestelijk ambt wensen. Toen haar grootmoeder en zij het onderwerp hadden besproken, had Emma gevraagd: 'En wat nou als John zijn plannen om priester te worden nou niet wil opgeven om met je te trouwen?'

Cathy had haar de medelijdende blik van de alwetenden voor de onwetenden geschonken. 'Grootmoeder, John heeft pas plannen gemaakt om priester te worden nadat ik had geweigerd met hem te trouwen.'

Cathy had het artikel dat Trey's gedrag verklaarde niet met John gedeeld en dat was ze ook niet van plan.

'Ik begrijp het niet,' zei Emma toen Cathy haar vertelde dat ze die informatie voor zich wilde houden. 'Wat weerhoudt je ervan John het artikel te laten lezen nu je hebt besloten met hem te trouwen?' Ze had de vraag met een doordringende blik onderstreept.

'Ik wil niet dat hij denkt dat ik om die reden met hem trouw,' zei Cathy.

'Is dat dan niet zo?'

'Ik weet het niet. Ik weet alleen dat John een goede man is, die een goede vader voor mijn zoon zal zijn.'

Natuurlijk zouden ze de waarheid over zijn afkomst niet voor het kind geheim kunnen houden als hij oud genoeg was om die te horen. Uiteindelijk zou hij erachter komen dat zijn vader zijn moeder in de steek had gelaten toen hij nog in haar baarmoeder zat. Maar John zou die situatie aanpakken met de hem eigen bijzondere wijsheid en handigheid. Wat Trey met zijn versie van het verhaal zou doen zodra de pers er lucht van kreeg, daar kon ze alleen maar naar gissen.

Cathy besloot dat het beste moment om John een aanzoek te doen vanavond na het diner was. Ze had geen tijd om met hem te praten voor Emma en zij naar tante Mabel moesten. Morgen moest ze werken en John zou 's avonds naar de mis gaan. Ze zou wachten tot ze later vanavond op de schommelbank op haar grootmoeders veranda met hem alleen was.

Door het grote raam aan de voorkant zag ze de Ford aan komen rijden toen ze de laatste tafel schoonveegde, de ketchupfles en de peper- en zoutvaatjes op hun plaats zette en het insteekvel met 'Thanksgiving-specials' uit het menu haalde. Ze zou vreselijk opgelucht moeten zijn dat John haar hier binnenkort weg zou halen, maar haar hart kon de overstap naar vreugde nog niet maken. Haar leven verliep zo anders dan ze had gepland. Laura Rhinelander zat inmiddels stevig in het zadel op USC en ze hield rekening met Cathy's pech wanneer ze over haar voorbereidende studies schreef, maar het was duidelijk dat het precies was waarvan ze had gedroomd. Er zou misschien nog een kans zijn dat ze over een poosje de draad weer oppakte, maar dat betwijfelde Cathy. Johns werk zou voorgaan – en God mocht weten waar – en er zou weinig geld en gelegenheid zijn om een opleiding tot arts te volgen.

Emma sneed de pompoentaart aan terwijl Mabel koffie inschonk. Ze had nog nooit zo'n ellendig Thanksgiving-feest meegemaakt en er zou voor het eind van de dag nog meer ellende komen, dat voelde ze aan haar water.

'Denk je dat er iemand slagroom op de taart wil?' vroeg Mabel op effen, onverschillige toon.

'Doet dat er iets toe?'

'Absoluut niet. Smeer het er maar op.'

Ze waren zulke goede vrienden dat ze in de privacy van Mabels keuken niet hoefden te doen alsof. Maskers vielen af toen ze werden overweldigd door vermoeidheid en met haar drieënzeventig jaar had Mabel aan het eind van een lange, gespannen dag de grenzen van haar vriendelijkheid bereikt. Dit jaar had ze, omdat ze op de centen moest letten, het Thanksgiving-diner klaargemaakt zonder de hulp van de vrouw die ze gewoonlijk inhuurde bij bijzondere gelegenheden. Ook emotionele pijn tekende extra lijnen in haar vermoeide gezicht. Emma wist dat Mabel leed onder de teleurstelling dat Trey niet naar huis was gekomen voor Thanksgiving. Hoe kon die jongen zo bot zijn tegen de vrouw die zo veel voor hem had gedaan? Ze begrepen natuurlijk allemaal waarom. Trey Don Hall had het lef niet om Cathy en John – of Emma Benson! – onder ogen te komen, dus tante Mabel kon ook de pot op.

'Ik blijf als de anderen weggaan wel hier om de vaat te doen en het eten op te ruimen, Muffin,' zei Emma, de bijnaam gebruikend die ze haar vriendin als kind had gegeven. 'Jij hebt meer dan genoeg gedaan om dit tot een geweldige Thanksgiving-bijeenkomst te maken.'

'Je weet heel goed dat je liegt dat het gedrukt staat, Emma Benson. Deze "bijeenkomst" was een ramp.'

Emma moest het met haar eens zijn. Afgezien van de maaltijd (Mabel kon heel slecht koken), was het allemaal Emma's schuld, vooral vanwege de gastenlijst. Ze hadden iets simpels moeten klaarmaken om naar Odell Wolfe te brengen. Ze hadden geprobeerd te zorgen dat hij zich welkom voelde, maar hij kon het niet naar zijn zin hebben gehad, zo onwennig in een slecht passend pak met stropdas dat waarschijnlijk van de rommelmarkt kwam. De hele avond had de arme man eruitgezien alsof hij bang was onderdelen van het servies van zijn gastvrouw te breken als hij zich bewoog of – zoals Mabel het uitdrukte – 'lucht te laten ontsnappen'.

Pastoor Richard uitnodigen was ook een vergissing geweest. De vrouwen waren geschokt geweest toen ze hoorden dat Bert Caldwell uit Kersey was vertrokken zonder ook maar iets tegen zijn zoon of vrienden te zeggen. Emma had voorgesteld dat ze in plaats van Bert pastoor Richard zouden vragen en tot hun verbazing had hij de uitnodiging meteen geaccepteerd. Emma vermoedde dat hij plannen had gehad, maar die had afgezegd toen hij hoorde dat John bij Mabel zou aanschuiven. De vrouwen van de parochie zouden nooit toestaan dat hun priester met Thanksgiving alleen moest eten.

Ze kreeg al spijt van haar voorstel zodra pastoor Richard naar binnen stapte. Hij was als laatste gearriveerd. Iedereen had iedereen al begroet en John had, innemend als altijd, zijn best gedaan Odell het gevoel te geven dat hij erbij hoorde, en zag er zo verschrikkelijk goed uit dat Mabel zei: 'Ik zeg je, John, als jij priester wordt, dan noem ik je pastoor Watzonde.' Er was echter een koude rilling door haar hart gelopen toen hij Cathy omhelsde.

'Hallo, Cathy,' had hij gezegd op de nostalgische toon van iemand die met een lang verloren liefde herenigd wordt, maar wiens hart nu aan iemand anders toebehoorde. Emma had gehoopt dat het haar verbeelding was, maar nee, er was iets veranderd aan de manier waarop John naar haar kleindochter keek sinds hij vier maanden geleden naar Loyola was vertrokken. Hij had zich in het bloed van het Lam gewassen. Hij had duidelijk waarneembaar het aura van een geestelijke om zich heen, dat nog meer tot uiting kwam toen pastoor Richard binnenkwam met zijn priesterboord om en John tijdens de hele maaltijd voor zich opeiste. De twee hadden elkaar de hand geschud en op de schouders geklopt als samenzweerders die een succesvolle coup hadden gepleegd.

Emma zag dat Cathy de verandering in John ook had opgemerkt en toen hij enthousiast verkondigde dat hij in januari aan het noviciaat zou beginnen, zag Emma haar kleindochters hoop voor de toekomst verschrompelen als lupinen aan het eind van het voorjaar. Cathy had daarna nog maar weinig gezegd. Nu en dan schonk ze John tijdens diens vurige gedachtewisselingen met pastoor Richard een begripvolle glimlach in antwoord op zijn verontschuldigende blik omdat ze het voortdurend 'over het werk hadden'. De pastoor en John probeerden beleefd de anderen bij hun gesprekken te betrekken, maar Emma had het gevoel dat ze buitenstaanders waren die toegeeflijk werden bekeken door de leden van de club.

Ze nam de schaal met taart mee de kamer in. 'Zie ik je straks nog?' hoorde ze John aan Cathy vragen.

'Ja, natuurlijk. Ik hou een plekje voor je vrij op de schommelbank op de veranda. Rufus zal ook blij zijn je te zien.'

'En je gaat iets met me bespreken wat me heel gelukkig zal maken?'

Haar kleindochter keek Emma beschuldigend aan. 'Grootmoeder, wat hebt u John verteld?'

'Niet meer dan wat hij net tegen je zei,' bekende Emma, die Cathy's vinnige blik beantwoordde om haar aan haar plan te herinneren, maar toen ze een punt taart voor haar neerzette, had ze het gevoel dat John nooit te horen zou krijgen wat haar kleindochter op de schommelbank op haar veranda tegen hem had willen zeggen.

Het was al laat in de avond toen Emma eindelijk haar oude Ford startte. Nadat het laatste Baccaraglas en Lenox-bord waren afgewassen, afgedroogd en in de servieskast gezet, hadden Mabel en zij hun benen omhooggelegd en een fles wijn leeggedronken. Pastoor Richard had Cathy en John bij Emma's huis afgezet, zodat zij de Ford had. Emma had geen haast om naar huis te gaan.

'Er is in elk geval nog íets goeds uit deze avond voortgekomen,' zei Mabel.

'Wat dan?'

'Pastoor Richards aanbod om je de parochie-auto te verkopen, en Odells belofte om te zorgen dat de Ford als oud ijzer wordt verkocht. Je krijgt een nieuwe auto en nog wat geld toe.'

'Een gebruikte auto, Mabel.'

'Een gegeven paard, Emma.'

'Juist. Het was vreselijk aardig van coach Turners vrouw om haar huidige Lexus aan de parochie te schenken. Ze koopt elk jaar een nieuwe, begrijp ik.'

'Ik vraag me af of Flora het nog een jaar zal volhouden. Ze heeft vreselijk geleden van de dood van haar dochter. Ik spreek niet graag kwaad van de doden, maar wellicht zal Tara na haar overlijden haar moeder alsnog het vroege graf bezorgen waar ze haar tijdens haar leven bijna naartoe gejaagd heeft. Je kunt je moeilijk voorstellen dat zulke goede en aardige ouders als de Turners een kind als zij hebben kunnen verwekken,' zei Mabel. 'Zij is een uitzondering op onze genentheorie.'

'Misschien niet,' zei Emma. 'Misschien had Tara haar losbandigheid van een van haar voorouders geërfd.' Het was de enige theorie die Cathy's karakter verklaarde. Emma had uiteindelijk uitgedokterd van wie haar kleindochter haar verbazingwekkende zelfbeheersing, vastberadenheid en integriteit had. Ze leek in niets op haar vader, maar ze had het van diens moeder. Cathy was aan de vloek van haar grootmoeders scherpe tong ontsnapt, maar Emma geloofde dat haar kleindochter haar innerlijke kracht van haar had geërfd. Emma beschouwde dat niet als opschepperij, maar gewoon als de vaststelling van een feit. Daarom wist ze ook wat Cathy die avond niet tegen John Caldwell zou zeggen.

'Laten we het nu dan maar eens hebben over datgene wat mij gelukkig zal maken, Cathy. Ik kan niet langer wachten.'

Ze zaten op de schommelbank met Rufus op zijn deken tussen hen in. Hij was zo blij geweest om John te zien dat hij nu nog meer last had van zijn versleten heup. Hij lag er met zijn ogen dicht van te genieten dat John aan zijn oor krauwde.

'Je had me gevraagd hoe ik van plan ben de baby te noemen,' zei Cathy.

'Uh-huh.'

'Ik zou hem graag John willen noemen als je dat goedvindt.'

John keek haar aan, zijn mond open van verbazing. 'Maar, Cathy… ik weet niet wat ik moet zeggen. "Ik voel me vereerd" is lang niet sterk genoeg. Weet je het zeker?'

'Ik weet het zeker. Ik kan geen beter mens bedenken om mijn kind naar te vernoemen dan jij, maar…'

'Maar wat?'

'Ik had er geen rekening mee gehouden dat je het misschien niet prettig zou vinden dat… Trey's zoon naar jou wordt vernoemd.'

Hij wuifde haar bezorgdheid snel weg. 'Vergeet dat maar. Ik vind het fantastisch. Het zal me het gevoel geven dat hij een beetje van mij is, en dichter bij een zoon zal ik nooit komen.'

'En wil je zijn peetoom zijn?'

'Een dubbele eer. Dichter bij het vaderschap zal ik echt niet komen.' Hij reikte over Rufus heen en hield zijn hand boven haar zwangere buik. 'Mag ik?'

'Je mag.'

Hij legde zijn gespreide vingers op haar buik en boog zijn hoofd ernaartoe. 'Hoor je dat, kereltje? Ik word je peetoom.'

Ze keek op zijn bruine krulhaar neer en verlangde ernaar zijn hoofd tegen haar borst te drukken en te zeggen: *Ga niet weg, John, ga niet weg. Blijf hier, trouw met me en voed mijn kind op als je zoon.* 'John…' zei ze, 'weet je zeker dat je het hebben van een vrouw en kinderen wilt opgeven om… te doen wat je gaat doen?'

Hij richtte zich op. 'Dat zullen de komende paar jaren duidelijk moeten maken, Cathy. Dat is het doel van het noviciaat: te leren wat het leven en het geestelijk ambt in de Sociëteit van Jezus inhouden, wat voor offers ik moet brengen. Het enige wat ik op dit moment zeker weet is dat ik nog nooit in mijn leven ergens zo zeker van ben geweest als dat ik hiermee de juiste beslissing heb genomen. Of ik aan de eisen zal voldoen om een jezuïet te worden of niet…' Hij haalde zijn schouders op. 'Ik zal het gewoon moeten afwachten.'

'O, jij zult heus wel aan de eisen voldoen,' zei ze.

Hij hoorde iets in de klank van haar stem dat hem ertoe bracht zijn arm om haar schouders te slaan. Rufus keek vragend omhoog toen er plotseling niet meer aan zijn oor gekrauwd werd. 'Wat is er, Cathy? Ik voel dat er iets mis is. Ben je niet blij voor me?'

In het duister knipperde ze verwoed met haar ogen om de tranen terug te dringen. 'Natuurlijk ben ik blij voor je, John. Het is alleen... Ik denk dat ik ook wat verdrietig ben. Wanneer zien we je nog nu je geen vader en geen huis meer hebt om naar terug te keren? Je zegt dat je deze zomer missiewerk gaat doen... en alle zomers daarna tot aan je priesterwijding.'

'Je zult me zien wanneer ik ook maar de kans heb om terug te komen, Cathy. Dit is mijn thuis. Jullie zijn mijn familie – jij, je grootmoeder, tante Mabel en de baby. Vergeet dat nooit, ongeacht waarheen mijn werk me voert of voor hoe lang. Zelf zal ik het in elk geval nooit vergeten.'

Ze keek hem aan. In het donker hadden de contouren van zijn gezicht en de vorm van zijn schouders die van Trey kunnen zijn. 'De baby komt in februari, rond Valentijnsdag,' zei ze. 'Wil je dan voor ons bidden?'

Hij omhelsde haar. 'Ik bid altijd voor jullie.'

Eindelijk was het tijd voor hem om te gaan. Het was koud geworden en ze moest weer vroeg op om de zaak te openen voor de klanten die kwamen ontbijten. Ze zou tot sluitingstijd bij Bennie's zijn. John had morgen de hele dag werk met het afsluiten van het huis. Hij zou vrijdagavond in St.-Matthew's naar de mis gaan en had met enige tegenzin een uitnodiging aangenomen om bij Lou en Betty Harbison te komen eten. Zij waren het geweest, niet pastoor Richard, die hem de catalogus van de Universiteit van Loyola hadden laten toesturen. Hij zou haar zaterdag nog zien bij Bennie's voordat pastoor Richard hem naar Amarillo bracht, waar hij de bus terug naar New Orleans zou pakken. Met Rufus naast haar stond ze op de veranda naar John te zwaaien tot hij de hoek om ging. De hond rende niet achter hem aan. Het was alsof zelfs hij wist dat waar John heen ging, niemand hem kon volgen.

32

'Bennie, we moeten praten,' zei Cathy. Ze manoeuvreerde haar zware lichaam op een van de gammele stoeltjes en klopte op de stoel naast haar. Om acht uur op de maandagavond na Thanksgiving was Bennie's Burgers leeg. Romero was vrijdags gekomen en had verteld dat hij een baan had aangenomen als klusjesman op een olieveld en dat zaterdag zijn laatste dag zou zijn. Zijn neef Juan was beschikbaar als Bennie hem wilde aannemen. De eigenaar ban Bennie's Burgers had geen andere keus dan Juan aan te nemen. Hij zou op maandag beginnen.

'O, o,' zei Bennie. 'Dat klinkt niet goed.'

Cathy kwam meteen ter zake. 'Bennie, ik hoef je niet te vertellen dat de zaak er slecht voor staat. We moeten iets doen om een beter betalend publiek aan te trekken dan tieners en de koffie-en-donutclub.'

'En hoe moet ik dat doen, juffie, zonder een rol bankbiljetten en de mensen om het te doen?'

'Daar wil ik met je over praten.' Ze had een zeldzaam soort kregeligheid in zijn stem veroorzaakt. Bennie dacht over zijn zaak als een moeder over haar kinderen. Het was prima dat híj het over de tekortkomingen had, maar iemand anders kon die vrijheid maar beter niet nemen.

'Vergeef me, Bennie, maar als we niets doen om je omzet te verhogen, gaat je zaak ten onder.'

'We redden ons wel. Dat hebben we altijd nog gedaan, maar… ik neem aan dat je het probleem niet ter sprake zou brengen als je geen oplossing in gedachten had.'

Ze glimlachte even. Hij kende haar inmiddels goed. 'Ik zou graag wat suggesties willen doen.'

'Ik ben één en al oor.'

Ze had het idee gekregen toen ze haar grootmoeder gisteren maïsbrood had zien bakken voor bij een pan ham met koolrabi die op het fornuis stond te pruttelen. Zondag was de enige dag dat ze samen konden eten. Het had Cathy altijd verbaasd dat je met zulke simpele ingrediënten en bereiding zoiets heerlijks kon maken als haar grootmoeders 'heetwater-maïsbrood'. Het werd gemaakt door kokend water in een kom gezouten maïsmeel te gieten, te roeren tot het mengsel eruitzag als maïsmeelpap en dat dan lepel voor lepel in heet vet te laten vallen en te frituren. Het resultaat was een brok met een knapperige korst, die zacht was vanbinnen en simpelweg heerlijk smaakte.

'Je grootvader zei altijd dat hij wel honderd kilometer zou lopen voor mijn heetwater-maïsbrood,' had Emma weer eens gezegd. 'In feite was het niet mijn liefde, maar mijn kookkunst die hem ertoe verleidde met me te trouwen.'

'Iedereen weet dat u de beste kokkin van het district bent,' merkte Cathy plichtsgetrouw op en ze herinnerde zich dat Trey had gehoopt dat ze net zo zou leren koken als haar grootmoeder.

Het was toen Cathy haar het maïsbrood uit de pan zag halen dat het nieuwe idee voor Bennie's Burgers was ontstaan. 'Grootmoeder, ik wil een idee aan u voorleggen. Zeg maar wat u ervan vindt.'

Emma had geluisterd. Toen Cathy uitgesproken was, had ze opgetogen gezegd: 'Dat zou het antwoord op onze gebeden kunnen zijn, Cathy. Wat hebben we te verliezen? Laten we het doen! Ik heb nog voor een maand verlofdagen te goed bij de bibliotheek en ik kan meteen beginnen.'

'Ik zal zien wat Bennie ervan zegt.'

Maar eerst, had ze gedacht, moest ze iets anders doen. Toen ze klaar was met eten had ze gezegd: 'Ik denk dat ik een stukje ga wandelen. Het is zo'n prachtige middag en ik kan wel wat beweging gebruiken.'

'Alsof je doordeweeks nog niet genoeg beweging krijgt,' merkte haar grootmoeder op.

'Ik ga niet ver,' zei Cathy.

Haar bestemming laag twee straten verder, voorbij twee lege kavels. Als Mabel in de keuken was, zou ze Cathy zien lopen en zich afvragen waar ze in vredesnaam naar toe ging, omdat er maar één huis aan het eind van de straat stond en dat trok zelden bezoekers.

Toen Odell Wolfe op haar klop op de deur reageerde, verdwenen zijn borstelige wenkbrauwen onder zijn overhangende, ongeknipte haren. 'Miss Cathy! Wat doet u hier?'

'Ik wil even met u praten, meneer Wolfe. Mag ik binnenkomen?'

'Binnen? Wilt u mijn huis binnen komen?'

'Ja, graag. Ik wil u een voorstel doen.'

Odell Wolfe stapte, duidelijk onzeker, achteruit.

Cathy glimlachte. 'Ik zal het u uitleggen, het gaat over het aanbod van een baan.'

'Een baan? Wie zou mij nou in dienst willen nemen?'

'Dat is wat ik met u wil bespreken.'

En nu zou Cathy erachter komen wat Bennie van haar plan vond. Ze ging meteen van start. 'Als we de menukaart nou eens uitbreiden en er eenvoudige lunch- en dinergerechten op zetten zoals gehaktbrood, gebraden kip, braadvlees met bijpassend garnituur... dat soort dingen?'

Bennie keek haar vaag teleurgesteld aan. 'En waarom serveren we er dan niet meteen Franse wijn en geïmporteerd bier bij?' Hij gebaarde met een mollige hand naar zijn sjofele zaak. 'En waarom geen petitfours en roomsoesjes?'

'Ik meen het, Bennie. Krijg je niet genoeg van magere opbrengsten en onbetrouwbaar personeel?'

'De enige oplossing voor dat probleem is de zaak verkopen.'

'En wie zou het kopen?'

Bennie haalde zijn schouders op; zijn mondhoeken zakten omlaag. Cathy zette door. 'Als we nou eens een kok konden vinden die zulke maaltijden kan bereiden en we meer gaan doen dan alleen ontbijt en hamburgers serveren?'

'En wie zou dat dan wel zijn?'

'Mijn grootmoeder.'

Bennie schoof zijn stoel achteruit om uiting te geven aan zijn verbazing. 'Emma Benson... hier koken?'

'Ze zei dat ze het dolgraag zou doen. Ze moet eind december toch stoppen bij de bibliotheek en ze vroeg zich al af wat ze met haar tijd zou moeten doen tot de baby er is. We hebben het al helemaal uitgedacht. We brengen de baby mee naar ons werk. We kunnen hem in je kantoortje of in de keuken zetten. En ik heb nog een voorstel. Ik zou Odell Wolfe willen aannemen als afwashulp en klusjesman.'

Bennie's mond viel open. Zijn ogen puilden uit. Uiteindelijk stamelde hij: 'En... h-h-hoe m-m-moet ik al die mensen b-b-betalen?'

'Niet... althans niet in het begin. Mijn grootmoeder is bereid een paar maanden voor niets te werken. Als de zaak beter gaat lopen, betaal je haar een evenredig loon, dat stijgt naarmate je omzet groeit. Hetzelfde geldt voor Odell Wolfe. Tot die tijd werkt hij voor drie maaltijden per dag en restjes voor zijn hond.'

'Heb je met hem gepraat?' Bennie keek haar vol verbazing aan.

'Jazeker. Hij ziet het helemaal zitten... hij is zelfs dolenthousiast. Maak je maar geen zorgen dat hij hier als een zwerver zal aankomen. Hij droogt heel netjes op. Je had hem donderdag bij Miss Mabel moeten zien.'

Bennie wreef met zijn hand over zijn baard. 'Nou, dat klinkt allemaal heel mooi, Cathy, maar hoe gaan we concurreren met Monica's Café? Zij heeft de markt in handen wat zulke maaltijden betreft. Dit dorp is niet groot genoeg voor twee eettenten die dezelfde maaltijden serveren.'

Bennie doelde op Monica's Café aan de overkant van het rechtbankplein. De aantrekkingskracht ervan was gebaseerd op de claim dat het het enige eetcafé in het dorp was dat 'zelfgemaakte maaltijden' serveerde, naar Cathy's mening een onjuiste benaming. Opmerkzame smaakpapillen wisten meteen dat de zogenaamd zelfgebakken gerechten, de sauzen en sausjes uit dozen en pakjes kwamen, dat de 'handgepaneerde' vis en kipnuggets uit de

vriezer werden gehaald en dat het 'op houtskool bereide' lenden-
stuk voorverpakt en -gegrild was en in de magnetron werd opgewarmd.

'Het enige "zelfgemaakte" aan de hele zaak,' zei Cathy, 'is dat
ze hun voorbewerkte producten ter plaatse uit de verpakking halen. Onze gerechten zullen echt zelf worden bereid. We gaan verse
groenten en vers vlees gebruiken. Geloof me, de mensen proeven
het verschil echt wel. Ten tweede moeten we onze openingsuren
veranderen. Laat Monica ze maar ontbijt serveren. Wij gaan open
voor de lunch en het avondeten…'

'Ho eens even, liefje.' Bennie stak zijn hand op als een voetgan-
ger die het verkeer tegenhoudt om over te kunnen steken. 'En de
koffieclub 's morgens dan?'

Cathy zuchtte, wetend dat ze zich op gevaarlijk terrein begaf.
Na de paar mensen die kwamen ontbijten, bestond de rest van
de klanten uit mannen, voornamelijk gepensioneerd, die de halve
dag aan de bar bleven hangen om met hun vrienden te ouwehoe-
ren en zelden meer gebruikten dan een kop koffie en een donut.
Het was een ritueel waar ze al jaren van genoten en Bennie beschouwde hen als zijn vrienden.

'Bennie, als we willen dat het werkt, zullen we de ochtenden
moeten sluiten om mijn grootmoeder de tijd te geven het eten
klaar te maken. Het zal jou bovendien extra tijd geven om aan je
boekhouding te werken, het hier schoon te maken en boodschappen te doen voor de zaak; allemaal dingen die nu niet gebeuren
omdat je daar geen tijd voor hebt.'

'En hoe moet het met de laatstejaars leerlingen? Het zal hier
voor hen ook niet meer hetzelfde zijn.'

'Dat is waar.' Cathy realiseerde zich dat ze een oude traditie
ondermijnde. Voor de lunch naar Bennie's om een hamburger met
friet te eten was een al lang bestaand, geliefd gebruik onder de
laatstejaars leerlingen van Kersey High School, waar geen enkel
argument van de ouders over de onhygiënische toestanden iets aan
had kunnen veranderen. 'Maar wat doe je in de zomer zonder hun
klandizie?' pareerde ze.

248

Bennie wreef over zijn bebaarde kin en Cathy kon zien dat haar argumenten tot hem doordrongen.

Na een korte overpeinzing zei hij: 'En wat levert jou dat op, liefje, afgezien van de fooien bij een slecht betaald baantje?'

'Als het beter gaat lopen een hoger salaris en zeggenschap in het bedrijf, wat inhoudt dat ik de garantie wil dat je open zult staan voor mijn andere suggesties om de zaak hier om te gooien.'

Bennie keek bedenkelijk. 'Wat voor andere suggesties?'

Cathy smeedde het ijzer nu het heet was. 'Hier moet eens grondig de bezem doorheen. Ik stel voor dat we een week sluiten en de boel eens goed luchten en van onderen tot boven schoonmaken: ramen, vloeren, muren, de keuken en de toiletten. Als Romero's neef helpt, zijn we met z'n vijven. Zelfs Mabel Church zal misschien wel een handje willen helpen. Bennie…' Ze legde een hand op zijn arm en zei zachtmoedig: 'We willen dat dit een zaak wordt waar de mensen hun gezin mee naartoe kunnen nemen… waar stelletjes heen komen voor een afspraakje.' Ze liet het aan hem over om te bedenken waarom ze nu niet in groten getale zijn diepvrieshamburgers kwamen bestellen van smoezelige menukaarten, geserveerd op plakkerige tafeltjes voor vuile ramen.

'Een week geeft ons ook de tijd om contact te leggen met handelaren en groentetelers, en grootmoeder kan haar menu's samenstellen,' vervolgde Cathy. 'Er zal tijdens die dagen geen geld binnenkomen, maar ik ben ervan overtuigd dat je het uiteindelijk zult zien als een investering die heel wat opbrengt. Dit dorp heeft behoefte aan het soort eetgelegenheid waar ik het over heb.'

Bennie leunde achterover in zijn stoel om na te denken en sloeg zijn handen op zijn gevlekte schort in elkaar. 'Ik neem aan dat ik het me wel kan veroorloven om de zaak een paar dagen te sluiten, maar…' Hij keek haar met een blik vol smart aan. 'Word ik uit de keuken gejaagd als we weer opengaan?'

'Jij bent de eigenaar!' zei Cathy. 'Je moet rondlopen, mensen begroeten, zorgen dat ze zich welkom voelen.'

'Ik hoef toch geen stropdas om, hè?'

Ze lachte. 'Nee, maar dat schort moet weg. En dan nog één

ding…' Cathy zweeg even. De volgende suggestie zou het lastigst worden.' Wil je erover denken de naam te veranderen en er gewoon "Bennie's" van te maken?'

Ze verwachtte commentaar, maar tot haar verbazing zei Bennie: 'Ik denk dat ik het daar ook wel mee eens kan zijn.'

Ze voelde zich opgetogen over de overwinning. 'Bedoel je dat je overal mee akkoord gaat?'

Hij haalde zijn schouders op. 'Wat moet ik anders? Ik heb niet veel keus, wel dan? Maar het is maar dat je het weet, pientere tante, wat de doorslag heeft gegeven is dat je de baby in mijn kantoor wilt zetten.'

33

Een dag na Cathy's voorstel hing er een bord voor het raam van Bennie's Burgers: GESLOTEN WEGENS ONDERHOUD. HEROPENING 1 DECEMBER. Het werkvolk ging aan de slag. Auto's op Main Street hielden in om naar het losse meubilair van Kersey's enige hamburgertent te kijken, dat op de stoep stond opgestapeld, en naar de drukke schoonmaakwerkzaamheden achter de grote ramen. Er werden nieuwe menu's samengesteld, die in schone plastic mapjes werden gepresenteerd. Bankjes, tafels en stoelen werden tot op het zichtbare hout schoongeschrobd. Er verscheen een advertentie in de plaatselijke krant waarin de nieuwe gerechten op Bennie's menukaart genoemd werden, met een foto erbij van de eigenaar, die werd geciteerd met de woorden: 'Het was tijd voor een verandering.'

Bennie verraste haar met een nieuw bord voor het raam: NIET ROKEN. 'Voor de baby,' legde hij uit.

Er waren negatieve reacties, onder andere van Mabel Church. 'Emma Benson, ben je gek geworden? Je weet dat ik me er nooit veel van heb aangetrokken wat andere mensen zeggen, maar deze keer zouden ze gelijk hebben als ze zeiden dat de Bensons niet dieper zouden kunnen zinken nu Cathy als serveerster werkt en haar grootmoeder in een eethuis achter het fornuis gaat staan.'

'Dat is niet waar, Mabel,' zei Emma. 'Op straat gaan staan bedelen zou erger zijn.'

'En wie, vertel me dat eens,' ging Mabel door, 'denk je dat er zal willen eten in een tent waar Odell Wolfe in de keuken staat?'

'Degenen die mijn heetwater-maïsbrood willen eten.'

Toen de zaak heropende, werd een stroom nieuwsgierige bezoekers begroet door de frisse geuren van een recente schoonmaak en kerststerren op de tafels, vanwege de naderende feestdagen. Emma's voorspelling aan Mabel bleek juist. Elke maaltijd ging standaard vergezeld van mandjes met haar warme, krokante maïsbrood – 'mannabrood' – en alleen dat al trok klanten die nog nooit eerder bij Bennie's binnen waren geweest. Eind januari bleek uit het kasboek dat de zaak die voorheen Bennie's Burgers had geheten de beste maand sinds jaren had gedraaid.

Mabels bezorgdheid dat er op Emma zou worden neergekeken in haar nieuwe baan ging voorbij aan de andere kant van het Panhandle-karakter, die vond dat mensen die hard werkten om het beste te maken van wat hen was toebedeeld, respect verdienden. De Benson-vrouwen merkten dat de achting die de inwoners van Kersey voor hen hadden weer naar het vroegere niveau steeg. Het onplezierige feit dat haar neef de moeder van zijn kind in de steek had gelaten, weerhield Mabel ervan een babyshower voor Cathy te organiseren, maar Paula Tyson, de vrouw van de sheriff, had geen last van zo'n schaamtegevoel. Ze organiseerde een feest op een zondagmiddag, waarbij klasgenotes van Cathy die nog in de buurt woonden, en een aanzienlijk deel van de plaatselijke elite aanwezig waren, onder wie de vrouw van coach Turner, en Bebe en Melissa, die ervoor van school terug waren komen rijden.

Trey was niet naar huis gekomen om de kerstdagen bij zijn tante door te brengen. Het dorp keurde het af dat hij de vrouw verwaarloosde die zo veel voor hem had gedaan. Het maakte niet uit dat hij Mabel had gevraagd naar Coral Gables te komen om mee te gaan naar de familie wier uitnodiging hij had aangenomen. Men vond dat Trey met Kerstmis bij zijn liefhebbende en eenzame tante hoorde te zijn. Het getij van de publieke opinie keerde ten gunste van Cathy en ten nadele van Trey die, zo luidde algemeen het oordeel, 'liet zien dat hij niet mans genoeg was om naar huis te komen en de gevolgen van zijn daden onder ogen te zien.'

Toen in februari Valentijnsdag naderde, schreef Cathy aan John: 'Zoals de mensen hier een waakzaam oog op mijn uitgerekende datum houden, geeft me een beetje een idee van hoe de wereld wachtte op de geboorte van Maria's zoon; hoewel ik me niet met haar wil vergelijken.' Ze realiseerde zich dat het dorp veeleer nieuwsgierig dan bezorgd was. Zou haar zoon op Trey Don Hall lijken?

Cathy geloofde de boeken waarin stond dat vrouwen geschapen waren om baby's te krijgen en te voeden, maar haar stond een moeilijke bevalling te wachten. Er was vastgesteld dat ze een smal bekken had en de laatste echo gaf aan dat de baby wel negen pond kon wegen. Tegen het advies van haar verloskundige in had Cathy gekozen voor een natuurlijke bevalling in plaats van een vervroegde inleiding of een keizersnede. Ze had zich grondig ingelezen over de complicaties bij beide en meende dat de voordelen van een vaginale bevalling ruimschoot opwogen tegen de pijn en de risico's daarvan.

'Je begrijpt dat je baby gewond kan raken tijdens het geboorteproces, hè,' waarschuwde de arts haar. 'Grote baby's kunnen bijvoorbeeld hun sleutelbeenderen breken. Het is zeldzaam, maar het komt voor.'

'Is met een echo het gewicht van de baby altijd correct te bepalen?'

'Nee.'

'En zou ik geen MRI moeten laten doen om de afmetingen van mijn bekken te bepalen?'

'Ik zie dat je je huiswerk hebt gedaan.'

Volgens de berekeningen van de dokter had Cathy nog een week te gaan tot haar eerste weeën. De enige koffer die ze had, stond ingepakt in de Toyota Camry die pastoor Richard aan haar grootmoeder had verkocht. De benzinetank zat vol en de bandenspanning was gecontroleerd voor een snel vertrek naar het ziekenhuis in Amarillo. Als alles goed ging, zou Cathy maar twee dagen in het ziekenhuis liggen, de financiële beweegreden voor een natuurlijke bevalling. Haar grootste zorg was het weer. IJskoude wind en ijzel op de snelwegen waren in februari niet ongebruikelijk in de Panhandle. Als voorzorgsmaatregel tegen het allerslechtste scenario hadden ze dekens, eten en eerstehulpmiddelen in de kofferbak liggen.

Cathy voelde nu goed het volle gewicht van de baby, vooral

wanneer ze zich omdraaide in bed. Ze speelden geen spelletjes meer met elkaar. Ze kon voelen dat haar zoon krap zat en eruit wilde. Vanaf dat ze hem voor het eerst had voelen schoppen (*Hoi, mam*), had ze haar duim tegen dat plekje geduwd (*Ik ben hier, jongen*), en toen hij groter werd had hij teruggeduwd wanneer zij duwde. Ze kietelde aan zijn voet en dan bewoog hij op zodanige manier dat ze dacht dat hij giechelde, net onder haar huid, spieren en zenuwen. Ze noemde hem John, zong voor hem, praatte tegen hem en niemand kon haar ervan overtuigen dat hij niet luisterde.

Ze had van Trey's zoon niet minder sportiviteit verwacht, maar zijn capriolen ontketenden het verlangen naar zijn vader weer dat ze in bedwang had weten te houden. Hoe kon Trey de baby die ze samen hadden gemaakt de rug toekeren? Wanneer ze af en toe niet op haar hoede was, fantaseerde ze erover dat Trey na de bevalling haar ziekenhuiskamer binnen kwam stormen, hun baby in haar armen zag liggen, begon te huilen en hetzelfde zei als hij die dag in juni had gedaan: *Catherine Ann, het spijt me zo. Ik weet niet wat me bezielde. Ik ben de grootste klootzak op aarde. Ik hou zo veel van je. Alsjeblieft, vergeef me.*

Eenmaal uit het ziekenhuis hoopte ze na een paar weken weer aan het werk te zijn, aangezien ze de baby mee kon nemen. Bennie had haar gezegd meer tijd te nemen. 'We redden ons wel,' zei hij. 'Ik wil niet dat je terugkomt voor de baby en jij helemaal in orde zijn.'

'We zijn niet ziek, Bennie, alleen neonataal. Vroeger kregen vrouwen hun baby op het veld, hingen hem aan de borst en werkten weer door.'

Vrijgezel Bennie bloosde bij het idee. 'Dit is hier geen katoenveld en ik ben niet Simon Legree. We redden ons wel, zeg ik je.'

Maar hoe? De vijfkoppige ploeg rende zich nu al de benen onder het lijf vandaan. Juan was een betere hulp gebleken dan verwacht, maar hij ging drie avonden per week naar de avondschool op Canyon College. Haar grootmoeder zou geregeld binnenlopen om voor haar te zorgen en zonder Cathy zou Bennie moeten bedienen en de kassa bemannen terwijl Odell in de keuken zijn handen vol zou hebben met het klaarmaken van de bestellingen. Het nieuws over hun nieuwe inrichting en menukaart had de ronde gedaan en er kwamen mensen helemaal vanuit Amarillo, Delton en dorpen in aangrenzende districten bij hen eten. Cathy wilde niet dat de stroom klanten werd onderbroken, mensen die misschien niet meer terug zouden komen als het allemaal niet bleek te zijn zoals werd verteld of – God sta hen bij – als Bennie gedwongen zou zijn weer hamburgers en friet te serveren.

Enkele dagen voordat ze verwachtte dat haar baby goed zou gaan liggen voor de bevalling, kwam er een godsgeschenk binnenlopen. Het was tussen de lunch en het diner in. Bennie stond bij de kassa met een klant te babbelen.

'Bebe Baldwin, wat doe jij hier midden in het semester?' zei Cathy verbaasd toen ze zag dat haar vriendin van de middelbare school plaatsnam aan de lunchbar. Ze hadden elkaar gezien tijdens de kerstvakantie en de babyshower en Cathy had als een diabeet die hunkerde naar zoetigheid geluisterd naar Bebe's ontevreden geklaag over haar professoren en lessen en een hogere opleiding in het algemeen.

'Ik ben gestopt,' zei Bebe. 'Ik heb het geprobeerd, maar studeren is niets voor mij. Het heeft geen zin mijn vaders geld te blijven verspillen. Cissie Jane geniet natuurlijk met volle teugen van dat leventje. Haar hoofdvak is Kappa Kappa Gamma.'

Cathy grinnikte. 'Echt iets voor haar.' Ze zette een kop koffie voor haar vriendin op de bar. 'En, wat zijn nu je plannen?'

Bebe haalde haar schouders op. 'Ik ga op zoek naar werk. Ik zou willen dat het hier kon, maar gezien de toestand op de banenmarkt…'

'Voel je er iets voor om bij Bennie's te komen werken?' De vraag rolde over Cathy's lippen voor ze er zelf over na had kunnen denken. 'Zoals je ziet hebben we het hier opgeknapt en ik verwacht mijn baby zo ongeveer…' Er liep plotseling warm vocht langs haar benen omlaag en ze rook een muskusachtige geur. 'Zo ongeveer… ongeveer… nu meteen.'

Bebe schoot van de kruk overeind. 'O, mijn god, wat moet ik doen?'

'Roep mijn grootmoeder. Ze is in de keuken.'

Bij de kassa draaide Bennie plotseling zijn hoofd om en slaakte een kreet van ontzetting.

'Bennie, ziehier je nieuwe serveerster,' zei Cathy naar adem snakkend toen hij zich naar haar toe haastte. 'Ja toch, Bebe?'

'Ja,' zei Bebe.

Er was slecht weer voorspeld, maar dat bleef nog uit toen Emma de Toyota Camry naar het ziekenhuis in Amarillo reed. Het beetje zon dat eerder die dag door de laaghangende bewolking had weten te dringen, was in de middag verdwenen. Om middernacht werd er een winterse bui verwacht. 'Hoe is het met je, liever?' vroeg Emma, haar handen om het stuur geklemd, haar bovenlijf naar voren gebogen alsof die gespannen houding haar zou helpen beter te rijden.

Cathy's ogen waren op de stopwatch gericht die ze vasthield om de tijd tussen de weeën te bepalen. 'Tot dusver goed,' zei ze. De duur en tussentijd van de krampen waren regelmatig, en ze twijfelde er niet aan of de bevalling was begonnen. Ze wreef over haar buik, vastbesloten rustig en ontspannen te blijven. *Het is in orde, John. Mama heeft je er zo uit.*

Ze waren nog geen twee kilometer buiten Kersey toen Emma opeens 'O, shit!' riep. Cathy keek haar grootmoeder verbaasd aan en keek toen achterom om te zien wat voor vreselijke aanblik in de achteruitkijkspiegel die ongekende uitbarsting had veroorzaakt. 'O, shit, inderdaad,' kreunde ze. Er reed een politiewagen met brandende zwaailichten en gillende sirenes achter hen.

'Waar houdt hij me nou in godsnaam voor aan?' zei Emma boos. 'Ik reed niet te hard.'

Door de neerslag heen die zich op de achterruit verzamelde, zag Cathy de contouren van een stel brede schouders in de leren jas van een ordehandhaver en de vage glans van een embleem op zijn westernhoed. 'Het is al goed, grootmoeder,' zei ze door de pijn van weer een wee heen. 'Het is sheriff Tyson. Hij begeleidt ons naar het ziekenhuis.'

34

Fronsend ging Trey naast het meisje zitten met wie hij had afgesproken koffie te gaan drinken in het studentencentrum. Ze gingen sinds december met elkaar en hij had de feestdagen bij haar en
haar familie in hun herenhuis in Coral Gables doorgebracht, waar
haar vader een groot reclamebureau bezat.

De blijdschap op het knappe gezicht van het meisje toen Trey
binnenkwam, vervaagde toen ze zijn slechtgehumeurde gezichtsuitdrukking zag. Naast haar gebaksbordje lag een doosje in ca-
deaupapier met rood en wit lint eromheen. 'Wat is er aan de
hand?' vroeg ze. 'Je kijkt… geïrriteerd.'

'Geïrriteerd?' Trey's frons werd dieper. 'Ik maak me zorgen. Zie
je het verschil niet?'

'Waar maak je je zorgen over?'

'Niet belangrijk. Ik… ken iemand die vandaag naar het ziekenhuis moet.'

'Wie is het? Ik dacht dat ik al je vrienden kende.'

'Nou, dat dacht je dan verkeerd. Niet van hier. Van thuis.'

Het meisje leek meteen op haar hoede. 'Een hij of een zij?'

Trey aarzelde. 'Een zij. Ik hoop dat iemand me zal laten weten
hoe het met haar is.'

'Wat scheelt haar?'

'Ze krijgt een baby.'

Het viel haar op dat hij zijn jack niet had uitgedaan en dat hij geen
aanstalten maakte naar de koffiebar te lopen. 'Van jou?' vroeg ze.

Zijn donkere ogen fonkelden. 'Waarom vraag je dat?'

Ze haalde haar schouders op in een poging haar kennelijk slecht
gekozen opmerking iets luchtigs te geven. Wat wás er vandaag
toch met hem? 'Ik weet niet waarom ik dat vroeg, Trey. Ik neem
aan omdat er liefde in de lucht hangt…'

'Bedoel je dat het oké zou zijn als ik een meisje dat mijn kind krijgt in de steek laat?'

Ze week terug voor zijn ijskoude blik en de afkeuring in zijn stem. 'Natuurlijk niet. Dat bedoelde ik helemaal niet.'

'Wat bedoelde je dan?'

'Trey…' Ze boog naar hem toe en trok zijn hand naar het rode hart op de voorkant van haar witte trui. 'Het is Valentijnsdag. Het was niet mijn bedoeling om ruzie te maken.'

'Ik heb geen zin om vanavond uit te gaan,' zei hij. Hij trok zijn hand terug van de vertrouwde zwelling van haar borsten en schoof zijn stoel naar achteren. 'Het spijt me, Cynthia, maar ik vind dat we even een adempauze moeten nemen.'

Cynthia keek hem zonder buitensporige spijt na toen hij wegliep. Ze kon zijn stemmingen de laatste tijd niet bijbenen en had er toch al genoeg van gekregen. Ook andere studentes keken hem na. Hij was tot vaste quarterback voor het volgende seizoen gekozen, en op de Universiteit van Miami maakte hem dat buitengewoon gewild. De informatie die haar vader over Trey Don Hall had vergaard moest juist zijn, dacht ze. Haar vader liet naar al haar vriendjes een onderzoek instellen. Ze zou op haar eenentwintigste immers een fortuin erven. Volgens het dossier had Trey Don Hall toen hij naar de universiteit vertrok zijn vriendin zwanger achtergelaten en had hij sindsdien geen contact meer met haar gehad. Haar baby werd omstreeks deze tijd verwacht. Cynthia had de informatie van haar vader genegeerd. Het had immers niets met Trey en haar te maken? Maar ze had beter moeten weten dan verliefd te worden op TD Hall. Er was iets kouds en onverschilligs aan hem als je de seks achter de rug had. Hij zou haar alleen maar kwetsen, zoals hij kennelijk dat arme meisje had gedaan dat hij aan haar lot had overgelaten. Toch moest Trey nog iets voor haar voelen als hij zich zorgen maakte over haar bevalling. 'Niet belangrijk,' had hij gezegd. *Om de donder wel.* Ze stopte het cadeautje in haar tas. Hij had het niet eens opgemerkt. Het was een ingelijste foto van Trey en haar voor de reusachtige kerstboom bij haar ouders thuis. Ze zou hem bewaren bij de andere herinneringen aan haar studietijd en erover nadenken of ze de flater die hij thuis had gemaakt, bekend zou maken. Niet dat het ook maar iets zou uitmaken voor zijn status op Miami.

In het postkantoor naast het studentencentrum controleerde Trey zijn brievenbus. Geen post van tante Mabel. Ze had hem sinds november maar twee keer geschreven; zijn straf omdat hij niet naar huis was gegaan voor de kerstdagen, vermoedde hij, en haar brieven bevatten geen enkel nieuws over Cathy of John. Van John had hij ook al een hele tijd niets gehoord. Dat was maar goed ook, hield hij zich voor. Hoe groter de afstand tussen hem en zijn oude vrienden hoe gemakkelijker het zou zijn om zich aan zijn nieuwe leven aan te passen, een heel ander leven dan in het door de wind geteisterde prairiedorp dat hij had achtergelaten.

In het studentenhuis vroeg hij de surveillant of er een bericht voor hem was. De student-assistent gaf hem twee enveloppen, maar ze waren niet van zijn tante. Vandaag was Cathy's verwachte bevallingsdatum en hij had wel willen bellen hoe de stand van zaken was, maar hij kon niet riskeren dat tante Mabel zijn telefoontje verkeerd interpreteerde. Ze zou het als een teken kunnen zien – en dat aan Cathy doorgeven – dat hij nog steeds om haar gaf en dat was niet zo. Hij hoopte gewoon dat de baby en zijn… vroegere valentijn het goed maakten.

Hij las de inhoud van de enveloppen en gooide ze in de dichtstbijzijnde verzamelbak voor oud papier. De ene was van een verslaggever van de schoolkrant die een interview wilde en de andere van een zaak in herenkleding die wilden weten of Trey belangstelling had hun kledinglijn te showen tijdens een bijeenkomst voor oud-studenten. Een halfjaar geleden zou hij meteen geaccepteerd hebben, maar nu vond hij zulke dingen tijdverspilling. Hij vond het bevrijdend om zich van niets of niemand behalve zijn studie en het football iets aan te trekken. Hij zou het vervelend moeten vinden dat Cynthia op een of andere manier had ontdekt dat hij zijn zwangere vriendin in de steek had gelaten, en hij zou zich er zorgen over moeten maken dat de roddels zijn imago zouden schaden, maar dat deed hij niet. Imago bepaalde immers niet hoe een quarterback speelde.

'Hij is eruit, en hij is volmaakt!'

De opgeluchte mededeling van de dokter klonk als een zoete symfonie in Cathy's oren. Uitgeput liet ze zich in de kussens vallen en keek ze zwakjes glimlachend en met opgestoken duimen naar het kleine wonder dat hij vasthield. *Het is je gelukt, jongen. Het is je gelukt!* In het elfde uur van haar bevalling, toen ze dacht dat ze de vreselijke pijn van de weeën niet langer kon verdragen, had ze de sterke wil van haar zoon gevoeld om geboren te worden. Hij stond niet toe dat ze het opgaf of een keizersnede overwoog. Door het waas van haar pijn en misselijkheid, het geweld van de felle lampen, het lawaai van machines, luid gelach en gepraat, de vernedering dat vreemden die de kamer in en uit liepen haar zo konden zien, was hij in verzet gekomen tegen haar aandrang om om verlossing van de pijn te roepen. *We kunnen het wel, mam!*

'Will,' fluisterde ze op een gegeven moment tegen haar grootmoeder, die het zweet van haar gezicht depte. 'Ik wil dat de tweede naam… van mijn baby… Will wordt. John Will Benson. We… noemen hem… Will.'

'Ik zal ervoor zorgen dat die naam op de geboorteakte komt, lieverd.'

Na een kort onderzoek van de baby, legde de dokter de pasgeborene, nog glibberig van het geboortekanaal, in haar armen. 'Negen pond en een ons, en een volmaakte apgarscore,' zei hij. 'Gefeliciteerd.'

Emma, die geen moment van haar bed was geweken, begon zachtjes te huilen. 'Over liefdewerk gesproken,' zei ze.

Cathy drukte haar lippen tegen de zachte kruin, die schuilging onder een massa donkerbruin haar. 'En het was het allemaal waard. Hij is prachtig, nietwaar?'

Emma depte haar ogen. 'Hoe kan het ook anders?'

Ja, hoe kan het ook anders? dacht Cathy, die Trey's voorhoofd, neus en kin herkende.

'Ik zal Mabel maar gaan bellen voor ze een zenuwaanval krijgt,' zei Emma. 'Zij licht de anderen wel in.'

Met de anderen bedoelde ze Bennie en John, wist Cathy, en misschien sheriff Tyson, die ze eeuwige dankbaarheid verschuldigd was voor het feit dat hij hen met zwaailichten en sirenes door de natte sneeuw en het verkeer van Amarillo rechtstreeks naar de eerstehulpingang van het ziekenhuis had gebracht. Met de zorgzaamheid en voorkomendheid die hij zijn eigen dochter zou hebben betoond, had hij Cathy uit de Camry en in een rolstoel geholpen en hij was in de buurt gebleven tot ze in handen van de medische staf was. Maar zou tante Mabel Trey bellen? Zijn tante had de relatie met hem laten bekoelen. Zijn weigering om met de kerst naar huis te komen was de laatste druppel geweest. Trey wist wanneer Cathy uitgerekend was. Zou hij gespannen op het bericht zitten wachten dat moeder en kind het goed maakten? Zou hij willen weten of de baby op hem leek? Zou Trey weg kunnen blijven als hij van de geboorte van zijn zoon hoorde?

Emma ging weg om de telefoontjes te plegen en Cathy voelde een plotselinge leegte toen de baby bij haar werd weggehaald om te worden gewassen. Toen ze later fris gewassen en in een schoon nachthemd in haar kamer lag, bracht een zuster haar zoontje de kamer binnen. Cathy strak gretig haar armen naar hem uit. 'Hoe is het mogelijk dat ik me nauwelijks mijn leven zonder hem kan herinneren?' zei ze toen de baby meteen haar borst vond en ze zijn kleine mond hard aan haar tepel voelde zuigen.

'Ik geloof niet dat er een antwoord bestaat op die vraag,' zei de verpleegster. 'Ben je klaar om je eerste bezoeker als moeder te ontvangen? Er staat buiten een jongeman te wachten.'

Cathy's hart vloog naar haar keel. 'Wie is het?'

'Ik weet niet hoe hij heet, maar hij is lang, donker en knap, als dat je iets zegt.'

Cathy duwde zich, met haar hand om het hoofdje van de baby, in het bed omhoog. *O, hemeltje! Trey!* 'Stuur hem maar naar binnen,' zei ze ademloos van vreugde en opluchting. Ze keek naar het slapende gezicht van haar zoon. 'Je gaat kennismaken met je papa, John Will.'

Maar toen de deur openging, was het John Caldwell die de kamer binnen kwam.

35

Na twee weken liep Cathy weer te bedienen bij Bennie's. Ze had op een rustige terugkeer gehoopt, maar iemand had een blauw-met-wit bloemstuk gestuurd met ballonnen eraan met de tekst EEN JONGEN! Dat stond dagenlang op de balie bij de kassa en leidde tot verzoeken om de baby in Bennie's kantoor te mogen zien. Klanten brachten cadeautjes en kaarten mee – een gerechtvaardigd excuus om zelf te gaan kijken of de baby die in zijn reiswieg lag te slapen op Trey leek. Men was het er stilzwijgend over eens dat dat zo was. Er bestond geen enkele twijfel. De donkere krullen, de vorm van het gezichtje, konden van niemand anders zijn dan van Trey Don Hall.

De daaropvolgende week liet Cathy de met helium gevulde ballonnen wegvliegen en reed ze naar het kerkhof om de nog frisse, blauw geverfde anjers op het graf te leggen van een baby die na de geboorte maar een paar minuten had geleefd.

De ijskoude dagen die de Panhandle in februari in hun greep hielden maakten uiteindelijk plaats voor de lente, en het jaar verstreek. De baby groeide. Hij was rustig en nieuwsgierig en gaf blijk van een mate van intelligentie die je zelden zag bij een kind van zijn leeftijd. Hij ontlokte Odell Wolfe de eerste lach die ook maar iemand die hem kende ooit had gehoord en bracht zo veel plezier op de werkvloer rondom zijn box dat Bennie – een beetje verwaand geworden door de opbrengsten die het hem mogelijk hadden gemaakt de salarissen te verhogen – lachend zei dat hij de jongen eigenlijk op de loonlijst zou moeten zetten.

Bennie was Cathy Benson gaan zien als het beste wat hem ooit was overkomen. Ze had zijn zaak gered en vreugde en trots in zijn leven gebracht, om nog maar te zwijgen van de mensen van wie hij was gaan houden. Hij vond het niet erg dat het steeds meer de vraag werd wie hier nu eigenlijk de baas was. Haar ideeën waren goed voor de zaak. Ze verleenden er klasse aan. Het bedienend personeel droeg nu een zwarte broek met een wit shirt. De spareribs werden geserveerd met vingerkommetjes erbij en ze gebruikten katoenen in plaats van papieren servetten.

De enige zorg die zijn geluk overschaduwde was de onontkoombare waarheid die hij onder ogen moest zien. Er zou een dag komen dat Emma Benson te oud werd om hier te werken. Ze was een vrouw met verbazingwekkend veel energie, maar hij had het bij zijn eigen moeder gezien toen die in dezelfde leeftijdsfase was als Emma nu: de ene dag vief en gezond; de volgende dag tenger en broos, en daarna dood.

Wat een zwarte dag zou dat zijn. Als Emma in de keuken stond was alles in orde. In haar licht had Odell zijn weg gevonden. Bebe zou mettertijd ook weggaan – waarom ook niet? Ze was een knappe, jonge, levendige meid. Het werk voor Bennie was vast maar een stoplap tot ze zin kreeg om iets anders te gaan doen. Het meest zag hij op tegen de dag dat er een knappe vreemdeling binnen zou komen die Cathy's hart veroverde en haar en haar zoontje meenam. Dat moest een keer gebeuren. Hij hoopte dat hij tegen die tijd zelf te oud was om te werken. Hij zou de boel verkopen voordat de koper besefte dat de belangrijkste oorzaak van het succes van de zaak – en Bennie's geluk – was vertrokken.

Op nieuwjaarsdag 1988 leidde Trey als tweedejaarsstudent de ongeslagen Miami Hurricanes naar het landskampioenschap. Het hele seizoen waren alle ogen in Kersey op de hevig bejubelde quarterback gericht die het had voortgebracht, en regelmatig stonden de details van zijn sportprestaties in de plaatselijke krant, overgenomen van artikelen uit de schoolkrant van de Universiteit van Miami. Zelfs het kleinste nieuwtje over de ster was het waard te worden gepubliceerd. Een zo'n berichtje, verborgen in een artikel over een reünie van de universiteit, viel Cathy op en brak haar hart. Het was traditie op die universiteit, zoals het aansteken van vreugdevuren op andere scholen, om een houten boot midden op Lake Oscola, waaromheen de campus was gebouwd, in brand te steken. De legende wilde dat als de mast overeind bleef staan terwijl de boort verbrandde en zonk, de Hurricanes de wedstrijd zouden winnen. Als onderdeel van de ceremonie moesten gevestigde spelers een persoonlijk voorwerp in de vlammen gooien. Het artikel vermeldde dat TD Hall er een gewatteerde deken in had gegooid.

Na de finalewedstrijd in de Orange Bowl, waarin Miami de nummer één van het land versloeg in 'de wedstrijd van de eeuw' ontdekten de nationale media Cathy.

Een paar dagen na de overwinning slenterde er tussen lunch en diner een vreemdeling de zaak binnen, die koffie bestelde. Hij was jong – midden dertig, schatte Bennie – zag er sympathiek uit en was goed gekleed. Hij droeg de camera van een echte fotograaf om zijn nek, die hij op de bar zette terwijl hij zijn koffie dronk. Bennie fronste zijn wenkbrauwen toen hij zag dat de man over de rand van zijn kopje Cathy in de gaten hield. Niet met een verslindende maar met een onderzoekende blik. Ze had de baby even meegebracht naar de eetzaal voor een verandering van omgeving, aangezien de man aan de bar op dat moment de enige klant was.

Na een poosje hing de man de camera weer om, richtte hem en zei: 'Juffrouw?'

Cathy, verdiept in haar zoon, draaide zich naar de stem om en de camera klikte.

'Hé, wat moet dat?' vroeg Bennie, die achter de kassa vandaan kwam. 'Ze heeft u geen toestemming gegeven om een foto te maken.'

'Bent u Catherine Benson?' vroeg de fotograaf, die Bennie negeerde.

'Wat gaat u dat aan?' vroeg Bennie.

De baby wiegend zei Cathy: 'En wat dan nog, als ik dat zou zijn?'

'Is dat de baby van Trey Don Hall en bent u zijn moeder?'

Cathy werd bleek en de man hief zijn camera weer.

Bennie riep naar de keuken: 'Odell! Kom hier en breng je zweep mee!'

Ontzet schermde Cathy het gezicht van de baby af en vroeg: 'Wie bent u?'

'Ik ben freelancefotograaf. Ik ben ingehuurd om foto's van u en uw baby te maken. Ik zal zorgen dat het de moeite waard is voor u. Ik...'

Odells zweep knalde naast hem op de vloer. De fotograaf sprong op, maar in onbeschaamde ondernemingslust of een professionele reflex hield hij de camera op Odell gericht die de zweep naar zich toe trok om opnieuw toe te slaan. De zweep knalde net boven het hoofd van de man en deed zijn haren omhoogzwiepen. Verwoed knippend week de fotograaf achteruit en de deur uit voordat een verbijsterde Cathy haar mond dicht kon doen.

Binnen enkele dagen stond het voorval op de voorpagina van een roddelblad in de supermarkt onder de kop LIEFDESBABY VAN SUPERSTER. Foto's van Cathy's geschokte bleke gezicht boven de donkere krullenbol van haar zoon wedijverden met Odells woeste uithalen met zijn zweep, naast een inzet van een juichende Trey Don Hall na de wedstrijd in de Orange Bowl.

De belangstelling van de bladen voor een negentienjarige football-ster en zijn tienervriendinnetje nam snel af, maar de schade was al aangericht. Mabel Church werd bijna ziek van schaamte en in Coral Gables nam de trots van de Hurricanes op hun quarterback wel enigszins af door het schandaalblad. Frank Medford liet Trey naar zijn kantoor komen om zich te verantwoorden.

'Heb je dit gezien?' vroeg de coach, en hij schoof het artikel over zijn bureau naar Trey.

Trey pakte het verbaasd op en zijn hart stopte toen hij Cathy op de foto herkende, de eerste keer dat hij haar zag sinds hij haar anderhalf jaar geleden uit het huis van zijn tante had gezet.

'O, verdomme!' zei hij terwijl hij het artikel las, dat vergezeld ging van foto's van Cathy en hem in gelukkiger tijden, in hun eindexamenjaar. De foto's waren overgenomen uit het jaarboek van de school.

'Zit er enige waarheid in dat verhaal?' vroeg Frank.

'Cathy Benson was mijn vriendin, maar de baby is niet van mij.'

Frank keek hem aan als een rechter die een werktuiglijk 'niet schuldig' te horen krijgt van een verdachte die op heterdaad is betrapt. 'Ik heb je niet laten komen om in je privéaangelegenheden te snuffelen, Trey, of om je de les te lezen. Ik heb je geroepen om je te adviseren je mond hierover dicht te houden. Zeg niets – helemaal niets – tegen verslaggevers die je een reactie proberen te ontfutselen. Je enige antwoord zal 'geen commentaar' zijn. Je gaat gewoon door met wat je moet doen en negeert hen. Begrepen?'

'Ik begrijp het, coach.'

Frank tikte op het roddelblad. 'Dit soort dingen werpt een lange schaduw, Trey, en kan een speler zijn hele carrière blijven achtervolgen. Het is het soort informatie dat verslaggevers graag bewaren en weer tevoorschijn halen als hun dat uitkomt, vooral als er een kind bij betrokken is. Wees erop voorbereid dat je zo nu en dan over deze situatie ondervraagd zult worden en dat het meisje je later moeilijkheden kan bezorgen als je rijk en beroemd bent.'

'Ze zal geen moeilijkheden veroorzaken.'

'Zal ze niet met een vaderschapstest zwaaien en om alimentatie eisen?'

'Nee.'

'Hoe weet je dat zo zeker?'

'Omdat ik haar ken.'

Franks wenkbrauwen gingen omhoog. Bijna twee jaar lang had hij naar iets gezocht wat kon verklaren wat er mis was gegaan toen Trey na het zomertrainingskamp naar huis was gegaan, wat zijn innemende, zij het sardonische persoonlijkheid zo had veranderd, en zijn beste vriend het priesterambt in had gejaagd. Frank herinnerde zich dat Trey had gezegd dat het met een meisje te maken had, en nu verwedde hij de schnauzer van zijn schoonmoeder erom dat de schoonheid in het roddelblad een belangrijke rol speelde in een driehoeksverhouding met hem en John Caldwell.

'Als je het je financieel kunt veroorloven, ben je dan van plan... iets voor de baby te doen?' vroeg Frank.

Zoals gewoonlijk wanneer Frank zich op privéterrein begaf,

bleef Trey zwijgen, en impliceerden zijn onbewogen gezicht en directe blik dat zijn plannen de coach niets aangingen.

Frank zuchtte. 'De kranten zullen je afschilderen als een schurk.'

'Laat ze maar. Als ik het kind financieel steun, zeg ik daarmee dat ik de vader ben, en dat ben ik niet.'

Frank gooide het roddelblad in de prullenbak naast zijn bureau. 'Nou, dan luidt mijn laatste advies, denk ik, dat je je laat leiden door je geweten. Onthou wat ik heb gezegd over lange schaduwen.'

Trey liep het kantoor van de coach uit terwijl zijn laatste woorden nog door zijn hoofd weergalmden. *Laat je leiden door je geweten.* Coach Medford geloofde hem niet toen hij zei dat de baby niet van hem was. Niemand zou dat geloven, maar wat dan nog? Hij had geweten dat dit verhaal boven water zou komen en hij had de kwestie van voor naar achter en van links naar rechts overdacht en besloten dat als hij dan toch als 'schurk' werd neergezet, hij dan liever had dat ze dat deden omdat hij zijn plicht niet deed tegenover een onwettig kind, dan om zijn ware zonde. Hij was van plan geweest Cathy en John afgelopen najaar te vertellen dat hij onvruchtbaar was. De enige voorwaarden waren geweest dat John zich had bedacht wat het priesterschap betreft en dat Cathy nog steeds verliefd op hem was. Het eerste was niet gebeurd. John was aan het tweede jaar van het noviciaat begonnen en was zo tevreden als een varken in de modder, volgens tante Mabel, en Cathy was… verdergegaan met haar leven. Ze had van Bennie's Burgers een culinair wonder gemaakt en Trey was waarschijnlijk dood voor haar. John was de peter van de baby. Het was dus niet zo dat het kind geen vaderfiguur in zijn leven zou hebben – wat een ironische wending. Iedereen leek gelukkig. Wat zou er gebeuren als Trey plotseling de waarheid kwam vertellen en alles ondersteboven gooide? John zou het noviciaat moeten verlaten om met Cathy te trouwen en – als Trey zich Catherine Ann Benson goed herinnerde – zou zij zich de rest van haar leven schuldig voelen omdat ze hem bij zijn gekozen roeping vandaan had gehouden.

Als de media al zo veel aandacht besteedden aan TD Halls alledaagse blunder, wat zouden ze er dan van zeggen dat hij zijn beste vriend en het meisje aan wie hij zijn liefde had verklaard zo had misleid? Het publiek – en de Heisman-commissie – zou hem misschien vergeven dat hij geen verantwoordelijkheid nam voor zijn kind, vooral aangezien hij beweerde dat het niet van hem was, maar niet als ze van de wetenschap hoorden die hij opzettelijk voor zich had gehouden en de gevolgen die dat had gehad. Hij had werkeloos toegezien en zijn vriend priester laten worden zonder dat die ervan op de hoogte was dat de baby zijn kind was en had zijn vriendin – die ook niet op de hoogte was van de afkomst van de baby – de kans ontnomen met de echte vader van haar kind te trouwen.

Wat zelf nog erger was – veel erger – was dat hij het kind toestond op te groeien met het idee dat Trey Don Hall zijn vader was.

Als de media daar lucht van kregen, en dat zouden ze, als wat voor klootzak zouden ze hem dan afschilderen? Zijn carrière zou ten einde zijn, misschien niet het spel zelf, maar wel de delen ervan waarvan hij hield: het respect van coaches en fans, de kameraadschap en loyaliteit van zijn teamgenoten. Over lange schaduwen gesproken! Het zou hem de rest van zijn leven achtervolgen.

Heel even, toen hij naar Cathy's foto met de schattige baby had gekeken, had Trey zijn geweten horen spreken. Hij had geprobeerd haar gezicht en figuur te vergeten, maar de foto bracht elk lieflijk detail weer boven. Ze leek niet op haar plaats in een eettent met een jukebox op de achtergrond. Ze hoorde met een witte jas aan ergens in een laboratorium te staan en voor arts te studeren. Hij kwam nooit langs de campus van het gerenommeerde Jackson Memorial Hospital zonder dat hij de herinnering moest onderdrukken aan hoezeer ze zich erop had verheugd daar te gaan studeren. Soms voelde hij een steek van boosheid om de carrière die ze zichzelf had ontzegd. Het verbaasde hem alleen nog steeds dat – vanwege zijn onverklaarbare gedrag – John en zij nog steeds niet hadden uitgedokterd dat de baby niet van Trey was en alleen maar van John kon zijn. Ze waren met elkaar naar bed geweest, of niet dan?

Het was die gal die Trey nog steeds proefde en die maakte dat hij zijn geweten weer in een diepe kerker wegstopte. Cathy en John hadden alles kapotgemaakt waarvan hij had gehouden. Football was het enige in zijn leven wat waarachtig en constant was. Het was alles wat hij nog had en hij zou het voor niets of niemand opgeven. Hij had al één schaduw achter zich aan, een die hij gemakkelijk kon ontlopen als novice John Caldwell niet naar zíjn geweten luisterde.

36

De uitnodiging kwam in mei, toen het laatste koufront op de Panhandle plaats maakte voor de eerste milde dag van een late lente. Vanaf het postkantoor reed Emma rechtstreeks naar Bennie's om de uitnodiging aan Cathy te laten lezen en ze stelde de onvermijdelijke vraag toen haar kleindochter hem uit de dikke envelop haalde: 'Waar is de tijd gebleven?'

Ja, inderdaad, waar? Cathy bestudeerde het opgedikte jezuïetenlogo op de uitnodiging. De vraag was echter niet waar de tijd was gebleven, maar wat die in zijn kielzog had achtergelaten. Voor John was dat de vervulling van zijn droom.

MET GROTE VREUGDE EN DANKBAARHEID JEGENS GOD
NODIGEN DE JEZUÏETEN VAN HET BISDOM NEW ORLEANS
U UIT U BIJ ONS TE VOEGEN IN GEBED EN FEEST OMDAT
DE KATHOLIEKE KERK TOT PRIESTER ZAL WIJDEN

JOHN ROBERT CALDWELL, S.J.

KATHOLIEKE KERK THE MOST HOLY NAME OF JESUS
ST.-CHARLES AVENUE 6363
NEW ORLEANS, LOUISIANA

OM TIEN UUR 'S OCHTENDS, ZATERDAG 5 JUNI 1999

Voor Cathy hadden de dertien meimaanden sinds John, Trey en zij van de middelbare school waren gekomen, zegeningen gebracht, maar niet de zegeningen die ze negen lentes voor haar veertigste verjaardag had gehoopt te ervaren.

Deze uitnodiging ging echter niet over de kortsluitingen in haar leven, maar over de man die ondanks de kortsluitingen in zijn leven had doorgezet. Ze stond voor het raam van haar kantoor, vol trots op Johns prestaties. Ze hief haar gezicht op naar de voorjaarszon en stuurde haar gedachten de hemel in alsof ze een vogel losliet die haar felicitaties naar hem zou overbrengen. *Ik ben zó trots op je, John.*

'Ik ga ervandoor,' zei Emma, die zwaar op haar stok leunde toen ze opstond van een stoel in Cathy's kantoor. 'Ik wist dat je de uitnodiging meteen zou willen zien. Ik neem aan dat Mabel en Ron Turner en natuurlijk pastoor Richard er ook een hebben ontvangen. Wat zeg je ervan als we een klein feestje bouwen om het te vieren en om de mogelijkheid te bespreken samen naar Amarillo te rijden en naar New Orleans te vliegen? We zullen wel twee auto's nodig hebben voor alle bagage.'

'Dat vind ik een heel goed idee.'

'We kunnen allemaal in het St.-Charles logeren. Daar zijn je grootvader en ik heen geweest op onze huwelijksreis.'

'Klinkt goed.'

'Zodra ik thuis ben bel ik iedereen en dan hoor ik wel wat ze ervan vinden.'

'Fantastisch.'

'Catherine Ann Benson, ik kan je gedachten lezen als een groteletterboek. Je vraagt je af of Trey Don Hall ook een uitnodiging heeft gehad.'

Cathy's schaapachtige glimlach vertelde dat haar grootmoeder gelijk had. 'En Bert Caldwell,' zei ze.

'Ik weet zeker dat John geen adres heeft van Bert, maar ik weet wel dat hij Mabel dat van Trey heeft gevraagd. Wat doe je als hij komt?'

Cathy keek haar grootmoeder droogjes aan. 'Heb je misschien suggesties?'

'O hemeltje, ja, maar ik zou niet willen dat de moeder van mijn twaalfjarige achterkleinzoon werd gearresteerd wegens mishandeling.'

'Ik denk niet dat we ons zorgen hoeven te maken. Trey komt vast niet.'

Cathy wist dat zeker. Toen haar grootmoeder weg was, bleef Cathy voor het raam staan uitkijken op de parkeerplaats voor personeel tot haar grootmoeder in de auto was gestapt. Emma, nu drieentachtig, was de reden dat Cathy haar droom om arts te worden voorgoed opzij had gezet. Er had zich een kans voorgedaan toen Bennie zes jaar geleden terwijl hij laat in de middag zijn koffie zat te drinken en over de dagschotels zat te praten plotseling zijn kopje uit zijn hand liet vallen en naar zijn borst greep. Ondanks alle pogingen van Odell, Bebe en Cathy om Bennie te reanimeren, was hij binnen enkele minuten overleden aan een hartverlamming. Cathy was verbijsterd geweest dat hij haar in zijn testament tot enige erfgenaam had benoemd van al zijn wereldse goederen behalve zijn huis. Dat laatste had hij aan Odell nagelaten.

Emma was toen al gestopt met werken en een plaatselijke afgestudeerde van de koksopleiding aan Canyon College had haar kooktaken overgenomen. Cathy's zoon was toen zes, een perfect moment in zijn jonge leven om naar elders te verhuizen voordat zijn vaders roem zijn schooljaren versjteerde. Ze zou Bennie's verkopen en naar Dallas verhuizen, waar ze aan de Southern Methodist Universiteit aan de vooropleiding voor een studie medicijnen zou beginnen. Ze zou dan nog voor haar veertigste arts kunnen zijn.

Ook bij Emma werd echter, nog geen maand na Bennie's overlijden, een hartaandoening vastgesteld. Wanhopig zag Cathy haar kans vervliegen. Ze kon niet vertrekken en haar grootmoeder aan de dubieuze zorg van de plaatselijke zorgverleners toevertrouwen, en haar met haar zesjarige kleinzoon in een klein appartement in een vreemde stad stoppen terwijl Cathy aan haar artsenstudie werkte zou Emma's kwetsbare gezondheid helemaal geen goed hebben gedaan.

Verdrietig trok Cathy de plaatsing van TE KOOP-advertenties in commerciële bladen in, een perverse troost vindend in het feit dat er toch al niemand belangstelling had getoond om de eettent te kopen.

Emma, die Cathy's gewoonte om voor het raam te blijven staan tot zij weg was kende, zwaaide toen ze de parkeerplaats af reed.

Cathy liet nooit meer de gelegenheid voorbijgaan om gedag te zeggen. Ze liep terug naar haar bureau, walgend van de versnelde hartslag die zich altijd voordeed wanneer ze op een bepaalde manier aan Trey dacht. Meestal was hij een loze gestalte in haar herinneringen. Ze had zichzelf aangeleerd hem geen gezicht, stem, figuur en hebbelijkheden te geven, zelfs niet wanneer ze naar haar zoon keek. Vanaf het moment van zijn geboorte had ze voorbij de duidelijke fysieke eigenschappen gekeken van de man met wie ze Will had verwekt, naar de eigenschappen die uniek waren voor hun zoon, en ze had ontdekt dat die in overvloed aanwezig waren. Tot haar verbazing had ze ontdekt dat Will – op elke wijze die ertoe deed – heel anders was dan zijn vader.

Maar soms, als Trey's naam opdook, ze een foto van hem in de krant of op tv zag of ze een of ander roddeltje over hem hoorde, stokte haar adem even en raasde er een bepaald gevoel dwars door haar heen. Dan zat hij plotseling weer in haar hoofd alsof hij nooit weg was geweest – *Dance with me, My Funny Valentine*.

Ze las de uitnodiging nog eens. Wat zou ze doen als Trey toch naar Johns priesterwijding kwam? Ze had Trey bijna dertien jaar niet in levenden lijve gezien. Hij had hun zoon nooit gezien, zelfs niet op een foto. Dat had Mabel Church haar verzekerd. 'Het breekt mijn hart dat ik hem geen foto van mijn achterneefje kan laten zien, maar ik zeg je, Cathy, ik ben bang dat Trey nooit meer tegen me zou praten als ik het deed, zo vastberaden is hij in zijn onverschilligheid jegens het kind.'

Geen wonder, de narcistische eikel. De vraag was wat zijn zoon zou doen of zeggen – hoe zou híj reageren? – als hij oog in oog kwam te staan met Trey. Will had voor het eerst gehoord wie zijn beroemde vader was toen hij vier jaar oud was. Cathy had het altijd ironisch en vreselijk triest gevonden dat Will op dezelfde leeftijd als Trey had beseft dat hij door een ouder was verlaten. Tot dan had John, hoewel hij hen slechts sporadisch bezocht, de rol van een man in Wills leven vervuld, daarbij ondersteund door Bennie en Odell Wolfe.

'Waar woont mijn papa?' had Will gevraagd.

Cathy zou nooit de zondagmiddag in november op het hoogtepunt van het football-seizoen vergeten toen hij die vraag had gesteld. Hij was thuisgekomen nadat hij met een groep jongens had gespeeld die een paar jaar ouder waren en zijn vraag maakte duidelijk wat hun gespreksonderwerp in de zandbak was geweest. Het moment dat ze had gevreesd was aangebroken. Haar zoons donkere haar zat in de war, zijn wangen waren roze gekleurd door de kou en in zijn windjack, spijkerbroek en tennisschoenen was hij op en top het volmaakte jongetje waar iedere ouder van zou dromen. Hij was te groot geworden om te worden opgetild, dus klopte ze op haar schoot en kroop hij erop. Hij rook naar de inspanning van het spelen, een hemelse geur voor een moeder, en ze had hem de veiligheid van haar omhelzing geboden omdat ze wist dat het antwoord hem pijn zou doen.

'Hij woont in Californië,' zei ze. 'Hij speelt football voor de San Diego Chargers.'

Will keek haar vragend aan met zijn stralende donkere ogen, rond en onschuldig onder de dikke, krullende wimpers. 'Waarom woont hij niet hier?'

'Omdat hij ervoor kiest daar te wonen.'

'Houdt hij niet van ons?'

'Ik geloof dat hij dat zou doen als hij het kon, maar hij mist iets vanbinnen dat dat mogelijk zou maken.' Ze had speels met haar vinger over Wills neus gestreken terwijl ze de brok in haar keel wegslikte. 'Weet je nog je speelgoedvrachtwagen waar we speciale batterijen voor moesten kopen zodat hij kon rijden? Nou, dat is wat je vader mist... een speciaal soort batterij.'

'Kunnen we die voor hem kopen?'

'Nee, lieverd. Dat soort batterijen is niet te koop.'

Er was een peinzende uitdrukking op zijn kleinejongensgezicht verschenen. Hij beet op zijn lip. 'Zal hij ons ooit komen opzoeken?'

Ze had gekucht om haar keel open te houden. 'Misschien ooit nog eens... als hij volwassen wordt.'

Die dag was nooit gekomen. Trey's ster in de NFL rees, en Will, een geboren atleet, groeide op in de schaduw van zijn vaders roem en onder de waakzame blikken van degenen in het dorp die hoopten dat hij ook het veld op zou gaan om als quarterback het evenbeeld van Trey Don Hall te worden. Cathy zou Ron Turner altijd dankbaar blijven dat hij Will had gestimuleerd zich op zijn ware liefde te concentreren... baseball. Vanaf het moment dat hij een slaghout kon oppakken, was hij het baseballveld op gelopen en had hij het aan zijn vriendjes overgelaten om zich in de beschermende kleding en helm voor de Pop Warner League te hijsen. Op zijn twaalfde had hij al een behoorlijke lokale reputatie als slagman en rechtsvelder opgebouwd.

'Waarom laat je die klootzak geen vaderschapstest doen en stap je niet naar de rechtbank voor alimentatie?' zei Bebe boos, een suggestie die ook door Bennie en zelfs haar grootmoeder was gedaan. Cathy had geweigerd. Ze wilde niets van Trey als ze hem dat moest afdwingen, en ze herkende in haar zoon ook al iets van zijn moeders trots. Odell bracht het het beste onder woorden: 'Hij kan hem beter nu missen dan later bij zijn vader in de schuld te staan.'

Zo nu en dan kwamen er nieuwsgierige verslaggevers, van wie er eentje Will op het speelterrein had overvallen met de vraag hoe het voelde om niet door zijn beroemde vader te worden erkend. Een alerte leerkracht had sheriff Tyson gebeld, die er was voor de verslaggever ervandoor kon gaan en hem oppakte wegens het verstoren van de orde.

Op zulke momenten haatte Cathy Trey Hall en zou ze bijna gewenst hebben dat ze hem nooit had ontmoet, als degenen van wie ze hield niet ook op een of andere manier met hem verbonden waren.

37

Met een prikkend gevoel achter zijn ogen legde Trey de uitnodiging op zijn bureau. *Verdomme, Tiger, het is je gelukt!* Het had John – hoelang? – een jaar of twaalf gekost om zijn naam op die uitnodiging te krijgen. Tante Mabel had hem op de hoogte gehouden over Johns verblijfplaatsen en bezigheden toen Trey van hem geen brieven meer kreeg. De laatste was in 1990 vanuit Guatemala verstuurd. Hij had de ellende beschreven van de gigantische vuilnisbelt aan de rand van de hoofdstad, waar tienduizenden kinderen en hun gezinnen woonden. 'Je zou niet geloven hoeveel armoe er heerst,' schreef hij. 'Mijn missie hier is te bepalen hoe de kerk deze mensen het beste kan dienen – voor voedsel, medicijnen en vers water zorgen terwijl er in hun spirituele behoeften wordt voorzien.' Het was al een tijd geleden dat het katern met wereldnieuws van de *San Diego Union Tribune* melding maakte van de gewetenloze terreurdaden van het heersende regime tegen de burgers van Guatemala, en in het bijzonder priesters en nonnen. Alleen al in dat jaar waren tweehonderdduizend Guatemalanen afgeslacht, en terwijl John daar was, was een aantal inheemse mensen bruut vermoord op het plein van Santiago Atitlan, waar hij tijdelijk in de pastorie verbleef van een priester die was vermoord omdat hij zich tegen de doodseskaders had verzet.

'Ik doe mijn best om mijn hoofd omlaag en mijn geloof hoog te houden,' had John geschreven. 'Het is geen makkelijk evenwicht en ik heb mijn zorgen, geloof me. Het is zoiets als het gevoel dat ik had als ik naar een first-down-bal reikte terwijl ik wist dat er een linebacker van honderd kilo vlakbij was.'

Trey had ernaar verlangd hem terug te schrijven en te zeggen dat hij verdomme terug moest komen, maar natuurlijk deed hij dat niet. Hij schreef in plaats daarvan een cheque uit en stuurde die anoniem naar het katholieke hulpfonds voor Guatemala. Daarna keek hij elke dag of er post van John was en toen er niets kwam had Trey gek van bezorgdheid – tante Mabel zou het hem toch wel hebben verteld als John iets overkomen was – zijn tante gebeld voor nieuws. John had gezond en wel uit Guatemala weg weten te komen, had ze hem verteld, en zou de volgende zomer naar India worden gestuurd, waar hij moeder Teresa hoopte te ontmoeten. Intussen gaf hij les en coachte hij bij het American football op een katholieke middelbare school in New Orleans.

Trey had een groot verlies gevoeld toen John ophield te schrijven en kon wel een aantal redenen bedenken waarom hij was gestopt. Eentje was dat John zijn pogingen had opgegeven hem naar hen terug te halen, bij voorkeur aan Cathy's zijde. Ze was nog steeds niet getrouwd en haar zoontje was bijna vier. Misschien was John gaan beseffen dat de vriend voor wie hij zo veel van zijn ziel had opgeofferd zijn tijd en moeite niet meer waard was. Die gedachte maakte Trey vreselijk nerveus. Als dat de reden was dat John zich van hem losmaakte, wat zou hem er dan van weerhouden naar de autoriteiten – en de Harbisons – te stappen met de waarheid over die middag in november? Of misschien had John er gewoon genoeg van gekregen dat hij geen reactie van hem kreeg, had hij het te druk om nog te schrijven, of dacht hij dat het Trey niet interesseerde of hij iets van hem hoorde. Geen van die speculaties paste echter bij de vriend die Trey zich herinnerde. Eenmaal in Johns hart, altijd in Johns hart. Hij was heel vasthoudend als het ging om de mensen van wie hij hield.

Trey had destijds net een contract getekend bij de San Diego Chargers en verheugde zich erop het leven van de rijke en beroemde lui te gaan leiden, of beter gezegd, dat van de zwaar overbetaalde en beruchte. Hij was al het contact met thuis verloren, afgezien van de nieuwtjes die hij van tante Mabel kreeg over lokale gebeurtenissen en mensen, onder wie Cathy's jeugdvriendin uit Californië, Laura Rhinelander. Ze studeerde nu medicijnen. Hij kon zich voorstellen wat die informatie met Cathy had gedaan. Hij had medelijden met haar gehad en was de hele dag door somberte achtervolgd als door een nachtmerrie die hij niet van zich af kon zetten.

Rufus overleed dat jaar. Dat nieuws zette de sluizen open. Het was alsof er een hendel werd overgehaald en al het verdriet dat Trey had ingehouden naar buiten kwam in zijn smart om de hond. Hij had Rufus altijd als zijn hond beschouwd, en tante Mabel had hem verteld dat Rufus altijd zijn oren spitste en van kamer naar kamer rende wanneer hij zijn stem op de televisie hoorde. Wat Trey nog het meest dwarszat was dat hij niet bij Rufus was geweest om afscheid van hem te nemen.

De jaren verstreken en Laura Rhinelander voltooide haar artsenopleiding, Cissie Jane trouwde en scheidde, Bebe Baldwin bleef bij Bennie's, maar werd tot bedrijfsleider gepromoveerd. Gil Baker ging naar huis om zijn vader te helpen op de familieboerderij. Ron Turner, die sinds 1985 geen kampioensseizoen meer had gehad, ging onvrijwillig met pensioen en juf Whitby, zevenendertig, ongehuwd en nog steeds een warhoofd, stierf door een auto-ongeluk.

Er was een maalstroom aan herinneringen door Trey's hoofd heen gegaan bij het bericht over haar dood. 'Hall, wat is er vandaag verdomme met je aan de hand?' had zijn quarterback-coach die dag tijdens de training geroepen. 'Wat zit je dwars, knul?'

Zijn coach had hem mentaal en emotioneel betrapt in de achterste rij van juf Whitby's klas toen Cathy op die dag in januari 1979 binnen kwam lopen. 'Een sterfgeval in de familie,' had hij gezegd.

Dat was in 1995 geweest; hij was zevenentwintig. Hij had sinds Cathy geen hechte band met een vrouw meer kunnen opbouwen. Hij was kort getrouwd geweest met een model dat al snel genoeg kreeg van de muren om hem heen die ze niet had kunnen afbreken, en had diverse relaties gehad met vrouwen die hij dumpte zodra hij genoeg van hen kreeg, iets wat vaak voorkwam. Hij had een reputatie opgebouwd als een van die zeer bekende vrijgezelle atleten bij wie je als meisje uit de buurt moest blijven als je niet als een sappige pruim wilde worden opgegeten en vervolgens als een pit worden uitgespuugd. Degenen die handelden in roddels over beroemde sporters namen nooit de moeite onderzoek te doen naar de mogelijke oorzaak van zijn wispelturigheid, waar andere supersterren die meisjes aantrokken door hun geld of roem wel begrip voor hadden.

Tante Mabel had haar naam of die van haar zoon niet meer genoemd sinds Trey's eerste jaar op de universiteit. Wanneer ze hem in Californië opzocht, werden de Bensons nooit ter sprake gebracht, maar wanneer ze hem over het laatste wel en wee van de mensen in Kersey vertelde viel het op als een ontbrekende bladzijde in een boek dat ze niet over hen vertelde. Hij vergat de gezichten, de namen en de lichamen van de meisjes die zijn leven in en weer uit fladderden, maar Cathy kon hij niet uitwissen, ze bleef net zo hardnekkig in zijn geheugen aanwezig als de regels van een gedicht dat hij op de lagere school uit zijn hoofd had geleerd.

Cathy's zoon zou inmiddels twaalf zijn. Hij en Cathy zouden beslist bij de wijdingsceremonie aanwezig zijn.

'Mag ik binnenkomen?'

Trey veegde het vocht uit zijn ogen. Hij had het liever niet, maar ze was leuker dan de meeste meisjes en was zo attent geweest om koffie te zetten. 'Zit je je post te lezen?' vroeg ze terwijl ze de kop voor hem neerzette. Ze droeg een losse badjas over een teddy en hij hoopte maar dat ze zichzelf niet zou uitnodigen om op zijn schoot te komen zitten en met zijn haren te spelen.

'Uh-huh. Daar ben ik gisteravond niet aan toegekomen.'

Ze grinnikte. 'Je had wel wat anders aan je hoofd.'

Hij ging niet op de insinuatie in en tot zijn ergernis pakte ze de uitnodiging op. 'Wat een indrukwekkende envelop. Waar staan de letters A.M.D.G. met het kruis ertussen voor?'

'Voor het Latijnse *Ad Majorem Dei Gloriam*, wat "Tot meerdere eer van God" betekent. Het is het motto van de jezuïeten.'

Ze trok verbaasd een wenkbrauw op. 'Weet jij dat soort dingen?'

Het was duidelijk wat ze bedoelde. Zijn hedonistische imago klopte niet met iemand die kennis had van religieuze zaken. Toen het internet beschikbaar was gekomen voor thuisgebruik, had Trey de Orde van de Sociëteit van Jezus opgezocht en talloze verhalen van kandidaten voor het ambt gelezen, die uitlegden wat hen in het priesterschap had aangetrokken. Het was de kwestie van het celibaat die Trey niet begreep. Het was niet normaal voor een man om de hem door God gegeven behoeften te verloochenen. John had net zo'n sterk libido als hij, zij het meer ingetogen. Bebe moest hebben gedacht dat John zijn verstand had verloren toen hij haar vertelde dat hij priester wilde worden. Of misschien… was na Cathy geen enkele vrouw goed genoeg.

Een zoektocht op internet gaf antwoord. Katholieke priesters werden geacht met God en de kerk 'gehuwd' te zijn, las Trey, 'omdat het het individu de vrijheid schenkt zich uitsluitend te concentreren op de zorgen en behoeften van de grotere familie Gods zonder de afleidingen die verband houden met een huwelijk. Dit spirituele concept is de reden dat familiebenamingen – vader, broeder, zuster – worden gebruikt om naar degenen in een religieus beroep te verwijzen.' Een priester schreef: 'Mensen kiezen niet voor het celibaat omdat ze niet willen trouwen. Veeleer het tegendeel. Ze kiezen voor een celibatair leven om hun onverdeelde hart aan God en de mens te schenken.'

Trey herinnerde zich dat tante Mabel ontroerd had geschreven dat toen John zijn eerste geloften aflegde, hij zich ervan bewust was dat hij het offer van een eigen vrouw en kinderen bracht ten gunste van een veel grotere familie binnen de kerk.

Maar als John de waarheid had geweten, zou hij dan zijn zoon en het meisje hebben opgeofferd voor zijn zoektocht naar verlossing?

Die aloude vraag kwam vaak midden in de nacht bij hem op, wanneer Trey niet kon slapen, en het kwam wel voor dat hij nog aan zijn computer over de orde van Johns roeping zat te lezen wanneer de zon opkwam en door het raam achter hem op het beeldscherm scheen.

Ze opende de uitnodiging. 'Lieve hemel,' zei ze bewonderend toen ze hem had gelezen. 'Wie is John Robert Caldwell?'

Hij pakte de kaart terug. 'Een oude vriend.'

'Je hebt het nog nooit over hem gehad.'

'Ik neem aan van niet.'

'Er komt geen "aannemen" aan te pas, Trey. Je hebt het nooit over hem gehad.'

Hij draaide zijn stoel van haar weg en stond op. Dit was het punt waarop zijn vriendinnen hem ervan beschuldigden dat hij hen buitensloot. Hij durfde een weddenschap af te sluiten op wat ze hierna zou zeggen.

'Trey, waarom vertel je me nooit iets over je verleden?'

Hij zou de weddenschap hebben gewonnen.

'Luister eens, Tangi, waarom kleed je je niet aan? Het heeft geen zin hier te blijven hangen. Ik ga hardlopen en de rest van de dag heb ik van alles te doen. Voor vanavond weet ik het ook nog niet. Ik bel je nog wel.'

Hij zag de blik in haar ogen die hij bij menig meisje had gezien wanneer ze wist dat het voorbij was. 'Heb ik iets verkeerds gezegd?' vroeg ze met een klein, gekwetst stemmetje, als van een kind.

'Nee,' zei hij goedmoedig, en hij trok haar in zijn armen en drukte een kus op haar voorhoofd. Hij vond haar aardig en ze hadden het leuk gehad. 'Het komt niet door iets wat je hebt gezegd of gedaan, of niet gedaan. Het is... Ik ben nu eenmaal zo.'

'Een holle man,' zei ze, en ze maakte zich van hem los en knoopte haar badjas dicht. 'Ik heb medelijden met je, Trey.'

'Ik ook,' zei hij.

38

Cathy draaide met moeite haar hoofd om, en glimlachte naar Will aan de andere kant van het middenpad. De wielen van het vliegtuig waren neergelaten in voorbereiding op de landing op de internationale luchthaven van New Orleans. Het was zijn eerste vliegreis en hij was een jaar ouder dan zij in 1979 was geweest toen ze op haar elfde voor het laatst had gevlogen. Haar zoon beantwoordde haar glimlach en boog naar haar toe. Hij was bijna een meter tachtig lang en blokkeerde het zicht op Mabel, achter hem.

'Hoe is het met je nek?'

Cathy masseerde het gebied rondom haar linkerhalsslagader. Ze was wakker geworden met een pijnlijk stijve nek. 'Hij doet zeer, verdorie. Laten we hopen dat het over is voor de ceremonie begint.'

Ze wilde geen enkel detail van de wijdingsdienst missen. John zou van achteren de kerk binnen komen en ze hoopte hem iedere stap in de processie te kunnen zien zetten. Will en zij hadden een plaats op de eerste rij en als ze alles wilde zien, zou ze haar nek behoorlijk moeten draaien.

Naast haar zei Emma: 'John zal wel verrast zijn als hij ziet hoe groot zijn petekind is geworden sinds hij hem voor het laatst heeft gezien.'

Dat was een jaar geleden en in die maanden hadden Wills gelaatstrekken en lichaamsbouw zich verder ontwikkeld. Cathy zag Trey's chromosomen aan het werk in het donkere haar, de donkerbruine ogen en de atletische gratie van haar zoon, al had hij niet het sterk wisselende temperament en de aanmatigende houding waardoor zijn vader zich op die leeftijd onderscheidde. Hoewel hij nu de aandacht van de meisjes trok en een buitengewone leerling, klassenleider en baseballer was, had Will absoluut niets opschepperigs over zich. Hij bezat iets wat zijn vader nooit had gehad – een zeldzame combinatie van bescheidenheid en zelfvertrouwen.

Vorig jaar juni was John – tussen het behalen van een master in theologie en een zomerbenoeming om pastorale ervaring op te doen in een parochie in Chicago – voor een paar weken naar huis gekomen. Will had niet genoeg kunnen krijgen van zijn gezelschap. Hij had zomervakantie en John en hij waren vaak in de sportzaal van de school te vinden om te basketballen, en op het baseballveld, waar Will oefende in het wegslaan van Johns fastballs. John sliep bij pastoor Richard, maar bracht zijn dagen met Will door terwijl Cathy Bennie's runde. Ze gingen daar rond de middag samen heen om wat te eten en vertrokken dan weer voor een of andere buitenactiviteit – paardrijden en wandelen in de Palo Duro Canyon, vissen en zeilen op Lake Meridian, het soort dingen waar John en Trey op Wills leeftijd ook zo van hadden genoten.

De twee waren zo bruin geworden als zadelleer en waren behoorlijk moe wanneer ze met etenstijd gezamenlijk als een gezin aan Emma's tafel aten en daarna samen televisiekeken tot het voor John tijd was om weer naar pastoor Richard te gaan.

Will had getreurd toen John weer was vertrokken en Cathy had het soort eenzaamheid in hem herkend dat alleen een in de steek gelaten of verweesd kind kan kennen – de zonsondergangblues, hadden John, Trey en zij het genoemd, omdat ze hun eenzaamheid in de avondschemering het sterkst voelden. Het was weer een van die keren dat ze Trey wel de nek om had willen draaien. Zijn naam was al een hele tijd niet meer ter sprake gebracht, zelfs niet door Mabel, en Cathy vroeg zich af of Will ooit aan hem dacht of erover fantaseerde hoe het zou zijn om op te groeien als de gewenste zoon van TD Hall.

'Will weet dat jij en Trey samen zijn opgegroeid,' zei ze tegen John. 'Vraagt hij jou ooit naar zijn vader?'

'Nooit. Niet één keer.'

'Heb jij het ooit over hem?'

'Nee.'

Anderen maakten opmerkingen tegen Will over het feit dat zijn vader de San Diego Chargers het ene na het andere seizoen succesvol naar de NFL-play-offs leidde – sommigen om een reactie van hem los te krijgen – maar Will weigerde onverstoorbaar commentaar te geven, en na zijn negende verjaardag hoorde Cathy hem nooit meer Trey's naam uitspreken.

'Hij is tot een besef gekomen en accepteert dat,' had Emma opgemerkt.

'Ik wou dat ik wist wat er in zijn hoofd omging. Hij is gevoelig en zegt weinig. Ik wil niet dat hij zijn vader haat of zich verbitterd voelt wat hem betreft, maar hoe kan ik Trey verdedigen voor het feit dat hij hem verloochent?'

'Het enige wat je kunt doen, is wat je al doet – geen olie op het vuur gooien en hem bijbrengen dat een mens zelf – niet zijn afkomst – bepaalt wie en wat hij uiteindelijk wordt.'

'Ik hoop dat het werkt.'

'Het werkt.'

Er waren momenten dat Cathy daar niet zo zeker van was. Toen Will tien was, had ze een *Sports Illustrated* onder zijn matras gevonden. Op het omslag stond Trey Don Hall in een klassieke houding van een quarterback, de ene arm naar achteren om te werpen, de andere arm uitgestrekt, zijn sporttenue toonde de verwoestingen van een zware wedstrijd. Een derde van het vier pagina's tellende artikel was gewijd aan zijn fenomenale uithoudingsvermogen en zijn geluk, dat hij al zeven jaar NFL had overleefd zonder verwondingen. Er werd geschreven over zijn verbale schermutselingen met de nieuwsmedia en er werden voorbeelden gegeven van zijn satirische gesprekken met tv-verslaggeefsters die tijdens de pauze en na de wedstrijd een microfoon onder zijn neus duwden. Trey was van mening dat 'vrouwen niets op een football-veld te zoeken hadden tenzij ze met pompons en hun billen schudden'.

'TD, kun je ons vertellen wat je denkt?'

'Waarover?'

'Eh, de score.'

'Nee. Jij wel?'

'Tijdens die laatste spelfase, TD, wat ging er toen door je hoofd?'

'Al sla je me dood. Wat ging er door het jouwe?'

Cathy moest ongewild lachen.

Een ander deel van het artikel beschreef zijn losse leefstijl, liefde voor zeilen en voorliefde voor modellen met bruin haar. Er stond een gedetailleerde beschrijving in van zijn koopappartement van vijf miljoen dollar in Carlsbad, zo'n vijfenvijftig kilometer ten noorden van San Diego, een van de duurste plaatsen om te wonen in de hele Verenigde Staten. Haar zoon had over Trey's drie zeilboten en diverse auto's gelezen en foto's gezien van hem in gezelschap van een heel assortiment knappe vrouwen. Ze had het tijdschrift gevonden toen het restaurant een wat hogere levensstandaard mogelijk begon te maken, maar Will kon niet anders dan zijn vaders welvaart vergelijken met zijn moeders financiële problemen wanneer hij 's nachts wakker werd en haar bezorgd aan de keukentafel met de boekhouding bezig zag. Contante betaling voor haar grootmoeders medicijnen, auto-onderhoud, een nieuw dak voor het huis, en renovaties aan Bennie's lieten weinig ruimte voor een fiets met Kerstmis en uitstapjes naar Disneyland.

En Cathy wist zeker dat Trey's voorkeur voor lange vrouwen hem niet was ontgaan. Ze had de pijn van een moeder gevoeld. Hoe kon Will nou geen wrok koesteren jegens een vader die de voorkeur gaf aan vriendinnetjes die zo heel anders waren dan zijn moeder, en die miljoenen verdiende terwijl zij moest ploeteren om rond te kunnen komen?

Ze had zich afgevraagd of Will veel aandacht had besteed aan de rest van het artikel, dat Trey afschilderde als 'een man van uitersten'. Scherp denkwerk, volmaakte zelfbeheersing en een voorbeeldige handelwijze op het veld. Maar 'buiten het veld', zo schreef de auteur van het artikel, 'zou hij kunnen wedijveren met het achtereind van het weerbarstigste stuk vee op de boerderij'. Na langdurige observatie van Trey Don Hall had de schrijver echter, zo stelde hij, de indruk gekregen dat de quarterback van San Diego genoeg had van zijn roem, rijkdom en vrouwen, maar nooit van zijn spel. 'Op het football-veld zie je een persoon. Erbuiten zie je een personage. Het is alsof hij poseert voor de cover van een glossy, chic, direct tijdschrift – *zo is het om mij te zijn, mensen!* – ongeveer net zo'n waarachtig portret als een vrouw met veel make-up. Je vraagt je af hoe authentiek de Armani-pakken, Berluti-schoenen en met diamanten bezaaide Rolex het beeld projecteren van een man die een vol en gelukkig leven geniet.'

Cathy herinnerde zich Johns woorden: 'Hij zal nooit weten wat er in zijn leven ontbreekt tot hij alles heeft…'

Ze had het tijdschrift teruggelegd en er nooit iets over gezegd. Naderhand had ze er spijt van dat ze de kans voorbij had laten gaan om met Will over zijn vader te praten. Een andere gelegenheid had zich niet voorgedaan om haar zoons obstinate stilzwijgen over het onderwerp Trey Don Hall te doorbreken.

De stewardess kwam voor het laatst langslopen om afval op te halen. Ze was jong en knap en glimlachte op een speciale manier naar Will. Zich met moeite omdraaiend om te controleren of haar gordel vastzat, zag Cathy een geamuseerde grijns op het gezicht van coach Turner in de stoel achter hem, en dat deed haar goed. Ron Turner had niet veel reden gehad om te glimlachen sinds zijn team in 1985 het staatskampioenschap had gewonnen. Hij had het heel moeilijk gehad met de dood van zijn dochter het najaar daarna, en een paar jaar later was zijn vrouw gestorven aan de hartaandoening waaraan ze al jaren leed. Zijn taken als coach begonnen eronder te lijden en na een aantal slechte speelseizoenen was hij gedwongen met pensioen te gaan om niet ontslagen te worden. Inkomensverlies was geen probleem, maar zijn gevoel van persoonlijk falen en teleurstelling in het leven waren zichtbaar in zijn gemelijke blik en minder levenslustige houding. Dit uitstapje naar New Orleans om de priesterwijding van zijn favoriete speler te vieren was misschien net wat de coach nodig had.

John stond in de aankomsthal op hen te wachten. Zijn lange gestalte was gemakkelijk te herkennen in de menigte wachtenden en Cathy's hart sloeg een slag over toen ze hem voor het eerst in het zwarte pak en overhemd met de priesterboord van zijn roeping zag.

'O, lieve hemel,' fluisterde Mabel vol ontzag. Beladen met tassen stopten ze allemaal op een afstandje van hem, tot stilstand gebracht door zijn priesterlijke schoonheid.

Cathy lachte plagend. 'We weten niet of we moeten knielen of onze armen om je heen slaan,' zei ze.

Johns grijns werd breder en deed zijn donkerbruine ogen sprankelen. 'Een knuffel is prima. Welkom in N'orlins, lui.' Cathy en hij omhelsden elkaar en hielden elkaar even zwijgend vast voor een bijzonder, persoonlijk moment voordat John Emma en Mabel omhelsde en Ron en pastoor Richard de hand schudde. Die laatste had hij gevraagd hem tijdens zijn wijding 'aan te kleden'. Will stond zwijgend achter de groep zijn beurt af te wachten; hij leek verlegen en op zijn hoede voor John, alsof die plotseling een vreemde was geworden.

'Hallo, Will,' zei John op rustiger toon.

Will leek zijn uitgestoken hand niet te zien. 'Hoe moet ik je nou noemen?' vroeg hij, met een onzekere blik naar zijn moeder.

'Zoals je me altijd hebt genoemd... John.'

'Geen vader?'

'Alleen als je dat wilt. En pas na mijn priesterwijding.'

'Vader. Zo wil ik je noemen,' zei Will met haperende stem en zonder nog een woord te zeggen wierp hij zich in Johns armen.

De katholieke kerk Most Holy Name of Jesus was een imposant neogotisch gebouw uit 1918, geïnspireerd op de Canterbury Cathedral in Kent, Engeland. Cathy vond het altaar een van de indrukwekkendste dingen die ze ooit had gezien – wat niet zo veel wilde zeggen voor iemand die sinds haar elfde nauwelijks nog buiten Kersey, Texas, was gekomen, bedacht ze laconiek. Toch zou zelfs de meest overtuigde cultuurbarbaar de prachtige avondmaalstafel van puur wit marmer weten te waarderen. John had haar verteld dat de steen door de belangrijkste weldoenster van de kerk was gekozen en suiker vertegenwoordigde, ter ere van de familiegeschiedenis als suikerplanters. Cathy vermoedde dat met al het weelderige goud en rood de kerk voor pastoor Richard wel een kathedraal moest lijken vergeleken met zijn eigen bescheiden kerk thuis.

In het volle zicht aan het hekje rond het altaar hing de witte stool die hij later over Johns schouders zou hangen.

Ze hoorde steeds meer stemmen achter haar, een getuigenis van de achting die men voor John had. De stemmen behoorden aan zijn klasgenoten en professoren van Loyola, scholastieken en novicen, leden van de clerus, parochianen, zijn studenten en hun ouders. Er zouden daklozen onder hen zijn, die naast mensen met woonruimte zaten; ongewassen mensen die een bank deelden met mensen die pas hadden gedoucht. Ze zouden allemaal komen, had zijn geestelijk raadsman haar gisteravond verteld tijdens een bescheiden feestje ter ere van John. John had veel mensen beroerd, in alle rangen en standen. Hij was geliefd. 'Hij is een zeer begaafd geleerde,' zei de raadsman, 'hij staat echter niet bekend om zijn academische prestaties, maar vooral om zijn vermogen met mensen om te gaan, om tot hen door te dringen, of het nu studenten of faculteitsleden, geestelijken of leken, deemoedige of opgetogen mensen zijn. Hij heeft het in de vingers.' Met uitzondering van pastoor Richard, die zou deelnemen aan de processie, bezette de afvaardiging uit de Panhandle de voorste bank rechts van het middenpad. Cathy zou graag in de vollopende kerk om zich heen hebben gekeken op zoek naar een bepaalde persoon, maar daarvoor deed haar nek te zeer.

Er ging een deur open en de provinciaal overste van het bisdom New Orleans nam, gekleed in de prachtige gewaden die bij zijn functie hoorden, zijn plaats op het altaar in. De leden van het koor kwamen binnen en namen hun plaats rechts daarvan in, een indrukwekkende groep in witte gewaden en met een gouden kruis versierde mantels. Ze hieven hun bruine muziekmappen terwijl de dirigent op zijn plaats ging staan, en op een gebaar van zijn handen hieven ze bij de weergalmende klanken van het orgel de oude hymne 'Soli Deo Gloria' (Alleen aan God de eer) aan. De wijdingsdienst was begonnen.

Cathy keek op haar horloge. Over twee uur zou John voor altijd voor haar verloren zijn, met God gehuwd. Van tijd tot tijd had ze zichzelf toegestaan te bedenken hoe haar leven geweest zou zijn als ze Johns aanzoek de dag voor zijn vertrek naar Loyola had geaccepteerd. Natuurlijk had ze toen niet gevoeld wat ze nu voelde en in de ceremonie van vandaag zou er geen moment zijn dat de overste zou zeggen: 'Als er onder u iemand is die vindt dat deze man niet in het huwelijk zou mogen treden met God, laat hem dan nu spreken of voor altijd zwijgen.'

Zij zou zwijgen.

De processie begon. De menigte stond op. Cathy zag Will zijn ogen opensperren. Het was voor het eerst dat hij getuige was van zo'n vertoon van liturgische pracht en praal. Alleen gevolgd door de bisschop was John de op één na laatste in de stoet, eenvoudig gekleed in een albe, een lang wit gewaad dat het doopkleed van een nieuwe christen vertegenwoordigt die 'Christus aanneemt'. Wat was hij knap! Cathy had gezien dat hij op het vliegveld de aandacht van vrouwen trok toen hij langsliep; verbazing in hun blikken toen ze zich afvroegen waarom een man als hij vrijwillig de geneugten van het vlees opgaf die hij voor het grijpen zou kunnen hebben.

Bij hun bank aangekomen stapte John uit de stoet en knipoogde hij naar hun groep terwijl hij zijn plaats naast haar innam tot een misdienaar hem naar de bisschop zou begeleiden om te worden gewijd. Cathy hield het misboekje in haar hand en tijdens de hele duur van het voorlezen uit de Heilige Schrift, de preek en de geloofsbelijdenis weerstond ze de idiote drang om hem bij zijn in het wit gestoken arm te pakken en te zeggen wat ze die avond van Thanksgiving 1986 op haar grootmoeders veranda had willen zeggen: *Ga niet weg, John. Blijf hier en trouw met me…*

Ze verstevigde haar greep op het boekje toen de misdienaar, een jongeman in een albe en een witte superplie, naar John toe kwam om hem naar de overste te brengen, die hem aan de bisschop zou voorstellen. *Kijk me niet in de ogen, John, want dan zul je mijn gebroken hart zien.* Hij keek niet om. Hij volgde de misdienaar zonder haar nog aan te kijken of een kneepje in haar arm te geven. Het was alsof hij een nieuw licht in stapte en al het oude op de bank achterliet. Voor de bisschop legde de overste zijn hand op Johns rechterschouder en zei hij: 'Ik draag aan u voor om te worden gewijd in het ambt van woord en sacrament, John Robert Caldwell, die is voorbereid, beproefd en goedgekeurd voor dit ambt en die door de kerk tot dit ambt is geroepen via de Sociëteit van Jezus.'

Trey had wel verwacht dat hij zou gaan huilen. Hij moest zijn uiterste best doen om zijn ogen droog te houden tijdens emotionele momenten. Hoewel hij het meestal wel kon onderdrukken, had zijn neiging te gaan huilen een eigen wil. Verslaggevers noemden het een anomalie, omdat het zo in strijd leek met zijn cynische aard. Hij zat aan het einde van een bank halverwege de kerk aan de rechterkant, waar hij duidelijk zicht had op de voorste bank. Hij weigerde op te staan om zijn gunstige plek op te geven of zelfs maar nieuw aangekomen mensen voorbij te laten. Ze hadden over zijn voeten heen moeten stappen en hem donkere blikken toegeworpen zonder hem te herkennen. Buiten het speelseizoen droeg hij zijn haar langer. Dat en een baard van een maand en een leesbril met gevlekt montuur waren de enige vorm van vermomming die hij nodig had gehad om een vlucht naar New Orleans te maken, een auto te huren, een hotelkamer te nemen en in de katholieke kerk Most Holy Name of Jesus te gaan zitten zonder te worden herkend.

Zijn ogen waren al begonnen te tranen toen hij de delegatie uit het dorp van zijn jeugd op de voorste bank had zien zitten – Johns geadopteerde familie. Zijn hart had een pijnlijke buiteling gemaakt bij het zien van de fysieke veranderingen in de onversaagde Emma, nu krom en afhankelijk van haar stok, en zijn held en vaderfiguur, coach Turner, die veel te vroeg bijna onherkenbaar was verouderd. Zelfs zijn tante, die hij met Kerstmis nog had gezien, leek brozer. De grootste emotionele schok kreeg hij echter toen zijn blik op het blonde hoofd van Cathy Benson bleef rusten.

Ze zat naast haar zoon, de lege plek aan de andere kant naast haar was waarschijnlijk gereserveerd voor John. De jaren hadden haar schoonheid versterkt, maar John zag met vertederde geamuseerdheid dat er niets was veranderd aan de rechte houding die ze zichzelf al had aangemeten voor hij haar leerde kennen. De tengere schouders waren inmiddels zo geconditioneerd dat ze zelfs niet hadden durven gaan hangen.

Hij had door zijn bril naar haar gekeken, het risico nemend dat ze zijn waterige blikken zou voelen en haar hoofd naar hem zou omdraaien. Cathy zou zich niet door zijn uiterlijk hebben laten beetnemen. Ooit had ze het kunnen voelen wanneer hij naar haar keek. Vroeg ze zich af of hij aanwezig was en haar zag?

Tijdens de vele momenten in het programma waarop de aanwezigen werd gevraagd te gaan staan, was hij verbaasd en teleurgesteld dat ze niet één keer over haar schouder keek om naar een vertrouwd hoofd met bruin haar uit te kijken. Haar belangstelling ging geheel uit naar de ster van de show, net als die van Trey als hij niet naar Cathy keek. Het was niet moeilijk om in de man in het witte gewaad de jongen van hun lerenjacktijdperk te herkennen. Hij was grotendeels dezelfde gebleven – ouder natuurlijk, maar hij was nog steeds John, rustige rots in de branding, doelgericht, gefocust, vol vertrouwen, op zijn gemak met zichzelf en iedereen in het heelal. Zo anders dan de man die naar hem zat te kijken.

Het emotionele moment waarover hij had gelezen en waarop hij zich had voorbereid, brak aan. Toen het koor het prachtige, eeuwenoude 'Heilig, heilig, heilig' begon te zingen, liep John naar het middenpad. Trey's zicht werd wazig toen de man in het witte gewaad met zijn gezicht omlaag op de grond voor het altaar ging liggen en zijn armen naar opzij uitstrekte, een symbool van zijn onderwerping aan God.

Alleen Trey wist wat hem zover had gebracht. Hij hoopte dat het zijn vriend de vrede zou brengen waarnaar hij hunkerde.

Trey vermande zich tijdens de rest van de ceremonie, maar moest weer zijn ogen droog vegen toen de bisschop en de andere priesters hun handen op Johns hoofd legden in een ritueel dat aangaf dat hij nu een van hen was, een ontvanger van de Heilige Geest met het heilige recht zijn ambt uit te oefenen – en dat het hem voor altijd onmogelijk maakte terug te keren naar zijn oude leven. Trey dacht dat er nooit een einde aan de dienst zou komen, maar de rite van het kleden kwam ook nog, waarin Richards voormalige misdienaar voor hem neerknielde om de stool en kazuifel om zijn schouders gehangen te krijgen als een ridder die zijn wapenrusting in ontvangst neemt. Het eerbiedig zwijgen van de ontroerde congregatie werd nergens door onderbroken. Trey was niet zo geroerd. Hij nam het pastoor Richard kwalijk dat hij John van het spel had afgenomen, dat hij had ingespeeld op zijn kwetsbaarheid, die na die dag in november zo duidelijk was geweest als een open wond. Trey vroeg zich af of John zijn aandeel erin ooit aan de goede vader had opgebiecht.

Terwijl hij naar Cathy's profiel keek dat naar de riten gekeerd was, werd hij overvallen door een gevoel van verlies net toen hij zijn tranen had gedroogd. Haar voorhoofd en neus, haar wilskrachtige kaak en de omhooggekrulde wimpers waren nog precies zoals hij ze zich herinnerde. Haar zoon – een knappe jongen – was nu al een kop groter dan zij. Hij hield zijn schouders recht, zijn hoofd geheven en keek naar John. Onder Trey's borstbeen verkrampte een spier. Wat zou er gebeurd zijn, waar zou hij nu in zijn leven staan, als hij de laatste minuten van het laatste kwart van zijn jeugd anders had gespeeld? Zou hij van de jongen hebben kunnen houden als van zijn eigen zoon, of zou hij hem hebben afgewezen zoals Bert Caldwell John had gedaan? Hij zou het nooit weten. Het was een vergissing geweest om te komen, maar hij had niet weg kunnen blijven. Hij had zich ervan moeten verzekeren dat zijn en Johns geheim veilig was. John had nu het gezag verkregen om *in persona Christi* – in naam van Christus – te handelen. Wat het hem ook aan persoonlijke pijn had gekost om hier vandaag te zijn, Trey was ervan overtuigd dat John Caldwell, tot priester gewijd, lid van de Orde van de Sociëteit van Jezus, verspreider van het geloof, nooit de waarheid over de enige zonde van zijn leven zou onthullen.

Met een laatste blik op degenen die hij waarschijnlijk nooit meer zou zien, glipte Trey weg toen iedereen opstond voor de gezamenlijke betuiging van bijval en voordat John zich omdraaide om aan de congregatie te worden voorgesteld als een bruidegom tijdens zijn huwelijksceremonie.

Wanneer hij terug was in Carlsbad zou hij een hond nemen, besloot hij.

39

Zijn ambtstermijn begon. 'Waar wil je dienen, mijn zoon?' vroeg de overste van het bisdom aan John. *In St.-Matthew's, om dicht bij Cathy en mijn petekind te zijn*, zou hij het liefst antwoorden. Will zou weldra in de puberteit raken en had een vaderfiguur nodig, en Emma en Mabel, die allebei broos en ziekelijk waren, naderden het einde van hun leven en zouden er weldra niet meer zijn, en dan zou Cathy er alleen voor staan tot haar zoon over een paar jaar ging studeren.

Hij had zich echter toegewijd verklaard aan de grotere familie Gods en aan Ignatius Loyola's mandaat dat jezuïeten opdroeg 'de wereld rond te trekken' om degenen te helpen die dat nodig hadden. Dus antwoordde hij: 'Stuur me daarheen waar ik nodig ben.'

Hij was allereerst nodig in de Pelican Bay-staatsgevangenis, een zeer streng beveiligde strafinrichting in de buurt van Crescent City in het district Del Norte, Californië. De gevangenis huisvestte enkelen van de gevaarlijkste criminelen van Californië en lag in een afgelegen bosgebied dicht bij de grens tussen Californië en Oregon, ver van de grote steden. Het was er in de zomer gemiddeld zestien tot eenentwintig graden, een welkome afwisseling van de verstikkende hitte en vochtigheid in New Orleans. Zijn kamer in Crescent City, gelegen aan de prachtige kust van Noord-Californië, was comfortabel en de omgeving bood dankzij de nabijheid van de Stille Zuidzee en de staatsparken voldoende gelegenheid voor de buitenactiviteiten waar hij zo van hield. Binnen een week nadat hij zich voor zijn werk had gemeld, dacht hij dat hij was ingedeeld in de hel.

De geüniformeerde bewaker die was gevraagd John rond te leiden in de gevangenis vroeg: 'Bent u ooit eerder in een SHU geweest, meneer pastoor?' De afkorting stond voor Security

Housing Unit – de nieuwe term voor eenzame opsluiting. Ze stonden in een betonnen cel van tweeënhalf bij drie meter zonder ramen. Het enige licht kwam binnen door een hoge, met tralies beveiligde lichtkoepel die net zo grijs was als de betonnen muren, de niet verplaatsbare slaapbank, kruk, schrijftafel en combinatie van roestvrijstalen wasbak en toilet zonder deksel. Er drong niets anders tot de diepe, afgedwongen stilte van de isoleercel door dan het geluid van een paar gedempte stemmen en zo nu en dan het doorspoelen van een toilet. De gevangene die in deze cel was opgesloten zou de galerij alleen kunnen zien door de ver uit elkaar geplaatste, stuivergrote perforaties in een massief stalen deur. In het metaal zat op kniehoogte een klein deurtje waardoor zijn maaltijden werden geserveerd op plastic borden – tweemaal daags, was John verteld.

Er ging een rilling door hem heen. Hij was een jongen van de Texas Panhandle. Naar welke smerige, overvolle steden zijn vormingsjaren hem ook hadden gevoerd, hij had de hoge hemelen en weidse vlakten van de thuisstreek altijd vooraan in zijn hoofd met zich meegenomen. Het was een trucje dat hij had ontwikkeld om het ingesloten gevoel af te weren dat hij kreeg van krioelende mensenmassa's, armoede en ellende. Hij kon zich niets ergers voorstellen dan te worden opgesloten op deze vreselijk efficiënte plek van elektronisch bediende deuren, steriel beton en staal, waar je niet meer dan tweeënhalve meter in dezelfde richting kon lopen, en jarenlang geen gras, bomen en blauwe lucht te zien kreeg.

Het zelfgenoegzame lachje van de bewaker gaf aan dat hij het antwoord van zijn bezoeker al kon aflezen aan diens ontzette uitdrukking.

John vroeg: 'Deze... cabine, heb ik gehoord dat het wordt genoemd, is waar de overtreder tweeëntwintigenhalf uur per dag eet, slaapt en leeft. Waar brengt hij de overige anderhalf uur door, die neem ik aan voor ontspanning gereserveerd zijn?'

'Hierbuiten.' De bewaker leek niet beledigd door de sarcastische toon van Johns vraag. John kreeg de indruk dat hij gewend was aan de bezwaren van 'weldoeners' als hij tegen de inrichting, waar geen enkele kans was om een man te rehabiliteren die in zulke omstandigheden moest leven. Hij volgde de geüniformeerde man door een op afstand bediende schuifdeur, die toegang gaf tot een kale betonnen binnenplaats zo groot als een hondenren. De muren waren zes meter hoog en afgedekt met een stalen rooster waardoor de gevangene een stukje van de lucht kon zien. John vond het er net zo uitnodigend uitzien als een verlaten mijnschacht.

'Dit is het sportterrein,' legde de bewaker uit.

'Sportuitrusting is niet toegestaan en de overtreder mag geen contact hebben met andere gevangenen?' vroeg John om bevestigd te krijgen wat hij had gelezen.

'Dat klopt. We leggen strikte afzondering op. De meesten doen sit-ups of lopen van muur naar muur. Dit is vooral een plek waar ze in de frisse lucht de benen kunnen strekken.' Hij zag Johns blik van afkeer en voegde eraan toe: 'En, meneer pastoor, ik zou de mannen die hierheen worden gestuurd geen "overtreders" willen noemen. De man die in de cabine komt te wonen die ik u heb laten zien, bijvoorbeeld, heeft een gezin van vijf personen vermoord, waaronder een baby van twee maanden oud.'

'Hoe moet ik aan de spirituele behoeften van die mannen tegemoetkomen, hun biecht aanhoren, de sacramenten toedienen zonder menselijk contact?'

De bewaker grinnikte met een spottende blik in zijn ogen. 'Als u al klanten hebt, door het etensluikje.'

Hij had klanten. Niet spirituele begeleiding was de reden, merkte John, maar het feit dat hij de enige bron van menselijk contact voor de gevangenen in de SHU was, de gelegenheid om een pink door een van de gaatjes in hun celdeur te steken en die even om de zijne te haken. Van zijn dagen van het adviseren van gevangenen, het aanhoren van misselijkmakende biechten van de mannen in de SHU en de verdere bevolking in de gevangenis leerde hij veel over hoe diep een mens kan zinken in het kwaad en de verdorvenheid. Daar was in Johns studieboeken over psychologie niet over gesproken. Zijn contact als geestelijke bij moordenaars,

verkrachters en kindermisbruikers stelde zijn geloof in het ignati-
aanse concept dat God overal in te vinden was, behoorlijk op de
proef.

'Gelooft u dat de mens het evenbeeld is van God, meneer pastoor?'

John keek naar de geboeide seriemoordenaar van kleine meisjes tegenover hem, de spottende glimlach en dito blik in zijn
ogen toen hij die vraag stelde. Hij zag geen greintje spijt bij de
man. Hij was een monster. Om een of andere reden dacht John,
onbillijk, aan Trey, die toegaf aan zijn aard. 'Zo begint hij wel,'
zei John.

Hoewel de zondigheid waarmee hij dagelijks werd geconfron-
teerd zijn geloof dat de essentiële goedheid van de mens het kwaad
zou overwinnen aan het wankelen bracht, twijfelde hij geen moment aan God. Niet alles mocht dan in orde zijn op aarde, maar
God was in Zijn hemel. Het was Johns missie mannen te doen
inzien dat ze door Gods genade en als ze daartoe bereid waren, de
mogelijkheid hadden het kwaad in hen te veranderen, zelfs in een
gewelddadige, door bendes geplaagde gevangenis waar goedheid
zo moeizaam gedijde als een zonnebloem in giftig afval.

Hij was ongeveer een jaar met zijn priesterlijke taken bezig toen
zijn hospita onverwacht bezoek aankondigde.

'Een dokter,' zei ze. 'Ze zit in de huiskamer. Bent u ziek, meneer
pastoor?'

John las het visitekaartje: LAURA RHINELANDER, NEURO-ONCO-
LOOG. De naam klonk bekend. Ach ja: Cathy's jeugdvriendin uit
Santa Cruz. Hij wist dat ze nog steeds correspondeerden en hij
was trots op Cathy omdat ze contact hield met de vriendin die
de droom had waargemaakt die zij had moeten laten varen. Hij
herinnerde zich dat Laura gespecialiseerd was in de opsporing en
behandeling van hersentumoren… en ze was tamelijk bekend geworden in haar vakgebied, had Cathy hem verteld. Ze had voorgesteld dat hij Laura zou proberen te bezoeken, omdat ze in San
Diego werkte, maar alleen al de naam van de stad waar Trey voor
de Chargers speelde veroorzaakte een vieze smaak in Johns mond.

Cathy moest Laura zijn adres hebben gegeven. Ze zou het geweldig vinden dat Laura het initiatief had genomen hem op te zoeken.

Hij dacht erover zijn priesterboord af te doen en een ander shirt aan te trekken, maar hij verlangde ernaar iemand te zien die Cathy kende en die niets met de gevangenis te maken had.

'Nee, ik ben niet ziek,' zei hij tegen zijn hospita. 'Ze is gewoon een vriendin van een vriendin.'

Hij stapte verwachtingsvol de huiskamer binnen. 'Laura?' zei hij.

Ze draaide zich van het raam naar hem om en hij herkende de vrouw die was opgegroeid uit het meisje met kastanjebruin haar, reebruine ogen en gevoel voor mode dat hij had ontmoet toen ze twaalf waren. Ze schonk hem een onzekere glimlach. 'Ik hoop dat het geen probleem is dat ik zo onaangekondigd kom. Ik wist pas gisterochtend dat ik vrij zou zijn.'

Hij herkende een burn-out als hij die zag. Hij vermoedde dat ze plotseling had besloten dat ze een paar dagen geen zieke mensen wilde zien en aan hem had gedacht. 'Ik ben blij je te zien,' zei hij, zijn blijdschap tonend met een brede glimlach. 'Buitengewoon blij zelfs.' Ze droeg makkelijke schoenen bij haar outfit, die eigenlijk vroeg om stijlvoller schoeisel. 'Laten we gaan wandelen,' zei hij, 'dan kun je me bijpraten over de afgelopen negentien jaar.'

Ze was verbonden aan een kankercentrum in San Diego, vertelde ze hem, en had nu vier jaar een praktijk.

'Dat heeft Cathy me verteld,' zei hij. 'Zie je Trey Hall weleens?'

'Alleen op televisie als de Chargers spelen. En een keer in een restaurant. Hij was met een groep vrienden. Hij herkende me niet en ik heb me niet opnieuw aan hem voorgesteld. Ik was bang dat ik hem zou aanvallen met een tafelmes. En jij? Heb jij met hem in contact proberen te komen sinds je in Californië bent?' Ze glimlachte verontschuldigend. 'Cathy vertelde me dat jullie met elkaar overhoopliggen.'

John schudde zijn hoofd. 'Ik heb erover nagedacht, maar meer ook niet.'

Toen het tijd was om te worden overgeplaatst, was Laura de enige reden dat hij het jammer vond om Noord-Californië te verlaten. Ze waren vrienden geworden. Het was twee dagen rijden van San Diego naar Crescent City, maar hij diende als haar excuus om zich te onttrekken aan de verlammende hopeloosheid van haar werk, en zij hielp hem even te ontsnappen aan het zijne. Ze was een van de gevoeligste en attentste mensen die hij ooit had ontmoet. Op een middag in februari reed ze recht uit San Diego naar Crescent City nadat er een rassenrel was uitgebroken op de binnenplaats van de gevangenis, een dag voor dat in het landelijk nieuws kwam. Bewakers hadden wapens moeten gebruiken om een einde te maken aan het dertig minuten durende strijdgewoel, waarbij een gevangene werd doodgeschoten, er dertig gewond raakten en er minsten vijftig werden neergestoken. Daar waren diverse van Johns 'parochianen' bij. Hij had vanachter het gevangenishek in machteloze en ontzette gelatenheid toegekeken.

'Ik dacht dat je wel een vriend kon gebruiken,' zei ze, een picknickmand met zijn favoriete gerechten omhooghoudend toen hij de huiskamer van zijn hospita binnen stapte.

Laura had hem kennis laten maken met surfboarden, gekookte mosselen, zuurdesembrood en Californische wijnen. Hij had haar een luisterend oor en een brede schouder geboden in het donkere gat waarin ze was gevallen na haar scheiding van een concertpianist van wie ze nog steeds hield. 'We konden gewoonweg niet met elkaar in harmonie komen,' zei ze. 'Onze carrières zaten ons in de weg.'

Er volgde een relatief rustige periode op Jamaica, waar John in een gemeenschap met andere jezuïeten woonde die door de jaren heen veel scholen en kerken op het eiland hadden gebouwd en waar hij met de regering samenwerkte om het onderwijs en de huisvesting voor de armen te verbeteren. Daarna, in 2002, werd hij teruggestuurd naar Guatemala om zich bezig te houden met sociaal recht, hetzelfde departement waar hij voor zijn priesterwijding ook bij betrokken was geweest en dat had helpen leiden tot de ondertekening van Guatemala's Vredesakkoorden, die een einde hadden gemaakt aan de zesendertig jaar durende burgeroorlog. Hoewel er enige verbetering was, vond hij Guatemala nog net zo gewelddadig als voorheen en bleken sommigen die nog steeds aan de macht waren in het leger, zich nog steeds zijn gezicht en voormalig werk als pleiter voor de mensenrechten te herinneren. Moord, ontvoering, diefstal, drugshandel en gevangenisopstanden waren wijd verspreid 'met 426 geregistreerde sterfgevallen in december alleen al – 13 per dag,' schreef hij aan pastoor Richard met de strikte waarschuwing dat hij geen nieuws over de gevaarlijke situatie met Cathy of de anderen mocht delen. Aan Cathy beschreef John alleen de extreme ellende en armoede in 'zo'n prachtig land dat door de wereld is vergeten'.

Hij verlangde ernaar ergens in de Verenigde Staten te worden ingedeeld, maar werd naar de kustparochie St.-Peter Claver in het kleine buurland Belize gestuurd om de jezuïeten van het bisdom Missouri te helpen in de humanitaire behoeften te voorzien van de Maya-bevolking die na orkaan Iris nog berooider was achtergebleven. Tot zijn werk behoorden de nooit eindigende taken de vruchtbare inheemse armen te voeden en te huisvesten, hun training en scholing mogelijk te maken en aan hun sociale en economische vooruitgang te werken. In een gebied dat op ansichtkaarten werd afgebeeld als een lieflijk tropisch paradijs, zeurde en smeekte hij om hulp van medische instanties in de strijd tegen de ziekten die werden overgebracht door een met allerlei ziekten besmette insectenpopulatie, gebrek aan schoon drinkwater en onhygiënische omstandigheden. Hij timmerde en zaagde, plantte en teelde, onderwees en preekte, en verzette zich tegen de tirannie van de weinige bevoorrechten over de vele misdeelden. Tegen de zomer van 2004 kon hij het inheemse Kriol, of Belizaans Creools-Engels, vloeiend spreken en schrijven, speervissen als een Maya, een kano bouwen en de aanwezigheid van een giftige, in de bomen levende wimpergroefkopadder opsporen die op de loer lag om een nietsvermoedend slachtoffer onder hem aan te vallen. Zijn huid had de kleur van gepolijst hout en hij zat tien kilo onder zijn normale gewicht. Hij was zesendertig jaar oud.

En toen ontving hij op een dag een bericht van de overste van het bisdom New Orleans. Pastoor Richard ging met pensioen. Voelde John ervoor zijn taken als pastoor van de parochie St.-Matthew's in Kersey, Texas, over te nemen?

40

Op oudejaarsavond 1999 vulde Mabel de badkuip met extra water, zette ze in het hele huis zaklampen en reservebatterijen neer, deed ze alle ramen en deuren dubbel op slot en zette ze een van de jachtgeweren van wijlen haar echtgenoot geladen naast haar bed. Ze had haar bijkeuken gevuld met houdbaar voedsel, kratten gedistilleerd water, zakken houtskoolbriketten en blikken aanstekervloeistof. Haar kluis zat vol contanten en sieraden en de tank van haar Cadillac was helemaal vol, en kon weer worden bijgevuld met de volle jerrycans in de garage.

'Jij en de kinderen moeten vannacht bij mij blijven,' zei ze tegen Emma, doelend op haar tweeëndertigjarige kleindochter en haar achterkleinzoon, een jonge tiener. 'Mijn huis is veiliger.'

'Jouw huis is brandgevaarlijk,' zei Emma, 'en ik loop kans te worden doodgeschoten als ik opsta om naar de wc te gaan.'

'Het kan geen kwaad om je voor te bereiden,' zei Mabel snuivend. 'En je zult er nog spijt van krijgen dat je niet bij me bent gebleven als vannacht inderdaad gebeurt wat ze verwachten.'

Het was de rustigste oudejaarsnacht in de geschiedenis van Kersey. Er kwam geen einde aan de wereld en de Y2K-bug deed zich niet gelden, maar in de eerste uren van het jaar 2000 overleed Emma Benson in haar slaap. De zaak was gesloten voor de feestdag en Cathy was thuis. Ze was vroeg opgestaan om wentelteefjes te maken voor het ontbijt voordat Emma, Mabel en zij zich voor de televisie zouden installeren om naar de Rose Bowl Parade te kijken. Will ging met zijn vrienden baseballen.

Toen Emma, die altijd vroeg wakker was, na een poosje nog niet reageerde op de geur van verse koffie, klopte Cathy op haar deur. 'Grootmoeder, de koffie is klaar,' riep ze.

Geen reactie. Cathy hield haar adem in. Ze realiseerde zich dat ze de wc niet had horen doorspoelen. Stilletjes opende ze de deur en trof ze datgene aan waar ze allang voor vreesde. Emma lag met haar ogen dicht en haar handen vredig boven het dekbed gevouwen in bed, voor eeuwig buiten bereik van haar kleindochters stem.

Er werd een grote zwarte krans onder het GESLOTEN-bord bij Bennie's gehangen. De vlag van de rechtbank werd halfstok gehangen. Cathy, haar verdriet als een steen op haar borst, hield zich goed voor haar ontroostbare zoon en Mabel, aan wie in een nacht tijd bijna al haar resterende jaren leken te zijn ontnomen. Cathy stelde voor dat ze Trey zou bellen om te vragen of hij naar huis wilde komen, maar Mabel schudde haar hoofd. 'Het zou schending van de herinnering aan Emma zijn als hij nu zou komen opduiken,' zei ze. De ochtend van de begrafenis ontdekte Cathy naast de kist een prachtig bloemstuk van witte gladiolen, Emma's lievelingsbloemen, met een kaartje met Trey's naam erop en de simpele tekst: *Rust zacht, Miss Emma.* John kwam uit Californië overvliegen, maar kon maar een paar dagen bij hen blijven. Hij had een gevangene die van Pelican Bay was overgeplaatst naar de dodencellen van San Quentin beloofd hem te begeleiden naar zijn executie.

Terend op het erfgoed van Emma's steun en wijsheid, concentreerde Cathy zich op de toekomst.

'Ik moet zeggen, Cathy, dat je er iets geweldigs van hebt gemaakt,' zei Daniel Spruill, directeur van de Kersey State Bank, bewonderend over de verbouwing van Bennie's. 'Wat een verschil met de dagen dat Gloria op haar zakdoek spuugde om een tafelblad af te vegen voor ze zelfs maar ging zitten.'

Hij had het over zijn overleden vrouw. Daniel was in Kersey opgegroeid en zeven jaar eerder dan Cathy geslaagd voor de middelbare school. Gloria en hij waren na hun studie en hun huwelijk teruggekomen naar Kersey, Daniel om onderdirecteur te worden van zijn vaders bank en Gloria om een prominente rol te gaan vervullen in de gemeenschap, zoals dat ging in Kersey. Na de

dood van Spruill senior had Daniel zijn vaders positie als directeur geërfd, en hij was weduwnaar sinds Gloria drie jaar geleden
aan kanker was overleden. Cathy en hij zagen elkaar vaak sinds ze
tegenover hem aan zijn bureau was gaan zitten om hem haar plannen voor de uitbreiding van Bennie's uit te leggen.

Dat was zes maanden geleden geweest. Het was nu december
2000. Cathy was bang geweest dat de verzwakking van de economie door het uiteenspatten van de internetzeepbel haar kans
op een lening zou verslechteren, maar de bankdirecteur had haar
verzekerd dat zijn bank met alle plezier wilde tegemoetkomen aan
haar financiële behoeften.

'Zonder jouw vertrouwen in mij had ik het niet gekund,' reageerde Cathy nu op het compliment.

'Ja, dat had je wel. Je vertrouwen in jezelf zou genoeg zijn geweest. Ik ben gewoon blij dat ik hier aan mag bijdragen.' Hij wees
naar de vergrote eetzaal, de nieuwe buffetfaciliteiten en de uitgebreide bar alvorens zijn arm om haar middel te slaan. Ze waren alleen in de eetzaal. Bennie's was nog niet heropend na de renovatie.
Voor de volgende dag stond er een open huis gepland. 'Heb je
enig idee hoeveel je voor me betekent?' vroeg hij zacht, zijn lippen
dicht bij haar oor.

Ja, dat had ze. Hij ging wat te snel voor haar, maar zoals hij had
gezegd toen hij voor het eerst zijn gevoelens onder woorden had
gebracht: 'Wie heeft er tijd om te wachten?'

Ze hield niet van hem zoals ze had gehoopt ooit weer lief te
hebben, maar hij was goed en vriendelijk, en dol op haar zoon.
Hij had er zelf twee, aardige jongens, die al studeerden, en Daniel
stelde zich voor dat ze samen de vakanties zouden doorbrengen,
trips en uitstapjes zouden maken – 'plezier maken als gezin'. Hij
was aantrekkelijk op een professionele manier (zijn bril had blijvende deukjes op zijn neus veroorzaakt) en was een beminnelijke
en handige vriend. Hij koesterde de dingen in haar die hij bij zijn
vrouw had gemist. Men had Gloria emotioneel onzeker genoemd,
iemand die geld had uitgegeven om goed te maken wat ze als
dochter van een klusjesman tekort was gekomen, jaloers en bazig,

een vrouw die de behoefte had om benijdenswaardige spullen te kopen opdat ze zich niet minder zou voelen dan de vrienden van haar echtgenoot. Ze had er nooit naar verlangd te reizen en was niet nieuwsgierig geweest naar de wereld buiten Kersey. Ze had een obsessieve aanbidding gekoesterd voor haar zoons, voor wie Daniel op het tweede plan was gekomen.

'Ik was gewoon de man die de rekeningen betaalde,' zei hij.

Er klonk een beleefd kuchje vanaf de keukendeur. Cathy keek langs Daniels smalle schouder. 'Ja, Odell?'

'De bestelwagen is er, juffrouw Cathy.'

'Ik kom er zo aan.'

Ze maakte zich los uit Daniels armen, haar gedachten weer bij haar werk. 'Ik hoop alleen dat de klanten zullen komen nu ik ermee klaar ben.'

En de klanten kwamen. De paniek op Wall Street hield ze niet tegen, de gestaag toenemende stroom lokale gasten, reizigers op de Interstate 40 die over Bennie's hadden gehoord en Panhandlers die genegen waren lange afstanden te rijden om te kunnen aanschuiven in het uitstekend aangeschreven restaurant in Kersey, Texas. Aan de muren verschenen ingelijste artikelen van recensenten en door beroemdheden gesigneerde menukaarten. Cathy raakte gewend aan haar relatief welvarende leventje, dat alleen werd verstoord door de vraag of ze bereid was het zuurverdiende, groeiende succes van haar zaak op te geven om te trouwen. Daniel zou verwachten dat ze Bennie's verkocht. Te oordelen naar zijn beschrijving van het leven dat ze zouden leiden, zou er voor haar geen ruimte overblijven om het restaurant te runnen. Hun eerste en enige woordenwisseling ging dan ook over het restaurant.

'New York, Cathy. We hebben het over New York! Toneel, restaurants, wandelingen in Central park, kunstgaleries, het Waldorf-Astoria. Denk je eens in… herfst in New York!' Hij zwaaide met *Fodor's Guide to the Big Apple* voor haar gezicht.

Cathy zuchtte. 'Ik weet het.'

'Nee, je weet het niet!' Daniel gooide de reisgids op zijn bureau.

'Hoe zou je het ook kunnen weten? Je bent sinds je elfde nauwelijks het district uit geweest.'

Ze zaten in Daniels kantoor in de bank het lastige onderwerp te bespreken – of liever erover te ruziën – van Daniels aanstaande reis naar een bankiersconferentie in New York City. Hij wilde dat ze meeging, maar de data in kwestie vielen precies samen met boekingen voor evenementen in Bennie's feestzaal. Bebe zou al die gasten niet in haar eentje aankunnen en het waren de reserveringen voor bijzondere evenementen die ervoor zorgden dat Bennie's flink in de plus bleef. Cathy kon in die periode gewoon niet weg.

Ze voelde de frustratie en teleurstelling aan die hij zo vaak gevoeld moest hebben wanneer zijn vrouw vanwege de kinderen weigerde hem te vergezellen op zakenreizen. 'Ik bedoel,' legde Cathy uit, 'dat ik weet hoe fantastisch het moet zijn om naar New York te gaan. Dus wat zeg je hiervan? Waarom gaan we er niet heen op onze huwelijksreis?'

'Wat?' zei hij, en zijn frons verdween zoals een donderwolk wanneer de zon doorbreekt. 'Wat zei je?'

Cathy glimlachte. 'Ik neem je aanzoek aan. Ik wil graag met je trouwen.' Ze wist het nu zeker. Ze hield van Daniel, al was het dan niet met heel haar hart zoals ze van Trey had gehouden, dan toch in elk geval genoeg om te weten dat ze voor hen beiden de beste beslissing nam. Ze was drieëndertig. Haar grootmoeder was er niet meer en Will zou over drie jaar gaan studeren. John zat op Jamaica en Trey zou nooit meer naar huis komen. De jaren strekten zich lang en leeg voor haar uit, met alleen het restaurant om haar dagen te vullen. Met Daniel trouwen zou betekenen dat ze naar het grote huis op de heuvel verhuisde, dat ze misschien nog een kind zou krijgen en niet meer de kost hoefde te verdienen voor haar zoon en zichzelf. Het belangrijkste was nog dat ze haar leven zou doorbrengen en oud zou worden met een man die ze respecteerde en bewonderde.

Hij kwam achter zijn bureau vandaan, zijn gezicht stralend van blijde verbazing. 'Je verandert toch niet van gedachten terwijl ik weg ben, hè?'

'Ik verander niet van gedachten.'

'Halleluja!' Hij nam haar in zijn armen en draaide haar rond, haar voeten van de vloer. Toen kuste hij haar.

'Zo,' zei ze lachend toen hij haar weer neerzette, 'wil je dan nu je secretaresse een kopie laten maken van het conferentieprogramma, zodat ik in elk geval in gedachten steeds overal bij je kan zijn?'

Op de eerste dag van de conferentie keek ze plichtsgetrouw waar de bijeenkomst van die dag gehouden zou worden. In het World Trade Center, zag ze, op de tweeënnegentigste verdieping van de North Tower. Het was 11 september 2001.

41

De zwaarmoedigheid was begonnen en gebleven, bedacht Trey later, toen Emma op nieuwjaarsdag 2000 was gestorven. Ze was drieëntachtig geweest en had al jaren last van een slecht hart, dus haar overlijden kwam niet onverwachts, maar toch maakte de wetenschap dat de sterke oude dame er niet meer was hem triest. Hij kon zich alleen maar voorstellen hoe groot het gemis voor Cathy en zijn tante moest zijn. Miss Emma's dood had hem eraan herinnerd dat tante Mabels dagen ook geteld waren en dat had hem nog triester gemaakt.

'Waarom laat je je tante niet hier bij ons komen wonen?' had zijn tweede echtgenote tot zijn verbazing voorgesteld. Mona dacht gewoonlijk alleen maar aan zichzelf.

'Zou je dat goedvinden?'

'Ik zou alles goedvinden als dat jou weer gezelliger en minder saai maakt.'

Het ging dus toch weer over Mona, maar zijn tante had de uitnodiging afgeslagen.

'Nee, lieverd, hier hoor ik thuis,' had ze gezegd. Ze vroeg hem niet meer haar te komen opzoeken en op zijn uitnodiging om de feestdagen bij hem door te brengen, antwoordde ze altijd dat ze te oud was om nog in haar eentje te vliegen, dus de laatste keer dat hij tante Mabel had gezien was de kerst na Johns priesterwijding. Daarna waren er momenten geweest dat hij, met een verlangen dat zijn borst deed branden, er alles wat hij had voor zou hebben willen opgeven om terug naar huis te kunnen, zijn tante en Miss Emma te omhelzen, zijn armen om Cathy en John heen te slaan en met een toverstokje te zwaaien om het verleden uit te wissen zodat ze allemaal opnieuw konden beginnen. Maar Emma was dood, zijn tante had hem opgegeven, John kweet zich ergens in

Midden-Amerika van zijn priesterlijke taken en Cathy was verliefd geworden op een bankdirecteur. Elke deur die ooit voor hem open had gestaan, was nu dicht.

Waarom zag hij toch altijd alles pas als het te laat was?

'Trey, luister je naar me? Ik zei net tegen je dat je bijna blut bent.'

'Dat heb ik gehoord,' zei Trey. Hij zat tegenover zijn financieel adviseur in het kantoor van Merill Lynch in Carlsbad. Het was september 2007. Hij hoefde niet naar het overzicht te kijken dat zijn adviseur had gemaakt om te weten hoe het er met zijn financiën voorstond of hoe het zover was gekomen. In zijn eerste vijf jaar in de NFL was hij in de val getrapt waarin veel nieuwelingen trappen als ze plotseling elke twee weken vijf ton verdienen. Het was moeilijk om een financieel conservatieve leefwijze aan te houden, ook al was hij zich ervan bewust dat de gemiddelde carrière van een football-prof ongeveer drie jaar duurde en zijn salaris maar voor korte tijd gegarandeerd was als hij niet kon spelen.

De eerste vier seizoenen had hij na aftrek van de belastingen en de zes procent voor zijn agent, geld uitgegeven als een maniak; hij had chique auto's gekocht, zeilboten, zijn huis in Carlsbad en een in Santa Fe, om nog maar te zwijgen van de maatpakken, overdadige feesten, torenhoge restaurantrekeningen, sieraden en de kosten van zijn eerste echtscheiding.

Daarna was hij zijn verdiensten echter gaan investeren. Zijn doel was om als hij met pensioen ging voldoende geld te hebben om de wereld rond te zeilen en nooit meer te hoeven werken. Hij bestudeerde de aandelen- en vastgoedmarkt en analyseerde met zorg alle aanbiedingen om te investeren in alles van restaurants tot kledinglijnen tot oliepercelen. Wat huiswerk maken betreft deed hij dus alles goed, en toch verprutste hij het. Tegen het advies van de man tegenover hem in zette hij de miljoenen in zijn uitstekende portfolio om in aandelen in computersoftware, telecommunicatiebedrijven en internet. In 1996 zag hij zijn aandelen in Yahoo! op de eerste dag op de beurs met 155 procent stijgen. Zijn investering van dertigduizend dollar in aandelen van een bepaald bedrijf was na een jaar een miljoen waard. Hoe kon het misgaan? De toekomst lag in technologie en in het internet, motoren van de welvaart, die gelijkstonden met spoorwegen, elektriciteit en auto's. Hij had het gevaar niet voorzien van bedrijven die de beurs op gingen met niets anders dan de belofte van toekomstige winsten. Voor de zeepbel uiteenspatte en hij aandelen ter waarde van 244 dollar per stuk zag zakken naar 7 dollar, vroeg Mona echtscheiding aan. Ze incasseerde de helft van zijn internetportfolio toen de waarde op z'n hoogst was.

In 2001, na zijn elfde seizoen bij de Chargers, werd zijn contract niet verlengd. De klap was gekomen vóór de gebeurtenissen van 11 september en het verbijsterende nieuws dat Cathy's verloofde was omgekomen in de North Tower van het World Trade Center. San Francisco 49 haalde hem binnen als tweede quarterback, maar tijdens zijn eerste wedstrijd verloor hij zijn concentratie en hield hij de bal te lang vast alvorens hij een bijna verlammende klap tegen zijn hoofd kreeg, die hem met een hersenschudding aan de kant zette. Vanwege knieproblemen strompelde hij – letterlijk– de rest van het seizoen door, waarna San Francisco hem aan het eind van zijn eenjarige contract vaarwel zei. Hij was vierendertig.

Voor hem was het spel ten einde. Hij weigerde in het profcircuit te blijven hangen als tweede man, langs de kant te zitten en als een gretige nieuweling om speeltijd te wedijveren, dus stofte hij zijn diploma handelswetenschappen van de Universiteit van Miami af. Zijn naam alleen al leverde hem gesprekken op met directeuren van topbedrijven in de omgeving van San Diego, waarvan de meeste de broekriem aantrokken in verband met het Silicon Valley-debacle en de volgende terroristische aanvallen, die de aandelenmarkt opnieuw deden instorten. Geen van de betrekkingen die hij probeerde, beviel hem echt, tot hij het afgelopen jaar was aangenomen als fondsenwerver voor een non-profitorganisatie. Het liefdadigheidswerk en de mensen, voornamelijk toegewijde vrijwilligers, lagen hem goed en voor het eerst genoot hij er schaamteloos van zijn sterrenstatus en charisma te gebruiken om de rijken geld uit de zak te kloppen teneinde de nood van de minderbedeelden te lenigen. Er waren momenten, na een succesvolle campagne, dat hij zou willen dat John hem de cheque kon zien aannemen die het gevolg was van de inzet van zijn aantrekkingskracht. *Wat zeg je hiervan, Tiger?*

'Je hebt in elk geval geen schulden,' zei zijn adviseur, 'en als je je huis verkoopt...'

'Ik verkoop mijn huis niet,' onderbrak Trey hem. 'Dat is geen optie.'

'Nou, als je blijft werken, zou je iets... zuiniger, maar nog heel bevredigend kunnen leven.'

Als hij bleef werken. Hij had direct nadat hij hier vandaag wegging een afspraak met een dokter in San Diego. Hij had al een tijd last van hoofdpijn en wazig zien, en dat leek erger te worden. Hij hoopte dat het probleem geen gevolg was van die laatste zware hersenschudding die hij had opgelopen. Als dat wel zo was, zou hij het accepteren. Hoofdpijn, duizeligheid en geheugenverlies waren de prijs voor het spelen op zondag in een sport die gebaseerd was op en werd aangedreven door geweld.

De regen sloeg tegen zijn autoruiten toen hij de parkeerplaats opreed van een internist die hij op internet had gevonden. Hij had ervoor gekozen naar een vreemde te gaan in plaats van naar zijn oude sportarts, waar altijd verslaggevers rondhingen om beroemde atleten aan te spreken en te fotograferen na hun artsenbezoek. Hij wilde dit bezoek buiten de media houden.

Toen hij de motor had uitgeschakeld, bleef bij nog enkele minuten door het raam van zijn BMW naar de regen zitten kijken, zijn handen om het stuur geklemd. Toen ademde hij diep in en duwde hij het portier open. Een paraplu had hij niet nodig. Als drijfnat worden het ergste was wat hem vandaag zou overkomen, vond hij het prima.

Een assistente noteerde de geschiedenis van Trey's symptomen, en nam toen een neurologisch onderzoek af dat zijn zicht, evenwicht, coördinatie en mentale toestand testte. Daarna moest hij een CT-scan en een MRI van zijn hersenen laten maken. Toen hem werd uitgelegd dat hij, om zeker te zijn van geslaagde opnamen, volkomen stil moest liggen en zou worden vastgebonden aan een bewegende onderzoekstafel die door een nauwe machine zou schuiven, kwamen zijn problemen met claustrofobie in alle hevigheid terug. Hij zou zich hebben omgedraaid en zijn weggelopen als de technicus de beroemde quarterback van San Diego – *U bent mijn held, meneer Hall!* – hem niet met zo veel respect en eerbied had behandeld.

'Denk aan de mooiste tijd van uw leven, dan is het voorbij voor u er erg in hebt,' zei hij tegen Trey toen hij de contrastvloeistof in zijn ader spoot.

Trey dacht aan de nacht die hij na het schoolbal met Cathy had doorgebracht.

Toen het voorbij was, wachtte hij een uur voordat de technicus terugkwam naar de wachtkamer. 'Een radioloog zal de beelden analyseren en een verslag naar de arts sturen die de onderzoeken heeft aangevraagd, meneer Hall,' zei hij. 'U zult over een dag of drie wel van hem horen.'

Minder dan vierentwintig uur later werd hij teruggeroepen naar de praktijk van de internist. De dokter legde uit wat de resultaten van de tests inhielden en zei daarna: 'Ik geef u een lijst van de beste artsen in de regio die gespecialiseerd zijn in de behandeling van uw aandoening, meneer Hall.' Hij schoof een alfabetische lijst met namen over zijn bureau naar hem toe. 'Zoals u kunt zien zijn het er tien en werken ze allemaal in het kankercentrum hier in San Diego. Persoonlijk zou ik, als ik u was, de op één na onderste kiezen.'

Trey keek naar de naam die hij met de punt van zijn pen aanwees: dokter Laura Rhinelander, neuro-oncoloog.

DEEL DRIE

2008

42

Pastoor John Caldwell werd abrupt wakker na een slechte nacht-rust. Hij had niet kunnen inslapen na het onverwachte, korte en cryptische telefoontje van de man die ooit zijn beste vriend was geweest, Trey Don Hall. Toen hij in bed kroop had hij nog de schok gevoeld van het feit dat hij de telefoon had opgepakt om vervolgens de stem te horen van een man die hij tweeëntwintig jaar niet had gehoord of gezien. Wat meer zij, Trey zou vandaag in Kersey arriveren. John had de hele nacht liggen woelen en draaien, zich afvragend wat Trey na al die jaren weer naar het dorp van zijn jeugd bracht. John geloofde nog steeds niet dat het iets te maken had met de verkoop van Mabel Church' huis. Uiteindelijk was hij tegen de ochtend in slaap gevallen, alleen om terecht te komen in een nachtmerrie waaruit hij met een droge mond en een bon-kend hart was ontwaakt. Hij realiseerde zich dat een deel van het gedreun in zijn oor van zijn huishoudster Betty Harbison kwam, die op zijn slaapkamerdeur klopte om hem zijn ochtendkoffie te brengen.

'Kom binnen, Betty,' riep hij, te loom om zijn bed uit te ko-men.

'Meneer pastoor?' Betty stak nieuwsgierig haar hoofd om de deur. 'Bent u nog niet op?'

John wreef in zijn ogen. 'Niet echt. Ik had een slapeloze nacht.'

'U bedoelt het gedeelte nadat u eindelijk naar bed ging?' Betty zette het dienblad op een tafel en schonk met zichtbare afkeer een mok vol uit een kan extra sterke koffie, speciaal voor hem gezet. 'Ik hoorde de telefoon gaan rond middernacht. Begrijpen de men-sen niet dat u ook uw nachtrust nodig hebt?'

'Ik was nog wakker,' zei John. 'Het spijt me als je er last van hebt gehad.'

'Ik zei het niet uit bezorgdheid om mezelf, meneer pastoor.'

'Dat weet ik,' zei John, die zich omhoogduwde om de mok aan te pakken. 'Je maakt je te veel zorgen om mij, Betty.'

'En wie moet dat anders doen?' Ze schonk hem een heel vage glimlach terwijl ze het gordijn openschoof. Meer wist niemand haar gewoonlijk te ontlokken. John hoorde haar zelden lachen. Alleen haar man en hij en degenen die haar al jarenlang kenden wisten waarom.

'We krijgen trouwens voor een paar dagen een gast, een oude klasgenoot van me,' zei John. 'Hij komt vandaag aan en heeft gezegd dat hij op tijd zal zijn voor de lunch. Ik hoop dat het geen probleem is dat het zo kort dag is. Ik hoorde pas gisteravond laat dat hij zou komen.'

'De middernachtelijke beller,' zei Betty. 'Nee, het is geen probleem. De vrouwenclub stuurt Eunice Welborn en Bella Gordon om me vanochtend te helpen. Een oude vriend, zei u?'

'Een oude klasgenoot,' corrigeerde John. 'Ik heb hem sinds de middelbare school niet meer gezien. Je hoeft in elk geval geen ontbijt voor me te maken. Ik heb een vroege afspraak in Kersey.'

Betty wachtte tot hij meer zou vertellen, op z'n minst de naam van de bezoeker, maar ze merkte dat John geduldig wachtte tot ze wegging alvorens hij in zijn boxershort en T-shirt uit bed zou komen. 'Het zou geen moeite zijn geweest, hoor,' mompelde ze. Ze pakte het blad op en trok zachtjes de deur achter zich dicht. Wie het ook was, meneer pastoor leek zich niet erg op zijn bezoek te verheugen. Vast een klaploper, dacht ze. Meneer pastoor liet zich te gemakkelijk gezelschap opdringen.

John gooide het dekbed van zich af en duwde zijn voeten in zijn slippers om het balkon op te stappen. De koffie viel niet goed op zijn verzuurde maag en het balkon bood een kalmerend uitzicht. Het keek uit over een grote groentetuin met daarachter hokken en kralen voor vee, waar de kinderen van Harbison House de dieren grootbrachten voor hun project van de FFA (Future Farmers of America, Toekomstige Boeren van Amerika). Felix, de weeshuishond, stond op de achterveranda zijn ontbijt te nuttigen en overal om hen heen lag de volop bloeiende prairie, een rustige, eindeloze vlakte in pasteltinten. Een idyllisch plaatje, maar John had het gevoel dat er in de verte, nog onbekend en onzichtbaar, iets broeide wat de rust al snel zou verstoren, als een storm die zich net achter de horizon ontwikkelt.

Hij herinnerde zich de laatste keer dat hij contact had proberen te leggen met TD Hall. Het was de zomer van 1990 geweest, in Guatemala. John werkte bij het vluchtelingencentrum van de jezuïeten in een buitengewoon gevaarlijke periode, waarin de brute beveiligingstroepen van de regering steeds meer politieke dissidenten en hun vermoedelijke aanhang afslachtten, tot wie ook de jezuïeten werden gerekend. Duizenden hadden hun huis en land moeten ontvluchten en het was zijn taak geweest vluchtelingen te helpen bij het regelen en invullen van documenten voor politiek asiel, en schending van de mensenrechten te rapporteren. Na dagenlang hun gruwelijke verhalen te hebben aangehoord over het ontwijken van doodseskaders en de strijd tegen de dampende hitte, modder, slangen en muskieten in de jungle, had hij het als een opluchting ervaren 's avonds naar zijn oude vriend in de Verenigde Staten te kunnen schrijven. John had de hoop nog niet opgegeven dat Trey, Cathy en hij uiteindelijk met elkaar zouden worden herenigd. Pastoor Richard had hem verteld dat er jaarlijks een aanzienlijke cheque van een anonieme donateur binnenkwam voor het studiefonds dat ter nagedachtenis aan Donny Harbison was opgezet – een indicatie dat zijn oude makker nog steeds te redden was. Trey was de belofte die hij John tijdens hun openhartige gesprek na de districtswedstrijd had gedaan niet vergeten. Maar op een nacht was John na een uitgeputte slaap rechtovereind gekomen op zijn veldbed en sindsdien had hij Trey nooit meer geschreven.

Het was een van die onverklaarbare momenten, wanneer het onderbewuste een waarheid onthult die tot dan toe onder een stapel van ontkenning begraven had gelegen. Trey kwam niet meer naar huis. Hij was voor hem en Cathy net zo verloren als de oorsprong van de Maya-beschaving. Misschien zou zijn onderbewus-

te op een nacht ook nog eens de reden ophoesten waarom Trey
hen en zijn kind in de steek had gelaten, maar wat die reden ook
was – en of die waar was of ingebeeld in zijn wispelturige hoofd
– die volstond om te garanderen dat ze Trey waarschijnlijk nooit
meer zouden zien. Het was gewoon iets waar John zeker van was,
zoals een tweeling het instinctief weet als zijn baarmoedergenoot
iets overkomt. Zijn brieven en zelfs zijn gebeden, verzonden in de
hoop dat Trey ooit bij hen terug zou komen, waren zinloos. Hij
schreef meteen naar Cathy om het haar te laten weten. Ze had
hem teruggeschreven: 'Het is goed, John. Ik heb Trey lang geleden
al losgelaten.'

Waarom kwam hij nu dan naar huis?

'Reken daar maar niet te zeer op, Tiger,' had hij gezegd toen
John had gezegd dat hij het fijn zou vinden hem weer te zien. Wat
had Trey daarmee bedoeld? Wat voor dreiging school er achter die
cryptische woorden?

Een paar dingen afhandelen, had hij gezegd. Wanneer had Trey
zich daar ooit druk over gemaakt? Mabel Church had hem nodig
gehad, de tante die hem had grootgebracht en haar uiterste best
met hem had gedaan, maar Trey was niet eens naar haar begrafenis
gekomen. Hij had er ook niet mee gezeten om in 1986 een meisje
in de steek te laten dat zwanger was van zijn zoon, die hij nooit
had erkend. Halverwege Trey's bejubelde carrière had een verslaggever een oude foto van hem op zijn achtste te pakken gekregen,
die een opmerkelijke gelijkenis vertoonde met een jongen van dezelfde leeftijd in het dorp van zijn jeugd, van wie het gerucht ging
dat het zijn zoon was. Trey zou hebben geantwoord: 'Je vindt er in
de Texas Panhandle een hoop die lang en donker zijn en op elkaar
lijken. We zijn net zo algemeen als tumbleweeds.'

Hoewel ze het hoofd hoog had gehouden wist John dat de im-
plicatie Cathy pijn had gedaan, om nog maar te zwijgen van wat
die uitspraak voor Will had betekend, maar in het district was
die naar Trey teruggekaatst. Dat een man weigerde zijn onwettige
kind te onderhouden was nog tot daar aan toe, maar dat hij ontkende dat het kind van hem was terwijl iedereen kon zien en aan

de hand van de geboortedatum kon uitrekenen dat hij alleen maar de zoon van TD Hall kon zijn, was iets heel anders. Geen wonder dat Trey zich al tweeëntwintig jaar niet in Kersey had laten zien.

Dus waarom nu? Kwam hij naar huis om Will eindelijk op te eisen? Om Cathy opnieuw het hof te maken? Johns maag keerde zich om bij de gedachte aan die mogelijkheid. Cathy's 'vroegere indiscretie', zoals zij het spottend noemde, was haar vergeven. John vond het wel leuk zoals ze ooit had beschreven hoe ze weer bij de dorpelingen in de gratie was geraakt: 'Als je je hoofd lang genoeg opgeheven houdt, trekt het hoogwater uiteindelijk wel terug en kun je over droog land terug naar de kust lopen.'

En dat had ze gedaan, zoals Trey al spoedig zou ontdekken. Cathy leverde een actieve bijdrage aan de gemeenschap, was voorzitter van het schoolbestuur, lid van de gemeenteraad en comitélid in burgerbesturen. Iedereen was dol op haar. Ze was lieflijker dan ooit en eigenares van een goedlopend restaurant dat als een van de beste in kleine dorpen in het zuidwesten werd beoordeeld.

Het dorp was net zo trots op haar zoon als het ooit op Trey en hem was geweest. John Will Benson had zijn baseballteam naar de staatsfinales geholpen, waar ze bij de laatste slagbeurt op het nippertje hadden verloren. 'Hij zou een natuurtalent zijn geweest op het football-veld,' had coach Turner eens gezegd met zowel spijt als opluchting in zijn stem omdat Will niet in zijn vaders voetsporen was getreden. Will had met een baseballbeurs naar bijna elke universiteit gekund, maar zijn schoolprestaties hadden hem ook een beurs aan de Rice Universiteit opgeleverd. Hij was daar onlangs afgestudeerd op aardolietechnologie en had een baan in Delton aangenomen bij een regionaal filiaal van de oliemaatschappij waar hij stage had gelopen. Hoewel John en Cathy dolblij waren dat de jongen zo dicht in de buurt was, had ze ook gehoopt dat haar zoon een baan zou kiezen in een van de andere bedrijven van het concern, die in het hele land en over de hele wereld verspreid zaten. 'Hij moet zijn horizon verruimen, het leven buiten Kersey County ondervinden,' had ze gezegd, maar Will hield van de Panhandle en was van plan ooit een ranch te kopen en paarden te gaan fokken.

Dus kwam Trey, veertig, twee keer gescheiden, zijn gloriedagen voorbij, naar huis om zijn rug bij Cathy's kachel te warmen? Een nieuw, heftig gevoel van onbehagen deed John naar binnen terugkeren en daarbij zag hij zichzelf in de spiegel. Hij deed een stap achteruit, haalde een hand door zijn haar en keek voor het eerst in jaren eens goed naar zijn spiegelbeeld. Het grootste deel van het gewicht dat hij in Midden-Amerika was kwijtgeraakt, was hij weer aangekomen. Toen hij daarvan terugkwam zag hij eruit alsof er een storm door zijn lijf was geraasd en zijn huid tegen zijn botten aan had gezogen, maar zijn spierspanning was goed en zijn lichaam was sterk geweest. Hoewel de jaren aan zijn gezicht en het grijs in zijn bakkebaarden af te lezen waren, zag hij nog steeds iets van het uiterlijk dat met dat van Trey Don Hall had gewedijverd. Al met al waren de jaren hem relatief goedgunstig geweest, maar de ontberingen van zijn beroep hadden wel hun sporen nagelaten. Hij vroeg zich af of dat ook voor TD Hall gold.

John nam een douche en speculeerde erover wat voor tol de jaren van Trey hadden geëist na twee mislukte huwelijken, vervelende scheidingen, rechtszaken, geldproblemen, een ernstige hersenschudding die hem uit het spel had gegooid en een voortdurend hectisch leven. Niet veel, durfde John bijna te wedden. Trey Hall had altijd geleefd zonder rekening te houden met de gevolgen en op zijn veertigste zou dat waarschijnlijk aan zijn lijf en gezicht te zien zijn.

Zoals John altijd deed als hij Harbison House verliet, liep hij even de keuken binnen om Betty gedag te zeggen en haar te vertellen waar hij te bereiken was. Hij wist dat ze dat verwachtte en op prijs stelde. Het bevredigde een zekere moederlijke behoefte wanneer hij haar vertelde waar hij die dag heen ging en wanneer hij terug zou zijn. 'Ik ga als ik in Kersey klaar ben naar St.-Matthew's om de biecht af te nemen, maar ik ben op tijd terug om onze gast te ontvangen,' zei hij.

'En waar gaat u in Kersey heen?'

'Naar Bennie's. Ik moet Cathy Benson spreken.'

Betty's mond verbreedde zich in haar bescheiden glimlach. 'Dus daarom ontbijt u niet hier?'

'Schuldig,' zei hij. Hij hoorde het gebruikelijke ontbijtlawaai uit de grote eetzaal waar de bewoners van Harbison House – tien kinderen in de leeftijd van zes tot twaalf, allemaal in de steek gelaten – altijd aten. Hij wilde snel naar Cathy toe en besloot de kinderen geen gedag te gaan zeggen. Ze zouden zich aan hem vastklampen, hem smeken met hen te spelen, naar hun groentetuintjes, dieren, prestaties aan de schildersezel, de piano en het boogschieten te komen kijken. Felix, een straathond die op de snelweg was gevonden en die ze hadden geadopteerd, was binnengelaten. John gaf hem een klopje op zijn rug en liep toen naar buiten.

Hij stuurde zijn auto over de oprijlaan, die in juni vol lag met witte bloesem van twee oude grote boerenjasmijnstruiken die het hek flankeerden. De bloesemblaadjes vielen als lome sneeuwvlokjes op de motorkap van zijn pick-up toen hij eronderdoor reed. Gewoonlijk werd hij daar vrolijk van, maar vanochtend hadden ze geen effect. Trey had er jaren geleden waarschijnlijk hartelijk om gelachen toen tante Mabel hem vertelde dat de Harbisons hun boerderij hadden overgedragen aan het bisdom als tehuis voor ongewenste kinderen, op voorwaarde dat pastoor John Caldwell er als directeur werd aangewezen. John had de sardonische geamuseerdheid achter Trey's opmerking, 'dat moet heel fijn voor je zijn,' gehoord toen hij hem gisteravond vertelde dat de Harbisons hem hielpen het tehuis te runnen.

Hij was nog geen jaar pastoor van St.-Matthew's geweest toen Lou en Betty Harbison een afspraak hadden gemaakt om iets met hem te bespreken. Het was november, bijna dezelfde dag als waarop ze hun zoon negentien jaar daarvoor in de schuur hadden gevonden. John had sindsdien altijd tegen de komst van die maand opgezien, dus het had zijn melancholie alleen maar verergerd toen hij hen kort voor de sterfdag van hun zoon zijn parochiekantoor binnen leidde. Hij had geen idee waarom ze hem wilden spreken. Ze leidden een vroom leven.

'Wat kan ik voor jullie doen?' had hij gevraagd.

Ze hadden hem hun voorstel voorgelegd, en alleen gevraagd om als huishoudster en knecht in hun huis te mogen blijven wonen.

John was stomverbaasd geweest en had het godslasterlijke beeld voor zich gezien van God in Zijn hemel, die zelfgenoegzaam grinnikend op hen neerkeek. 'Waarom?' had hij gevraagd. 'Waarom zouden jullie het eigendom van je huis opgeven en er als bedienden gaan werken?'

'Het is voor Donny,' antwoordden ze.

'Donny?'

'Onze zoon,' zei Betty. 'Weet u dat niet meer, meneer pastoor? U legde vroeger bloemen op zijn graf. Hij... stierf toen hij zeventien was. Zijn dood was... een ongeluk. Hij zou... nu net zo oud zijn geweest als u.'

Ze had haperend gesproken, duidelijk verdrietig en beschaamd.

'Maar hij was een goede jongen,' zei Lou op een toon die erop aandrong dat John hem geloofde. 'Hij was een toegewijde zoon.'

'Daar twijfel ik niet aan,' zei John, die de brok uit zijn keel schraapte. Hij schoof wat papieren opzij en boog naar voren, in een onderdeel van een seconde besluitend alles – zijn reputatie, zijn roeping, zijn en Trey's vrijheid – te riskeren om de Harbisons de verzekering te geven waar hun verdriet om schreeuwde. 'Jullie zoon hoeft voor niets wat hij hier op aarde heeft gedaan absolutie te krijgen. Donny is overleden in een toestand van genade. Jullie hoeven je huis niet op te geven om voor zijn daden te boeten.'

Ze hadden hem verbijsterd aangekeken, verrast over zijn inzicht in de bron van hun pijn en het gezag waarmee hij had gesproken over een jongen die hij nauwelijks kende. John had zijn adem ingehouden terwijl hij wachtte op de vraag die hem ertoe zou hebben gebracht alles op te biechten.

Hoe kunt u daar zo zeker van zijn?

Ze hadden zijn verklaring echter geaccepteerd als typisch iets wat een priester zou zeggen, en Betty had gezegd: 'Dank u voor uw vertrouwen, meneer pastoor, maar we hebben ons besluit genomen. Als de bisschop ermee akkoord gaat, willen we ons eigendom ter nagedachtenis aan onze zoon overdragen aan het bisdom.'

De bisschop was akkoord gegaan en John was naar de boven-
verdieping van de grote boerderij verhuisd terwijl de Harbisons
hun eigen kamers hielden en de rest van de ruimte afstonden aan
'pastoor Johns kinderen', de kleine afdankertjes die elk jaar in hun
leven kwamen en er weer uit verdwenen.

De verandering in zijn verblijfplaats en de uitbreiding van zijn
pastorale taken had bijna vier jaar geleden plaatsgevonden. John
was nog nooit zo blij of tevreden geweest in zijn leven en werk. De
schaduw van zijn oude zonde hield zich nog steeds op de achtergrond schuil, maar hij voelde de kilte ervan nog zelden. Sommige
dagen dacht hij dat hij bijna te gelukkig was, te tevreden. Was TD
Hall onderweg om dat allemaal te veranderen?

43

Door het raam van de huiskamer van haar voormalige huis zag Betty Harbison de Silverado van pastoor John wegrijden. De zo goed als nieuwe pick-up was van een nu overleden parochiaan geweest, die hem aan het tehuis had nagelaten. In vroeger jaren was het parochievoertuig een Lexus geweest, gedoneerd door Flora Turner, maar dat was lang voor pastoor Johns tijd. Betty zag de truck onder de boerenjasmijn door rijden. Ze was blij dat de truck zijn oude rammelende stationwagen had vervangen. Dat was in elk geval één gebed voor zijn veiligheid dat God had verhoord. Van andere voor zijn welzijn was ze niet zeker. Ze had de littekens gezien waarmee pastoor John terug was gekomen uit Midden-Amerika.

Verzonken in nostalgie en herinneringen bleef Betty nog een poos voor het raam staan nadat de pick-up de weg op was gereden die naar de snelweg leidde. Hoeveel junimaanden was het geleden dat ze op precies deze zelfde plek haar tienerzoon weg had zien rijden in zijn vaders pick-up en in een wolk van wit had zien verdwijnen terwijl zij in stilte bad voor zijn veilige terugkeer? Hij had pas een jaar zijn rijbewijs toen hij stierf. Ze had maar één junimaand naar de lege plek kunnen kijken waar zijn truck net was verdwenen.

'Moest pastoor John vanochtend ergens heen?' vroeg haar echtgenoot achter haar.

'Naar Kersey,' zei Betty, en ze knipperde het vocht uit haar ogen en nam haar stoïcijnse uitdrukking aan. 'We krijgen voor een paar dagen bezoek. Hij heeft niet gezegd wie. Ik kan maar beter de logeerkamer gaan luchten.'

Lou pakte haar zachtjes bij haar arm. 'Heb je dat gevoel weer, Betty?'

Ze kon niets voor Lou verbergen. Hij voelde het altijd wanneer ze een van die momenten had die zo scherp en snel als het mes van een messenwerper konden toeslaan. 'Je zou denken dat het na al die jaren...' zei ze.

'Lieve schat, tijd doet niets af bij een verdriet als het onze, maar we hebben in elk geval pastoor John, van dezelfde leeftijd als Donny geweest zou zijn. God was goed, dat Hij hem aan ons heeft gegeven.'

Daar had Lou gelijk in en dat zou ze ook gezegd hebben als de oude brok niet weer vastzat in haar keel. Ze hadden in elk geval pastoor John, die in elke zin een zoon voor hen was, behalve van geboorte. Hij was hun parochiepriester geworden na de negentiende zomer nadat ze hun zoon hadden verloren. Lou en zij hadden zijn zorg om verlaten en mishandelde kinderen, en om het gebrek aan faciliteiten om ze op te vangen, opgemerkt. Op een dag waren ze na de mis teruggekomen in hun grote, lege huis dat galmde van eenzaamheid sinds Cindy met haar man en hun kinderen naar Californië was verhuisd. Betty had tegen Lou gezegd: 'Als we dit huis nou eens aan de kerk aanboden als tehuis voor ongewenste kinderen en pastoor John vragen er directeur van te worden?'

Lou's gezicht was opgeklaard zoals ze dat in jaren niet had gezien. 'Waarom niet?' had hij gezegd.

En zo was het gegaan. Pastoor John was bij hen komen wonen en samen met de kinderen hadden ze een groot gezin gevormd. Geleidelijk was de pijn in haar wat afgenomen en de leegte in haar gevuld. Er ging geen dag voorbij zonder dat ze aan Donny dacht, maar er ging ook geen dag voorbij dat ze God niet dankte omdat hij hun pastoor John had gegeven.

John had van tevoren gebeld om er zeker van te zijn dat Cathy even met hem kon praten. Deze tijd van de ochtend zaten zij en Bebe vaak te overleggen over het werk van de dag voordat ze toezicht hielden op de voorbereiding van de lunch voor een volle zaal.

'Natuurlijk, John, maar waarom is dat? Je klinkt... mysterieus.'

'Ik vertel het je wel als ik je zie, Cathy. Rond negen uur in je kantoor?'

Ze stemde in en zei dat hij tegen Betty moest zeggen dat ze zijn ontbijt niet te uitgebreid moest maken, want dat ze verse kaneel-broodjes en koffie klaar had staan.

Een paar minuten voor negen reed hij naar de achterkant van het restaurant en parkeerde zijn truck naast Cathy's witte Lexus. Hij was langs de voorkant gereden, had Bennie's door Trey's ogen bekeken en wou dat hij TD's gezicht kon zien als hij de veran-deringen opmerkte. Zelfs de deels ommuurde achteringang was heel anders dan in de tijd dat Odell Wolfe aan de achterdeur om een maaltijd kwam schooien. Destijds was de parkeerplaats voor personeel een vergaarplaats voor overvolle vuilnisbakken en oude inventaris geweest, en voor alles wat de wind er vanaf de straat in waaide.

'De rommel en de stank houden andere auto's weg,' had Bennie het uiterlijk van zijn persoonlijke parkeerplaats verdedigd, maar Cathy had de boel opgeruimd, een net hok neergezet voor de vuil-nisbakken en een bord opgehangen waarop stond: ALSTUBLIEFT... ALLEEN PERSONEEL EN LEVERANCIERS, en de plek werd sindsdien gerespecteerd als verboden terrein voor andere voertuigen.

Behalve voor het zijne.

John liep het korte trapje op en belde aan. Veelkleurige leeu-wenbekjes in grote potten aan weerszijden van het bordes wuifden in de milde junibries. Hij stak een vingertop in een fluweelzachte kelk, maar ervoer niet de ontspanning die een eenvoudige schep-ping Gods hem meestal bracht. Hij voelde dat zich schaduwen samenpakten – de lange, wrekende schaduwen die werden gewor-pen door oude zonden die de tijd niet kon verdrijven.

Cathy opende de deur. Zoals altijd ervoer hij een gevoel van vertedering wanneer hij haar zag. Ooit was dat verlangen geweest, niet beantwoord en niet onthuld, een geheim tussen hem en zijn lendenen, maar dat verlangen had hij jaren geleden uitgewist. Nu resteerde alleen nog de diepe, blijvende liefde van de vriendschap. Ze droeg het daguniform van het restaurant: een korenbloemblauwe denim schilderskiel met gele bloemetjes erop geborduurd, de typische kleuren van haar eetgelegenheid.

'Kom dit huis binnen, pastoor John,' zei ze, haar grootmoeders oude begroetingsvorm gebruikend met iets vaag plagends wat ze niet kon weerstaan wanneer ze hem bij zijn titel noemde. 'Ik ben heel benieuwd te horen waarom u mij voorrang verleent op de preek die u gewoonlijk op vrijdagochtend schrijft.'

Hij was niet in de stemming om op haar plagerige toon te reageren. 'Waar is Bebe gebleven?' vroeg hij, een kantoor binnen stappend dat door de zonnige gele muren, talloze kamerplanten en witte luiken de aangename charme had van een huiskamer ergens ver weg in het zuiden.

'Ze brengt een storting naar de bank. Ik heb haar gezegd dat ze de tijd moet nemen.' Cathy keek hem verbaasd aan. 'Ik zie dat je me nog even in spanning wilt houden.'

Hij kon zich er niet toe brengen het haar al te vertellen. Hij ging op een stoel voor haar bureau zitten, waar net stapels papieren opzij waren gelegd om plaats te maken voor een thermoskan en een bord met de beroemde kaneelbroodjes van het restaurant. 'Ik zie aan het aantal auto's buiten dat de koffievleugel een succes is,' zei hij, verwijzend naar de nieuwe uitbreiding naast de eetzaal, die Cathy had gebouwd als een plek waar lokale gepensioneerden, zakenlui, boeren en ranchers 's ochtends konden samenkomen voor koffie. Cathy legde het uit als een gebaar om goed te maken dat ze Bennie's makkers ooit naar Monica's en de banken voor de rechtbank had moeten verwijzen. Kletsmajoors, noemde Bebe ze. Ze bedienden zichzelf en ruimden zelf op als ze klaar waren en zagen het als een morele verplichting te betalen voor de koffie en de kaneelbroodjes die ze gebruikten. De enige andere voorwaarde was dat ze om elf uur weg waren, wanneer het restaurant openging en de ruimte nodig was als er veel gasten kwamen voor de lunch.

'Het was een van mijn verstandigste zakelijke beslissingen ooit,' zei Cathy terwijl ze achter haar bureau plaatsnam. 'Ik had geen idee dat de zaal meteen zo gewild zou zijn als vergaderruimte. Hij is heel december al geboekt en zal zichzelf binnen een jaar wel terug hebben betaald.' Ze zette hun kopjes op een schoteltje. 'Je moet zo even je hoofd naar binnen steken en goeiendag zeggen. Dat zullen de mannen fantastisch vinden.'

'Als ik er tijd voor heb,' zei John. 'Ik heb vanochtend een beetje haast.'

Cathy draaide de dop van de thermoskan los en er ontsnapte damp uit de tuit. 'Hoe komt dat?'

'Ik moet om tien uur de biecht afnemen en daarna komt er tegen lunchtijd een gast naar Harbison House.'

'O? Wie?'

Hij stak zijn hand uit en nam haar de thermoskan af om te voorkomen dat ze hete koffie over haar hand zou morsen. 'Trey Don Hall.'

Haar mond ging een stukje open en ze zweeg. Hij vroeg zich af wat voor gedachten er door haar hoofd zouden gaan als ze van de schok was bekomen. Gaf ze nog steeds om Trey? John wist het niet – hij had het nooit willen weten. Hij had zich twee jaar geleden afgevraagd of ze teleurgesteld was geweest toen hij niet naar de begrafenis van zijn tante kwam.

'Trey belde me gisteravond erg laat, anders had ik je wel eerder gewaarschuwd,' zei hij. 'Hij vertelde me dat hij zich van tante Mabels spullen kwam ontdoen en een afspraak had met de Tysons over de koop van haar huis. Deke komt terug naar Kersey en wil het kopen.'

Cathy pakte de thermoskan terug en schonk twee kopjes in. 'Moet hij daar zelf voor hierheen komen?' vroeg ze, en haar hand met de thermoskan trilde maar een klein beetje. 'Kon hij daar niet een van zijn hielenlikkers voor sturen?'

John haalde zijn schouders op. 'Dat vroeg ik me ook al af.'

'Had hij verder nog iets te zeggen?'

John herhaalde het middernachtelijke gesprek voor haar.

Cathy gaf hem zijn kopje. Ze leek kalm, maar John vroeg zich af of er verborgen stromingen onder de serene oppervlakte kolkten. 'Wat denk je dat hij nog wil afhandelen?' vroeg ze.

'Ik heb net zo min een idee als jij.'

John keek toe toen ze opstond, nog steeds slank en begerenswaardig op haar veertigste, langer lijkend dan ze was door haar kaarsrechte houding en schoenen met sleehakken. Trey en hij hadden reuzen geleken naast haar, een stel bovenmaatse boekensteunen met een kleine dichtbundel ertussen geklemd. Ze verdraaide de jaloezieën om meer licht binnen te laten, maar vooral om zichzelf te kalmeren, dacht hij.

'Wat een klootzak, John,' zei ze kalm, naar buiten kijkend. 'Geen telefoontjes, geen reactie op mijn brieven, geen verjaardags- of kerstkaarten, geen geld voor ons levensonderhoud, geen erkenning voor zijn zoons prestaties of diploma-uitreikingen, geen vragen over hoe het met ons gaat. Het was alsof Will en ik niet bestonden. Als hij met ons nog iets wil komen afhandelen, is hij tweeëntwintig jaar te laat.'

'Weet je dat zeker, Cathy?'

Ze draaide zich van het raam weer naar hem om en het zonlicht legde een prachtige gloed op haar haren.

Zijn adem stokte even, zo mooi was ze, en hij zag haar schoonheid zoals Trey die zou zien… onweerstaanbaar.

'Jij denkt dat ik nog steeds verliefd op hem ben, is het niet? Dat hij me maar hoeft te wenken en dat ik dan weer voor hem uit de kleren ga.'

'Die gedachte is wel bij me opgekomen.'

Haar ogen schoten vuur en boden een glimp achter het masker. 'Hij heeft mijn zoon gekwetst. Daar zou ik me nooit overheen kunnen zetten, John.'

'Zelfs als… het verlangen nog steeds aanwezig is?'

Ze wendde zich weer naar het raam. 'Een terechte vraag. Ik zal herhalen wat je tegen Bebe zei toen je haar vertelde dat je naar Loyola ging om priester te worden en ze je waarschuwde dat het je moeilijk zou vallen de meisjes op te geven.'

Hij fronste en probeerde zich zijn woorden te herinneren. 'Wat zei ik toen?'

'Jij zei: "Ik neem aan dat ik daarachter moet zien te komen."'

Het was niet de geruststelling waarop hij had gehoopt. 'Bebe is loslippig en jij hebt een ijzersterk geheugen,' zei hij.

Ze kwam weer aan haar bureau zitten. 'Precies. En daarom hoef je je ook geen zorgen te maken dat ik Trey Don Hall zal toestaan Will of mij ooit weer te kwetsen.'

'Will en jij kunnen zeker niet een paar dagen...'

Ze schonk hem een blik die hem deed wensen dat hij de suggestie niet had gedaan. 'Nee, natuurlijk niet,' verzuchtte hij. 'Slecht idee. Helemaal niet jouw stijl.' Bebe was terug van de bank. Hij hoorde haar grapjes maken met de koffiedrinkers, van wie er velen al aan het opruimen waren. Hij stond op en realiseerde zich dat hij niets had genomen van het bord met kaneelbroodjes, die hij normaal verslonden zou hebben. 'Ik bel je als ik meer over Trey's plannen weet.'

'Misschien komen Will en ik daar wel helemaal niet in voor,' zei ze.

Hij hoorde een klaaglijke toon in haar stem en zijn hart trok samen. Cathy mocht dan proberen het te ontkennen, maar Trey zat nog steeds in haar bloed. 'Blijf in de buurt van een telefoon,' adviseerde hij haar.

44

Toen John weg was, bleef Cathy aan haar bureau zitten en ademde ze een paar keer diep en ritmisch in voor het geval zich een lichte vorm van haar vroegere mutisme zou voordoen. Ze had zich in de aandoening verdiept en was erachter gekomen dat de symptomen – versnelde hartslag, gespannen spieren, misselijkheid – deel uitmaken van de vecht-of-vluchtrespons die wordt veroorzaakt door een toevloed aan adrenaline en stresshormonen in het zenuwstelsel die het lichaam voorbereiden om er bij gevaar snel vandoor te gaan. De truc die hielp ermee om te gaan was dat je het denkend deel van het brein de tijd gunde om de situatie te verwerken en te beoordelen of de vermeende dreiging echt was, en zo ja, hoe er dan op te reageren. Daar waren technieken voor – cognitieve en lichamelijke oefeningen – maar die had ze nu niet nodig.

Trey Don Hall vormde geen bedreiging. Dat moest ze geloven. Hij kon haar of haar zoon geen pijn meer doen. Trey's charme zou hen niet meer voor hem winnen. Ze had de symptomen van de aandoening uit haar jeugd niet meer ervaren sinds haar eerste dagen op de lagere school in Kersey, en dat zou nu ook niet gebeuren. Wat ze voelde had alleen te maken met haar fantasie die misschien bewaarheid werd, dat Trey Don Hall op een dag de eettent binnen zou stappen waar ze vroeger vette hamburgers hadden gegeten en zou zien dat die was getransformeerd tot het smetteloze, als uitstekend beoordeelde restaurant dat het nu was, met haar als zeer gerespecteerde eigenares. Ze had zich zijn verbijstering voorgesteld als hij zijn laatste herinnering aan het ontredderde, arme, zwangere meisje dat hij in de steek had gelaten probeerde te verenigen met de succesvolle zakenvrouw die ze nu was. Het was echter al een tijd geleden dat ze zich zo'n ontmoeting had voorgesteld. Toen Trey een paar jaar geleden niet naar huis was gekomen om de begrafenis van Mabel Church bij te wonen maar in plaats daarvan bloemen had gestuurd, had ze dat beeld voorgoed uit haar hoofd gezet. Woedend over zijn onverschilligheid jegens zijn tante, zijn volstrekte gebrek aan achting voor haar nagedachtenis, had Cathy naar haar negentienjarige zoon gekeken die naast haar stond en was ze dankbaar geweest dat hij niet zijn vaders harteloosheid had geërfd. De laatste gedachte die ze aan TD Hall had gewijd, was dat ze de klootzak naar de hel verwenste.

Maar nu alleen maar zijn naam werd genoemd, klopte haar hart plotseling sneller, zat haar maag in de knoop en vroeg ze zich af wat ze zou moeten dragen als hij het restaurant binnen stapte. *Niet verstandig, meisje, helemaal niet verstandig.* Wat voor licht Trey daar in San Diego ook plotseling gezien mocht hebben, wat Will en haar betrof kwam het te laat. Ze hadden geen behoefte aan Trey's tweedehands leventje. Ze hoefde allang niet meer de drab uit een leeg kopje te accepteren.

En toch zou ze hem graag weer zien. Ze zou willen dat hij Will zag. Niet om een relatie met hem op te bouwen of iets goed te maken van de verloren jaren. Ze wilde dat Trey zag wat hij was misgelopen, wat hij had kunnen hebben, wat er nog steeds zou zijn geweest nadat de overwinningen ten einde, het geld op en de knieën versleten waren.

Want tot de dag van vandaag dacht ze, ondanks zijn narcistische neigingen, dat zij tweeën het gered zouden hebben als ze toen niet zwanger was geraakt. Hij had van haar gehouden, op een egoïstische manier misschien, maar wel heel intens, en ze geloofde nog steeds dat hij mettertijd wel kinderen in hun leven zou hebben geaccepteerd.

Of misschien ook niet. Tante Mabel had eens gezegd: 'Het ziet ernaar uit dat Will de enige achterneef is die ik ooit zal krijgen.' Het was duidelijk geweest waar ze op doelde: Trey's beide huwelijken waren kinderloos gebleven.

En toch kon Cathy het gevoel niet van zich afzetten dat het bij haar en Trey anders geweest zou zijn. Het was bij hen geen typische middelbareschoolverliefdheid geweest. Zelfs degenen die hun intimiteit op zo jonge leeftijd afkeurden, hadden iets bijzonders, iets bijna spiritueels gezien in de manier waarop ze met elkaar omgingen sinds ze zwijgend de klas van juf Whitby binnen was gestapt. *Laat haar hier maar komen zitten, juf Whitby.* Cathy had het jongensachtige bevel dat de geladen stilte doorbrak nooit kunnen vergeten, de intense blik, de lange arm in het flanellen shirt die naar de plaats naast de zijne gebaarde.

Was Trey arrogant genoeg om te geloven dat ze nooit was getrouwd omdat haar hart nog steeds hem toebehoorde? Tante Mabel zou hem over haar verloving met Daniel hebben verteld, maar zou Trey hebben gedacht dat het een kwestie was van genoegen nemen met iets minders dan hij? Cathy lachte ironisch. Daar zou hij best gelijk in gehad kunnen hebben, maar ze wist zeker dat het een schok voor Trey Don Hall zou zijn dat de enige man van wie ze nu hield en met wie ze zou willen trouwen een priesterboord droeg.

Er werd zachtjes op de deur geklopt. 'Cathy? Kan ik binnenkomen?'

'Ja, Bebe, kom maar binnen.' Toen haar bedrijfsleidster binnenstapte met de lege geldzakken in haar hand, zei Cathy: 'Je zult het een paar uur zonder mij moeten doen, Bebe. Ik rij naar Morgan Petroleum om met mijn zoon te praten.'

Toen hij in het kantoor van zijn baas uit het raam keek, staakte Will Benson zijn verslag over de monsters die hij van oliehoudende steenlagen op een van de boorlocaties van het bedrijf had genomen. Hij had net zijn moeders witte Lexus de parkeerplaats van Morgan Petroleum Company op zien komen rijden.

Zijn baas keek uit het raam om te zien wat Wills aandacht had getrokken. 'Nee maar, daar is je lieftallige moeder,' zei hij. 'Wat denk je dat haar hierheen heeft gebracht? Ik hoop maar dat er niets aan de hand is.'

'Dat hoop ik ook,' zei Will, wiens hart bonkte. Zijn moeder droeg haar werkkiel nog. 'Ik kan het maar beter gaan vragen.'

'Natuurlijk. We kunnen dit straks wel afhandelen.'

Will haastte zich om Cathy bij de receptie te ontmoeten. Zijn eerste gedachte was dat zijn moeder hem de slechte resultaten van haar jaarlijkse medische onderzoek van vorige week kwam vertellen. Elk jaar weer hield hij zijn adem in tot ze hem belde dat ze helemaal gezond was bevonden. Deze keer had ze niet gebeld. Hij kon geen andere reden bedenken waarom ze de vijfenveertig kilometer van Kersey naar zijn werk zou komen rijden, en dat ook nog kort voor de lunchdrukte bij Bennie's.

Ze praatte met een geoloog die de deur voor haar had opengedaan en Will bestudeerde haar gezicht op een eerste teken dat hij zich op zijn grootste angst moest voorbereiden. Hij zag dat niet. Zijn moeder vroeg de man naar zijn vrouw en nieuwe baby. Haar gezicht en stem leken niet gespannen, maar dat kon misleidend zijn. Zijn moeder liet in het openbaar nooit iets merken.

Voor zijn collega diens portefeuille tevoorschijn kon halen om foto's te laten zien, sloeg Will zijn armen over elkaar en keek hij hem zo doordringend aan dat de man de hint oppikte en ervandoor ging.

'Mam, wat doe je hier?' vroeg hij toen zijn collega weg was.

Cathy glimlachte, ging op haar tenen staan en kuste hem op zijn wang. 'John Will, is dat nou een manier om een jonge vader te behandelen, en een toon om tegen je moeder te gebruiken?'

Hij keek bezorgd naar het gezicht dat zo veel voor hem betekende. 'Wat is er aan de hand?'

'Kunnen we naar je kantoor gaan?'

'Natuurlijk,' zei hij. Er was beslist iets mis. Als het kanker was, dan was het in elk geval in een vroeg stadium ontdekt. Zijn moeder zorgde goed voor zichzelf en was verder heel gezond, en bovendien kon de medische wereld tegenwoordig wonderen verrichten. Wat er ook voor nodig was, hij zou zorgen dat ze het kreeg. Gespannen zei hij tegen zijn secretaresse: 'Linda, wil je platform zes even bellen om te zeggen dat ik wat later kom?'

'Natuurlijk, John Will,' zei ze met plagerige nadruk op zijn eerste naam. 'Voor jou doe ik alles.'

'Knappe meid,' merkte Cathy op terwijl ze haar zoon volgde

door de smalle gang naar zijn bezemkast, zoals hij het noemde, achter in het gebouw. Hij was nieuw bij het bedrijf en moest zijn strepen nog verdienen voor een van de grotere kantoren met dito ramen. Ze hield van de gratie waarmee hij zijn lange lijf voortbewoog en zijn kleren droeg – meestal een kakibroek en denimshirt voor zijn werk, maar altijd volmaakt gesteven en gestreken. 'Is ze getrouwd?'

'Ja, mam, ze is getrouwd,' zei Will met zijn kaken op elkaar geklemd, en hij deed de deur open. 'Vertel me nou maar wat er met je aan de hand is.'

Cathy zag zijn bezorgdheid, realiseerde zich toen pas wat hij waarschijnlijk dacht en drukte haar hand tegen zijn wang. 'Ach, jongen, het is niet wat je denkt. Als ik nog gezonder was dan ik ben, zouden ze me op sterk water moeten zetten. Ik heb de uitslagen van mijn onderzoek vanmorgen pas gekregen en nog geen tijd gehad om je te bellen. Ik kom voor iets anders.'

Will ademde uit. 'Oké, wat dan?'

'Misschien kun je beter gaan zitten, lieverd. Ik heb nieuws dat misschien een schok voor je zal zijn.'

O, god. Zijn moeder ging trouwen... met die al twee keer gescheiden olieman uit Dallas, die afgelopen voorjaar in het restaurant was geweest en meteen stapelverliefd op haar was geworden. Will vond hem wel aardig, maar geen enkele man was goed genoeg voor zijn moeder, behalve pastoor John.

'Je vader komt terug naar het dorp,' zei ze. 'Hij heeft John gisteravond laat gebeld en hem verteld dat hij rond de middag in Kersey zou zijn. Hij komt om het huis van zijn tante te verkopen. Deke en Paula Tyson, Melissa's ouders, willen het kopen.'

Alles werd even wazig, alsof er een flitslamp voor Wills neus was afgegaan. Toen hij zes was en heel goed besefte wie zijn vader was, had hij ervan gedroomd dat TD Hall op een dag uit het niets zou opduiken om hem en zijn moeder mee te nemen naar San Diego om bij hem te komen wonen. Zijn overgrootmoeder zou ook meegaan. Het was een geheime hoop waarmee hij elke avond naar bed ging, zoals andere kinderen hun knuffels of baseballhandschoen mee naar bed namen. Tegen de tijd dat hij tien was, wist hij alles over zijn vaders escapades, zijn luxeleventje, zijn seksuele prestaties en astronomische salaris, terwijl zijn moeder lange dagen maakte om iets van haar restaurant te maken, bezorgd dat ze de medicijnen van haar grootmoeder niet kon betalen. Tegen die tijd had hij gehoord hoe zijn vader zijn moeder in de steek had gelaten toen ze zwanger was van hem, dat hij was vertrokken naar de universiteit in Florida en nooit meer terug was gekomen. Tegen zijn dertiende zwoer hij dat als die klootzak ooit zijn neus liet zien, hij zijn ballen eraf zou schieten met het oude .30-30 jachtgeweer dat zijn moeder onder haar bed had liggen.

Hij beschikte over dezelfde aangeleerde vaardigheid als zijn moeder om zijn emoties te verbergen als dat nodig was. Hij knipperde een keer met zijn ogen en vroeg: 'Is dat alles waarvoor hij terugkomt?'

'Voor zover ik weet wel.'

'Hoelang blijft hij?'

'Een paar dagen, zei John.'

'Dat klinkt niet alsof hij het weer met je wil aanleggen.'

'Inderdaad. Hij logeert in Harbison House tot de zaak met het huis is afgehandeld, heeft hij tegen John gezegd, maar dat is alles wat we tot dusver weten.'

'Heeft hij pastoor John naar ons gevraagd?'

'Nee, maar het kan zijn dat hij de stemming probeerde te peilen, en daarom ben ik hier. Ik ben gekomen om je te vragen hem te ontmoeten als hij je dat vraagt, want mijn zoon kennende, zal hij dit weekend een trektocht gaan maken met zijn hond tot zijn vader terug is naar waar hij vandaan kwam. Ik raad je aan dat niet te doen, Will. Als wat hij te zeggen heeft je niet aanstaat, schop je hem naar buiten, spuug je hem in zijn ogen en sla je de deur voor hem dicht. Dat laat ik aan jou over, maar ik denk dat als je niet met hem praat, je daar later spijt van zult hebben.'

'En als hij nou niet komt om met me te praten, mam? Als hij gewoon komt om het huis van zijn tante te verkopen? Als wij helemaal niet in zijn agenda staan?'

Cathy schudde haar hoofd. 'Hij hoefde niet persoonlijk hierheen te komen om het huis van zijn tante leeg te ruimen en de verkoop te regelen. Dat had hij vanuit San Diego kunnen laten doen. Daar zijn pastoor John en ik het over eens.'

Will was het daar ook mee eens. Hij zag zijn moeder in een nieuw, beangstigend licht. Hij vermoedde half en half dat ze blij was met dit bezoek, dat ze het al jaren verwachtte. Hij keek naar haar, nog steeds jeugdig en knap, en vroeg zich af wat ze zou doen als TD Hall – geruïneerd, gescheiden, volgens de geruchten blut – weer bij haar aan de deur zou komen, haar zou smeken hem te vergeven en een tweede kans te geven. Ze werd hoog geacht, was een steunpilaar voor het district. Wat zou het voor haar reputatie betekenen als ze de hufter terugnam die haar en haar zoon aan hun lot had overgelaten?

'Vertel me eens,' zei hij, 'wat je zou doen als hij nu binnenkwam, zei dat hij er spijt van heeft, dat hij van je houdt en het goed wil maken? Hoe zou je dan reageren?'

Ze schonk hem een glimlach om aan te geven dat ze zijn boosheid begreep. 'Je peetoom vroeg me praktisch hetzelfde, dus zal ik jou vertellen wat ik hem ook heb verteld. Er is meer voor nodig dan wat lieve woordjes en zelfkastijding om mij terug te winnen, jongen. Tweeëntwintig jaar lang heeft hij je bestaan genegeerd. Over het mijne hebben we het niet eens. Dat stelt niets voor in vergelijking met zijn afwijzing van jou. Ik zal hem nooit vergeven wat voor schaduw hij over je jeugd heeft geworpen, maar ik haat hem er ook niet om. Want hoe verbazingwekkend ook, je zou nooit de man zijn geworden die je nu bent als je vader in de buurt was geweest.'

'Ik zou het prima gedaan hebben, mam,' zei Will. Zijn trots op haar maakte zijn stem ruw. 'Want ik zou jou hebben gehad.'

'Niet de moeder die je kent. Als TD Hall met me was getrouwd, zou ik niet de vrouw zijn geworden die ik nu ben.'

Hij moest toegeven dat ze waarschijnlijk gelijk had. Zijn moeder had andere, indrukwekkender problemen overwonnen dan die waarmee ze met zijn egoïstische, rokken jagende vader mee te maken zou hebben gekregen. Je kon een tijger maar tot op bepaalde hoogte temmen.

'Het enige wat ik vraag is dat je hem een kans geeft om te zeggen wat hij wil zeggen,' zei ze. 'Ik ga dat in elk geval wel doen. Ik heb het gevoel dat het me ervan zal overtuigen dat we blij mogen zijn dat hij ons in de steek heeft gelaten.'

'Goed dan,' zei Will. 'Dan doe ik het voor jou. Maar wees niet teleurgesteld als hij alleen hier is om het huis van zijn tante te verkopen.'

Cathy stond op en haalde kalm en resoluut haar autosleutels uit haar tas. 'Ik geloof niet dat Trey Don Hall nog in staat is mij teleur te stellen.'

Kon hij dat maar geloven, dacht Will terwijl hij met haar meeliep naar de parkeerplaats. Zijn kaak voelde zo gespannen dat hij de kus die zijn moeder erop drukte nauwelijks voelde. Zoals gewoonlijk kon ze zijn gedachten lezen.

'Hij zal met zijn charme proberen je haat weg te wissen, Will, en dat zou zelfs goed zijn,' zei ze. 'Wees niet bang om je haat los te laten. Haat loslaten wil niet zeggen dat je vergeet wat je voor altijd wilt onthouden. Het is niet hetzelfde als verzoening.'

Will keek haar na, geschokt dat ze zich al die tijd al bewust was geweest van de angst die hij had proberen te verbergen sinds hij oud genoeg was om die te analyseren. Hoezeer hij zijn vader ook haatte, Will was bang dat als hij hem ooit zou ontmoeten, hij zou vallen voor zijn charisma, zijn roem, en dan van zichzelf zou gruwen om zijn kwetsbaarheid, zijn behoefte, terwijl hij sinds de dag dat hij was geboren de liefde en aandacht had gehad van de beste vaderfiguur die ooit had bestaan – de jezuïetenpriester John Caldwell.

Maar wat anders dan de behoefte aan zijn vader kon verklaren waarom hij heimelijk een studie had gemaakt van TD Hall? Er was geen woord over hem geschreven dat Will niet had gelezen, en niet veel van zijn wedstrijden die hij niet op een of andere manier had gezien. Will hield zich voor dat hij op een queeste was geweest om te ontdekken hoeveel hij op hem leek, welke dingen hij in zichzelf herkende. Hij had al vroeg besloten dat hij in niets op Trey Don Hall wilde lijken, en voor zover hij kon zien deed hij dat niet. Hij had zijn moeders aangeboren beleefdheid geërfd, haar rustige aard en haar plichtsbesef. Hij was geen rokkenjager en had geen vluchtige seksuele contacten.

Maar heus, zijn doel was geweest zijn vader te leren kennen, tijd met hem door te brengen, zelfs al was dat alleen maar via gepubliceerde interviews en het tv-scherm. Will zou zijn moeder nooit vertellen dat hij, tot hij van de middelbare school af was, nog had uitgekeken naar een cadeautje met kerst, een kaart voor zijn verjaardag, een onverwacht telefoontje, een of ander teken dat zijn vader wist dat hij bestond.

Maar dat was toen en dit was nu. Zijn dagen van hunkering waren voorbij. Hij verafschuwde Trey Don Hall. Als hij was gekomen om zich weer hun leven binnen te wurmen terwijl hij zo'n zootje van het zijne had gemaakt, dan zou zijn zoon ervoor zorgen dat hij daar spijt van kreeg.

45

Hij schoof die ochtend drie keer het luikje tussen hem en een biechteling open.

'Vergeef me, vader, want ik heb gezondigd.'

'Hoe heb je gezondigd?'

'Het is mijn vader. Ik voel geen respect of genegenheid voor hem. Hij liegt; hij gokt; hij bedriegt mijn moeder; hij houdt zich niet aan zijn woord. Ik vertrouw hem voor geen cent. Hij is te zwaar, rookt als een ketter en drinkt. Hij geeft geen moer om me.'

'Hou je van hem?'

'Ja, dat is het punt. Ik geef om hem, en dat wil ik niet. Ik weet dat het zondig is om iemand te willen haten, vooral je vader, maar het leven zou zoveel makkelijker zijn en mijn pijn zou verdwenen zijn als ik hem maar kon haten en ik ben woest op mezelf omdat ik dat niet kan.'

'Wees niet kwaad op jezelf. Je geeft blijk van de grootste liefde van allemaal. Je houdt van iemand die je liefde niet waard is. Dit kruis is nu een last voor je, maar juist dit soort kruisen zijn, trouw gedragen, de vleugels die ons naar de hemel zullen brengen.'

'Kunnen mensen veranderen, vader?'

'In welke zin?'

'De genen waarmee we worden geboren.'

'Niet je genen, maar wel het gedrag dat ze genereren. We hebben het vermogen gekregen om zelf te bepalen wat we doen, omdat ieder mens wordt geboren met een vrije wil. Met Gods hulp kunnen wij mensen ervoor kiezen de stem van onze lagere natuur niet te gehoorzamen. Het oorspronkelijke zelf zal altijd bij ons blijven, zoals de ingebakken neiging tot drinken van de alcoholist.

Het gevecht tegen onze natuur is nooit ten einde, maar kan wel worden gewonnen.'

'Vergeef me, vader, want ik heb gezondigd.'
'Dat hebben we allemaal, mijn vriend.'

46

Trey Hall vertraagde zijn gehuurde BMW toen hij de Interstate 40 af draaide en de weg nam die naar Kersey leidde. Zijn vliegtuig was wat vroeger op Amarillo geland. Hij hoefde geen bagage op te halen en er had geen rij gestaan bij het autoverhuurbedrijf, waardoor hij tijd overhad voor zijn afspraak met de Tysons om elf uur. Afgezien van de windmolens – reusachtige energieproducerende constructies die eruitzagen als beelden van gigantische witte albatrossen aan de horizon – was de prairie in het voorjaar nog precies zoals hij zich die herinnerde. Een tijd lang reed hij met het raam open om de frisse geur van Panhandle-grassen in de auto te laten, maar hij vond de wind te koud en deed het raam weer dicht. Hij was gewaarschuwd dat hij moest oppassen voor kou.

Anderhalve kilometer van zijn bestemming verwijderd zag hij de watertoren van Kersey en hij werd overspoeld door herinneringen aan de keren dat John en hij dat verdraaide ding hadden beklommen. Ze hadden te veel respect gehad voor de belangrijke plaats die de toren met het trotse GEMEENTE KERSEY op zijn buik in het landschap innam om hem te bekladden, maar ze waren vooral te bang geweest dat sheriff Tyson erachter zou komen dat zij de schuldigen waren. Ze hadden echter wel fysiek bewijs durven achterlaten dat ze de ladder hadden beklommen naar het smalle looppad dat om de toren heen liep. Ze hadden een succesvolle overgangsrite voltooid toen ze in de zevende klas eindelijk hun doel hadden bereikt en een sjaaltje van Cathy aan de reling hadden gebonden. Het had een tijd in de wind gewapperd tot het op een dag verdwenen was.

Zoals veel dingen die waren weggewaaid, dacht Trey.

Bij het binnenrijden van het dorp merkte hij een paar nieuwe borden en bedrijven op – een kapsalon, een antiekwinkel, een speelhal – maar de oude autogarage, de veevoederzaak en het autokerkhof vol roestend staal achter een Cyclone-hek waren er nog steeds. De entree van het dorp van zijn jeugd had niet veel wat het onderscheidde van soortgelijke over de prairie verspreide gemeenschappen, met uitzondering van het verweerde, verbleekte bord dat bezoekers aan de gemeentegrens begroette: WELKOM IN KERSEY, THUIS VAN DE BOBCATS, WINNAARS VAN HET STAATSKAMPIOENSCHAP HIGHSCHOOL FOOTBALL IN 1985. Het bord sprak van een tijd waarvan de gloriedagen allang verstreken waren, als een dichtgetimmerd hotel in een spookstad.

Het hek naar de Peaceful Haven-begraafplaats was iets verderop en hij stopte daar en kon zich nog herinneren waar het graf van oom Harvey was. Zoals Trey had verwacht, was tante Mabel naast hem begraven. Hun gedenkstenen waren identiek, met op beide een hand gegraveerd die naar de andere was uitgestoken. Tante Mabel was de dood van oom Harvey nooit te boven gekomen, had Trey zich gerealiseerd, lang nadat hij haar nog enige troost had kunnen schenken. Trey had zijn oom maar een paar maanden gekend voor die stierf, maar herinnerde zich hem nog heel goed en hij was opgegroeid met de gedachte dat een huwelijk tussen hen beiden – tante Mabel, een klein, verlegen type, en oom Harvey robuust en ruig, een jager op groot wild – wel heel komisch was. Maar wat wist hij daar destijds nou van?

Hij had op het vliegveld een boeket voorjaarsbloemen gekocht en legde de vrolijke bos anjers, violieren en margrieten voor haar steen. Het brandende gevoel waar hij zo'n hekel aan had vlamde op in zijn keel. 'Het spijt me, tante Mabel,' zei hij. 'Ik wilde wel komen, maar ik had het lef niet. Nu u in de hemel bent en alles weet, hoop ik dat u me kunt vergeven.'

Hij keek om zich heen naar de andere gedenkstenen en zag de vertrouwde namen van degenen die waren overleden sinds hij was vertrokken. Zoals de oude chauffeur van hun schoolbus, die hij onverdiend verdriet had gedaan, een vrouw die in de schoolkantine had gewerkt en die hem altijd wat extra aardappelpuree had opgeschept. Hij wilde nu dat hij haar meer waardering had betoond. Cathy's baptistendominee had ook in het stof gebeten, een schijnheilige klootzak die de deur naar haar toekomst had dichtgesmeten toen ze zwanger bij hem aanklopte. Trey keek of hij de graven van juf Whitby en Emma Benson zag, maar hij vond ze zo gauw niet en het was tijd om te gaan. Voor hij wegging, trapte hij een klont stekelnoot op het graf van de baptistendominee, daarna liep hij naar zijn auto.

De middelbare school en het football-veld lagen aan deze kant van het dorp en hij nam de opgeknapte weg naar de ingang van de plek waar hij de gelukkigste jaren van zijn leven had gekend. Het oude houten bord waarop aankondigingen werden gedaan, was vervangen door een digitaal exemplaar. Het wenste leerlingen en leerkrachten een fijne vakantie en informeerde de pechvogels dat de zomerschool over een week zou beginnen. Op een paar auto's na, had hij de vergrote parkeerplaats voor zichzelf.

Hij stapte uit. Het luide dichtslaan van het BMW-portier droeg ver in de stille prairielucht. De school was tot op zekere hoogte gemoderniseerd, maar het voelde allemaal nog steeds hetzelfde aan. Met zijn ogen dicht kon hij zich voorstellen dat hij weer een schooljongen was, die in de eerste jaren van de middelbare school met de schoolbus arriveerde en later in zijn Mustang of Johns oude pick-up, met Cathy tussen hen in. Het dappere trio van Kersey High, hadden de mensen hen genoemd.

Trey liep naar het hek dat de atletiekbaan en het football-veld omsloot. Het hek was waarschijnlijk op slot, maar hij hoorde jongensstemmen, zoals de zijne had geklonken, en vermoedde dat er leerlingen op de baan aan het trainen waren. Zijn vermoeden was juist, en er hing een geopend hangslot aan de poort. Hij duwde hem open en zag drie jongens aan de andere kant van de baan in korte broek en T-shirt, die hun hamstrings rekten en met hun armen zwaaiden. Trey hoorde de deur van de kleedkamers opengaan en draaide zich om naar een man met een pet op, in de schoolkleuren gekleed en een fluit om zijn nek. Kennelijk een coach.

'Kan ik u helpen?' vroeg de man.

'Nee, niet echt,' zei Trey. 'Ik heb hier op school gezeten en wilde even kijken hoe het er nu uitziet. Vindt u dat goed?' De man was van middelbare leeftijd, maar zag er nog te jong uit om coach te zijn geweest toen Trey op dit veld hardliep en football speelde.

'Geen probleem. Ga gerust uw gang.' De man keek Trey fronsend aan en trok zijn wenkbrauwen op toen hij hem herkende. 'U bent... TD Hall, is het niet?'

'Dat klopt.'

'Nee maar, godallemachtig!' Hij stak zijn hand uit. 'Tony Willis. Atletiekcoach en coach van speciale teams. Het is een eer u te ontmoeten. Ze hadden dit hier naar u moeten noemen als dank voor alle prijzen die u voor de school in de wacht hebt gesleept. Is dit de eerste keer dat u terug bent sinds u uw diploma hebt gehaald?'

Trey schudde zijn hand. 'Ik vrees van wel. Is er nog iemand hier die coachte toen ik speelde?'

'Coach Tucker. Hij is nu hoofdcoach voor football en directeur atletiek.'

'Ik kan niet zeggen dat ik me hem herinner. Heeft hij coach Turner vervangen?'

'Nee, daar zaten nog wat vervangers tussen. Coach Turner heeft het nog maar een jaar of vijf volgehouden nadat uw klas was geslaagd. Toen zijn dochter onverwachts overleed, leek hij de belangstelling voor het football en alles te verliezen.' Hij keek Trey vragend aan. 'U... weet waar ik het over heb?'

Trey knikte. 'Mijn tante hield me op de hoogte. Een of andere infectie, is het niet?'

'Ja, zo triest. Zijn vrouw overleed een paar jaar later. Ron werd alcoholist en leeft nu als een kluizenaar, maar ik weet zeker dat hij blij zou zijn om de beste speler te zien die hij ooit heeft gecoacht.'

'Als je John Caldwell niet meetelt.'

'Nou ja, inderdaad, pastoor John hebben we ook nog. Een geweldige speler, te oordelen naar de oude filmbeelden. Het football is een goeie kwijtgeraakt toen hij priester werd, zeggen ze.'

'Ze hebben gelijk.' Trey viste zijn autosleutels uit zijn zak.

Coach Willis keek verbaasd. 'Gaat u niet rondkijken?'

'Ik ben bang dat ik toch niet voldoende tijd heb. Aangenaam kennis met u te hebben gemaakt.'

'Nou, eh, wacht…' Blozend kwam de coach voor hem staan. 'Waar logeert u? Misschien kunnen we samen een biertje…'

'Bij John in Harbison House, maar ik blijf maar één nacht. Ik zie u een andere keer wel.'

Trey liet de man verbijsterd achter, maar zijn nostalgische bui was voorbij. Het nieuws over coach Turner had hem geraakt. Hij voelde een irrationele woede jegens Tara, die echter snel weer zakte. Laura – dokter Rhinelander – had hem ook gewaarschuwd voor de gevaren van machteloze woede. 'Laten we de zaak niet nog eens bespoedigen,' had ze gezegd. Maar waarom was die slet doodgegaan nadat ze haar ouders al zo veel verdriet had gedaan? Hij zou er heel wat voor over hebben gehad om het goed te maken met coach Turner, om hem uit te leggen waarom hij Cathy had laten stikken, maar de coach zou hem nog steeds kwalijk nemen dat hij de waarheid niet had toegegeven toen het nog verschil had kunnen maken.

De volgende stop zou hem nog depressiever maken, maar daar zou hij in elk geval een verandering ten goede zien. Hij zou niet naar binnen gaan. Hij zou alleen maar langs Bennie's rijden om te zien of hij een glimp van Cathy's blonde haar achter de ramen kon opvangen. John zou haar verteld hebben dat Trey vandaag aankwam, en hij vroeg zich af of ze verwachtte dat hij elk moment het restaurant binnen zou stappen. Zijn hart ging sneller kloppen en zijn mond werd droog bij het idee alleen al. Toen Laura hem had verteld dat hij doodging, was het uit behoefte aan troost zijn eerste impuls geweest om naar huis en naar Cathy te vliegen voor de maanden die hem nog restten, in zijn oude kamer in tante Mabels huis te slapen, en de spirituele steun te ontvangen van de enige echte vriend die hij ooit had gehad.

Maar na de aanvankelijke schok van de prognose had hij zichzelf uitgelachen om zijn belachelijke arrogantie. Wat had hem, gezien de brokstukken die hij in zijn kielzog had achtergelaten, het idee gegeven dat Cathy en John hem zomaar weer aan hun borst zouden drukken?

Dus had hij een andere manier moeten zoeken om van deze wereld naar de volgende over te gaan, en hij had besloten schoon schip te maken over de misleidingen die het geluk van twee liefhebbende ouders hadden verstoord en de levenswegen van zijn twee beste vrienden hadden opgebroken. Hij had zijn mond gehouden uit een vals gevoel van gekwetstheid en verraad, ego en trots, de zelfvernietigende demonen die hij zijn ziel had laten verwoesten. Het feit dat zijn dood naderde, wierp een ander licht op dingen die hij nooit eerder had willen zien. Nu was hij hier om de waarheid te vertellen en misschien iets van de schade die hij had toegebracht ongedaan te maken. Hij zou deze aarde verlaten met de haat van de twee mensen van wie hij hield en die van hem hadden gehouden, maar hij kon niet sterven met een leugen op zijn ziel.

Hij draaide Main Street in, benieuwd of iemand hem zou herkennen als de chauffeur van de onbekende BMW. Coach Willis hoefde maar één persoon te vertellen dat hij hem had gesproken en het nieuws zou in het hele dorp de ronde doen.

Een grote Lincoln Navigator hield het verkeer op terwijl hij wachtte op een pick-up die achteruit van de parkeerplaats bij Bennie's af reed. De vertraging gaf hem de gelegenheid naar de opgeknapte voorgevel met de blauwgeruite markiezen, de bonte bloembakken en felgele voordeur te kijken. Hij tuurde om te zien of hij Cathy kon ontdekken achter de smetteloos schone ramen, maar herkende in plaats daarvan de donkerharige Bebe Baldwin, die de rij klanten hielp. Opnieuw kwamen er herinneringen aan zijn tienerjaren boven en was hij terug in een van plezier vervuld moment met Cathy, John en Bebe, terwijl ze vette hamburgers aten en sprankelende cola dronken. Eindelijk reed de Navigator de parkeerplaats op en was de weg vrij. En op dat moment zag hij Cathy in een witte Lexus voor het rode verkeerslicht bij de kruising staan.

Hij staarde, durfde niet met zijn ogen te knipperen uit angst een seconde te missen van haar gezicht dat vorm kreeg als een foto in een bakje ontwikkelaar. Ze had hem niet gezien. Hij herkende de kleine fronsrimpel tussen haar wenkbrauwen als een teken dat ze met haar gedachten ergens anders was terwijl ze stond te wachten tot het licht groen werd. Wat zou hij doen als ze plotseling uit haar concentratie raakte en haar blauwe ogen op hem richtte? De automobilist achter hem claxonneerde even en Trey gaf gas, maar het verkeerslicht was nog steeds rood en hij stond nu dicht bij de kruising waar de witte Lexus op groen licht wachtte.

Dat kwam even later en Cathy reed, nog steeds geconcentreerd, voor hem langs, de zon glanzend op haar korte blonde haren en haar profiel, dat hij zich zo goed herinnerde. Aan zijn stoel vastgenageld zag hij haar een stukje doorrijden tot ze afsloeg naar de parkeerplaats achter het restaurant, waar zwerfhonden vroeger naar restjes zochten in de vuilnisbakken. In de seconde voor de automobilist achter hem weer claxonneerde, was Trey in de verleiding haar te volgen. Er was misschien nog steeds een kans dat ze hem, in de tijd die hem nog restte, terug zou nemen en dan zouden zijn geheimen met hem begraven worden, maar dat kon hij Cathy niet aandoen – zorgen dat ze weer van hem ging houden als hij haar opnieuw zou moeten verlaten. Hij drukte het gaspedaal in en gaf zijn laatste kans op om met de enige vrouw te praten van wie hij ooit had gehouden.

47

Deke liet zich voorzichtig op de oude schommelbank op de veranda van Mabel Church zakken alvorens die aan zijn volle gewicht bloot te stellen. Hij leek stevig genoeg en hij ontspande zich om op Trey Don Hall te wachten terwijl zijn vrouw Paula het huis nog eens bekeek voor de deal definitief werd gesloten. Op haar aandringen waren ze vroeg gekomen om nog eens rustig rond te kunnen kijken zonder dat de verkoper hen op de voet volgde en scherp in de gaten hield. Deke geloofde niet dat ze daar bang voor hoefden te zijn. Hij had van Trey Don Halls advocaat de indruk gekregen dat het Trey niet uitmaakte of ze het huis al dan niet kochten. De advocaat had een prijs genoemd en Paula en hij hadden met hem alles geregeld wat inspectie, reparaties en documenten betrof.

Daarom was Deke ook zo verrast en vreemd ontroerd geweest toen Trey, nadat hij sinds zijn eindexamen van de middelbare school niet meer thuis was geweest, had geschreven dat hij over kwam vliegen om hem zelf de verkoopakte te overhandigen en de zaak af te handelen.

Deke legde zijn handen op zijn overhangende buik, een verandering sinds de laatste keer dat TD Hall hem had gezien. In 1986, toen Trey en Melissa waren geslaagd voor de middelbare school, was Deke's buik nog hard en plat geweest en had hij geen slecht figuur geslagen in zijn western style uniform dat Paula altijd in een scherpe vouw streek. Nu waren zijn ooit stevige borstspieren afgezakt naar zijn middenrif en had Paula haar stevige achterwerk verruild voor een dikke buik. Leeftijd maakte je in elk geval nederig. Hij vroeg zich af hoeveel TD Hall was veranderd sinds hij hem voor het laatst op de televisie had gezien. Elf jaar geleden of zo? Melissa en haar vriendinnen hadden hem op school de hartenbreker genoemd, maar dat was vooral omdat hij alle meisjes had teleurgesteld door zijn verkering met Cathy Benson. Wie had gedacht dat hij ervandoor zou gaan en haar zo in de steek zou laten? Kennelijk was geen enkele andere permanente verbintenis goed voor hem uitgevallen en hij had nog steeds geen andere kinderen. Had Trey spijt van Cathy en de fantastische zoon die ze samen hadden kunnen grootbrengen?

Deke had net zijn benen uitgestrekt en zijn Stetson naar voren geschoven om de voorjaarszon uit zijn ogen te houden, toen hij een auto de oprit op hoorde rijden. *Wel heb ik ooit! Die knul was op tijd.* Om een of andere reden had hij dat niet verwacht. Deke herkende het beroemde, maar oudere en smallere gezicht meteen en stapte de veranda af met dezelfde ontroering die hij had ervaren toen hij Trey op de middelbare school, en later in het universiteitsteam en in de nfl had zien spelen. Trey Hall mocht dan een klootzak zijn, maar hij was een verdomd goeie quarterback geweest.

'Hallo daar, TD,' zei Deke, hem tegemoetkomend. 'Welkom terug in je oude dorp.'

'Het ziet ernaar uit dat ik van jou hetzelfde kan zeggen, sheriff Tyson,' zei Trey en hij schudde Deke de hand. 'Was Amarillo niets voor je?'

'Niet voor na mijn pensioen. Het is te groot en te lawaaiig geworden. En bovendien woont Melissa nu hier met haar man en onze kleinzoon.'

'Melissa?'

'Onze dochter. Jij en zij waren klasgenoten. Zelfde jaar geslaagd.'

'Ja natuurlijk.' Trey keek alsof hij zich wel voor het hoofd kon slaan. 'Ik was het even helemaal kwijt.'

'En het is geen sheriff meer, hoor,' zei Deke. 'Gewoon simpelweg Deke Tyson.'

'Nou, gewoon simpelweg Deke Tyson, laten we dan maar naar binnen gaan en zien of we het eens kunnen worden.'

Nog steeds even gevat, dacht Deke, en hij herinnerde zich de scheve grijns, maar om een of andere reden had de obstinaatheid van de jongen iets vertederends gehad. 'Na jou,' zei hij, zodat Trey Hall als eerste het thuis van zijn jeugd binnen kon stappen.

Deke was nieuwsgierig naar Trey Halls reactie wanneer hij het huis binnen kwam waar hij tweeëntwintig jaar niet was geweest. De spulletjes, de verzamelde foto's, de handgeborduurde kussens van zijn tante zouden toch zeker wel iets betekenen voor de jongen die hier was opgegroeid. Deke wachtte op de drempel om hem de tijd te geven voor de herinneringen, de geesten die de verloren zoon zouden verwelkomen, en even dacht hij dat dat inderdaad het geval was. Trey stond in de bedompte huiskamer, zijn lijf zo gespannen alsof hij stemmen uit een ver verleden hoorde.

'Het is kleiner dan ik het me herinner,' zei hij.

'Dat geldt meestal voor plekken waar we terugkomen wanneer we volwassen zijn geworden,' zei Deke zacht. Hij hoorde Paula een kreet slaken bij een vondst elders in het huis. 'Neem me niet kwalijk, dan ga ik mijn vrouw even halen. Ze is hier ook ergens.'

'Je kunt de spullen allemaal hebben als je wilt,' zei Trey plotseling met een weids gebaar. 'Ik zal het niet nodig hebben.'

'O?' zei Deke beleefd, maar de politieman in hem merkte het verschil op: niet *ik heb het niet nodig*, maar *ik zal het niet nodig hebben*. 'Betekent dat dat je daarginds in San Diego naar elders gaat verhuizen?'

'Dat klopt. Ik neem niet veel mee.'

'Dat klinkt alsof je kleiner gaat wonen.'

'Zo zou je het kunnen zeggen.'

'Nou, het is erg vrijgevig van je,' zei Deke. Hij keek de kamer rond, triest, dat de knul geen enkele waarde hechtte aan de dingen die deel hadden uitgemaakt van zijn leven. 'Er staan hier wat mooie spullen bij, en je hebt nog niet eens de rest van het huis bekeken. Misschien is er toch wel ergens iets wat je wilt houden.'

'Nee, dat is er niet,' zei Trey, 'en ik zou het fijn vinden als je het allemaal van me overnam. Wat je niet wilt hebben, kun je wat mij betreft verkopen of weggeven.'

Paula stond in de deuropening met de blik in haar ogen die Deke zo goed begreep. Ze had een hekel aan het ruige spel dat football was en had weinig op met gewetenloze profsporters met slechte manieren die een fortuin betaald kregen voor hun talenten terwijl hun dochter als lerares een schamel salaris verdiende. Trey Hall was dus toch al niet Paula's lieveling geweest, maar was naar de hoogste plaats van haar lijst met stoute kinderen gestegen voor de manier waarop hij Cathy had behandeld. Ze keek nu naar hem alsof hij een dode vlieg in haar soep was.

'En de zolder?' zei ze op kille toon. 'Jongensspullen worden gewoonlijk op zolder gelegd als ze het huis uitgaan. Ik neem aan dat Mabel dat ook met jouw spullen heeft gedaan. Misschien vind je daar iets wat je nog wilt hebben.'

Trey schonk haar zijn duivelse grijns, kennelijk geamuseerd door haar kille begroeting. 'Hallo, mevrouw Tyson, wat leuk om u weer te zien. Nee, ik kan niets bedenken. De enige voorwerpen die ik me kan herinneren die op zolder zijn opgeslagen, zijn de opgezette jachttrofeeën van oom Harvey. Ik neem aan dat ze inmiddels in vrij slechte staat verkeren en rijp zijn voor de vuilnisbelt.'

'Om het even,' zei Paula, die met een afwijzend handgebaar een eind aan de discussie maakte. 'Maar onthou goed: wat we niet houden, gooien we weg. Dus kom niet over een jaar terug om naar iets te vragen wat er niet meer is.'

'Ik geloof dat ik u wel kan verzekeren dat dat niet zal gebeuren,' zei Trey. 'Nou, sheriff Tyson, waarom gaan we niet naar de veranda om de zaak af te handelen?'

In minder dan de tijd die nodig geweest zou zijn voor een kop koffie was het gebeurd. Deke overhandigde de cheque en Trey de eigendomsakte. Er vertrok een spier in Trey's kaak en Deke was blij toch enig teken te zien dat de jongen het jammer vond het huis op te geven. 'Ga je meteen terug naar San Diego of blijf je nog een poosje hier?' vroeg hij toen Trey de cheque in zijn borstzak had gestopt.

'Ik ben van plan morgen te vertrekken, nadat ik nog een paar dingen heb geregeld. Ik logeer bij John Caldwell in Harbison House.'

'Dat is mooi,' zei Deke, en hij vroeg zich af of Cathy Benson en

354

haar zoon tot die paar dingen behoorden. 'De kinderen zullen het prachtig vinden. Ze hebben nog nooit een echte levende superster gezien.'

Trey stompte hem zachtjes tegen zijn arm. 'Je zit ernaast, sheriff. Die kinderen zijn te jong om ook maar enig idee te hebben wie ik ben.' Hij stak zijn hand uit. 'Genieten jij en mevrouw Tyson maar van het huis. Ik ben blij dat ik het aan jullie zorgen kan overdragen. Dat zou mijn tante ook plezier doen.'

'Ik wou dat je van gedachten veranderde en eens in het huis rondkeek, jongen. Ik stel me voor dat al je trofeeën nog in je kamer staan.'

'Allemaal verleden tijd,' zei Trey. 'Ik kan ze toch niet meenemen waar ik heen ga. Het beste, sheriff. Ik ben blij je te hebben gekend.'

Met zijn handen in zijn zakken en zijn Stetson naar achteren geduwd keek Deke Trey vreemd gedeprimeerd na toen die naar zijn auto liep. Trey Don Hall leek hem een bijzonder trieste man. Het was geen benijdenswaardige positie voor iemand van zijn leeftijd; zijn carrière voorbij, zijn geld weg en geen liefhebbende vrouw die thuis op hem wachtte, geen kind dat hem kleinkinderen zou kunnen schenken, althans niet de zoon die hij Cathy alleen had laten opvoeden. Will Benson wilde niets met Trey Don Hall te maken hebben, zo werd er gezegd, en dat vond Deke buitengewoon tragisch, omdat de jongen was uitgegroeid tot een prima jongeman.

Maar net als met de schatten van zijn tante leek Trey er geen probleem mee te hebben de kostbaarheden op te geven die hij had kunnen hebben.

Zuchtend ging Deke terug naar binnen om met Paula de zolder te gaan bekijken. Het was het enige deel van het huis dat ze nog niet gezien hadden, aangezien ze die inspectie hadden overgelaten aan hun schoonzoon, een aannemer in de bouw. Paula wilde haar man bij zich hebben voor het geval er sinds Mabels overlijden spinnen of andere ongewenste bezoekers hun intrek hadden genomen. Een van de peertjes in de lamp deed het nog, verder moesten ze zich met Deke's zaklamp behelpen.

Hij zag het bijna over het hoofd. Zoals Trey Hall had gezegd, had zijn tante voornamelijk de opgezette dieren van wijlen haar echtgenoot op de zolder bewaard, die op een uitgedroogde stapel stof lagen te vergaren in een hoek. Deke scheen snel over de schepsels met hun glazen ogen en wilde doorlopen, maar zwaaide toen de zaklamp terug.

'Wat is er?' vroeg zijn vrouw toen hij gromde en bij haar wegliep om de zaak van dichterbij te bekijken.

Zonder te antwoorden haalde Deke een grote lynx van de stapel, die was opgezet in aanvalshouding, de ogen wild, de tanden ontbloot en de klauwen uitgestoken. Er was maar één probleem dat afbreuk deed aan de dreigende houding: er ontbrak een voorpoot.

48

Boven, voor het raam van zijn werkkamer, zag John de grijze BMW langzaam de poort door komen en bedaard naar het huis rijden. Hij had eerder iets verwacht in de orde van een rode Corvette die de oprit op scheurde, grind deed opspatten en jasmijnbloesem deed opdwarrelen, te laat voor de lunch die Betty had klaargemaakt. Dat was het beeld dat zijn jeugdherinneringen van zijn ooit beste vriend opriepen.

Johns maag verkrampte. Hij vroeg zich af of Christus zijn spieren zo had voelen aanspannen toen hij Judas de ochtend van zijn verraad de tuin in zag stappen.

Hij zag de auto een parkeerplaats voor bezoekers op rijden, het portier opengaan en de man die hij ooit als een broer had beschouwd uitstappen. Hij leek dezelfde TD Hall, wat ouder, zijn haar bovenop wat dunner, zijn kleren nogal wat duurder dan wat tante Mabel voor hem had gekocht. Maar hij trok zijn broek nog steeds zo op als vroeger, keek nog net zo vrijpostig om zich heen. Ondanks zijn gevoel dat er een slang de tuin van Eden binnen was gekomen, kon hij zijn blijdschap niet onderdrukken. Bij alles wat heilig was, het was goed om Trey weer te zien.

John stond op de veranda voordat Trey de paar treden op was gestapt. De twee mannen stonden stil, keken elkaar aan, lachten toen en omhelsden elkaar, sloegen elkaar op de rug als na een zwaar bevochten overwinning.

'Hé daar, Tiger,' zei Trey, zijn stem schor van emotie. 'Hoe is het verdomme met je?'

'Ik mag niet klagen,' zei John al net zo hees. Ze lieten elkaar los en keken elkaar aan met tranen in hun ogen, die ze geen van beiden probeerden te verbergen.

'Dat deed je nooit,' zei Trey. Hij keek plagend naar de geruite bloes en spijkerbroek die John droeg. 'Wat, geen toga en kruis voor de teruggekeerde zondaar?'

'Zou dat zin hebben?'

Trey lachte. 'Je ziet er goed uit, Tiger. Een beetje ondervoed misschien, maar dat geldt voor alle enthousiaste geestelijken. Bewijs van jullie oprechtheid, neem ik aan.'

'En jij ziet eruit alsof je de meisjes nog steeds gek kunt maken. Wat zeg je van een biertje voor de lunch?'

'Heerlijk. Zal ik mijn tas mee naar binnen nemen?'

'Doe dat straks maar. Ik woon boven. We gaan daar wel heen. Hier beneden wordt het een beetje lawaaiig. De kinderen zijn vrij van school en zullen dadelijk de tv wel op volle geluidssterkte aanzetten. Ga maar vast naar boven, dan haal ik het bier uit de keuken.'

Trey liep de trap op en toen John bovenkwam trof hij hem voor de foto's van het football-team van 1985 aan.

'Wat een team waren we, hè?' mijmerde Trey.

'We hadden een geweldige quarterback.'

'En een fantastische wide receiver. Je was de beste, John.'

'Jij ook.'

Trey haalde zijn schouders op. 'In football wel, maar verder niet echt.'

John reageerde daar niet op, maar gaf Trey zijn bier. 'Ik had wel glazen mee willen brengen, maar ik herinner me dat jij het liefst uit het blikje drinkt, of is dat veranderd?'

'Nee, dat is nog steeds zo.'

De mannen gingen zitten, John aan zijn bureau met het licht van het raam achter hem. Trey koos een gemakkelijke stoel met een poef ervoor. Het geluid van blikjes die werden geopend doorbrak de plotselinge stilte in hun haperende conversatie. John merkte Trey's ironische belangstelling voor de muren vol met boeken, de haard, de slaapkamer daarachter en het balkon op.

'Dat jij hier woont, zeg,' zei Trey.

John nam een slok van zijn bier. 'In het begin woonde ik in de pastorie, maar ik ben hierheen verhuisd toen de Harbisons hun huis overdroegen aan het bisdom als tehuis voor in de steek gelaten kinderen en ik daar directeur van werd. We hebben hier tien kinderen die anders in de pleegzorg terecht zouden komen. De extra taken vergen veel van me, dus het is makkelijker om hiervandaan te werken.'

'Dat is niet precies wat ik bedoelde.'

'Dat weet ik,' zei John zacht. 'Ik wilde alleen dat je wist waar we hier mee bezig zijn. Waarom ben je terug, Trey?'

Trey bracht het bierblikje naar zijn mond. Na een flinke slok en met het schuim nog op zijn lippen zei hij: 'Dat heb ik je verteld. Ik kom me van tante Mabels huis ontdoen.'

'Is dat alles?'

'Moet die lange, priesterlijke blik suggereren dat ik nog iets anders in gedachten heb?'

'Speel geen spelletjes met me, TD. Je hebt het tegen mij, weet je nog?'

'Ik weet het nog.' Trey deed even zijn ogen dicht. Zijn stem klonk moe toen hij weer sprak. 'Ik weet nog dat je me kon lezen als een boek, en al wist wat ik dacht voor ik het zei. Ik kon jou nooit voor de gek houden en op een of andere manier was dat mijn grootste troost terwijl ik opgroeide, te weten dat mijn beste vriend me door en door kende en toch nog om me gaf. En je wist het altijd als ik een kaart vanonder de tafel wilde spelen, nietwaar, Tiger?' Hij schonk John een zwakke grijns voor die verdween in de somberheid die zich over zijn gezicht verspreidde. 'Nou, hier komt het. Ik ga dood, John. Dat heeft niemand minder dan Cathy's oude vriendin – en de jouwe, heb ik begrepen – dokter Laura Rhinelander me verteld. Ik heb een hersentumor, stadium vier. Laura gaf me nog een maand of elf toen ik naar haar werd verwezen. Daar heb ik al de helft van opgebruikt.'

De klok op Johns bureau tikte diverse keren voordat het besef door de eerste geschoktheid heen drong. Ging Trey dood? Dat kon niet. Hij was TD Hall, superster, onoverwinnelijk, niet kapot te krijgen. Hij was pas veertig, in hemelsnaam! Hij kon niet doodgaan. Toch was het waar. De donkere wallen onder Trey's ogen vertelden hem dat het waar was. De pijn die door de spanning in zijn kaken ontstond vermengde zich met de wat bittere nasmaak van het bier. 'Ben je daarom naar huis gekomen – om me dat te vertellen?'

'Ik ben naar huis gekomen om te biechten.'

'Bij mij als priester?'

'Nee, *padre*. Bij jou als vriend. En ook bij anderen. Ik moet mijn geweten ontlasten om in vrede te kunnen sterven. Je weet vast wel waar ik het over heb.'

Dat wist John. Trey's plan doemde op als een lang begraven spook dat nu uit het graf was opgestaan. Angst raasde door hem heen, overstemde zijn mededogen en verdrong zijn verdriet van enkele tellen geleden. Trey was gekomen om vrede af te kopen ten koste van de zijne.

'Grappig, ik dacht altijd dat jij degene was die zou doorslaan,' zei Trey. 'Aan het begin van mijn carrière was ik doodsbang dat je een aanval van gewetenswroeging zou krijgen en alles zou vertellen, maar ik hield op me daar zorgen over te maken toen je een geestelijke werd.'

John keek hem kil aan. 'Waarom?'

Trey leek verbaasd dat hij het niet begreep. 'Nou... vanwege dit allemaal.' Hij gebaarde met zijn hand de kamer rond. 'Je had net zoveel te verliezen als ik als je je mond niet hield.'

'Dat klopt, maar kwam het nooit bij je op dat ik zweeg omdat ik jou dat had beloofd?'

Trey's wangen kleurden rood. 'Natuurlijk wel, maar je vergeeft me vast wel als ik zeg dat ik me veiliger voelde toen je de geloften had afgelegd.' Na een korte, ongemakkelijke stilte zei hij: 'Vertel eens, John. Heeft het gewerkt?'

'Heeft wat gewerkt?'

'Het priesterschap. Heeft het je de... vrede gegeven waar je naar hunkerde?'

John aarzelde met zijn antwoord. Er lag geen spot in Trey's ogen, alleen vertwijfelde hoop. Hij moest hem teleurstellen. 'Er waren momenten,' zei hij.

'Aha, ik ga ervan uit dat dat "soms" betekent,' zei Trey terwijl hij zijn bierblikje pakte. 'Nou, laat me die blik van je gezicht vegen, Tiger. Ik ben niet gekomen om jouw goede werk ongedaan te maken. Ik ben niet van plan jou bij mijn biecht aan de Harbisons te betrekken. Pastoor John en datgene waar hij voor staat zijn veilig. Dit gaat om mij en alleen maar om mij. Mijn geweten, niet het jouwe. Voor zover de Harbisons zullen weten heb ik die dag alleen gehandeld. Jij lag in Kersey ziek in het klaslokaal.' Hij nam een slok van het bier alsof zijn keel droog was geworden. Daarna veegde hij met de rug van zijn hand langs zijn natte lippen en vervolgde: 'Wees niet bang dat Lou en Betty Harbison iets tegen de autoriteiten zullen zeggen. Waarom zouden ze aan de wereld bekendmaken in wat voor toestand ze hun zoon hebben gevonden? Het zal hun voldoende tot troost zijn te weten dat hun zoon niet heeft hoeven branden in de hel. Ik vermoed dat ze de jongen hebben losgesneden, hem hebben aangekleed en het eruit hebben laten zien als een ongeluk. Anders zou sheriff Tyson de zaak tot op de bodem hebben uitgezocht.'

John zou zich enorm opgelucht hebben moeten voelen. Eindelijk zouden de Harbisons de waarheid kennen over de dood van hun zoon. Hun verdriet zou minder heftig worden en ze zouden de rest van hun jaren rustig kunnen leven zonder van Johns aandeel in het misdrijf te hoeven weten – zonder weer een zoon te hoeven verliezen – maar hij leefde al lang genoeg om te weten dat wanneer er eenmaal licht op een deel van de waarheid was geworpen, het andere deel daarvan weldra ook zou worden onthuld.

'Wat is er, John? Ik dacht dat je blij en opgelucht zou zijn dat die last van je ziel was genomen?'

'Jouw aandeel, ja. Het mijne weegt nog even zwaar.'

'Ik zou zeggen dat je dat al meer dan goedgemaakt hebt.'

Betty klopte op de deur en John, die zich een beetje misselijk voelde, zei dat ze binnen kon komen.

'Het spijt me dat ik u stoor, pastoor John, maar de lunch is klaar. Zal ik het boven brengen?'

Trey keek achterom, liet een verrast geluid horen en kwam overeind. 'Hallo, mevrouw Harbison. Hoe maken meneer Harbison en u het?'

Betty keek naar hem alsof ze moeite had zich hem te herinneren.

'Trey Hall, weet u nog?'

'Ik weet het nog. Je kwam altijd eieren en groenten halen voor je tante.'

Haar toon was niet zo warm als de zijne.

'Dat klopt,' zei Trey. 'Is dat alles wat u zich herinnert?'

'Alles wat ik me wil herinneren,' zei ze. Ze wendde zich tot John. 'Zal ik de lunch serveren?'

'Dat is prima, Betty.'

Toen ze de deur had dichtgedaan, legde John uit: 'Ze is bevriend met Cathy en ze is gek op Will. Elk jaar met zijn verjaardag bakt ze haar beroemde butterscotchkoekjes voor hem.'

'En ze heeft een hartgrondige hekel aan mij vanwege wat ze denkt dat ik Cathy heb aangedaan.'

'Dat heb je toch ook gedaan?' zei John.

Trey draaide zich om en ging zitten, iets langzamer; zijn dunne schouderbladen zichtbaar onder zijn zijden shirt herinnerden John weer aan zijn ziekte. Toen hij zat, zei hij: 'Ik heb Cathy daarstraks gezien, een paar minuten maar. Ze zag mij niet. Ze stond voor het stoplicht vlak bij Bennie's. Verdorie, John, ze ziet er goed uit. Beter dan ooit.'

'Ze heeft het goed doorstaan. Haar zoon ook.'

'Will Benson? Hij is ook een reden waarom ik naar Kersey ben gekomen.'

'O? Nog een onrecht dat je in je laatste dagen wilt rechtzetten?'

'Ik zou het eerder een onjuiste perceptie willen noemen die rechtgezet moet worden.'

'Wat bedoel je?'

'Ik bedoel dat al die jaren lang iedereen, inclusief Cathy en jij, heeft gedacht dat Will mijn zoon is. Dat is hij niet.'

'O, in godsnaam, Trey!' John draaide zijn stoel weg van de man die tegenover hem in de gemakkelijke stoel zat. Het lef van die man, om vlak voor zijn dood te blijven ontkennen dat hij de vader was van de geweldige zoon waar iedere andere vader trots op zou zijn. 'Van wie zou hij dan moeten zijn?'

'Van jou,' zei Trey.

49

John draaide zijn stoel weer om. Er trok een koude rilling door zijn lijf. 'Wat?'

'Je hebt me wel gehoord.' Trey draaide het dopje van een medicijnflesje en schudde twee pillen in zijn hand. Hij gooide ze in zijn mond en spoelde ze weg met bier. De ziekte tekende zijn magere, knappe gezicht.

'Die tumor heeft je gek gemaakt, Trey. Ik hoop dat wat je net hebt gezegd binnen deze kamer blijft... dat je die krankzinnige leugen niet in het dorp zult verspreiden.'

'Het is geen leugen, Tiger, geloof me.'

'Waarom zeg je dat nou? Die jongen lijkt precies op jou.'

'Is dat zo?'

'Dezelfde bouw, het haar, de ogen.'

'Nee, padre, die heeft hij allemaal van jou. Iedereen verwachtte dat hij op mij zou lijken, omdat ik met Cathy naar bed ging. Ze zochten naar wat ze wilden vinden en ze vonden het ook, maar ze hadden het mis. Kijk eens goed naar jou en mij, of liever, hoe we er toen uitzagen.' Trey knikte naar de ingelijste foto's van de Kersey Bobcats aan de muur, hij en John naast elkaar midden op de voorste rij. 'Je ziet toch wel dat jij en ik zo veel op elkaar lijken dat we net broers zijn. Kijk de volgende keer dat jij en Will samenzijn eens naar zijn gezicht zonder het mijne daarin terug te zien. Dan denk ik dat je het jouwe zult zien.' Trey bracht het blikje naar zijn mond. 'En natuurlijk,' voegde hij eraan toe, 'kan mijn DNA aantonen dat ik je de waarheid vertel.'

John draaide zijn hoofd stijfjes naar de foto en bestudeerde die. Toen ze samen opgroeiden hadden ze vaak te horen gekregen dat ze gemakkelijk voor broers zouden kunnen doorgaan, maar het was een door de kanker veroorzaakt waanidee waardoor Trey beweerde dat hij niet Wills vader was. De jongen kon van niemand anders zijn. Was Trey de keer vergeten dat hij naar Cathy terug was gekropen en haar had gesmeekt hem te vergeven? Ze waren een week niet buiten gekomen.

'Waarom denk je dat de jongen niet jouw zoon is?' vroeg John.

'Omdat ik onvruchtbaar ben,' zei Trey kalm. 'Al sinds mijn zestiende. Als ik ooit een kind had verwekt, zou ik niet onderdoen voor jouw Maagd Maria.'

Johns mond viel langzaam open. Hij herinnerde zich dat Trey tijdens de voorjaarstraining aan het eind van hun tweede jaar high school in elkaar was gezakt, zijn ontstoken en gezwollen kaak, tante Mabels uitpuilende ogen toen ze zijn temperatuur opnam, zijn bedeesdheid toen hij na twee weken weer op school kwam.

'Inderdaad,' zei Trey. 'Ik zie dat je het je herinnert. De bof trof me in allebei mijn testikels. Ze waren zo groot als meloenen toen tante Mabel me naar dokter Thomas bracht en moesten dagenlang worden gekoeld met ijs. Toen ik achttien was, heb ik mijn sperma laten testen. Er zaten geen zwemmers bij. Dus je begrijpt dat ik onmogelijk de vader van Will Benson kan zijn.'

'Maar… de condooms, de pillen die Cathy gebruikte…'

'Voor de zekerheid tot ik de moed had om me te laten testen. Ik wilde Cathy de uitslagen van de onderzoeken vertellen op de dag nadat we terugkwamen van de zomertrainingen, maar voor ik de kans kreeg, overviel ze mij met het nieuws dat ze zwanger was. Ik bedacht dat het alleen maar van jou kon zijn.'

Een bedrieglijk moment lang ervoer hij het gevoel van afstandelijkheid dat hij ook in de biechtstoel had. Het rooster tussen hem en de biechteling met zijn zonde beschermde hem tegen persoonlijke betrokkenheid en gaf hem de vrijheid om wijze raad te geven. Hij luisterde naar Trey alsof diens onthulling iemand anders betrof. Het was niet mogelijk dat hij Cathy zwanger had gemaakt. Hij had haar nauwelijks aangeraakt…

Lieve Moeder Gods…

'Ik weet dat het je moet overvallen, John… net zoals het mij overviel dat mijn beste vriend, van wie ik hield als van een broer,

365

verdomme, van wie ik meer hield dan van mezelf... achter mijn rug mijn meisje had geneukt. Het heeft me altijd verbaasd dat Cathy en jij niet vermoedden dat de jongen van jou zou kunnen zijn. Ik nam aan dat het gebeurd was toen ik het met haar had uitgemaakt, direct nadat jij en ik terug waren van ons eerste bezoek aan Miami. Ontken je het?'

Hij werd bijna verblind door het bloed dat zich naar zijn hoofd pompte. Hij kreeg geen lucht. 'Ik geef toe dat het op een middag... heel weinig scheelde of Cathy en ik hadden gedaan waar jij me van beschuldigt,' zei John en Trey's gezicht werd wazig. 'Ze was er kapot van toen je haar dumpte, volkomen van de kaart. Ze kwam wanhopig verlangend naar troost naar mij toe. We begonnen te drinken en werden heel erg dronken, maar er gebeurde niets. Cathy raakte meteen bewusteloos. Ze herinnert zich er niets van dat...'

'Herinnert zich waar niets van?'

'Dat ik bijna misbruik van haar maakte. Maar ik heb het niet gedaan, TD... dat wil zeggen, ik... nou, zie je, ik... ben niet bij haar binnen gedrongen.'

'Droeg je een condoom?'

'Nee, ik... het ging zo snel...'

'Had ze haar broekje uit?'

John bloosde. 'Ja.'

'Waarom ben je niet verdergegaan?'

'Omdat...' Hij was Cathy's slaperige, tevreden gemompel nooit vergeten. 'Omdat ze jouw naam zei, TD. Ze dacht dat ik jou was. Ik deinsde meteen terug, dus ik zie niet in hoe ik Cathy zwanger kan hebben gemaakt.'

Trey kneep in de armleuningen van zijn stoel, ging rechter zitten en keek John aan alsof hij een glimp had opgevangen van de hemel... of de hel. 'Wat? Zei ze mijn naam? Dacht ze dat jij mij was?'

'Ja. Duidelijk. Ze was totaal van de wereld, zo dronken. Ze hield van jou, TD. Alleen maar van jou. Cathy zou nooit willens en wetens met iemand anders dan jou naar bed zijn gegaan. Hoe heb je dat ooit van haar kunnen denken?'

366

Trey liet zich weer in zijn stoel zakken; zijn gezicht verstard in de smart van het gruwelijke besef, overgoten met de schaduw van de kanker. 'Catherine Ann... Catherine Ann,' kreunde hij, zijn ogen gesloten. 'O, god, John. Als ik dat had geweten...'

'Dat had gekund als je er niet meteen vandoor was gegaan.'

'Ik kon niet... in de buurt blijven, Tiger. Toen niet.' Hij hief zijn hoofd, zijn ogen koortsachtig in hun ingevallen kassen. 'Heb je je nooit afgevraagd waarom ik... de beest uithing tijdens dat eerste bezoek aan Miami... hoe ik Cathy dat kon aandoen?'

'Je weet best dat ik me dat afvroeg!'

'Ik had de testresultaten de dag voor ons vertrek ontvangen. Ik kon het Cathy niet vertellen; dat kon ik gewoon niet. Ze zou evengoed bij me zijn gebleven, en het leek me het perfecte moment om met haar te breken. Ze kon beter denken dat ik haar niet trouw kon blijven dan dat ik haar geen kinderen kon schenken... Ik dacht dat ze zo sneller over me heen zou zijn...'

John schudde zijn hoofd. 'Lieve hemel, TD...' Trey's stem drong gedempt tot hem door, alsof hij vanachter glas praatte. *Hij... Wills vader? Hij zou zo graag willen dat het waar was, maar het kon niet... Het was onmogelijk.*

'Je weet dat ik de dingen nooit volgens het boekje kon doen, Tiger... dat ik het nooit deed zoals het hoorde.'

'Nou, deze keer zit je er ook naast, TD. Ik kan Wills vader niet zijn. Ik heb Cathy nauwelijks aangeraakt.'

'En toch heb je haar zwanger gemaakt, Tiger. Bebe en jij deden het misschien met elkaar, maar je was op je achttiende nog heel onschuldig. Je wist niet dat je niet bij iemand hoefde binnen te dringen om haar zwanger te maken. Cathy was gestopt met de pil en jouw sperma hoefde alleen maar op haar huid te komen...'

'Maar ik had geen zaadlozing gehad!'

Trey ging harder praten. 'Dat was niet nodig. Je vocht alleen al was voldoende. De meeste jongens hebben daar geen controle over en voelen het er niet uitkomen. Daarom werkt de methode van terugtrekken die jullie, katholieken, als middel voor geboortebeperking prediken ook niet altijd. Daarom dacht ik dat je op een gegeven moment wel zou hebben begrepen dat het kind van jou was.'

'Hoe komt het dat jij zo veel over het onderwerp weet?' vroeg John.

Trey's mond vertrok tot een trieste, wrange grijns. 'Geloof me, ik heb alles gelezen wat er te lezen valt over sperma.' Hij keek naar de geschokte blik van zijn vriend. 'Jij bent Wills vader, John.'

John zag Will Benson levensgroot voor zich en de vage tekenen van zijn vaderschap waar Cathy en hij nooit acht op hadden geslagen werden plotseling sterk uitvergroot: de schuine stand van Wills rechterwenkbrauw, het lichte afhangen van zijn linkerschouder, iets in zijn manier van lopen, een bepaalde weergalm in zijn lach... allemaal karakteristieke kenmerken van John Caldwell. Hoe was het mogelijk dat Cathy en hij dat nooit hadden gezien? Ze hadden alleen maar gezocht naar gelijkenissen met Trey.

John hoorde Trey's stem, schor van berouw. 'Het spijt me, John. Ik weet dat dat geen verschil maakt voor jou en Cathy en dat jullie me nooit zullen vergeven dat ik niet meteen de waarheid heb verteld. Dat verwacht ik ook niet van je, maar God is mijn getuige, ik dacht dat Cathy en jij zouden trouwen en volgens plan naar Miami zouden komen. Ik had geen idee dat je erover dacht priester te worden.'

Verbijsterd, nog steeds trachtend het onmogelijke te bevatten, zei John: 'Maar later dan, Trey, waarom bleef je de waarheid voor ons verzwijgen? Waarom liet je de jongen opgroeien met het idee dat zijn vader hem in de steek had gelaten? Jij wist zelf hoe dat voelde. Cathy en Will... Heb je enig idee met wat voor schande en problemen je ze hebt opgezadeld?'

De vraag raakte Trey als een harde bal in zijn buik. Hij sloeg zijn armen om zich heen — een huis dat op instorten stond. 'Omdat ik dacht dat jullie me hadden bedrogen!' zei hij, zijn ogen plotseling fonkelend van boosheid en ziekte. 'Jullie waren mijn familie... alles wat ik had. Alles waar ik om gaf. Heb jij enig idee hoe het was om te denken dat de vriend voor wie ik mijn leven zou hebben gegeven de liefde van mijn leven had geneukt — mijn alles! — en de zoon had verwekt die ik nooit zou kunnen verwekken! Jullie hadden wat mij betreft toen naar de hel kunnen lopen, maar toen de jaren verstreken...' Zijn stem werd zwakker, zijn ogen doffer. 'Het was te laat. De jongen had zijn moeder en overgrootmoeder en... jou. Will en jij leken zozeer vader en zoon als maar mogelijk was. Jij was op weg naar rechtschapenheid en Cathy was... gesetteld. Het zou een schandaal rondom jullie allemaal hebben opgeleverd. Was het niet beter dat de jongen geloofde dat zijn vader een klootzak was dan dat zijn moeder hem achter diens rug om had verwekt met zijn beste vriend?'

Hij was er nog steeds goed in, dacht John. Trey kon een glinsterende ader in een steen nog steeds verkopen als een goudmijn... en John zou hem kopen.

Nog steeds met zijn handen om zijn maag alsof hij een bal vasthield, sloeg Trey zijn gekwelde ogen naar hem op. 'Ik deed wat ik dacht dat het beste was toen het te laat was om nog iets te veranderen,' zei hij. 'Het was een rotstreek van me, maar ik... ik wist niet wat ik anders moest doen.'

'Ik kom eraan!' riep Betty en ze deed de deur open. Dankbaar voor de onderbreking stond John op om het dienblad van haar over te nemen en het op een tafel te zetten die eerder al was gedekt. Bij de geur van voedsel draaide zijn maag zich haast om. Betty's verbaasde blik vertelde hem dat hij waarschijnlijk net zo wit zag als het tafelkleed. Ze keek naar Trey, die nog steeds in elkaar gedoken zat en met een grimmig gezicht zette ze zwijgend de gerechten van het dienblad op de tafel.

'Dank je, Betty. Het ziet er heerlijk uit,' zei John. 'We scheppen zelf wel op en ik breng de borden naar beneden wanneer we klaar zijn.'

'Prima, pastoor John,' zei ze, en met een waarschuwende blik op Trey die hij niet zag liep ze de kamer uit.

Toen de deur dicht was, vroeg John aan Trey: 'Wanneer ben je van plan het Betty en Lou te vertellen?'

Trey richtte zich op. 'Zeg jij maar wat een goed moment zou zijn. Mijn vliegtuig vertrekt rond de middag uit Amarillo, dus ik ga morgenochtend al vroeg weg. Ik wil niet dat jij erbij bent wanneer ik het vertel. Je zult gaan zitten draaien en er vreselijk schuldig uitzien en die pientere mevrouw Harbison zou je maar aan hoeven te kijken om te weten dat jij er ook bij betrokken was.'

Plotselinge slapte in zijn benen dwong John op een van de stoelen aan de tafel te gaan zitten. 'Vanavond, als Lou met de kinderen terug is van de mis,' antwoordde hij. 'Betty blijft hier om op de kinderen te passen die niet meegaan. Zij en Lou gaan rond acht uur naar hun eigen kamer om tv te kijken. Die is aan de andere kant van de gang. Ik ben vanavond pas laat terug. Kom nu aan tafel zitten en probeer wat te eten. Het zal je kracht geven.'

Met grote inspanning duwde Trey zich uit de stoel overeind en nam hij zijn plaats aan tafel in. 'Ga ik naar de hel, John?'

Het moeilijkste van zijn ambt was wanneer hem op momenten als dit werd gevraagd om de moreel verdorvenen die op sterven lagen de verzekering te geven dat hun zonden hen zouden worden vergeven. Hij zou voor ogen houden dat hij voor God sprak en niet namens John Caldwell. 'Niemand die waarlijk berouw heeft voor zijn zonden en vergeving vraagt aan degenen die hij pijn heeft gedaan, gaat naar de hel, Trey. Je hart kent de waarheid, dus dat is waar je op zoek moet naar het antwoord.'

Betere troost kon John niet geven. Alleen Trey wist of hij vandaag hier zou zijn geweest als hij de dood niet nabij was.

John pakte zijn lepel op om aan de heerlijke groentecrèmesoep te beginnen die Betty had klaargemaakt, met een salade van die ochtend vers geplukte groenten met haar lekkere aardbeiendressing erbij.

'Wanneer ga je het Cathy vertellen?' vroeg Trey.

John keek op van zijn soep. 'Wanneer ga ík het haar vertellen?'

'Ik kan haar nog steeds niet onder ogen komen, Tiger. Ik wil niet sterven met de herinnering aan de blik die ze in haar ogen zal hebben. Het enige wat alles zal goedmaken is haar opluchting wanneer ze hoort dat Will jouw zoon is.'

Will was zijn zoon! Hij was de vader van de jongen! Het was bijna niet te geloven, maar hij zou zich op dat ene heldere lichtpuntje richten. 'Daar moet ik nog over nadenken,' zei hij.

'Het heeft geen zin om iedereen te vertellen dat de jongen van jou is. Het kan beter iets tussen Cathy, jou en Will blijven. Denk je eens in wat het met je reputatie zou doen als het nieuws bekend werd.' Trey deed zichtbaar moeite te glimlachen. 'Laat me sterven terwijl mijn publiek het slechtste van me denkt. Dat heb ik verdiend, en ik zou graag gaan terwijl het jouwe nog steeds het beste van jou denkt.'

'Dat hangt af van Will en de wil van God,' zei John.

50

Deke Tyson gedroeg zich zenuwachtig en kon nauwelijks de lunch weg krijgen die Melissa had klaargemaakt om de koop van het huis te vieren. Zijn gedachten waren kilometers – jaren – verwijderd van het gesprek aan de tafel waar hij met Paula, hun dochter en haar echtgenoot en hun zoon zat. 'Wat is er, papa?' vroeg Melissa. 'Je eet niet. Vind je de stoofschotel niet lekker?'

'O, jawel, hoor, jawel,' verzekerde Deke haar. 'Ik ben alleen met mijn gedachten ergens anders.'

'Ik hoop niet dat je spijt hebt van het huis,' zei Paula.

'Nee, nee, ik ben blij met het huis. Ik denk dat het ons prima zal bevallen.' Deke stopte met geveinsde gretigheid een vork vol kip in zijn mond en overdacht hoe hij het nieuws zou brengen dat hij het weekend moest afbreken. Hij moest terug naar Amarillo om bij het forensisch lab iets uit de zak met bewijsmateriaal van de dood van de jongen van Harbison te laten controleren.

'Als ik niet beter wist,' merkte zijn dochter op, 'zou ik zeggen dat je net zo'n blik in je ogen hebt als je altijd had wanneer je met een zaak bezig was.'

'Heeft het iets te maken met die opgezette lynx die je in de kofferbak hebt gelegd?' vroeg Paula.

'Paula, hou je mond!' beval Deke. 'Je hoeft niet alles te zeggen wat je weet.'

Iedereen aan tafel keek verbaasd op bij zijn onkarakteristieke uitbarsting. Paula, die in de gaten had dat er iets met haar man was sinds hij de lynx uit de stapel opgezette jachttrofeeën had gevist, herstelde zich het eerst. 'Je hebt gelijk,' zei ze, volstrekt niet beledigd. 'Soms praat ik te veel. Deze stoofschotel is heerlijk, Melissa. Wat moet je moeder ervoor doen om het recept te krijgen?'

372

Deke vroeg plotseling: 'Melissa, herinner jij je Donny Harbison?'

Melissa trok haar wenkbrauwen op. 'Donny Harbison? Was dat niet die jongen uit Delton die is gestorven toen hij op de middelbare school zat?'

'Die bedoel ik. Jullie zaten toen in het eindexamenjaar. Weet je of Trey Hall hem kende?'

Met haar wenkbrauwen nog steeds verbaasd opgetrokken zei Melissa: 'Dat betwijfel ik. Ze zaten op rivaliserende scholen, en Trey was een sporter. Hij ging om met andere sporters, zoals John Caldwell. Donny speelde in de band. Zelfs als hij op Kersey had gezeten, zou Trey hem niet hebben opgemerkt.'

Paula legde haar hand op de arm van haar man. 'Waarom stel je die vragen?' vroeg ze, nieuwsgierig naar zijn bezorgdheid. De dood van Donny Harbison had hem altijd al dwarsgezeten.

'Ach, zomaar,' zei Deke. Zijn antwoord zou Paula niet tevreden stellen, maar ze zou het wel laten rusten. Hij wilde zijn gedachtegang nog niet met iemand delen, vooral niet met zijn vrouw en dochter. In een dorp als Kersey, waar roddel de belangrijkste vorm van conversatie onder het vrouwvolk was, zouden ze wellicht moeite hebben hun mond dicht te houden.

'Nou, ik weet bijna zeker van niet,' zei Melissa. 'De Bobcats en de Rams gingen in die tijd niet met elkaar om.'

Deke slaakte een kreet en trok het servet uit zijn kraag. *Bobcats… Rams… Bij god, dat was het verband!* Hij schoot uit zijn stoel overeind. 'Het spijt me, iedereen, maar we moeten terug naar Amarillo.'

Deke's schoonzoon maakte een afkeurend geluid en zijn kleinzoon slaakte een kreet van teleurstelling. Zijn grootvader zou die middag met hem gaan vissen.

'O ja?' zei Paula.

'O, papa, waarom?' protesteerde Melissa. 'Jullie zijn er net!'

'Omdat je vader het zegt, lieverd,' zei Paula, en ze stond op. De blik die ze haar dochter schonk, smoorde verdere tegenwerpingen in de kiem. Paula pakte haar kleinzoon bij zijn kin. 'We zijn over een paar dagen terug, schattebout. Geef je grootmoeder nu maar een dikke zoen, dan gaan we.'

In de auto zei Paula: 'En waarom moeten we inderhaast terug naar Amarillo alsof er een lynchmeute achter ons aan zit?'

'Ik moet naar het forensisch lab voor dat dichtgaat,' zei Deke. Terwijl Melissa een stuk van de chocoladetaart voor hen inpakte die ze voor het dessert had gebakken, had Deke een paar mensen gebeld van wie hij nog wat te goed had. Als eerste belde hij Charles Martin, nu hoofd van het forensisch lab van de Dienst Openbare Veiligheid in Amarillo. Tijdens zijn termijn als districtssheriff had Deke Charles leren kennen als jonge technoloog. Ja, zei hij tegen Deke, hij herinnerde zich de zaak van jaren geleden, toen Deke hem had gevraagd de vingerafdrukken op wat vieze blaadjes en een verlengsnoer te vergelijken met die van een jong zelfmoord-slachtoffer. Charles was nooit de blik op Deke's gezicht vergeten toen hij hem vertelde dat het slachtoffer geen van die dingen ooit had aangeraakt.

Deke had nu wel een idee waarom Donny's afdrukken niet op de bladen of het verlengsnoer zaten.

Zijn volgende telefoontje pleegde hij met Randy Wallace, de huidige sheriff van het district Kersey. 'Wáár moet ik naar op zoek?' vroeg de sheriff.

'Ik zou het je niet vragen als het niet belangrijk was, Randy.'

'Ja, dat weet ik. Oké, geef me de naam op de doos met bewijs-materiaal nog eens, dan zal ik gaan kijken.'

'Je bent een goed mens,' zei Deke.

'Blij dat je dat vindt. Daarom ben ik gekozen.'

Al Deke's zenuwen trilden als een hond tijdens de jacht. Hij was er van het begin af aan niet van overtuigd geweest dat Donny Harbison alleen was geweest toen hij overleed, of zelfs dat hij was gestorven zoals hij was gevonden. De latere zenuwslopende ont-dekking dat Donny's vingerafdrukken niet voorkwamen op de voorwerpen van de plaats delict hadden Deke's twijfels alleen maar bevestigd. Daar was een ander paar handen aan te pas gekomen. Dat bewees voor hem dat degene die de blaadjes had verspreid ook de strop had geknoopt, hetzij als dader bij Donny's dood hetzij als deelnemer aan het experiment.

Tijdens zijn discrete onderzoek daarna op Delton High School had Deke voor geen van beide theorieën een voor de hand liggende verdachte kunnen vinden. Donny had voor zover bekend geen vijanden en hij noch een van zijn vrienden leek het type om met perverse seks te experimenteren. De jongen bleek te zijn zoals zijn ouders hem hadden beschreven: een graag geziene, seksueel redelijk naïeve knul die omging met anderen van hetzelfde slag, bandleden zoals hij, met hun trombones als enige passie en een voorliefde voor pindakaas.

Volgens de presentielijsten was Donny maandag, de dag dat zijn ouders naar Amarillo waren vertrokken, op school geweest. De volgende drie dagen was hij afwezig geweest en op donderdagmiddag laat was zijn lichaam gevonden. Afgaande op de mate van ontbinding en de heersende opvatting dat Donny voor geen goud de repetitie van de band na school had willen missen vanwege het ingewikkelde nummer dat ze die vrijdagavond bij de wedstrijd tegen Kersey zouden spelen, had Deke vermoed dat de jongen maandag laat in de middag was overleden.

Deke had uitgezocht waar de paar leerlingen van Delton High hadden uitgehangen die de bewuste dag niet op school waren geweest en hij had niets verdachts gevonden, en geen van Donny's vrienden bleek die dag na de repetitie naar hem toe te zijn geweest.

Het ontbrekende shirt was ook een onopgelost mysterie. Het was nooit gevonden. Toen Betty eenmaal in staat was haar zoons spullen te doorzoeken, had Lou aan Deke gemeld dat ze het blauwe chambrayshirt dat Donny voor zijn verjaardag had gekregen, niet konden vinden.

Deke's onderzoek naar auto-erotische asfyxie had hem nog meer reden gegeven om aan een ongeluk als doodsoorzaak te twijfelen. Hij ontdekte dat bij het beoefenen van wurgseks de strop gewoonlijk op een ingewikkelde manier wordt geknoopt, waardoor die snel losgetrokken kan worden. Bij Donny was die onhandig gemaakt. Ook droegen beoefenaars gewoonlijk iets om de hals voor meer comfort en om blauwe plekken en kneuzingen te voorkomen. Er zat echter niets onder het verlengsnoer.

Natuurlijk was het mogelijk dat het voor de jongen de eerste keer was geweest, had Deke zichzelf voorgehouden, en dat Donny ondanks de instructies in het blad niet precies had geweten hoe het moest.

Deke's opgenomen en uitgeschreven ondervragingen zaten in een doos in de bewijsruimte van het sheriffskantoor in Kersey, samen met uitgebreide aantekeningen, de poot van de lynx, de tijdschriften, het verlengsnoer en forensische rapporten. Het was die verzegelde doos die Randy Wallace had beloofd naar het forensisch lab te brengen om verontreiniging van het bewijsmateriaal te voorkomen, zodat het bewijsmateriaal bruikbaar was in een rechtszaak. Nog altijd geplaagd door schuldgevoel omdat hij een mogelijke moord in de doofpot had helpen stoppen, had Deke toen hij niet meer herkiesbaar was, de doos veiliggesteld door er met grote zwarte letters NIET VERWIJDEREN! op te schrijven. Omdat het overlijden was genoteerd als een ongeval, had het Openbaar Ministerie de zaak als gesloten beschouwd. Dat gold echter niet voor Deke. Er ging tijdens de rest van zijn tijd als sheriff en nog vele jaren daarna geen dag voorbij dat hij geen spijt had van zijn beslissing af te zien van een autopsie om het tijdstip en de exacte oorzaak van overlijden vast te stellen. Uiteindelijk had hij het schuldgevoel weg weten te rationaliseren. Wat voor zin zou een autopsie gehad hebben? Die zou niet duidelijk maken wie Donny wellicht had gewurgd en het eruit had laten zien als een seksuele daad die verkeerd was afgelopen of – als hij inderdaad door autoerotische asfyxie was gestorven – wie zijn medeplichtige was. Er waren geen verdachten en er was geen motief. Van iedereen in Delton zouden vingerafdrukken genomen moeten worden om de match te vinden waar Deke naar op zoek was. En daarbij zouden de choquerende details van Donny's dood bekend worden, zou de katholieke kerk wellicht de christelijke begrafenis herroepen en zouden de Harbisons de schande moeten verdragen die Deke had helpen wegmoffelen.

En dus had hij niets gedaan, niets gezegd, alleen tegen beter weten in gehoopt dat er op een dag iets zou gebeuren wat hem een aanwijzing zou geven voor wat zich op de dag van Donny's dood werkelijk had afgespeeld op het erf van de Harbisons.

En bij god, nu had Deke het gevonden. Hij kon het nauwelijks geloven. Hij beefde, zo opgetogen was hij, ook al was hij geschokt dat het naar niemand minder dan Trey Don Hall wees, de dubieuze trots van Kersey, zo verschillend van Donny Harbison als kaviaar van een T-bonesteak. Tot de dag van vandaag had Deke de kattenpoot nooit in verband kunnen brengen met de andere voorwerpen op de plaats delict. Zelfs toen hij de opgezette lynx op Mabels zolder had ontdekt en er zeker van was geweest dat de poot in de bewijsdoos daarbij hoorde, had hij het verband niet kunnen leggen. Pas toen Melissa opmerkte dat de Bobcats en de Rams niet met elkaar omgingen, was hem een licht opgegaan. Hij herinnerde zich een andere bijzonderheid die destijds niet relevant had geleken: Donny was de verzorger van de mascotte van het football-team van Delton, een kleine ram die Ramsey werd genoemd. Toen was het gemakkelijk te raden wat er die week van de kampioenschapswedstrijd tussen Kersey en Delton bij de Harbisons was gebeurd.

'Waarom stoppen we hier?' vroeg Paula toen Deke de auto voor het huis van Mabel Church parkeerde.

'Ik ben zo terug,' zei hij. 'Ik laat de motor draaien.'

Hij haastte zich de veranda op, stak de sleutel in het slot en had al snel gevonden wat hij zocht. Hij pakte het met zijn zakdoek vast, schoof het voorzichtig in de papieren zak die hij in de bijkeuken had gevonden en liep toen terug naar zijn auto.

'Wat is er in hemelsnaam aan de hand, Deke?'

Hij boog naar zijn vrouw toe en kuste haar op de wang. 'Dat vertel ik je als ik het zeker weet, schattebout.'

Maar hij wist het al zeker. Het was begonnen in de levendige fantasie van Trey Don Hall, de fantastische quarterback van de Kersey Bobcats. Trey had het idee gehad om de voorpoot van zijn ooms opgezette lynx te zagen om er klauwsporen op de vacht van de kleine ram van zijn tegenstanders mee achter te laten. Op een of andere manier was Trey te weten gekomen dat de Harbisons het dorp uit zouden zijn, misschien van Mabel, die haar eieren en groenten bij Betty kocht. Deke zou moeten uitvogelen hoe laat Trey die maandag zijn streek had uitgehaald, maar het moest geweest zijn toen Donny terug was van de repetitie met de band. De jongen zat aan de keukentafel wat te eten toen hij Trey bij het hok van de ram zag, met de poort al open. Donny rende naar buiten en er ontstond een schermutseling. Trey won het van de kleinere, minder fitte jongen en probeerde of slaagde in zijn poging Donny te wurgen in een van de woedeaanvallen waarom hij bekendstond.

Om het bewijs van wurging te verbergen had Trey dood door auto-erotische asfyxie gesimuleerd, waarvan zo'n seksueel vroegrijpe tiener wel op de hoogte was. Hij legde de tijdschriften neer, ruimde het shirt op en harkte de grond aan om eventuele tekenen van het gevecht te verwijderen. In zijn haast om te vertrekken was hij vergeten het hok van de ram weer dicht te doen en had hij ofwel geen tijd gehad om naar de poot te zoeken of had hij die niet kunnen vinden in de schaduwen onder de picknicktafel.

Deke kon zich geen ander scenario voorstellen. Hoe kon die kattenpoot anders op het erf van de Harbisons terecht zijn gekomen? Natuurlijk hing alles ervan af of de onbekende vingerafdrukken op de twee bewijsstukken overeenkwamen met die op de atletiektrofee die hij uit Trey's oude slaapkamer had meegenomen. Als dat zo was, had Deke voldoende redenen om Randy te vragen de zaak te heropenen. Deke wist dat ze daarmee een beerput zouden opentrekken. Als degene die de zaak had onderzocht zou hij heel wat uit te leggen hebben. Een opgraving – als daarin werd toegestemd – zou wonden openrijten waar de Harbisons nooit helemaal van hersteld waren. Het stel zou nog meer littekens oplopen vanwege hun schuldgevoel dat ze de feiten over hun zoons dood hadden verzwegen, niet alleen voor de autoriteiten, maar ook voor de katholieke kerk. De schenking van hun huis aan het bisdom zou eerder worden gezien als boetedoening dan als een gul gebaar om ongewenste kinderen een thuis te kunnen bieden. En uiteindelijk zou een slimme advocaat Trey waarschijnlijk zelfs vrij krijgen.

Dat alles deed er nu echter niet toe. Deke was van plan zo veel mogelijk bewijs van de waarheid te verzamelen als hij kon voordat hij besloot of hij al dan niet met zijn bevindingen naar Randy Wallace zou gaan.

Met zijn voet op het gaspedaal en zijn kiezen op elkaar geklemd herinnerde Deke zich hoe Donny's lichaam was gevonden, wat de dood van de jongen met zijn ouders had gedaan. Sinds 1985 had de katholieke kerk haar standpunt over zelfmoord aangepast, maar de katholieke overtuiging van de Harbisons had hun nooit de angst kunnen ontnemen dat hun zoon brandde in de hel omdat hij door zijn eigen hand was gestorven tijdens een perverse seksuele daad. Deke hoopte op een kans om eens en voor altijd te bewijzen dat hun zoon onschuldig was aan zijn eigen overlijden en dat hij was gestorven terwijl hij een onschuldig dier beschermde tegen een wrede kwajongensstreek.

Wat een stomme, gewetenloze actie voor iemand van Trey Don Halls onmiskenbare talent en intelligentie om te ondernemen tijdens de week van de grote wedstrijd – een wedstrijd die de Bobcats wonnen met een marge van maar liefst vijfendertig punten. Bij god, als die jongen schuldig was aan de dood van Donny Harbison, zou hij hem voor de rechter brengen, al was het het laatste wat hij deed. Er gold geen verjaringswet voor moord of doodslag en in Texas werd een zeventienjarige voor zulke delicten als een volwassene berecht. *Maak nog maar niet te veel plannen voor die verhuizing, TD. Je zou weleens in de cel terecht kunnen komen.*

51

Trey Don Hall deed een dutje. John had daarop gestaan nadat Trey zijn lunch had uitgebraakt. Toen John bij hem ging kijken, lag Trey in diepe slaap, zijn oogleden vaag blauw, zijn bleke, magere handen op zijn borst gevouwen alsof hij alvast oefende voor het echte werk. John verdraaide de jaloezieën tegen de middagzon en liep stilletjes de kamer uit, nog steeds oppervlakkig ademhalend door de schok over Trey's onthullingen.

Hij ging terug naar zijn werkkamer en liet zich op zijn bureaustoel zakken; vreugde en angst vochten om heerschappij over zijn gevoelens – vreugde dat de jongen die hij liefhad als een zoon daadwerkelijk zijn vlees en bloed was, en angst dat morgen alles waaraan hij zijn leven had gewijd voorbij zou kunnen zijn. Trey was ervan overtuigd dat de Harbisons zo opgelucht zouden zijn om de waarheid te kennen over de dood van hun zoon, dat ze hun verdriet zouden begraven en de rest van hun dagen in de zonneschijn van hun nieuwe besef zouden slijten.

John was daar echter niet zo zeker van. Ja, de Harbisons zouden wellicht tevreden zijn met hun nieuwgevonden vrede en bereid zijn slapende honden te laten slapen, en ze zouden inderdaad wellicht niet de schande willen waarmee een rechtszaak gepaard zou gaan. En ze zouden ook tegenover de kerk het geheim willen bewaren van de doofpotaffaire die ervoor had gezorgd dat Donny in gewijde grond kon worden begraven.

John kende Betty echter goed, en ze zou misschien niet zo opgelucht zijn dat ze haar drieëntwintigjarige verdriet te ruste zou willen leggen zonder daar vergelding voor te eisen. Lou zou de zaak wel willen laten rusten, maar Betty was misschien niet zo vergevensgezind. Toen John bij de Harbisons was komen wonen, had hij gebeden om van zijn last te worden verlost zonder hen te kwetsen of Trey te beschuldigen, maar toen de jaren verstreken had hij geredeneerd dat God hem aan hen cadeau had gedaan. Hij had zich ongemakkelijk gevoeld onder hun liefde en devotie, maar hij had begrip gekregen voor hun behoefte om van hem te houden als van de zoon die ze verloren hadden. Liefde was nooit verspild, hoe onwaardig de ontvanger ook was.

Maar nog steeds stond Donny's foto – een altaartje – gedeeltelijk verscholen achter verse bloemen op een plank in de keuken en zag John Betty er soms staan, haar hoofd gebogen in gebed, om God te vragen zich over de onsterfelijke ziel van haar zoon te ontfermen. Talloze middagen ging ze naar de kerk om een kaars aan te steken. Dat waren de keren dat John in de verleiding kwam haar alles op te biechten, maar natuurlijk had hij dat nooit gedaan.

Haar algemene afkeer van Trey zou kunnen omslaan in haat en ze zou hem misschien aan de kaak gesteld en gestraft willen zien voor wat hij had gedaan, de kwelling waaraan hij hen had blootgesteld, en hem aangeven bij de autoriteiten.

Als dat gebeurde zou nader onderzoek het aandeel van pastoor John Caldwell in het misdrijf onthullen.

John stond op van zijn bureau en stapte het balkon op. Zijn onbehagen maakte zijn maag van streek. Hij had erover gedacht Trey de mogelijke gevolgen van zijn bekentenis uit de doeken te doen, maar als priester kon hij dat niet doen. Hij zou Trey deze laatste kans om zichzelf te verlossen en zijn ziel te louteren niet ontzeggen. Toen hij even geleden een deken over hem heen had gelegd, had Trey zijn hand vastgepakt en was hij gaan huilen; de tranen drupten in zijn grijzende bakkebaarden en vulden de ziekelijke rimpels rond zijn ogen.

'Vergeef me alsjeblieft voor wat ik jou, Catherine Ann en de jongen heb aangedaan, John. Ik ben er ook voor gestraft. Sinds ik naar Miami ben vertrokken heb ik nooit meer zoiets kunnen vinden als met Cathy en jou, niets zo goed, zuiver en veilig. Er is niemand anders gekomen om me van mezelf te redden.'

John wist dat dat waar was. 'Ik begrijp het,' zei hij.

'Ik heb mijn hart hier achtergelaten. Daarom kon niemand het ooit vinden, zelfs ik niet.'

'Ik weet het, TD.'

'En vertel je dat ook tegen Cathy?'

'Dat zal ik doen.'

'Vertel haar ook dat ik niet naar tante Mabels begrafenis ben gekomen omdat ik haar en Will niet in verlegenheid wilde brengen. Zo'n klootzak ben ik nou ook weer niet.'

'Ik zal het zeggen, TD.'

'Je gaat nu naar haar toe, hè?'

'Ja.'

Trey's handen glipten weg. Hij sloeg ze op zijn borst in elkaar en deed zijn ogen dicht. Er ontsnapte een zachte zucht aan zijn bleke lippen.

John draaide zich om om te gaan.

'Tiger?'

'Ja, Trey?'

'Ik hou van je, man… van jou en Catherine Ann. Ik ben altijd van jullie blijven houden, ook al leek dat waarschijnlijk niet zo.'

'Dat weet ik,' zei John, en hij gaf een klopje op Trey's gevouwen handen. 'Ga nu maar slapen. Rust.'

'En vergeef je me?'

'Ja.'

'Je bent klasse, John.'

John keek naar het uitzicht waarin hij al zo vaak wijsheid en vrede had gevonden. Zouden dit de laatste uren zijn waarin hij zijn plichten vervulde als pastoor John die degenen die van hem hielden en in hem geloofden, kenden? Hij maakte zich er geen zorgen over hoe zijn kudde zou reageren op het nieuws dat hij Wills vader was, of hoe Will dat nieuws zou ontvangen. Zijn zoon hield van hem en zou het geweldig vinden voor altijd van TD Hall verlost te zijn. Het vervelende gevoel in zijn buik zou hij wel kwijt zijn geraakt als God hem niet had gewaarschuwd dat er nog een ander schandaal op komst was, veel onthutsender dan dat hij Will Bensons vader was. Dat zou hij niet te boven komen, althans niet als pastoor van de parochie St.-Matthew's en als directeur van Harbison House.

Nou, het zij zo. Hij had altijd geweten dat er een afrekening zou plaatsvinden, maar dan voor de ogen van God, na zijn dood. Wat was hij naïef geweest, te denken dat hij zijn leven onbezoedeld zou kunnen leiden, zijn zonde onontdekt, zijn werk voltooid zonder smet. De schaduwen hadden zich eindelijk verzameld. Hij voelde hun aanwezigheid als die van honden die voor de aanval om hun prooi heen draaien. Hij maakte het kruisteken. *In de naam van de Vader, de Zoon en de Heilige Geest. Uw wil geschiede.* Hij sloeg een laatste blik op de eindeloze prairie in zijn herinnering op en ging naar beneden om enkele telefoontjes te plegen. Het eerste was naar Cathy in het restaurant.

'We moeten elkaar spreken,' zei hij.

'O, o, dat klinkt niet goed.'

'Het kan het beste bij jou thuis gebeuren.'

'Ik geef je een halfuur voorsprong en ben er tegen de tijd dat jij aankomt.'

Het volgende telefoontje was naar zijn medepastoor van St.-Matthew's, om hem te waarschuwen dat hij wellicht dat weekend de missen zou moeten doen. 'Moet je weg?' vroeg pastoor Philip enigszins verbaasd.

'Er is iets onverwachts gebeurd, Philip. Misschien moet je mijn taken voor een poosje overnemen en in mijn schoenen staan.'

'Onmogelijk,' zei pastoor Philip.

De volgende die hij belde was de bisschop van het bisdom Amarillo.

'Ja,' zei de bisschop, 'ik kan je om drie uur vanmiddag ontvangen. Waar gaat het over, John?'

'Dat vertel ik u wanneer ik u zie, monseigneur.'

John keek zijn slaapkamer in, zag dat Trey nog steeds vredig lag te slapen, liep toen naar beneden en bracht het dienblad naar de keuken, beschaamd dat het eten niet was aangeroerd. De rijke geur van bouillon vertelde hem dat ze die avond kippenpasteitjes zouden eten. Betty stond aan het aanrecht het vlees van een stapel gekookte kippen te verwijderen en Felix zat naast haar op te letten of ze niets liet vallen. Van buiten klonken de kreten van kinderen die met water speelden.

Een plotselinge aanval van emoties maakte Johns ogen vochtig en het dienblad zakte schuin. Geschrokken nam Betty het van hem over. 'Wat is er aan de hand, pastoor John?'

'O, een paar dingen die lang geleden al rechtgezet hadden moeten worden, vrees ik.'

'Het komt door hem, is het niet?' Ze rukte haar hoofd naar boven. 'Hij heeft u van streek gemaakt. Ik kon het merken toen ik boven was.'

'Neem het hem niet kwalijk. Hij is ziek, Betty, en hij had veel eerder moeten komen. Hij ligt nu te slapen. Wil je wanneer hij wakker wordt zorgen dat hij wat van de bouillon drinkt die ik kan ruiken? Hij kon zijn lunch niet binnenhouden, hoe lekker die ook was.'

Betty spoelde de rest van de soep uit de kommen en zei: 'Ik zie dat u zelf ook niet veel hebt gegeten, hoe lekker het ook was. Gaat u weg?' Ze had opgemerkt dat hij zijn priesterhemd weer had aangetrokken, maar er had niemand gebeld om zijn diensten.

'Ja,' zei hij, 'en ik ben pas vanavond laat terug.'

Met een bezorgde blik bestudeerde ze zijn gezicht. 'Wat is er aan de hand, pastoor John?'

'Betty...' begon hij, maar hij liet de dingen die hij wilde zeggen onuitgesproken. Ze zouden toch niets voor haar betekenen als wat hij vreesde zou gebeuren. Hij duwde haar bril hoger op haar neus, die bezweet was door het werk boven de dampende pannen.

'Ja, pastoor John?'

'Ik wilde alleen maar zeggen dat Trey morgenvroeg vertrekt. Zijn vliegtuig gaat rond de middag.'

Betty bleef aan het aanrecht staan toen John weg was. Nu wist ze het zeker. Er was iets gaande, en de oorzaak was Trey Don Hall. Als ze van gokken hield, zou ze durven wedden dat het niets goed was. Misschien had het met zijn ziekte te maken, maar hij had er prima uitgezien toen ze de lunch naar boven bracht, niet veel anders dan toen hij met zijn knappe gezicht en zijn arrogante air aan haar deur was gekomen, gepikeerd omdat zijn tante hem had gestuurd om de bestelde groenten en eieren op te halen – alsof hij niet alles te danken had aan zijn tante, die hem had grootgebracht en die hij, toen hij rijk en beroemd was, de rug had toegekeerd.

Betty was echter wel verrast geweest toen hij naar haar en Lou had geïnformeerd. Trey had gevraagd hoe het hun verging zonder Donny, maar ze mocht hem ondanks die getoonde sympathie nog steeds niet. Hij had zich vreselijk superieur gedragen, de paar keer dat hij Donny thuis had getroffen.

Haar intuïtie zat er zelden naast en het vertelde haar nu dat pastoor John iets vreselijk dwarszat. Lou had het ook gevoeld. 'Gereserveerd en afwezig', had hij pastoor John die morgen beschreven toen die naar de schuur liep om zijn pick-up te halen. Zij vond bezorgd en verontrust een betere beschrijving, de blik van een boer die op het punt staat zijn land kwijt te raken.

Terwijl ze de botten brak die ze zou gebruiken om gelatine te maken, keek Betty met een schuin oog naar de slaapkamer boven. Ziek of niet, Trey Don Hall kon maar beter heel goed nadenken als hij hierheen was gekomen om pastoor John problemen te bezorgen. Zij noch Lou zou dat namelijk toestaan.

Cathy stond voor het raam aan de voorkant van haar huis naar Johns Silverado uit te kijken. Ze opende haar nerveus tot vuisten gebalde handen en streek ermee over haar kiel. Wat kwam John haar vertellen dat hij niet aan de telefoon kon zeggen? Waarom had hij haar niet over Trey's plannen ingelicht? Het was niets voor John om haar in spanning te houden, evenmin als het iets voor haar was om hem met vragen te bestoken wanneer zijn toon duidelijk aangaf dat hij haar persoonlijk moest spreken. Ze wou echter dat ze op z'n minst had gevraagd of Trey met hem mee zou komen. Voor de zekerheid had ze, walgend van zichzelf, haar haren gekamd en verse lippenstift opgebracht.

De Silverado draaide haar oprit op en ze zag alleen John erin zitten. Haar heel kortdurende teleurstelling werd weggevaagd toen ze hem, nog steeds met de soepele gratie van een wide receiver, zag uitstappen in zijn zwarte priesterhemd met de witte boord, wat onbegrijpelijk genoeg bijdroeg aan zijn seksuele aantrekkingskracht; de verlokking van het onbereikbare, vermoedde ze. Hoe kon ze ook nog maar een vleugje gevoelens voor Trey Don Hall koesteren als ze met het jaar meer van John Caldwell ging houden?

Toen ze de deur opendeed werd ze plotseling overvallen door een déjà vu. Ze had dit onvergetelijke moment eerder meegemaakt. Het was de middag geweest dat ze de deur had opengedaan voor een terneergeslagen Trey Don Hall, met dezelfde uitdrukking op zijn gezicht als John nu, een blik die haar smeekte hem te vergeven en in haar armen te nemen. Het was de middag geweest dat Will was verwekt. Er ging een verlangen door haar heen dat zo sterk was dat het naar buskruit smaakte, maar ze hield zich in voor ze dezelfde fout zou maken die ze toen had gemaakt. 'Hallo, pastoor John,' zei ze met haar gebruikelijke zelfbeheersing. 'Ik weet dat het nog vroeg is, maar u ziet eruit of u wel een borrel kunt gebruiken.'

'Ik geloof het ook,' zei hij.

Nadat ze twee bodempjes whisky had ingeschonken ging ze naast hem op de bank zitten. Dat leek de juiste plek. John tuurde omlaag in zijn glas. 'Ik herinner me dat ik eerder op dit tijdstip van de dag whisky met je heb gedronken.'

'Is dat zo?'

'Aha. Ooit, toen we jong en verdrietig waren.'

'O, ja,' zei ze. 'Trey had me gedumpt. Ik herinner me vaag dat ik vreselijk dronken ben geworden en op je bed in slaap ben gevallen.'

'Deze maand tweeëntwintig jaar geleden.'

Zij had andere redenen om zich die junimaand van tweeëntwintig jaar geleden te herinneren. 'Wat we ons toch herinneren na al die jaren,' zei ze.

John nam een slokje. 'Trey heeft me verteld dat Will niet zijn zoon is, Cathy. Dat is een van de bekentenissen waarvoor hij naar huis is gekomen.'

Haar hoofd tolde van de woede die erdoorheen raasde. 'Wat een gewetenloze klootzak! Bedoel je dat hij nog steeds ontkent dat hij Wills vader is?'

'Herinner je je nog dat Trey op zijn zestiende de bof had?' vroeg John.

Er nam iets onheilspellends – iets vreselijk verwarrends – vorm aan in haar hoofd. 'Ja...' zei ze. 'Dat weet ik nog. Hij was... heel erg ziek.'

'Hij is er onvruchtbaar door geworden. Trey zou nooit een kind kunnen verwekken.'

Ze zette haar glas hard neer, zonder zich iets aan te trekken van de watervlek die het op het mooie knoestige hout van haar salontafel kon veroorzaken. 'Dat bestaat niet, John. Hij liegt. Will moet Trey's zoon wel zijn. Ik ben nooit met iemand anders samen geweest dan met hem.'

John pakte rustig twee onderzetters van een bijzettafeltje en legde die onder hun glazen, daarna pakte hij haar handen vast. 'Jawel, Cathy. Je bent met mij samen geweest.'

52

In het forensisch lab van de Dienst Openbare Veiligheid in Amarillo verbrak sheriff Randy Wallace voor de ogen van Deke en Charles Martin het zegel van de gevraagde doos met bewijsmateriaal en schudde de inhoud eruit. 'Ik neem aan dat je me niet gaat vertellen wat je nog steeds zo dwarszit aan deze zaak, Deke?' zei Randy.

'Nog niet, Randy.' Deke pakte de afgezaagde voorpoot op en drukte die tegen de opgezette lynx die hij had meegebracht. Hij paste precies. 'Aha!' zei hij, niet eens verbaasd. Daarna legde hij twee kleine plastic zakjes met niet-geïdentificeerde vingerafdrukken apart van die van Donny – genomen voor het lichaam werd geborgen – Lou Harbison en anderen. Het ene zakje, gemerkt met een X, bevatte twee kaartjes met de vingerafdrukken die zowel op de tijdschriften als op het verlengsnoer waren aangetroffen. Het andere zakje, gemerkt met een Y, bevatte een stel vingerafdrukken die op het verlengsnoer waren gevonden, maar niet op de pornografische blaadjes.

Deke gaf de zakjes aan Charles. 'Laten we eens kijken of deze afdrukken overeenkomen met die op deze trofee.' Met zijn handen in latex handschoenen gestoken haalde hij een koperen voetbal uit de papieren zak. Charles en Randy tuurden naar de inscriptie, die aangaf dat Trey Don (TD) Hall door Texas Sports Writers tot meest waardevolle highschool-speler van het football-seizoen 1985 was gekozen. Randy floot. 'Goeie genade! Is dat een geintje?'

'Ik vrees van niet,' zei Deke. Hij had de trofee uit een glazen kast gehaald in de hoop dat Mabel Church hem nooit met haar stofdoek had aangeraakt.

'Nou, laten we dan maar eens kijken,' zei Charles, en hij ging de mannen voor naar een kamer met computers, röntgenapparaten en andere analyseapparatuur. Nadat hij de afdrukken had overgenomen van de trofee, haalde hij ze door een apparaat om ze te vergelijken met die op de drie kaartjes. Enkele seconden later piepte het apparaat: MATCH. 'Het ziet ernaar uit dat je vermoeden juist was, in elk geval wat de afdrukken van X betreft,' zei Charles. 'Er bestaat geen twijfel dat degene die de blaadjes en het snoer heeft aangeraakt ook deze trofee heeft vastgehad.'

'Jezusmina!' riep Deke uit.

'Maar bovendien,' zei Charles, en hij wees naar het kaartje met de vingerafdrukken die alleen op het snoer hadden gezeten, 'zitten de vingerafdrukken van Y op de trofee.'

'Wat?' riep Deke.

'Kijk zelf maar.' Hij stapte opzij zodat Deke en Randy de beelden op het computerscherm konden bekijken. De lussen en bogen van Y's vingerafdrukken kwamen overeen met die op de trofee.

'Lieve hemel!' zei Trey. *Dus Trey had een medeplichtige gehad – waarschijnlijk een klasgenoot! Hij was niet alleen naar de Harbisons gegaan!*

'Kom op, Deke, waar gaat dit allemaal om?' smeekte Randy hem om meer informatie.

'Sorry, Randy. Ik kan het je echt niet vertellen voordat ik zekerheid heb over enkele andere details.'

Ook Charles keek verbijsterd. 'Drieëntwintig jaar is een hele tijd,' zei hij. 'Als TD Hall betrokken was bij iets wat toen is gebeurd, dan moet hij… wat? Zeventien zijn geweest?'

'Dat klopt,' zei Deke.

'In godsnaam, Deke!' riep Randy uit. 'Wat kan Hall, afgezien van moord, nou op zijn zeventiende hebben gedaan dat je mij daar op een vrijdagmiddag voor naar Amarillo moet laten komen terwijl ik met de jongens een biertje zou gaan drinken?'

Deke trok een niet-mededeelzaam gezicht terwijl hij het bewijsmateriaal terug in de doos stopte, en de andere twee mannen wisselden geschokte blikken.

'Mijn god,' zei Randy.

Weer in zijn auto stelde Deke een actieplan op, waarbij hij er nu van uit moest gaan dat Trey bij de dood van Donny Harbison niet alleen had gehandeld. Het verbaasde Deke dat hij niet eerder had gedacht dat er twee jongens bij betrokken moesten zijn, een om het dier vast te houden, de ander om het een merkteken te geven. Het was ook niet het soort grap dat een knul op de middelbare school in zijn eentje zou uithalen. Hij zou een maatje willen om het risico en het gevaar mee te delen, iemand die kon getuigen als hij er later over opschepte.

Dus nu moest Deke zien te ontdekken wie diegene was geweest, zodat hij hem kon opsporen om zijn vingerafdrukken te nemen, Randy had ermee ingestemd Deke dat weekend de tijd te geven om zijn vermoedens te bevestigen voordat hij erbij werd gehaald. De medeplichtige was waarschijnlijk iemand die in 1985 ook in het football-team had gezeten, een medespeler die Trey kon laten doen wat hij wilde. Dat was zowat het hele team, met uitzondering van John Caldwell. Trey zou John nooit hebben kunnen overhalen mee te doen aan een stunt waarbij ze een dier pijn deden. Deke zou Ron Turner ondervragen en de namen zien te achterhalen van spelers die alles voor hun quarterback zouden doen. De meesten van het team van 1985 hadden Kersey allang verlaten, maar hij kon de adressen overnemen van de lijst die Melissa had gemaakt voor de twintigjarige reünie van de klas.

Hij keek op het klokje op het dashboard. Bijna drie uur. Als hij flink doorreed, kon hij in iets meer dan een uur weer in Kersey zijn en Ron spreken terwijl die nog nuchter was.

Deke stopte in recordtijd voor het roodstenen huis van de Turners met zijn mooie Korinthische zuilen en vond het triest te zien hoezeer het huis veranderd was. Ooit had het grote, twee verdiepingen tellende huis als een architectonisch juweeltje in de zorgvuldig onderhouden tuin gestaan en was het het pronkstuk van Kersey geweest. Rons vrouw had geld meegebracht in hun huwelijk en later nog meer geërfd, en het waren haar rijkdommen die het Ron mogelijk maakten in een huis te wonen dat hij zich met het salaris van een coach bij lange na niet had kunnen veroorloven. Te oordelen naar de verwaarloosde gazons en bloembedden, de niet gesnoeide hagen en gebarsten oprit, begon het nu aardig in verval te raken.

Wat zonde, dacht Deke. Ron Turner was een van de beste high-school-coaches geweest die ze hadden gehad, maar zijn leven was uiteengevallen toen zijn dochter kort voor haar negentiende verjaardag was gestorven aan een gescheurde blindedarm. Hij was nog een jaar of vijf blijven coachen, had gedaan wat hij kon met middelmatige teams, maar toen was zijn vrouw gestorven en had hij het opgegeven. Het laatste wat Deke had gehoord, was dat hij zwaar dronk en als een eenling in het huis woonde waar hij ooit als een koning had geregeerd.

Deke vond Rons telefoonnummer in een telefoonboek van Kersey dat hij in zijn auto had liggen en belde eerst om zich ervan te vergewissen dat hij thuis was. 'Tuurlijk, kom gerust, maar verwacht niet dat de butler je zal binnenlaten,' had Ron gegrinnikt, en hij deed vrijwel meteen nadat Deke had aangebeld de deur open. Deke zag weinig gelijkenis meer met de ooit zo robuuste football-coach die toen door zijn kampioenschapsteam op de schouders was genomen.

'Nee maar, sheriff Tyson, ik heb geen idee wat je komt doen, maar het is verdraaid goed om je te zien.'

'Insgelijks,' zei Deke.

'Ach, kom op.' Ron maakte een wegwerpgebaar. 'Ik zie eruit als een leeggelopen binnenband en dat weet je best. Kom mee naar de keuken. Ik heb al een paar biertjes koud staan.'

Deke volgde de schuifelende gestalte langs donkere ramen met gesloten gordijnen naar een rommelige keuken met een ontbijt-tafel, die aansloot op een gezellig zitgedeelte met een mooie open haard. De lucht die er hing was typerend voor een man die alleen woont en vergeet het vuilnis buiten te zetten.

'Ga zitten, ga zitten!' zei Ron, die kranten van een keukenstoel schoof. 'Wat brengt je hier?'

'Trey Don Hall,' zei Deke.

Ron rechtte langzaam zijn rug. Even waren zijn waterige, door de alcohol rode ogen koud als ijs. 'Trey?'

'Ik wil je een paar vragen stellen over de week van de wedstrijd om het districtskampioenschap in 1985, coach.'

'Waarom? Dat is allemaal ouwe koek, sheriff.'

'Doe me een plezier. Ik wed dat je je elke minuut van die week nog herinnert.'

'Daar heb je gelijk in.' Ron schuifelde naar de koelkast en haalde er twee flesjes bier uit. 'Maar ik kan me niet voorstellen waarom je daar na al die jaren belangstelling voor hebt.'

'Ik vrees dat ik je dat niet kan vertellen, en ik zou het op prijs stellen als je mijn bezoek en ons gesprek stilhield.'

'Maak je maar geen zorgen,' zei Ron, 'ik praat met niemand meer. Jij was toen sheriff. Heeft TD problemen die met die tijd te maken hebben?'

Deke nam het bier aan. 'Dat zou kunnen. En ik hoop dat jij me daar wat zekerheid in kunt geven. Je informatie zou kunnen helpen een onrecht ongedaan te maken en daarmee de pijn te verlichten van een stel goede mensen die al heel lang hebben geleden.'

'Dat moeten dan ouders zijn,' zei Ron, en hij nam een slok van zijn bier. 'De goede mensen die lang blijven lijden zijn gewoonlijk ouders. Wat wil je weten?'

Deke zette zijn flesje neer en opende een notitieblokje. 'Denk terug aan de week van 4 november 1985. Dat was een maandag. Kun je je herinneren of er een van de dagen vóór donderdag iets vreemds met Trey Don aan de hand was?'

'Nou en of,' zei Ron. 'Hij en John Caldwell waren die maandag allebei ziek. Ze kwamen hondsberoerd naar de training.'

'Wat?' Deke gaapte Ron aan. 'John Caldwell ook?'

'Allebei. Ik schrok me het apezuur, dat kan ik je wel vertellen.'

'Wat was er met hen aan de hand?'

'Ze hadden tijdens de lunch iets verkeerds gegeten. De laatstejaars mochten toen van het schoolterrein af tijdens de lunchpauze en maandag was de enige dag dat ik mijn jongens weg liet gaan. De andere dagen moesten ze hun meegebrachte lunch op school eten en kwamen we tijdens de lunchpauze in de gymzaal bijeen om te kletsen. Ik heb er altijd spijt van gehad dat ik ze niet de hele week binnen heb gehouden. Trey en John liepen een of ander buikvirus op van een hamburger in die smerige eettent die Cathy Benson later heeft gekocht.'

'Wet je zeker dat het een buikvirus was?'

Ron haalde zijn schouders op. 'Dat dachten ze zelf.'

Druk schrijvend vroeg Deke: 'Begon de training meteen na school?'

'Geen minuut later.'

'En waren Trey en John op tijd?'

'Nee, dat was het probleem. Ze waren te laat. Niemand wist waar ze waren. Een paar jongens zeiden dat ze de laatste les hadden gemist. Ze bleken in het lokaal voor huishoudkunde te liggen. Daar stond een bed, zodat de meisjes konden oefenen hoe ze dat moesten opmaken. Kun je je voorstellen dat ze dat tegenwoordig nog zouden leren?'

Deke voelde zich alsof er iemand ijskoud water over zijn rug had gegoten. *John Caldwell? Pastóór John Caldwell van de parochie St.-Matthew's en directeur van Harbison House?*

'Was er verder nog iemand van het team ziek?'

Ron schudde zijn hoofd. 'Godzijdank niet.'

'Waren er die dag meer jongens bij Bennie's Burgers gaan eten?'

'Deke, hoe moet ik dat verdomme nog weten na drieëntwintig jaar? Kom op, zeg. Vertel me nou maar waar dit over gaat.'

'Weet je nog hoe de leerkracht van huishoudkunde heette?'

'Thelma Huppeldepup. Ouwe vrijster. Is na haar pensionering naar Florida verhuisd.'

Deke schreef de voornaam op. Melissa zou zich haar achternaam nog wel herinneren. Misschien stond het adres van de vrouw wel op de lijst van de reünie. Hij zou haar opsporen om bevestigd te krijgen dat de jongens die middag in haar lokaal lagen.

'Weet je nog hoelang na het begin van de training de jongens uiteindelijk verschenen?'

'Een goed uur, zou ik zeggen. We waren volop aan het trainen toen ze het veld op kwamen, zo bleek als een zilveren dollar. Ik heb ze vroeg naar huis gestuurd.'

Deke ademde snel in. Hij wilde er zijn laatste dollar om verwedden dat Trey Hall en John Caldwell niet eens in de buurt van het lokaal voor huishoudkunde waren geweest. Ze waren voor de laatste les weggegaan en van plan geweest voor de training weer terug op school te zijn. Ze hadden er niet op gerekend dat ze zouden worden opgehouden door een moord of een ongeluk, wat hun schema in de war zou gooien en hun maag echt van streek zou maken. Er was echter één probleem dat zijn hele theorie ontkrachtte. Het tijdsbestek klopte niet. Het zou de jongens niet meer dan een uur hebben gekost om heen en weer te rijden naar de Harbisons. Zelfs met een halfuur extra voor de schermutseling, het plaatsen van het lichaam en het aanharken van de grond, plus een paar minuten extra om langs de kant van de weg over te geven, hadden de jongens allang weg moeten zijn voordat Donny thuiskwam van zijn repetitie en iets te eten klaarmaakte. En ze hadden ook nog de tijd gehad om hun trainingstenue aan te trekken.

'Het spijt me dat ik je geheugen in twijfel moet trekken, Ron,' zei Deke, 'maar kun je me de naam geven van iemand anders van de coaches van toen die kan bevestigen wat jij je herinnert?'

'Bobby Tucker, die nu hoofdcoach is,' zei Ron. 'Hij was toen nog maar net lijncoach. Vraag het hem maar als je mij niet gelooft.'

'Het spijt me, maar dat zal ik doen.'

Ron stond op. 'Dit bier is niks. Ik neem wat sterkers. Jij ook?'

'Bier is prima,' zei Deke, en hij hoorde Rons lege flesje tegen andere in een papieren zak op de vloer rinkelen. 'Heb je hun verhaal ooit geverifieerd bij de leerkracht voor huishoudkunde?'

Ron koos een Jack Daniel's uit een aantal andere dure merken op het aanrecht en schonk een glas in. 'Dat leek me niet nodig. Die jongens hadden niet de gewoonte te spijbelen. Ze namen hun studie serieus, vooral John. En je hoefde alleen maar naar ze te kijken om te geloven dat ze echt ziek waren.'

Natuurlijk waren ze dat, dacht Deke, maar niet door iets wat ze hadden gegeten. Hij moest een fout in het tijdsverloop ontdekken om het te kunnen bewijzen. Hij stond op om te gaan en zag een foto van Rons vrouw en dochter op de schoorsteenmantel staan.

'Bedankt voor je hulp, Ron.'

'Ik wou dat je me vertelde wat er aan de hand was,' zei de coach. 'Met Trey kan het van alles zijn.'

'Mocht je hem graag?'

'Ja. Ik deed mijn best een vader voor hem te zijn. Ik zag wat goede eigenschappen in hem buiten zijn kwaliteiten op het veld, maar die jongen kon je bedonderen waar je bij stond. Moet je zien wat hij zijn tante en Cathy Benson en John Caldwell heeft aangedaan.'

Deke knikte. 'Ja,' stemde hij in, en hij zag de verbitterde trek om Rons mond, de zweem van lang onderdrukte woede in zijn ogen. Hij kon maar beter niet zeggen dat Trey in Harbison House logeerde. Ron was ertoe in staat hem in een dronken bui op te zoeken en uit te kafferen en Deke wilde niet dat hij er uitflapte dat de voormalige sheriff Tyson vragen over hem had gesteld. Hij zei gedag en liep naar buiten, Ron achterlatend om zich voor de koude haard onder de blikken van zijn vrouw en dochter te bezatten.

53

Cathy zei geen woord toen John klaar was met zijn relaas over hoe John Will Benson was verwekt. Hij had nog steeds haar handen vast. 'Blijf bij me, Cathy,' zei hij en ze besefte dat hij de tekenen van haar oude aandoening meende te herkennen. 'Ik weet wat voor schok het is.' Hij liet een van haar handen los en ze voelde zich plotseling losgeslagen, maar hij wilde alleen maar haar glas pakken. Het was echter niet haar oude kwaal die dreigde. Ze was gewoon met stomheid geslagen. 'Drink dit,' zei hij.

Hij bracht het glas naar haar lippen en ze dronk het in één teug leeg. De drank gleed sterk en warm door haar keel. Ze zette het glas neer en pakte zijn hand weer vast, droog en warm als een perfect passende handschoen, de vingers sterk en vertrouwd – zoals die van haar zoon.

'Jij en ik... Maar ik herinner me niet...' zei ze. 'Hoe kan ik me zoiets nou niet herinneren?'

'Je was verschrikkelijk dronken, en je viel meteen in een diepe slaap,' zei hij met een mislukte grijns. 'Ik bedoel... je was volkomen buiten westen.'

'Maar dan nog, hoe kan het dat ik nooit zelfs maar heb vermoed...'

'Waarom zou je? Je was de volgende dag met Trey samen. Als ik meer... beter geïnformeerd was geweest, had ik misschien de oorzaak beseft van zijn gedrag. Ik zou me hebben herinnerd dat hij de bof had gehad en dit probleem hebben vermoed. De aanwijzingen waren zo duidelijk als neonreclames die schreeuwen dat iets wat zijn leven betekenis had gegeven, iets onvervangbaars, kapot was gemaakt.'

Cathy wachtte tot ze iets zou voelen voor de achttienjarige Trey, de verwoesting die hij gevoeld moest hebben toen ze hem vertelde dat ze zwanger was, maar er kwam niets, helemaal niets. Haar geest en haar hart waren volledig vervuld met deze man en het ontzag over het feit dat hij de echte vader van haar zoon was. Nooit meer zou ze zich zorgen hoeven te maken dat op een dag, misschien pas over diverse jaren, Trey's genen zich zouden doen gelden en de integriteit zouden besmetten die sinds Will was geboren het grote verschil tussen vader en zoon was geweest.

'John...' Ze bekeek zijn gelaatstrekken, de vorm van zijn oren, herinnerde zich hoe zijn haren – net als die van Will – krulden bij vochtig weer. Hoe kon het dat ze John niet in haar zoon had herkend? Verbijsterd zei ze: 'Jij bent Wills vader?'

'Geen twijfel mogelijk, Cathy.'

'Ik had het moeten weten... ik had het moeten vermoeden...'

Zijn vingers sloten zich steviger om de hare. 'Zoals Trey al zei, we keken alleen naar wat we verwachtten te zullen vinden.'

'Ik kan me nauwelijks voorstellen hoe Will zich zal voelen als hij de waarheid hoort.'

'Hetzelfde als ik.'

Ze staarden elkaar aan, en lazen in elkaars ogen alle hoe-het-had-kunnen-zijns. 'Lieve hemel, John...' De enorme omvang van Trey's leugens en de camouflage van zijn misleiding drongen zich aan haar verbijsterde brein op als gigantische rotsen die het zonlicht blokkeerden. 'Hoe kon hij ons... en Will... dit aandoen?'

'Hij dacht dat we hem hadden bedrogen,' zei John. 'We hadden alles kapotgemaakt wat hij voor trouw en waarachtig had aangezien, en hij wilde ons straffen.'

De woede van een moeder deed haar beven. Ze stond op en stapte weg van het mededogen van het priesterhemd en de priesterboord om zich te kunnen overgeven aan de heidense woede die ze voelde. Ze balde haar vuisten. 'Maar hoe kon hij Will laten denken dat zijn vader hem in de steek had gelaten? Hoe kon hij dat kleine jongetje opzadelen met hetzelfde pijnlijke gevoel van ongewenst te zijn dat hij zelf had gekend? Had hij op een gegeven moment niet het fatsoen moeten hebben de waarheid te vertellen?'

'Hij dacht dat het daar te laat voor was,' zei John. 'Ik was hard op weg om priester te worden en hij wist dat jij me nooit zou vragen mijn roeping op te geven om met je te trouwen.'

'Ik veracht hem,' zei ze simpelweg.

'Daar heb je alle reden toe.'

'Jij zou hem ook moeten verachten.'

'Dat zou ik doen als ik niet zo'n enorm medelijden met hem had. Hij is altijd van ons blijven houden, Cathy, en dat is zijn grootste kwelling geweest. Ik geloof dat als je hem zou zien, je zou beseffen dat hij meer van de consequenties van zijn daden heeft geleden dan wij. Jij en ik hebben, ondanks alles wat ons is ontnomen, altijd nog onze vriendschap, en we hebben Will.'

Ze draaide zich om. 'Als ik hem zie, schiet ik hem dood, zo waarlijk helpe me God almachtig. Ik zweer je, als hij nu binnen zou komen lopen, zou ik mijn grootmoeders oude .30-30 pakken en hem naar de hel jagen.'

'Hij zal snel genoeg sterven,' zei John.

'Wat bedoel je?'

'Hij gaat dood, Cathy. Een inoperabele hersentumor – een astrocytoom. Daarom is hij nu hier.'

Er kwam een beeld uit het verleden bij haar naar boven: Trey op het tennisveld tijdens hun laatste jaar op de middelbare school – lang, sterk, gebronsd. Ze had dat beeld van hem door de jaren heen met zich meegedragen als een stiekem bewaarde foto in een portefeuille waar je zo nu en dan heimelijk naar keek. Dat Trey dood kon gaan – dat stoere toonbeeld van mannelijke gezondheid, de man van wie ze bijna haar hele leven had gehouden – verbijsterde haar, maar de kille haat die ze voor hem voelde werd niet verzacht door verdriet, medelijden of begrip. 'Ik begrijp het,' zei ze, haar stem zacht, minachtend. 'Hij is dus gekomen om te elfder ure nog vrede te kopen bij God, is dat het? Hij wil een Weesgegroet. Dat is typisch TD Hall.'

'Ga zitten, Cathy,' zei John, naar de stoel naast hem wijzend. 'Ik moet je nog meer vertellen.' Hij pakte zijn glas op en dronk het leeg.

Cathy's hoop vervaagde. Hij ging haar vertellen dat ze niet bekend konden maken dat hij Wills vader was. Ze moesten aan Johns werk en reputatie denken, en aan die van haar en Will. Maar wat was erger… een oud schandaal herstellen dat was gebaseerd op een leugen of een nieuw schandaal opwerpen dat berustte op de waarheid? Ze had nog geen tijd gehad om daar goed over na te denken. Ze ging zitten. 'Wat is er, John? Vind je dat we niet bekend kunnen maken dat je Wills vader bent?'

'Daar gaat het niet om, Cathy. Ik zal de wereld vol trots vertellen dat Will mijn zoon is als jij en Will dat willen. Hij is verwekt voor ik mijn geloften aflegde, en de kerk zou willen dat ik deed wat juist was voor mijn kind. Maar goed, wanneer je hoort wat ik je nog meer te vertellen heb, wil mijn zoon mij misschien niet eens meer als zijn vader erkennen. Zelfs jij zult er misschien niet meer zo happig op zijn bekend te maken dat hij van mij is.'

Ze kreeg er kippenvel van. 'Waarom niet?'

'Trey is naar huis gekomen om twee bekentenissen af te leggen.'

Ze drukte haar handen tegen haar oren. 'Ik geloof niet dat ik dit wil horen.'

'Weet je nog dat Trey en ik de week van de kampioenschaps-wedstrijd tegen Delton ziek waren?'

Ze liet haar handen zakken. 'Nou en of. Het was op maandag. Trey en jij zagen zo groen als gestoofde schildpadden van de hamburgers die jullie bij Bennie's hadden gegeten.'

'We waren niet ziek van Bennie's hamburgers. We waren ziek omdat we verantwoordelijk waren voor de dood van Donny Harbison.'

Cathy zat doodstil, alleen haar mond zakte langzaam open.

'Ja, je hebt het goed gehoord,' zei John. 'Donny's dood was een ongeluk, maar dat was wel door Trey en mij veroorzaakt. Dat is de andere zonde die hij komt opbiechten… aan de Harbisons.'

Cathy hoorde hem alsof er een dot watten in haar oren zat. Alle geluiden vervaagden. Ze dacht aan de schoolfoto van Donny op een plank in de keuken van de Harbisons. De foto was alles wat ze kende van de zoon die ze hadden verloren. Zijn naam was nooit genoemd in al de jaren dat ze groenten uit de tuintjes van de kinderen van Harbison House kocht.

John draaide zijn hoofd naar het raam en Cathy zag de herinnering in zijn blik opduiken, als een getij dat lang verloren gewaande wrakstukken aan wal bracht. 'Trey was ervan overtuigd dat onze beurs in Miami op het spel stond als we het districtskampioenschap niet wonnen, en hij had het in zijn hoofd gehaald dat we iets moesten doen om ons een voorsprong te geven...'

Het kostte hem niet meer dan vijf minuten om haar de gebeurtenissen van die onuitwisbare middag in november te vertellen. Terwijl ze in geschokt stilzwijgen luisterde, herinnerde Cathy zich dat er een scheerapparaat uit de kliniek van dokter Graves was verdwenen. Ze herinnerde zich de kneuzing op Trey's schouder en hoe hij zich die middag aan haar had vastgeklampt alsof ze een reddingsboot op stormachtige zee was. Ze herinnerde zich dat ze had gedacht dat zij tweeën voor altijd samen zouden blijven, dat niets hen uit elkaar kon drijven.

'Trey is van plan de Harbisons vanavond na de mis de waarheid over de dood van hun zoon te vertellen,' besloot John. 'Hij zegt dat hij mijn naam uit het verhaal zal houden... dat hij de volledige verantwoordelijkheid voor Donny's dood op zich zal nemen.'

Ze was nog steeds te ontzet om een reactie te formuleren. Ze kon zich de hevigheid van de pijn en het verdriet van de Harbisons alleen maar voorstellen door te bedenken hoe zij geleden zou hebben als het Will was geweest die dood in die schuur was gevonden. Om zo weg te lopen en hun zoon daar achter te laten, opdat zijn ouders hem zouden vinden... Die daad was bijna te gewetenloos om te kunnen bevatten, en het was Johns idee geweest. Maar hij was pas zeventien en zo in paniek dat hij aan niets anders kon denken dan dat hij een jongen die hem nader stond dan een broer uit de gevangenis moest zien te houden... en zijn toekomst zeker te stellen voor het meisje van wie ze allebei hielden. Johns katholieke geweten had hem gedwongen het minste van twee kwaden te kiezen.

En die daad had hem het priesterambt in gedreven.

'Geloof je hem?' vroeg ze.

Hij richtte zijn aandacht weer op het raam om naar een havik te kijken die hoog in de lucht duikvluchten maakte. Bij het zien van de melancholie in zijn blik vroeg ze zich af of hij jaloers was op de vogel, die zijn vleugels kon spreiden en weg kon vliegen. 'Ik geloof in zijn goede bedoeling,' zei hij.

'Zijn goede bedoeling?'

'Trey is een stervende die zijn daden wil opbiechten. Hij is emotioneel, wanhopig op zoek naar vergiffenis, en zit onder de medicijnen. Hij hoeft zich maar even te verspreken en de Harbisons zullen zich gaan afvragen...'

Ze voelde haar hoofdhuid tintelen. 'Wat zeg je nou? Denk je dat ze op een of andere manier zullen ontdekken dat jij erbij betrokken was?'

'De Harbisons zijn intelligente mensen. Ze zullen zich vast afvragen hoe Trey het in zijn eentje kan hebben klaargespeeld. Je moest met z'n tweeën zijn om Donny's lichaam in de schuur op te hangen. Trey zou nooit met opzet mijn naam noemen, maar de Harbisons – met name Betty – zouden kunnen besluiten de dood van hun zoon alsnog te laten onderzoeken. Ze is niet vergevensgezind en Trey zou in zijn toestand een ondervraging door de politie niet aankunnen. Uiteindelijk zou mijn naam naar voren komen. Ik was Trey's beste vriend op de middelbare school. We waren onafscheidelijk...'

Koude paniek joeg door haar heen. 'O, god, John. Heb je hem gewaarschuwd dat hij het risico loopt je te verraden?'

'Nee. Ik moet Trey laten doen wat hij meent te moeten doen.'

'O, John!' Ze voelde het krankzinnige verlangen de priesterboord van zijn nek te trekken. 'Hoe kun je nou zo verdomd priesterlijk zijn? Je moet hem tegenhouden. Trey kan je ruïneren... je leven, je werk, je reputatie. Denk je eens in wat het met de Harbisons zal doen als ze over jouw betrokkenheid horen. Het zal hen kapotmaken.'

'Geloof me, daar hou ik rekening mee, maar ik heb geen andere keus dan de dingen op hun beloop te laten.' Hij stond op, stak zijn handen in zijn zakken en staarde naar buiten. 'Misschien maak ik me zorgen voor niets…'

'Dat geloof je zelf niet.'

'Nee. Ik geloof dat God me een waarschuwing heeft gegeven.' Hij draaide zich weer naar haar om, zijn breedgeschouderde, in het zwart geklede gestalte zichtbaar in silhouet door het licht dat van achter hem kwam. 'Cathy, lieverd, het is heel… moeilijk voor me geweest om te leven met de wetenschap van de leugen waar ik de Harbisons al die jaren onder heb laten lijden. Het is een zonde die ik mezelf nooit heb vergeven, en God ook niet.'

Ze was niet blij met wat zijn priestergeweten hem aandeed. Ze sprong op. 'God kan me wat!' riep ze. 'Je hebt je "zonde", als je het zo wilt noemen, al wel duizend keer goedgemaakt. Je hebt genoeg boete gedaan. Betty zal je nooit vergeven. Geloof me, als moeder weet ik dat. Je moet Trey tegenhouden!'

'Sst,' zei hij zacht en hij pakte haar bij de schouders. 'Ik moet dit aan God overlaten en vertrouwen hebben in Zijn wil. Als het ergst denkbare gebeurt, moet ik bereid zijn dat te accepteren. Dan zal ik tenminste bevrijd zijn van de schaduwen die me sindsdien voortdurend hebben achtervolgd. Ik ben het moe om te proberen ze voor te blijven…'

'Maar het is zo oneerlijk!' riep ze. 'Die hele middag was Trey's actie. Hij zou er in zijn eentje voor moeten opdraaien… bij God en de Harbisons. Dat is hij je schuldig. Je was pas zeventien… een jongen nog!'

Hij sloeg zijn armen om haar heen en ze legde haar wang tegen het zwarte shirt zoals de keer die ze zich vaag herinnerde van lang geleden, toen ze haar hoofd tegen zijn borst had gelegd nadat ze in zijn badkamer had overgegeven.

'Maar als man had ik het recht kunnen zetten,' zei hij zacht boven haar hoofd. 'Ik weet nu niet zeker meer of ik mijn trouw aan Trey niet als excuus heb gebruikt om de politie en de Harbisons niet op te hoeven biechten wat er die dag is gebeurd. En als priester overtuigde ik mezelf ervan dat Gods werk alleen kon worden gedaan door het vertrouwen van de mensen in zijn priesters en dominees en dat ik het recht niet had mijn geweten te ontlasten door kapot te maken wat ik in Zijn naam had bereikt. Maar ik had het mis. Gods werk zal zegevieren, ondanks de zwakte van Zijn priesters. En al mijn inspanningen om boete te doen voor wat ik heb gedaan, hebben me geen vrede gebracht. Nog elke keer als ik de Harbisons aankijk, voel ik me schuldig.'

Ze hief haar hoofd om hem aan te kijken. 'Ze mogen niets over je betrokkenheid horen.'

'Ik bid tot God dat dat nooit zal gebeuren.'

'Als Trey niet was gekomen, zou je dan zijn blijven leven met je schuldgevoel? Zou je niet omwille van je geweten in de verleiding komen je stilzwijgen te doorbreken?'

'Moge God me vergeven, maar nee.' Hij liet haar los en keek op zijn horloge. 'Ik heb om drie uur een afspraak met de bisschop. Hij zal me adviseren wat ik moet doen.' Hij glimlachte naar haar. 'Laten we het erover hebben hoe we Will ons fantastische nieuws gaan vertellen. Ik zou graag willen dat we als gezin samen konden zijn voordat er... wie weet wat gebeurt. Mag ik na de mis terugkomen?'

Ze knikte stijfjes. 'We wachten hier op je.'

'Het komt in orde, Cathy. Op een of andere manier komt het wel in orde.'

'Je kunt wel uit het priesterambt geschopt worden,' fluisterde ze toen hij zijn sleutels uit zijn zak haalde. 'Er kan een aanklacht tegen je ingediend worden. Je kunt alles kwijtraken...'

Hij streek zachtjes met zijn duim over haar jukbeen. 'Niet alles,' zei hij. 'Ik zal onze vriendschap nog hebben, en ik zal mijn zoon hebben. En nu moet ik gaan.' Hij kuste haar op haar voorhoofd en ze bleef hem verdoofd staan nakijken.

54

Deke reed bij het huis van de Turners weg met het gevoel of er een donkere wolk over hem was neergedaald. *Goeie genade! John Caldwell, medeplichtig aan de dood van Donny Harbison!* Hij hoopte van ganser harte dat hij het mis had en dat Trey die dag iemand anders had overgehaald met hem mee te gaan, maar Deke had het akelige gevoel dat het andere stel vingerafdrukken op het verlengsnoer aan John toebehoorde. Hij kon zich er pas van vergewissen als hij een set had om ze mee te vergelijken, maar voor hij zich daarmee bezighield moest hij absoluut zeker weten hoe laat de jongens bij de training waren gearriveerd.

Het was mogelijk dat Donny 's avonds was gedood en dat het voedsel op de keukentafel zijn avondeten was in plaats van zoals werd aangenomen een tussendoortje. Trey en John konden er na het donker heen gereden zijn, hun daad hebben volbracht en terug naar huis zijn gegaan zonder dat iemand iets in de gaten had. Er zaten Deke echter nog enkele dingen dwars. Ten eerste, zou een jongen die alleen thuis was liever aan de keukentafel eten dan voor de televisie, zoals de rest van de jongens in het land? En als Trey en John zo ziek waren als werd verteld, zouden ze dan na de training in de stemming zijn geweest om zo'n stunt uit te halen? Hij vermoedde dat dat wel het laatste zou zijn wat in hen opkwam.

Bovendien zouden de jongens hebben verwacht dat Donny en zijn ouders 's avonds thuis waren, tenzij ze reden hadden om aan te nemen dat de Harbisons weg waren. Dat was ook een punt waarover hij opheldering moest zien te krijgen: hoe de jongens wisten dat ze hun gang konden gaan met de ram.

Hij zou beginnen met Bobby Tucker, de lijncoach uit die tijd. Coach Tucker herinnerde zich het tijdstip waarop de jongens op het veld waren verschenen misschien anders dan Ron.

Deke trof hem aan het werk in zijn tuin; het was de eerste week van de vakantie. Bobby was blij met de onderbreking en Deke en hij gingen op het trapje van de veranda zitten. Deke kwam meteen ter zake zonder de reden van zijn vraag uit te leggen of te zeggen dat hij al bij coach Turner was geweest. Bobby hoefde niet lang na te denken.

'Ja, dat herinner ik me nog als de dag van gisteren,' zei hij. 'Coach Turner stond op het punt een beroerte te krijgen toen ze een uur na aanvang van de training eindelijk verschenen. We schrokken ons een ongeluk toen onze quarterback en zijn beste wide receiver zo ziek als dolle honden het veld op kwamen.'

'Weet je zeker dat het een uur was en geen twee?'

Bobby lachte. 'Is dat een geintje? Ik zeg je dat coach Turner nu onder de grond gelegen zou hebben als ze nog een minuut langer weg waren gebleven.'

'Maar hoe kun je nou zo zeker zijn van de tijd?'

Bobby grinnikte. 'We hadden ze een uur gegeven. Als ze er dan niet waren, zouden we het bureau van de sheriff bellen om ze te laten zoeken. Ze haalden het op het nippertje.'

'Ik begrijp het,' zei Deke, hoewel hij er niets van snapte. Donny kwam net thuis van de bandrepetitie toen Trey en John het veld opkwamen. 'Nog één vraag voor je weer verder kunt met grasmaaien,' zei hij. 'Het klinkt misschien raar, maar doe je best hem te beantwoorden. Heb je tijdens en na die week een emotionele verandering in TD en John opgemerkt? Misschien waren ze afgeleid, prikkelbaar...'

Bobby fronste. 'Dat moet je mij niet vragen. Het was mijn eerste jaar als coach en ik had niet veel met Trey en John te maken. Ze waren coach Turners persoonlijke domein. Je kunt beter met hem praten... dat wil zeggen, als hij de telefoon opneemt.' Hij schudde triest zijn hoofd. 'Je weet van zijn... verslaving?'

'Melissa houdt ons op de hoogte.'

'Het is tragisch dat coach Turner nu doet waar hij altijd zo op tegen is geweest. Hij heeft alles... geld, een prachtig huis, een garage vol mooie auto's.'

'Alleen niet de dingen die er voor hem echt toe doen,' zei Deke. Hij keek op zijn horloge. Kwart voor vijf. Hij zou bij Bennie's langsgaan en met Cathy Benson praten. Als er iemand was die hem iets over het gedrag van Trey en John tijdens de week van de wedstrijd kon vertellen, was het Cathy wel. Daarna zou hij naar Melissa gaan en haar de naam van de lerares huishoudkunde vragen.

'Klopt het dat je het huis van Mabel Church gaat kopen?' vroeg Bobby toen Deke opstond.

'Trey en ik hebben de koop vandaag bezegeld. Het nieuws verspreidt zich snel.'

'Dat heb je aan Melissa te danken, sheriff. Ze heeft er geen geheim van gemaakt dat jij en je vrouw het huis gingen kopen en Trey zouden ontmoeten. Ik meende dat ik TD vandaag rond lunchtijd in het dorp zag. Hij zag mij niet. Kwam het door iets wat hij zei dat je nu belangstelling hebt voor die week van het districtskampioenschap?'

Deke maakte van de gelegenheid gebruik om de nieuwsgierigheid van de coach te bevredigen. 'Zoiets,' loog hij. 'Melissa is bezig een verslag over haar laatste jaar te schrijven voor het nageslacht.'

Bobby glimlachte begripvol. 'Als een tijdcapsule,' zei hij, en hij liep met Deke mee naar diens auto. 'TD Hall en John Caldwell. Ze waren me het team wel. John had ook professional kunnen worden als je het mij vraagt. Had je ooit gedacht dat hij priester zou worden?'

'Niet meteen na de middelbare school,' zei Deke, die nu wel een idee had waarom John zo vroeg al voor die roeping had gekozen. 'Misschien later, maar niet al op zijn achttiende.' Hij tikte tegen zijn Stetson. 'Bedankt voor je hulp, coach.'

Deke reed nog steeds zwaarmoedig naar het dorp. Als hij Trey Don Hall ten val bracht, zou hij John Caldwell meesleuren, een man die zijn hele leven al probeerde een vergissing goed te maken die hij als tiener had begaan. Trey had voor rijkdom en glorie gekozen en waarschijnlijk nooit meer stilgestaan bij wat hij had gedaan, maar John had zijn last met zich meegedragen op een pad van armoede, kuisheid en gehoorzaamheid aan God. Deke twijfelde er niet aan of hij zou, als hij dit tot op de bodem uitzocht, ontdekken dat John die noodlottige middag in november alleen was meegegaan om wreedheid te beperken en misschien zelfs te voorkomen. Hij zou er zijn laatste dollar om verwedden dat Trey had gekozen voor auto-erotische asfyxie als doodsoorzaak toen John, een katholiek, had geweigerd akkoord te gaan met zogenaamde zelfmoord om te verbergen wat er werkelijk was gebeurd.

Was het herstel van Donny's goede naam het waard die van John Caldwell teniet te doen? Het district beschouwde hem zo ongeveer als een heilige, en terecht. Pastoor Johns ontmaskering en mogelijke arrestatie wegens belemmering van de rechtsgang zou verstrekkende en vernietigende effecten hebben op de kerk, om van de Harbisons nog maar te zwijgen. Hij vond het vreselijk te bedenken wat ze moesten voelen wanneer ze hoorden dat de man die ze bijna als een zoon beschouwden betrokken was bij de dood van hun zoon en het verdoezelen van de manier waarop hij was gestorven. Het schandaal zou de fatsoenlijkste man die Deke ooit had gekend uit de parochie en misschien zelfs uit het priesterambt verdrijven, en het leven dat hij had geleid, al het goeds dat hij had gedaan, zou als een leugen worden gezien.

Had hij, zo lang na dato, nu iedereen zijn leven op orde had en het verleden bijna vergeten was, het recht om de waarheid boven tafel te halen en bekend te maken als dat tot zo'n vernietiging zou leiden?

Het was niet aan hem om zulke vragen te stellen. Hij geloofde dat de waarheid altijd beter was dan een leugen, ongeacht wie erdoor werd gekwetst en welke schade die kon veroorzaken. De waarheid maakte niet kapot; de waarheid bouwde op. En hij was bovenal een man van de wet. Het streven naar gerechtigheid zat in zijn bloed en deed zijn hart kloppen, ook al droeg hij die penning niet meer. Bovendien was hij ook vader. Hij zou willen dat zijn zoon in vrede kon rusten, vrij van schaamte. Zijn eer zou de prijs van de waarheid waard zijn. Pastoor John zou zijn lot moeten accepteren.

Voor hij zijn beschuldigingen echter deelde met de huidige she-riff, die op de stoel zat waarop hij ooit had gezeten, kon hij er maar beter heel zeker van zijn dat zijn bewijzen klopten. In het dorp stopte hij bij Bennie's om met Cathy te praten, maar hij kreeg te horen dat ze vroeg was vertrokken en waarschijnlijk niet meer terug zou komen. Hij kreeg de indruk van Bebe dat er thuis een probleem was. Deke had wel een idee van de naam van dat probleem. Teleurgesteld liep hij terug naar zijn auto en belde hij Paula met zijn mobiele telefoon, blij dat ze niet thuis was en hij op het antwoordapparaat kon inspreken dat hij weer in Kersey was en de nacht bij hun dochter door zou brengen. Hij was van plan in de St.-Matthew's-kerk naar de mis van zes uur te gaan. Hij had een idee hoe hij aan de vingerafdrukken van pastoor John kon komen.

55

Trey deed zijn ogen open en knipperde een paar keer om zich te oriënteren. Het was een poos geleden dat hij in een vreemde slaapkamer wakker was geworden, en dat was nog nooit gebeurd in een kamer waar het eerste wat hij zag een kruisbeeld aan de muur was. *Johns kamer.* Hij werd overspoeld door hevige wanhoop. Hij herinnerde zich dat John naar Cathy was gegaan en nu zou ze hem haten met alle hartstocht waarmee ze hem ooit had liefgehad. Hij zette zijn voeten op de vloer, de duizeligheid en misselijkheid door snelle beweging riskerend die werd veroorzaakt door zijn ziekte. Het was vijf uur. Hij had meer dan drie uur geslapen. Mooi. Dan hoefde hij niet meer zo lang te wachten tot zijn babbeltje met de Harbisons. In de badkamer perste hij er een paar druppels urine uit, gooide wat water in zijn gezicht en spoelde de vieze smaak uit zijn mond. Hij keek bewust niet in de spiegel, want hij wist wel wat hij daar zou zien. 'Geloof maar dat je zonden je zullen achtervolgen', had zijn tante hem vele malen gewaarschuwd, en hij wist dat hij ze stuk voor stuk in het afgetobde, ziekelijke gezicht van zijn spiegelbeeld geëtst zou zien.

Hij liep de overloop op om zijn tas uit de auto te halen en zijn door de medicijnen uitgeloogde maag reageerde waarderend op een lekkere geur die vanuit de keuken de trap op dreef. Een klein meisje stoof langs hem heen, kennelijk gehoorzamend aan de roep om te komen eten. Hij keek op weg naar de voordeur de eetkamer in en zag een groep kinderen aan een lange tafel zitten. Een tienermeisje, kennelijk een van de bewoonsters, deelde vanaf een wandtafel pasteitjes uit.

Hij had de BMW voor een van de palen voor het huis gezet waar vroeger paarden aan werden vastgebonden. Er zat een takje witte bloesem van een boom bij het hek achter zijn ruitenwisser en hij

409

haalde het voorzichtig los en bestudeerde het. Een klein wonder der natuur in zijn hand, dacht hij, zacht en zoet geurend, perfect vormgegeven, net als Cathy. Hij voelde een onverwachte vrede over zich komen. Waarom had hij dit soort dingen nooit opgemerkt toen ze nog verschil hadden kunnen maken?

Hij schoof de bloesem boven in het borstzakje waar de cheque van Deke in zat en volgde, gehoor gevend aan een impuls, een stenen pad achterom, een verbetering sinds hij voor het laatst hier was geweest. Iemand had de stenen met zorg in een mooi patroon in de mortel gelegd, een eersteklas klus, waarschijnlijk de goede daad van een tuinarchitect. John was er goed in mensen over te halen het juiste te doen. De schuur waar ze de zoon des huizes hadden opgeknoopt zag er echter nog hetzelfde uit en de rustige vrede die hij even daarvoor had gevoeld, verkilde hem als een plotselinge weersverandering. Hij zette zijn bagage naast het huis neer en liep door naar de schuur en over een ander pad, dat langs een kleine boomgaard en een reusachtige groentetuin liep die in de laatste stralen van de middagzon lagen – allemaal uitstekend onderhouden – en doodliep bij een aantal hokken en bijgebouwen voor dieren en materiaal. In een van de schuurtjes hoorde hij gezaag.

Lou Harbison keek op van zijn werk aan een zaagbok toen hij Trey in de deuropening zag staan en schakelde de oude Black & Decker zaagmachine uit. 'Goeiendag,' zei hij, en hij duwde zijn veiligheidsbril omhoog en ging rechtop staan. 'Kan ik iets voor je doen?'

'Nee, ik kijk alleen even naar alles wat jullie hier buiten hebben – de tuin en de boomgaard, het vee. Hebben jullie nog steeds kippen?'

'Er is een ren naast de schuur. Weet je dat nog?' Lou's gezicht kleurde lichtelijk roze – verbaasd genoegen, dacht Trey, dat hij zich na zijn luxeleven nog steeds zoiets eenvoudigs herinnerde als de kippen van zijn vrouw. Lou Harbison leek van een milder slag dan zijn vrouw, minder gekweld, maar Trey merkte hetzelfde soort gemis in hem op als in Betty Harbison.

'Jazeker,' zei Trey. 'De lekkerste eieren die ik ooit heb gegeten.

Mijn tante bakte er pannenkoeken van. Die werden zo geel als maïs.'

'Dat is omdat onze kippen maïs eten… geen toevoegingen of hormonen.'

'Dat scheelt… eieren zonder al die extra's.'

'Zeker weten.'

Lou stond nog met de Black & Decker in zijn hand, zich beleefd afvragend of Trey nog meer te zeggen had.

Het leek hem tijd om door te lopen. 'Nou,' zei hij, 'u hebt het hier mooi voor elkaar, meneer Harbison.'

'Dat hebben we aan pastoor John te danken.'

'Is dat zo?'

'Het zou hier niet veel voorstellen zonder hem. Betty en ik… wij ook niet.'

Hij sprak zacht, zonder maar een vleugje dreiging, maar er ging wel een mengeling van waarschuwing en smeekbede achter zijn woorden schuil. *Laat John met rust… alsjeblieft.*

Trey stemde met een knikje in en liep het schuurtje uit.

Betty Harbison kwam door de achterdeur naar buiten toen hij het huis naderde, haar blik scherp en argwanend. Ze moest hem door het keukenraam gezien hebben, het raam waardoor haar zoon hem en John die noodlottige dag had gezien. 'Ik zie dat je op bent,' zei ze.

Niet lang meer, maar bedankt dat u het opmerkt, kwam hij in de verleiding te zeggen, maar ze leek niet in de stemming voor flauwe praatjes. 'Ik wilde maar eens even rondkijken naar al het moois dat u hier hebt,' zei hij. 'Het is een prachtige middag,' – *en de laatste die ik ooit zal meemaken in de Panhandle.* Zoals gewoonlijk wanneer hij zulke dingen dacht, brak de doodsangst door het kalme oppervlak van zijn acceptatie van de naderende dood heen.

Haar stugge gelaatsuitdrukking ontspande een beetje. 'Dat vinden wij ook. Meneer pastoor zei dat je je lunch had uitgebraakt en dat ik je een kop kippenbouillon moest geven. Als je naar binnen komt, zal ik dat even regelen.' Ze hield de hordeur voor hem open;

haar vastberaden houding en strenge mond maakten duidelijk dat ze geen tegenspraak duldde.

Schoorvoetend trad hij haar domein binnen en hij zag meteen Donny's ingelijste foto naast een vaas vol bloesems van de bomen naast het hek.

'Zou je maag een kippenpasteitje verdragen, denk je?' vroeg Betty. 'Je ziet eruit alsof je wel iets stevigers kunt gebruiken dan bouillon. Er is ook gelatinetaart, gemaakt van perziken uit onze boomgaard.'

'Klinkt fantastisch,' zei Trey.

Dat ontlokte haar een vage glimlach. 'Je zult wel een paar minuten moeten wachten tot ik de kinderen de deur uit heb die naar de mis gaan.'

'Natuurlijk,' zei Trey.

Alleen gelaten liep hij naar de achterdeur met de hor ervoor. Vanaf hier was Donny als een vechthaan op hen afgestormd. Hij was een dappere kleine donder geweest. Dat was Trey al die jaren nooit vergeten.

Hij zag Lou langs het huis lopen om achter het stuur te kruipen van een oud busje dat werd gebruikt om de kinderen van Harbison House te vervoeren. In de gang en op de trap klonken voetstappen en stemmen van kinderen op weg naar de voordeur. Toen Betty weer de keuken in kwam, vroeg hij: 'Hebt u ooit nog een nieuwe deegroller gekocht?'

De rimpel in haar voorhoofd werd dieper. 'Nou, ja. Lang geleden. Direct nadat mijn oude deegroller was verdwenen. Hoe wist je dat die weg was?'

'Ik geloof dat ik me herinner dat mijn tante er ooit iets over heeft gezegd.' Hij schonk haar zijn ontwapenende glimlach. 'Het kwam weer naar boven doordat u het over taart had.'

Hij koos een stoel met zijn rug naar de foto en at zoveel als zijn gekrompen maag toestond en gaf stiekem een paar hapjes aan de hond die verwachtingsvol naast zijn stoel was komen zitten. Er was nog een hoop activiteit in het huis en Trey werd min of meer genegeerd terwijl Betty vanaf haar commandopost in de keuken toezicht hield op de uitvoering van de taken en activiteiten na het eten. Ze was in haar element, zoals ze de kinderen moederlijk rond commandeerde, maar hij zag Johns invloed in hun manieren en houding. 'Wat zou pastoor John zeggen?' berispte Betty meer dan eens wanneer het afdrogen van de vaat uit de hand liep en er geruzied werd over het tv-programma waarnaar ze zouden kijken.

Hij vouwde zijn servet op en pakte zijn bord om het op het aanrecht te zetten. Het was warm en gezellig op de begane grond. Het moment van zijn bekentenis lag nog uren voor hem en hij zou net zo lief op de intensive care liggen als alleen boven in Johns kamer wachten tot die uren verstreken waren. 'Het pasteitje en de taart waren heerlijk, mevrouw Harbison. Ik heb nooit iets lekkerders gegeten. Vindt u het goed als ik hier beneden wat rondloop?'

'Ga je gang.'

Direct buiten de keuken was een lange gang, de muren vol foto's van John en de kinderen van Harbison House tijdens momenten van plezier, succes en prestaties. Betty droogde haar handen af aan haar schort en kwam achter hem staan toen hij ze bestudeerde.

'Dit zijn er maar een paar van de vele die door de jaren heen zijn genomen,' legde ze uit. 'Je zult hier geen van de certificaten vinden zoals de Rotary Club die bijvoorbeeld uitgeeft voor buitengewone diensten, of foto's van pastoor John die met hoge heren poseert. Hij heeft er door de jaren heen tientallen ontvangen, maar ze liggen allemaal op zolder.'

'Dat is inderdaad echt iets voor John,' zei Trey met een ironische grijns. Zijn eigen werkkamer in Californië was feitelijk een altaar voor zijn ego, vol met herinneringen aan zijn successen.

'Hij is een geweldig mens. Ik weet niet wat de mensen hier zonder hem zouden moeten.' Er was een waarschuwende glans in haar ogen verschenen, duidelijker dan bij haar echtgenoot. 'De kinderen zijn stapelgek op hem en hij is als een zoon voor mijn man en mij. Je weet toch nog wel dat we onze zoon zijn kwijtgeraakt...'

'Dat weet ik nog,' zei Trey.

Haar blik was rotsvast achter haar brillenglazen. *Verdomme!* Wat dachten de Harbisons dat hij hier kwam doen... pastoor John uit het priesterambt halen? Aan de muur gepind door haar vlijm-scherpe blik, hapte hij plotseling naar adem. *O, jezus...* Hij had zojuist iets afgrijselijks bedacht. Johns stem echode door de zieke krochten van zijn brein. *Jouw aandeel, ja. Het mijne weegt nog even zwaar.*

Zijn gezicht moest kleur verloren hebben. Hij dacht dat hij misschien gewankeld had, want Betty pakte zijn arm vast. 'Wat is er? Moet je weer overgeven?'

'Ik moet even gaan zitten,' zei hij, '...daar.' Hij wees naar de relatief rustige huiskamer.

'Zal ik je een glaasje water brengen?'

Trey drukte zijn vingers tegen zijn slapen. 'Nee, ik moet alleen even nadenken.'

Ze hielp hem in een harde, formele stoel bij de koude haard en hij hoorde haar tegen haar keukenhulp zeggen dat ze zachter moesten praten. Trey had het gevoel of er een emmer ijskoude energiedrank over hem heen was gegoten. Zou John denken dat wanneer zijn oude vriend zijn ziel had blootgelegd tegenover de Harbisons, hij vrij zou zijn om hetzelfde te doen? Als John niet meer hoefde te zwijgen, zou hij dan naar dat verdraaide geweten van hem luisteren en alles opgeven om met God in het reine te komen?

O, mijn god. Dat was heel goed mogelijk. Dat zou net iets voor John zijn.

En... stel dat hij John onbedoeld beschuldigde wanneer hij vertelde wat er was gebeurd? Zijn brein was niet meer tot snel denken in staat. Zijn tong was niet meer zo glad. Stel nou dat hij 'we' zei in plaats van 'ik'? Stel dat die scherpe mevrouw Harbison vragen stelde en hij zijn antwoorden verprutste of – nog een mogelijkheid waaraan hij niet had gedacht – als ze besloten hem aan te geven bij de politie? Hij had aangenomen dat de Harbisons de beschamende details van hun zoons dood voor zich zouden willen houden aangezien ze die drieëntwintig jaar geleden ook niet bekend hadden gemaakt, maar wat nou als hij het mis had?

Als ze genoegdoening wilden voor wat hij had gedaan? Hij was niet van plan geweest hun te vertellen dat hij stervende was. Zijn drijfveer om met de waarheid op de proppen te komen had geen deel uit moeten maken van zijn bekentenis. Maar... hoe kon hij er zeker van zijn dat, als hij hun over zijn terminale ziekte vertelde, Betty en Lou Harbison niet nog steeds gerechtigheid wilden voor Donny? Stel nou dat ze hem wilden aanklagen voor doodslag? Dan zou er een onderzoek komen. John zou erbij betrokken kunnen raken.

Godallemachtig! Wat had hem bezield?

Hij stond op en liep de kamer uit, pakte zijn tas en liep de trap op.

Betty hoorde hem en kwam naar de voet van de trap. 'Gaat het weer met je?' riep ze.

'Beter dan ooit, mevrouw Harbison!' riep hij naar beneden.

56

Bij Melissa sloeg Deke het avondeten af en nam hij de werkkamer van zijn schoonzoon in beslag om de nodige telefoontjes te plegen. Hij had nog een kwartier voor hij naar de mis moest en vanavond na zijn terugkeer zou hij zijn lijstje verder afwerken. Hij had het geluk dat Thelma Goodson, de lerares huishoudkunde, op de adreslijst stond van de reünie. Hij belde haar nummer in Florida, maar er werd niet opgenomen. Hij sprak liever geen bericht in, later zou hij het opnieuw proberen. Het volgende telefoontje ging naar Harbison House, in de hoop dat Lou al met de kinderen naar de mis was vertrokken. De kans dat een moeder de antwoorden wist die Deke zocht was groter en hij kon erop vertrouwen dat Betty in dit stadium tegen niemand iets zou zeggen, zelfs niet tegen Lou.

Hij ademde gemakkelijker toen ze opnam, maar merkte dat ze wat aarzelend reageerde toen hij zijn naam noemde. Zo reageerde ze al op hem sinds het lichaam van haar zoon was gevonden. Hij vroeg haar of ze vertrouwelijk konden spreken, wetend dat hij geheimzinnig overkwam.

'Een van de meisjes is bij me in de keuken,' zei ze. 'Wil je dat ik haar wegstuur?'

'Nee, dat is in orde,' zei Deke, 'maar ik zou graag willen dat dit gesprek onder ons blijft. Alleen jij en ik... oké?'

'Dat ben ik je wel schuldig,' zei Betty met een gespannen klank in haar stem. 'Ik zal niets tegen Lou zeggen. Wat heb je op je lever?'

Zijn eerste vraag veroorzaakte de verbijstering die hij had verwacht.

'Kende Trey Hall onze Donny?' herhaalde Betty. 'Nou ja, hij kende hem, min of meer. Waarom vraag je dat?'

'Ik wou dat ik je dat kon vertellen, Betty. Wat bedoel je met "min of meer"?'

'Ze waren in de verste verte geen vrienden. Ze zagen elkaar wanneer Trey de bestelling voor zijn tante kwam ophalen.'

Precies zoals hij had vermoed. Dat verklaarde hoe Trey wist dat Donny voor de schoolmascotte zorgde. 'En John? Kende Donny die?'

'Ze zagen elkaar zo nu en dan in de St.-Matthew's-kerk. Nu maak je me toch echt nieuwsgierig, sheriff.'

'Dat kan ik me indenken. Bereid je voor op de volgende vraag, Betty. Zou Trey geweten hebben dat jij en Lou weg waren in de week dat Donny stierf?'

Betty's stomme verbazing was tastbaar in haar stilzwijgen. Uiteindelijk antwoordde ze: 'Ik neem aan dat Trey het van Mabel gehoord kan hebben. Ze zal een van de klanten zijn geweest die ik het heb laten weten.'

Deke slaakte een tevreden zucht. Weer een stukje van de puzzel op z'n plaats.

'Het is... vreemd dat je naar Trey Hall vraagt,' zei Betty. 'Je weet misschien dat hij hier de nacht doorbrengt. Hij verraste me eerder vanmiddag door te vragen of ik een nieuwe deegroller had gekocht. Hij doelde op het exemplaar dat ik niet kon vinden toen we die week weer thuiskwamen.'

Deke schoot overeind van zijn stoel. 'Heb je hem ooit teruggevonden?'

'Nee. Ik weet dat ik hem op maandag nog had gebruikt om koekjesdeeg uit te rollen. Ik had voor we vertrokken koekjes voor Donny gebakken. De volgende keer dat ik hem nodig had, lag hij niet in de la.'

Een wapen! Donny moest de deegroller hebben gepakt toen hij twee sporters van een rivaliserende school op het erf zag en begreep wat ze van plan waren.

'Hij zei dat zijn tante hem had verteld dat ik hem kwijt was,' zei Betty, 'maar ik kan me niet voorstellen dat ik dat tegen haar heb gezegd.'

De rillingen liepen over zijn rug, en Deke vermoedde dat dat ook voor Betty gold. 'Is Trey nog steeds van plan morgenvroeg te vertrekken?'

'Ik heb van pastoor John begrepen dat dat het plan is.'

Morgenvroeg. Dan had hij niet veel tijd meer. 'Ik moet je nogmaals vragen dit gesprek onder ons te houden tot je weer van me hoort,' zei Deke. 'Beloof je dat?'

'Ik beloof het,' zei Betty, 'maar je maakt me bang, sheriff.'

'Dat weet ik, Betty, maar daar is niets aan te doen. Ik stel je medewerking erg op prijs.'

Deke hing op. De strop schoof verder dicht. Het enige probleem was het conflict met de factor tijd. Hij had telkens weer zijn nieuwe aantekeningen doorgenomen (de oorspronkelijke zaten in de doos met bewijsmateriaal die Randy bewaarde) op zoek naar dat ene punt wat hij had gemist, maar niet kon vinden, en dat Trey en John bij Donny op het erf plaatste nadat die was thuisgekomen van zijn repetitie. Maar hij zou het vinden. Hij sloeg zijn notitieblokje dicht. Tijd om naar de kerk te gaan.

Maar net toen hij bij de deur was, kreeg hij een idee dat hem deed trillen op zijn benen. *God zegene Amerika!* Hij had gezondigd tegen de allereerste regel van degelijk politiewerk: neem nooit zomaar iets aan. Hij liep terug naar het bureau en rommelde in de laden tot hij een telefoonboek had gevonden. De naam die hij was vergeten, maar misschien wel zou herkennen, begon met een P en hoorde bij de man die Deke zich herinnerde van zijn eerdere onderzoek. Misschien woonde hij nog steeds in Delton. Ah ja, daar had je hem al – Martin Peebles, banddirigent van Delton High School. Deke herinnerde zich hem als een nuffige jonge kerel, vol van zichzelf, zeer onwillig om zijn kostbare tijd aan Deke te besteden tijdens hun gesprek. Deke's geluk hield nog steeds aan. Martin Peebles nam op nadat de telefoon zes keer was overgegaan en verspilde kostbare minuten van Deke's tijd om zich ervan te vergewissen dat hij inderdaad was wie hij zei dat hij was voordat Deke hem naar de desbetreffende middag kon vragen.

'Eh, de vierde november... Ja, ik herinner me die middag nog goed.'

'Kunt u zich herinneren of Donny Harbison die middag na school bij de repetitie aanwezig was? Ik weet dat hij de laatste les in uw klas heeft bijgewoond, want hij stond niet als afwezig te boek, maar kwam hij daarna ook naar de repetitie?'

'Even een correctie, meneer Tyson,' zei de man. 'Donny was niet aanwezig tijdens mijn laatste les.'

Deke kneep in de telefoonhoorn. 'Wat? Hij stond niet als afwezig te boek. Weet u het zeker?'

'Natuurlijk weet ik het zeker. Je vergeet de datum van de geboorte van je eerste zoon niet zomaar. Mijn vrouw kreeg die middag vroegtijdig weeën en ik heb mijn laatste les overgedragen aan een student-assistent, maar ik heb de laatstejaars verlof gegeven en de repetitie van de band afgelast.'

'Waarom hebt u me die informatie niet gegeven toen ik er destijds naar vroeg?' bulderde Deke.

'Waarschijnlijk omdat u daar niet naar hebt gevraagd, sheriff. Ik geloof dat u wilde weten of Donny ooit zomaar zou wegblijven van de repetitie en ik verzekerde u dat hij voor geen goud een repetitie had willen missen.'

Deke liet zich weer op de stoel zakken, volkomen verbijsterd. Nou, daar was het dan. Het ontbrekende stukje. Hij zou de laatste informatie vanavond verzamelen en de vrijdagavond van Charles en Randy verpesten door erop te staan dat ze weer naar het forensisch lab in Amarillo kwamen. Hij zou geen rust kennen voordat de afdrukken van Y in de doos met bewijsmateriaal waren vergeleken met degene die hij vanavond mee zou bietsen. De gedachte deed hem verdriet, maar hij wist zeker dat de uitkomst het laatste gapende gat in de puzzel zou dichten.

Cathy wierp een laatste blik in de spiegel en trok het blauwe vest aan dat bij het dessin van haar fijne katoenen zomerjurk paste. Trey had haar altijd graag in azuurblauw gezien. Ze keek weer op haar horloge. Het was halfzes. Eindelijk! Tijd om te gaan. Ze had gedacht dat het moment nooit zou aanbreken, maar ze moest er zeker van zijn dat John op weg was naar de mis en dus buiten beeld voordat ze bij Harbison House arriveerde om met Trey te praten. Ze rekende erop dat het er vrij rustig zou zijn omdat Lou met het merendeel van de kinderen naar de mis ging. De voordeur ging nooit op slot voor ze naar bed gingen. Als Betty in de keuken was en de kinderen in de tv-kamer zaten, zou ze misschien stilletjes naar binnen en de trap op kunnen sluipen naar de logeerkamer om te doen wat ze van plan was zonder dat iemand het hoorde. Wanneer Trey later was verdwenen, zou niemand John kunnen vertellen dat ze daar was geweest, tenzij iemand haar auto voor het huis had zien staan.

Schaduwen van oude zonden… Die achtervolgden alleen goede mensen, dacht ze. De verdorvenen ontsnapten altijd. Maar deze keer niet. Ze geloofde dat ze Trey Don Hall ervan zou kunnen overtuigen dat hij moest sterven met de zonde die hij was komen opbiechten nog op zijn ziel.

Boven, in Johns kamer, ging Trey aan het bureau zitten en haalde hij Deke's cheque uit zijn borstzakje. De boerenjasmijnbloesem viel er ook uit. Hij pakte een pen en schreef zijn naam achter op de cheque, hechtte er een briefje aan en schreef daarop: 'Voor de kinderen. Ik ga weg, Tiger. Ik heb er nog eens over nagedacht en heb besloten het niet te doen. Ik vertrouw erop dat jij zult blijven zwijgen, zoals je altijd hebt gedaan. Bespaar me die smet op mijn naam. Ik zou je gebeden op prijs stellen. Liefs tot het einde toe, Trey.'

Hij legde de boerenjasmijn erbovenop. Hij was verlept, maar de geur herinnerde nog aan de volmaaktheid van voorheen. Wat zou er van hem blijven hangen wanneer hij dood en begraven was?

Zonder afscheid te nemen reed hij weg. De zon was aan het ondergaan en de lucht was vol van het rood en purper, oranje en geel waar de streek om bekendstond. Hij was de pracht van de junizonsondergangen in de Panhandle vergeten, de stilte van de prairie aan het eind van de dag. Het zou voor hem als kleine jongen een triest moment van de dag zijn geweest als hij John en Cathy niet had gehad.

Het langzame vervagen van het licht deed hem denken aan de dagen die hem nog restten, maar de gedachte aan zijn naderende dood vervulde hem niet met de gebruikelijke verstikkende paniek. Hij voelde zich kalm en tevreden, het soort intense voldoening dat hij had gekend tijdens wedstrijden wanneer hij – tegen de vanaf de zijlijn geroepen bevelen in – de juiste spelbeweging had gekozen. Door een van de geheugentrucs die zijn brein de laatste tijd met hem uithaalde was hij opeens terug in zijn tweede jaar op Miami. Ze hebben vier downs en Miami staat op de 6-yard-lijn, met nog zeven seconden resterend. De Hurricanes vragen om hun laatste time-out om de laatste spelbeweging van de wedstrijd te bespreken. Hij en de coaches komen aan de zijlijn bij elkaar, het seizoen en elke hoop op nationaal kampioenschap zijn afhankelijk van hun beslissing. De aanvalscoördinator wil een 76 Double Seam; de hoofdcoach wil een 62 Topper Z Sail. Ze kiezen voor de 76. Niet overtuigd loopt hij terug het veld op. Zijn team kijkt hem vol vertrouwen aan. Hij volgt zijn intuïtie en kiest voor een andere spelbeweging, waarmee ze de wedstrijd winnen.

En dat had hij vandaag ook gedaan. De laatste spelbeweging, en hij deed iets anders dan wat conventionele wijsheid – of eigenbelang – hem zou ingeven, maar hij kon zijn beste vriend niet in de problemen brengen. Hij zou John geen reden geven om zich op zijn zwaard te storten. Hij zou moeten sterven zonder de verlossing die hij had hopen te verdienen door de Harbisons te vertellen wat hij had gedaan. Hij had medelijden met hen om hun pijn en verdriet, maar hij zou hun niet nog een zoon afnemen. Hij zou nog liever branden in de hel dan dat hij Johns leven en diens fantastische werk om zijn verrotte ziel te redden zou verpesten. Weer thuis in Carlsbad zou hij de brief terugvragen die hij zijn advocaat had gevraagd na zijn dood te versturen. Hij had die brief geschreven voordat hij had besloten zelf hierheen te komen om de gevolgen van zijn daden onder ogen te zien en vergiffenis te vragen, maar nu kon hij het gevaar niet riskeren dat de brief voor John zou kunnen betekenen.

Er kwam hem een witte auto tegemoet. Die was bijna naast zijn bmw toen hij de chauffeur herkende. Trey kon zijn ogen bijna niet geloven. Juichend van blijdschap zwaaide en claxonneerde hij toen de Lexus hem passeerde. Zijn hart liep vol van verbazing en dankbaarheid. Hij zette de auto langs de weg en de Lexus vertraagde, keerde op de lege weg, kwam terug en parkeerde achter de bmw. Het portier ging open en Trey stapte breed glimlachend uit. Hij spreidde zijn armen. 'Nee maar, ik mag verdomd wezen.'

'Dat hoop ik van harte.'

'Wat?'

'Dat hoop ik van harte… dat je verdoemd zult worden.'

Toen Trey het geweer omhoog zag komen liet hij zijn armen zakken. 'Catherine Ann!' riep hij toen het wapen werd gericht en afgevuurd en er een kogel door zijn hart scheurde.

57

De nieuwste medewerkers en de secretaresse van de Morgan Petroleum Company werden geacht de kantoren tot zes uur te bemannen, zelfs op vrijdagmiddag, wanneer de hele zakenwereld het al vroeg voor gezien hield, dus het was niets voor Will Benson om al om halfzes uit te klokken. Linda, de secretaresse, altijd nieuwsgierig naar details over het leven van de jonge ingenieur, merkte op: 'Heb je een hot date, Will?' toen hij haar en een andere beginnende collega gedag zegde.

'Dat zou je kunnen zeggen.'

'Zou? Weet je het niet zeker?' Zijn collega grinnikte en knipoogde naar Linda.

'Ik verwacht een koude ontvangst,' zei Will terwijl hij zichzelf uitschreef op de presentielijst.

Vanaf kantoor zou het hem, als hij flink doorreed, bijna een uur kosten naar Harbison House, en helaas zou hij onderweg nog moeten tanken. Dan zou hij dus rond halfzeven daar zijn, dertig minuten of zo nadat zijn moeder daar was gearriveerd om zijn klaploper van een vader een lesje te leren. Hij kon geen andere plek bedenken waar ze om deze tijd op vrijdagmiddag heen zou gaan en Bebe alleen liet met de grote menigte die op vrijdagavond bij Bennie's kwam eten. Zijn moeder had zijn zorgen aangewakkerd toen ze hem eerder die middag had gebeld om hem te vragen die avond na de mis naar haar toe te komen omdat John en zij met hem wilden praten. Ze had geweigerd te zeggen waarom, en haar stem had zowel gespannen als opgetogen geklonken. 'Doe nou maar gewoon wat ik zeg, lieverd,' zei ze, zich ervan bewust dat hij daarvoor zijn vaste afspraak op vrijdagavond met zijn vriendin Misty moest afzeggen.

'Heeft hij contact met je opgenomen?' had Will gevraagd.

'Nee, jongen, en ik denk nu ook niet meer dat hij dat zal doen. Geloof me, jij moet dat ook niet doen.'

Het 'nu' had geïmpliceerd dat ze iets nieuws over zijn vader wist, maar ze had opgehangen voor hij nog iets kon vragen. Toen hij even later naar het restaurant had gebeld, had Bebe hem verteld dat ze rond één uur was vertrokken en niet terug was gekomen of had gebeld. Hij had zijn moeder thuis gebeld en geen gehoor gekregen. Hij had haar mobiele telefoon geprobeerd en haar voicemail gekregen. En toen was hij opgestaan van zijn bureau en had hij er verder de brui aan gegeven. Hij zou zijn moeder niet alleen naar Trey Don Hall laten gaan.

Will kon het haar niet kwalijk nemen dat ze hem weer wilde zien, al was het maar om hem te vertellen wat voor klootzak hij was. De hele middag, iedere keer dat de telefoon was gegaan of er een auto was gestopt, had hij gedacht dat het Trey Don Hall zou zijn die met hem wilde praten. Alleen nieuwsgierigheid kon hem ertoe hebben gebracht contact te willen leggen met de zoon die hij nooit had gezien. Hoe zijn verklaring ook luidde, het zou hem geen donder kunnen schelen, zo hield Will zichzelf voor, en toch zou het in zekere zin alles betekenen. Het zou hem de kans geven die hufter te vertellen hoe hij over hem dacht. Het zou hem de bevrediging schenken Trey Don Hall iets te laten voelen van de afwijzing die zijn moeder en hij al die jaren hadden gevoeld.

Tegen het einde van de middag, kort voordat zijn moeder hem had gebeld, had hij zich gerealiseerd dat zijn vader niet zou bellen of langskomen. Hij zou het dorp weer verlaten zonder hem ooit te hebben gezien, en dat waarschijnlijke scenario vervulde hem met een verbazingwekkende ontzetting. Al voor zijn moeders telefoontje had hij besloten zijn vader er niet gemakkelijk vanaf te laten komen. Trey Don Hall zou zijn zoon ontmoeten, zou weten hoe hij eruitzag, weten hoezeer hij hem haatte. Nu had hij besloten zelf naar Harbison House te rijden.

Het was bijna kwart over zes toen hij zijn moeder in haar Lexus zag bij de kruising van de weg die naar het weeshuis leidde. Hij had de benzinetank van zijn jeep volgegoten en vouwde zijn bonnetje op toen hij haar auto bij het stoplicht zag staan. Hij zag zijn moeder naar beide kanten kijken voor ze de snelweg op reed naar Kersey... steels, dacht Will, alsof ze niet gezien wilde worden. Hij schrok van haar bleke, afgetobde gezicht. Ze leek vreselijk overstuur.

Will liet haar gaan zonder te proberen haar aan te houden. Ze droeg iets helderblauws en haar haar glansde en zag er veerkrachtig uit, mooi opgemaakt voor haar ontmoeting met de man om wie ze zogezegd niets meer gaf. Wills nek werd helemaal warm. Waarom had ze zich zo opgetut? Was zijn moeder naar Harbison House gegaan om het goed te maken met zijn vader? Hem te verleiden? Dat was kennelijk niet goed verlopen. Trey Hall had haar weggestuurd en haar opnieuw gekwetst. Will klemde zijn kaken op elkaar en zette zijn jeep in de versnelling. Híj zou zich niet door die klerelijer weg laten sturen.

Hij vond het lichaam vijftien minuten later. Eerst zag hij de grijze BMW in de berm geparkeerd staan, daarna zag hij een man op zijn rug naast het achterwiel van de auto liggen. Het gebonk van zijn hart overstemde zijn kreet van schrik toen hij aan de overkant van de weg stopte, uit de auto sprong en naar de gestalte op de grond liep. Hij keek met open mond naar het bewegingloze gezicht van de legendarische Trey Don Hall, zijn vader. *O, god, nee...*

Hij zakte in het zand van de berm op zijn knieën en pakte de hand van de man vast. Die was stijf, maar niet koud, nog schijnbaar levend genoeg dat Will de aanraking van zijn vader kon voelen, maar zonder dat die de zijne voelde. Hij begon te huilen, zijn tranen vielen op het grijze zijden shirt en voegden vlekken toe aan de donkerrode kring waar een kogel was binnengedrongen. Er ging een golf van verlies door hem heen. Hij zou nu nooit meer de man kennen die zijn vader was, de man die door zijn moeder was doodgeschoten met het .30-30 geweer dat ze altijd onder haar bed had liggen.

Weer thuis haastte Cathy zich naar het medicijnkastje om te zoeken naar een flesje kalmeringstabletten die allang over de datum waren omdat ze ze nooit had gebruikt. Haar handen beefden zo dat toen ze eindelijk de kindveilige dop los had, het flesje omkiepte en de inhoud op de tegelvloer viel. Moeizaam ademhalend, haar hart zo snel kloppend dat ze bang was dat het ermee zou stoppen, raapte ze twee pillen op en slikte ze door met een glas warm water uit de kraan om de gespannen spieren van haar keel los te maken. Ze hapte naar adem toen ze zichzelf in de spiegel zag. Haar gezicht was zo wit als een laken en haar ogen grimmig en rood. Ze draaide de kraan dicht en ontdekte tot haar afgrijzen een donkere vlek onder aan de mouw van haar blauwe vest. Ze keek ernaar en realiseerde zich dat het een bloedvlek moest zijn die ze had opgelopen toen ze in Trey's nek naar een hartslag voelde. Ze trok het vest snel uit en, niet goed wetend wat ze ermee moest doen, duwde ze het tussen de andere kleren in de wasmand.

Ze spande zich bewust in om diep in te ademen door haar neus, liep haar slaapkamer in en ging in haar leesstoel zitten. Ze ademde langzaam uit en trok haar buik in – 'trek hem naar je ruggenwervel', hoorde ze haar grootmoeder nog voorlezen uit een boek over het verlichten van de symptomen van selectief mutisme. Cathy bleef zo tien tellen zitten en vervolgde toen de ademhalings- en ontspanningsoefening die ze zich uit die tijd herinnerde tot ze zich warm en slap voelde worden. Toen haar lichaam eindelijk ontspannen was, probeerde ze haar stem.

'Lieve hemel, Trey,' zei ze hardop. 'Wie kan je dit hebben aangedaan?'

Ze zou er alles voor over hebben gehad om terug te gaan en haar handelingen ongedaan te maken, maar de schok toen ze Trey vermoord aantrof was meteen op haar stembanden geslagen en had haar daden en gedachten bestuurd vanaf het moment dat ze zijn lichaam naast de auto zag liggen. Ze had zijn naam geroepen toen ze naar hem toe liep, maar er kwam geen geluid uit haar mond. Alle oude gevoelens voor hem waren uit hun afgesloten kamers tevoorschijn gekomen toen ze hem bewegingloos op de weg zag liggen terwijl de wind zachtjes speelde met de kraag van zijn shirt, zijn haren en het zand waar hij op lag. Met stomheid geslagen had ze in de vertrouwde donkere ogen gekeken, wijd open in niets-ziende verbazing, en ze had hem wakker willen schudden. *Ik ben het, Trey. Ik ben het!* Ze was met knikkende knieën neergeknield en had in zijn hals naar een hartslag gevoeld, maar door haar verdoofde vingers had ze niets gevoeld. Hij had deze wereld verlaten, de jongen die zo vol leven en liefde voor haar was geweest.

Ze had haar mobiele telefoon gepakt om het alarmnummer te bellen, maar zich toen hulpeloos gerealiseerd dat ze niet kon spreken. Ze kon alleen machteloos huilen, en haar tranen drupten op het nutteloze instrument in haar hand. Ze wilde Trey niet aan de elementen blootgesteld achterlaten, maar ze moest hulp halen. Ze hoorde het geluid van een tractor ergens ver weg in het veld, maar wist niet zeker uit welke richting het kwam. Ze zou naar Harbison House rijden en voor Betty opschrijven wat er was gebeurd zodat Betty de sheriff kon bellen. Wie kon dit gedaan hebben? Wie, anders dan zijzelf, had reden om Trey te vermoorden?

O, god.

Vanaf dat moment nam de vluchtrespons van haar aandoening het over. Cathy kon nauwelijks geloven wat ze had gedaan. Met robotachtige precisie had ze haar auto gekeerd, was ze gestopt en had ze alle sporen van de Lexus weggeveegd met de handveger die ze gebruikte om rommel en bladeren van de graven van haar grootmoeder en Mabel te vegen. Ze was weggereden en had Trey's lichaam laten liggen waar het was neergevallen, onverzorgd en aan de kilte van de invallende schemering blootgesteld, maar haar voet zat aan het gaspedaal vastgekleefd en ze kreeg geen lucht.

De kalmeringstabletten begonnen te werken. Rustiger stond ze op uit haar stoel. Wat gebeurd was, was gebeurd. Ze betreurde haar daden. Het waren die van een schuldige. Ze had Trey's dood moeten melden en op haar onschuld moeten vertrouwen, maar ze had wel een hoop onnodige drukte voorkomen door niet op de plaats delict te worden aangetroffen. Wills moeder zou opnieuw het middelpunt van de openbare kritiek en roddels zijn geweest, en de tongen zouden toch al snel genoeg in beweging komen als duidelijk werd dat John de vader van haar kind was.

De verdenking zou aanvankelijk toch wel op haar vallen. Randy Wallace zou geen andere keus hebben dan haar te ondervragen, maar hij zou het stilletjes doen en niets vinden wat haar met het misdrijf in verband bracht, behalve zijn vermoeden dat ze Trey bij tijd en wijle waarschijnlijk wel de dood had toegewenst. Als de politie erachter kwam dat Trey terug was gekomen om John de waarheid te vertellen over Wills afkomst, wisten ze ook dat ze geen reden zou hebben gehad om hem te vermoorden. Ze kon alleen maar blij zijn met het nieuws en dankbaar dat Trey zijn bekentenis had gedaan voordat hij werd gedood. Zo nodig zou DNA-onderzoek Trey's bewering kunnen bevestigen. En pastoor John had haar over Trey's terminale ziekte verteld. Waarom zou ze een man om het leven willen brengen van wie ze wist dat hij toch al doodging? Haar wapen zou niet overeenkomen met de kenmerken van de kogel die Trey had gedood. Het enige wat ze niet had was een alibi, en ze dacht wel dat ze een geloofwaardig verhaal kon fabriceren over waar ze op het tijdstip van de moord was geweest.

Randy mocht niet weten dat ze op die weg was geweest, of waarom. Ze was op weg geweest om Trey ervan te weerhouden een geheim te onthullen dat de vader van haar kind en de man van wie ze hield zou kunnen ruïneren, en nu zou hij nooit meer iets zeggen. Ze moest voor John ook verzwijgen waar ze vanmiddag was geweest. Hij zou nooit geloven dat ze tot moord in staat was, maar hij had geweten dat haar hart moordzuchtig was geweest toen hij bij haar wegging. Het had geen zin hem met de zorg op te zadelen dat de politie reden had haar van het misdrijf te verdenken.

Will en hij zouden over minder dan een uur hier zijn, en ze moest eruitzien en zich gedragen alsof ze niet wist dat Trey dood was. Dit moest een vreugdevolle en gedenkwaardige avond worden, waarop Will eindelijk kennismaakte met zijn vader. Ze zou niet toestaan dat Trey in zijn dood – zoals hij zo vaak bij leven had gedaan – dit waardevolle moment in hun levens verpestte. Wanneer Randy haar kwam ondervragen zou ze zeggen dat ze vroeg uit het restaurant was vertrokken om een diner klaar te maken voor haar zoon en pastoor John om een bijzondere gelegenheid te vieren. Hoe kon hij weten dat ze haar beroemde lasagne en kwarktaart, die gewoonlijk uren bereidingstijd kostten, in de winter al had gemaakt en ingevroren toen ze op een dag zin had om te koken?

Deke was verrast toen hij zag dat de kerk op vrijdagavond bijna vol zat. Hij was zelf presbyteriaan van huis uit en kon zich niet voorstellen op een andere dag dan zondag naar de kerk te gaan, zeker niet op de laatste avond van zijn werkweek. De vrijdagavond was om thuis te ontspannen en bij te komen, behalve in het football-seizoen. Het zou de junimaan wel zijn, besloot hij. Hij had geen andere keus dan in een van de voorste banken plaats te nemen.

Hij was laat en de dienst was al begonnen. John Caldwell stond in zijn witte kledij links op het altaar en hij keek Deke verrast aan toen die naar voren kwam lopen. Een seconde lang keken ze elkaar aan, John met iets geschokts in zijn blik, Deke openhartig. Deke meende dat hij iets ouder was geworden sinds hij hem voor het laatst had gezien.

Toen begon pastoor John met zijn preek.

Deke begreep meteen dat de volle maan niets met de volle kerk te maken had. Wat de menigte hier bracht was de priester op de preekstoel en de relevantie van zijn eenvoudige maar welbespraakte boodschap. In Deke's kerk in Amarillo waren de kerkgangers rusteloos, snel afgeleid, vaak rondweg luidruchtig, maar hier niet. In St.-Matthew's verstoorde slechts zo nu en dan een zacht gekuch de stilte en concentratie voor pastoor Johns woorden, versterkt door de krachtige oprechtheid in zijn stem.

Deke voelde zich niet op zijn gemak. Hoe kon pastoor John ooit vervangen worden? Hoe konden deze parochianen ooit weer een priester vertrouwen als ze hun geloof in een geestelijk leider als John Caldwell verloren? Hun geloof zou verbrijzeld worden. De katholieke kerk wankelde toch al door beschuldigingen van seksueel misbruik door priesters, om nog maar te zwijgen van de schandalen met betrekking tot corruptie en hebzucht die ertoe hadden geleid dat men het geloof in 's lands meest geachte regeringsleiders en financiële instellingen had verloren.

Het was niet aan hem om zich daar druk over te maken, dacht Deke weer, een vloedgolf van wroeging negerend. John Caldwell had, hoe jong hij ook geweest mocht zijn en wat zijn rechtvaardiging ook was geweest, meegeholpen een moord of ongeluk te verdoezelen en daarmee een stel liefhebbende ouders tot een voortdurende hel op aarde veroordeeld.

Het moment waarop hij had gewacht brak aan. Hij zag pastoor John een waterglas uit een nis pakken en eruit drinken. Hij zette het terug voor hij zijn in het wit gehulde armen ophief naar zijn parochianen. 'De vrede van de Heer zij met u,' sprak hij.

'En met u,' reageerden de mensen.

Deke herkende dit moment in de dienst als het doorgeven van de vrede, waarbij de mensen elkaar groetten door elkaar de hand te schudden of te omhelzen. Tot zijn verbazing kwam pastoor John van het altaar en stapte hij naar hem toe.

'De vrede van Christus zij met u, sheriff.'

Enigszins geschokt zei Deke: 'En met u, meneer pastoor.' De blik in Johns ogen deed hem denken aan Judas tijdens het laatste avondmaal. *Ben ik het, Heer?*

Gij hebt gesproken.

Eindelijk kwam er een einde aan de mis en gaf pastoor John iedereen vanaf het midden van het koor de zegen, waarna hij de misdienaars volgde door het middenpad om zijn parochianen bij de deur gedag te zeggen. Terwijl iedereen naar buiten liep, wachtte Deke naast zijn bank tot hij alleen vooraan in de kerk was. Niemand zag dat de voormalige sheriff van district Kersey snel de twee treden naar het altaar op liep, pastoor Johns glas pakte en net zo snel door de zijdeur vertrok.

Pas de volgende morgen ontdekten de vrouwen die de kerk kwamen schoonmaken dat het glas met pastoor Johns monogram verdwenen was.

58

Will arriveerde als eerste. Op zijn aandringen hield Cathy alle deuren op slot, ook als ze thuis was. Al sinds hij klein was gaf Will blijk van een enigszins irrationele angst dat haar iets zou overkomen – wel normaal, vermoedde Cathy, voor een jongen met maar één ouder. Zijn uiteindelijke vrouw zou zijn waakzaamheid voor zijn moeder wellicht irritant vinden, maar dat probleem zou ze wel aanpakken wanneer het zover was. Ze had een glas wijn ingeschonken en probeerde zich te ontspannen toen hij langdurig op de bel drukte, waardoor het klokkenspel van de Westminster verwoed bleef rinkelen.

'Ik kom al! Ik kom al!' riep ze, naar de deur lopend op benen die nog steeds trilden van het trauma dat ze had opgelopen. Haar hart was geleidelijk rustiger gaan slaan, maar begon weer te bonken toen ze het gezicht van haar zoon zag. Zijn wangen waren rood en hij zag eruit alsof hij had gehuild. 'Hemeltje, lieverd, wat is er aan de hand?'

'Mama...'

Hij had haar geen mama meer genoemd sinds de kleuterschool.

'Wat is er, jongen? Vertel het maar.'

Hij bestudeerde haar met een gekwelde blik. 'Waar was je vanmiddag? Bebe zei dat je het restaurant al rond één uur had verlaten.'

'Gewoon, hier thuis, om het eten klaar te maken.' Ze gebaarde naar de eetkamer, waar de tafel was gedekt met haar beste porselein en versierd met bloemen uit haar tuin. De geur van borrelende lasagne vulde het huis. 'We eten je lievelingskost,' zei ze. 'Lasagne en kwarktaart.'

'Ben je nog ergens anders heen geweest?'

Cathy kreeg het koud. Het leek wel of hij het wist! 'Waarom vraag je dat?'

'Ik heb je hier gebeld en kreeg geen gehoor.'

'Nou, ik... ik denk dat ik buiten bloemen aan het plukken was.'

Hij keek haar aan. 'Hoorde je de telefoon dan niet?'

'Hoe kan dat nou? Ik was helemaal achter in de tuin.'

'Ik heb een bericht ingesproken.'

Zijn toon impliceerde dat ze dat zou hebben gezien als ze thuis was geweest. Wat was hier aan de hand?

'Ik verwachtte geen telefoontje, dus ik heb niet gekeken.'

'Je controleert altijd je berichten wanneer je binnenkomt.'

Haar geduld was ten einde. Het was waar dat ze altijd meteen haar berichten afluisterde wanneer ze thuiskwam, maar vandaag was dat wel het laatste geweest waar ze aan dacht. 'Nou, vandaag dus niet,' zei ze op enigszins scherpe toon. 'Waarom al die vragen, Will? Waardoor ben je zo van streek?'

Will haalde een hand door zijn haar – niet voor het eerst, zo te zien. 'Ik was bang... dat je naar Harbison House zou zijn gegaan om... mijn vader te spreken,' zei hij. 'Ik dacht... O, mama, je bent daar toch niet naartoe gereden, is het wel?'

Hij had de voordeur wijd open laten staan. De deur dichtdoen gaf Cathy heel even de gelegenheid een antwoord te bedenken. Ze had nog nooit ronduit tegen haar zoon gelogen. Kleine leugentjes, ja, om pijnlijke waarheden te vermijden toen hij klein was, maar nooit een opzettelijke leugen. 'Nou, jongen, je hebt me te pakken,' zei ze, zich naar hem omdraaiend. 'Ja, dat ben ik, maar voordat ik bij Harbison House was, verloor ik de moed en ben ik omgedraaid en terug naar huis gereden. Ik wilde het je niet vertellen omdat ik... niet wilde dat je je moeder een dwaas zou vinden.'

Ze zag zijn gezicht overspoeld worden door opluchting en hij trok haar stevig tegen zich aan. 'Ik zou nooit denken dat je een dwaas was,' zei hij. 'Ik was alleen bang dat...'

'Ik weet waar je bang voor was,' zei Cathy gesmoord tegen het blauwe denim. 'Dat was ik ook. Daarom ben ik omgekeerd en teruggegaan. Ik kon mijn gevoelens niet vertrouwen. Ik wist niet beter dan dat Trey nog steeds zijn charmes om zich heen zou kunnen strooien.' Ze maakte zich van hem los. 'Laten we maar een glas wijn nemen.'

'Let maar niet op mij,' zei hij. 'Ik heb gewoon moeite met de wetenschap dat mijn vader is... vertrokken zonder gedag te zeggen. Dat heeft me dieper geraakt dan ik zou willen toegeven.'

Ze veegde een krullende lok uit zijn gezicht. 'Nou, ik denk dat pastoor John en ik daar wel iets aan kunnen doen.'

Cathy was opgelucht dat Will geen televisie wilde kijken terwijl ze op John wachtten. De lokale zender had er geen problemen mee een programma te onderbreken om belangrijk nieuws bij de kijkers te brengen. Ze waren echter allebei zo nerveus als neurotische katten en konden niet stilzitten. Cathy deed allerlei onnodige dingen in de keuken en Will liep heen en weer met zijn handen in zijn zakken en keek geregeld door het grote raam de avond in. Cathy vroeg zich met een haperende hartslag af of hij nog steeds naar Trey uitkeek. Het gesprek tussen hen was stilgevallen en Cathy keek voortdurend op haar horloge. *Waar bleef John toch?* Om de spanning te verminderen richtte ze haar gedachten op het fantastische moment dat Will zou horen dat John zijn vader was.

Ze hoorde eindelijk de Silverado en haastte zich naar de deur. Wat zou ze er niet voor overhebben om vanavond met John tussen de lakens te kruipen, al was het alleen maar om te worden vastgehouden en gerustgesteld voor het afgrijzen dat de dag van morgen beslist zou brengen. Ze kon er niets aan doen; ze wierp zich in zijn armen zoals ze nooit eerder had gedaan. Ook Will leek ongewoon blij hem te zien, en omhelsde hem in plaats van hem een hand te geven. Ze klemden zich in de gang aan elkaar vast als een gezin dat na een ramp weer met elkaar herenigd is.

'Nou zeg, wat een welkom,' zei John toen ze elkaar loslieten en naar de huiskamer en de karaf wijn liepen.

Cathy stak haar arm door die van haar zoon. Ze kon niet langer wachten. Ze hadden allemaal behoefte aan verlichting van de spanningen die hun zenuwen in de knoop hielden – John voor wat hij vreesde later vanavond te horen te zullen krijgen; zij de angst voor een politieonderzoek morgen; en Will zijn boosheid en teleurstelling omdat hij opnieuw in de steek was gelaten door de man van wie hij dacht dat het zijn vader was.

'Will is vanavond van streek omdat Trey weggaat zonder contact met hem te hebben gezocht, pastoor John,' zei ze. 'Zullen we hem geruststellen voordat we gaan eten?'

'Dat lijkt me wel een goed idee,' zei John, en hij grinnikte naar Will.

Will keek van John naar zijn moeder. 'Waar hebben jullie het over?'

'Misschien kun je beter gaan zitten, jongen, dan zullen we het je vertellen,' zei John.

'Ik heb slecht nieuws voor je, Deke,' informeerde Charles de voormalige sheriff van het district Kersey toen hij de deur opendeed om hem het forensisch lab in Amarillo binnen te laten.

'Wat dan?'

'Randy Wallace was op weg hierheen met de doos met bewijsmateriaal toen hij naar een plaats delict in zijn district werd geroepen. Hij zou je wel gebeld hebben, maar hij had je mobiele nummer niet.'

Deke slaakte een vermoeide zucht. 'Verdorie. Nu zal ik tot maandagmorgen moeten wachten voor je de afdrukken op het glas in deze zak kunt vergelijken met die in de doos met bewijsmateriaal.'

'Ik ben bang van wel. Randy zal het druk hebben met het onderzoek naar zijn moordzaak.'

'Moord?'

'Ja. Er is iemand vermoord. Hij zei niet wie.'

'Waarschijnlijk een slachtoffer van een kroeggevecht.'

Het was een paar minuten voor negen. Toen hij van het lab terugliep naar zijn auto had Deke het gevoel dat er een heel leven was verstreken sinds zijn afspraak met Trey Don Hall die ochtend om elf uur. Hij was moe tot in het merg van zijn botten en had zich nog nooit zo bezwaard gevoeld. Het maakte hem niet uit dat hij de afdrukken op het glas niet had kunnen vergelijken met die op het verlengsnoer. Hij wist wat de uitkomst zou zijn, en het weekend zou hem de tijd geven in het reine te komen met wat hij verder moest doen. Hij vond het alleen jammer dat TD Hall weer in San Diego zou zitten wanneer Randy John met het bewijsmateriaal confronteerde – en hem misschien arresteerde. Deke had niet gewild dat hij in zijn eentje de consequenties zou moeten aanvaarden.

Hij had Paula niet laten weten dat hij weer in Amarillo was omdat hij had verwacht met Randy terug te zullen gaan naar Delton om John en Trey aan te spreken. Hij verwachtte een koele ontvangst zonder avondeten wanneer hij naar huis ging, maar hij verlangde naar het soelaas van Paula's aanwezigheid en een goede nachtrust naast haar in zijn eigen bed.

Hij belde aan omdat hij haar niet wilde laten schrikken door onverwachts binnen te komen, maar ze verraste hem met een ferme omhelzing en een bezorgde uitdrukking vanwege zijn duidelijke vermoeidheid. 'Je dochter belde me om me te waarschuwen dat je geschift was geworden,' zei ze.

'En wat zei jij daarop?' vroeg hij met een tedere blik op haar, zich weer herinnerend waarom hij van haar hield.

Ze lachte. 'Ik zei dat een gewaarschuwd mens voor twee telt.'

Ze maakte toast en een omelet voor hem terwijl hij een biertje dronk. Ze vroeg niet wat hij allemaal had gedaan sinds hij haar vroeg in de middag thuis had afgezet. Deke wist dat ze zijn gedrag herkende van zijn tijd als sheriff en dat ze wist dat hij haar te zijner tijd alles zou vertellen, en deed hij dat niet, dan was het ook goed. Ze was nooit nieuwsgierig geweest naar de duistere kant van zijn werk, niet uit onverschilligheid, maar uit angst dat ze hem nooit meer de deur uit zou laten gaan als ze zich bewust was van het kwaad en de gevaren waarmee hij te maken had. Het was haar taak hem een veilige haven te bieden wanneer hij thuiskwam, en dat deed ze zonder precies te weten waartegen ze hem beschermde.

Dus stuurde ze hem na zijn avondeten naar boven om een warme douche te nemen terwijl zij de keuken opruimde en naar het nieuws van tien uur luisterde. Deke had zich net ingezeept toen zijn vrouw voor het eerst sinds hun jonge jaren de douchedeur opentrok en naar haar man keek, die naakt en druipend onder de douchekop stond.

'Nee maar, wat krijgen we nou, Paula!' riep Deke verbijsterd uit.

'Niet wat je denkt,' zei ze. 'Het gaat om Trey Don Hall. Hij is vermoord gevonden.'

59

Cathy schonk een kop koffie in en wachtte op de telefoontjes van Will en John. Het was tien uur en ze verwachtte elk moment het gerinkel te zullen horen. Ze had de televisie uit gelaten tot John een paar minuten geleden was vertrokken, net voordat Betty vanuit Harbison House belde om naar hem te vragen. Will was iets daarvoor weggegaan omdat hij nog naar zijn vriendin wilde.

'Trey Hall is vermoord,' zei Betty. 'Zet de tv aan. Het is overal op het nieuws.'

Ze had de tv met de afstandsbediening aangezet en het verhaal was op alle grote zenders. Ze lieten opnames zien van de plaats delict, die ze eerder hadden gemaakt toen de ambulancedienst en een hulpsheriff op een telefoontje van Lou Harbison hadden gereageerd, die het lichaam had ontdekt toen hij na de mis met een bus vol kinderen terug naar huis reed. De kijkers werd gemeld dat het lijk van de voormalige NFL-quarterback naar het kantoor van de lijkschouwer in Lubbock, Texas, was overgebracht. Latere opnames toonden een team van de technische recherche uit Amarillo met DPS (Department of Public Safety, Dienst Openbare Veiligheid) op hun vestjes, die bandensporen fotografeerden in de berm, waar Trey's BMW had gestaan. Ze had de sporen van de Lexus heel zorgvuldig uitgeveegd. Will zou het nieuws bij Misty horen, John – tenzij hij het onderweg op de radio hoorde – pas wanneer hij het politietape en de mensen van de technische recherche zou zien op de weg naar Harbison House. Cathy kon zich hun aanvankelijke schrik voorstellen. Will zou er in elk geval niet onder lijden. John zou rouwen, maar na de jubelende en ontroerende reactie van zijn zoon op hun onthulling vanavond zou hij vast opgelucht zijn dat zijn geheim voor altijd veilig was. Hij zou eerder de last van zijn geweten – en de schaduwen die hij nooit had kunnen ontlopen – blijven verdragen dan het beeld bezoedelen van de vader die Will eindelijk had gevonden.

Ze hadden niet voluit van de avond kunnen genieten. Wills vreugde over hun nieuws op wat de gelukkigste avond van zijn leven zou moeten zijn, werd ergens door overschaduwd. Hij werd tijdens het eten en de champagne nog steeds gekweld door een of andere innerlijke beroering, die doorsijpelde in het liefdevolle gekibbel tussen vader en zoon.

'Hoe wil je dat ik je noem?'

'Als het maar geen daddy-o is.'

'Paps?'

'Nee.'

'Wat vind je van papa?'

'Zullen we dat maar niet doen?'

'Pappie?'

'Nee!'

'Pa?'

'Dat klinkt prima.'

Er was een ongemakkelijk moment geweest toen ze bespraken wanneer, hoe en waar ze de nieuwe kennis openbaar zouden maken... en of ze dat wel moesten doen. Cathy wist dat John zich momenteel zorgen maakte over de mogelijkheid van zijn ontmaskering en wat voor weerslag het schandaal op Will zou hebben. Will had ook tegengestemd. 'Ik wil niet dat de mensen denken dat mijn moeder van het bed van de ene beste vriend in dat van de andere dook,' zei hij, rood wordend. 'Laten we wachten.'

Ze hadden hun beslissing opgeschort naar een andere keer. 'Ik ben al heel blij,' zei Will met een blik vol ongegeneerde liefde naar John, 'te weten dat John Caldwell mijn vader is.'

Ze zaten aan de kwarktaart toen Will vroeg: 'Wanneer hoorde je dat Trey Hall stervende was, mam?'

Verbaasd zei ze: 'Dat vertelde je vader me vanmiddag. Hoezo?'

'Was dat voor je naar Trey toe ging?'

438

John keek haar verbaasd aan. 'Heb je Trey vanmiddag gesproken?'

'Nee. Ik ben wel op weg gegaan om met hem te gaan praten, maar ben van gedachte veranderd en terug naar huis gereden.'

'Heeft iemand je onderweg gezien?' vroeg Will.

Alle vorkjes bleven in de lucht hangen. Will en John keken haar aan. De huid tussen haar schouderbladen tintelde. Opnieuw had ze sterk het gevoel dat haar zoon iets over de moord wist. Maar hoe was dat mogelijk? En nu wist John dat ze die middag op weg naar Harbison House was geweest.

'Wat een vreemde vraag,' zei ze. 'Ik herinner me niet dat ik iemand heb gezien. Waarom vraag je dat?'

Will nam een hap van zijn kwarktaart. 'Ik… zou niet willen dat iemand die wist dat Trey in Harbison House logeerde je had gezien. Ze zouden het idee kunnen krijgen dat hij de reden was dat je daarheen ging.'

Het was een slappe verklaring, maar ze geloofde hem. Haar zoon was erg beschermend als het om haar reputatie ging.

'In feite, zoon, wist volgens mij niemand in het dorp behalve je moeder en Deke Tyson dat Trey bij mij logeerde,' zei John.

Johns opmerking leek Will niet gerust te hebben gesteld en wanneer ze over de moord op Trey hoorden zouden ze allebei erg van streek zijn omdat zij in de buurt was geweest. Ze zouden wel denken dat zij verdacht zou worden van de moord.

Ze schrok op toen de telefoon naast haar rinkelde en nam hem meteen op. 'John?'

'Je hebt het al gehoord.'

'Ik zit naar de televisie te kijken.'

'Randy zit beneden. Hij is hier gebleven om mij te ondervragen. Ik neem eerst een paar minuten om jou te bellen. Ik heb een briefje van Trey gevonden dat ik aan hem zal geven. Hij was van gedachte veranderd, Cathy. Trey zou er niet mee zijn doorgegaan.'

Haar ogen prikten. 'Echt waar?'

'Echt waar. Hij heeft Deke's cheque voor Mabels huis aan Har-

439

bison House overgeschreven en is gewoon vertrokken. Betty zegt dat ze niet wist dat hij weg was. Ik vermoed dat hij op weg was naar het vliegveld toen... iemand hem neerschoot.'

Dus John zou hoe dan ook veilig zijn geweest. 'Heeft hij nog uitgelegd waarom hij van gedachte is veranderd?'

'Nee.'

Maar dat wisten ze allebei. Ze masseerde haar gespannen keel.

'Heeft Randy enig idee wie hem heeft vermoord?' vroeg ze.

'Trey is naast zijn BMW neergeschoten. Randy denkt dat hij is uitgestapt om iemand in een andere auto te spreken – een vriend of iemand die Trey herkende en voor wie hij zou stoppen.'

Iemand zoals zij. 'Het spijt me dat het zo heeft moeten gaan, John, maar volgens de verslaggevers is de dood onmiddellijk ingetreden en nu hoeft hij niet meer te lijden zoals hij gedaan zou hebben als hij was blijven leven. Misschien is het wel een zegen.'

'Niet voor degene die hem heeft gedood. Cathy... ik heb zo'n idee dat Randy jou zal willen ondervragen.'

'Omdat ik de hoofdverdachte ben? Wat is mijn motief? Volgens de berichten is Trey tussen zes en zeven vermoord. Jij had me uren daarvoor al verteld dat hij stervende was. Wat voor zin zou het dan nog hebben om hem dood te schieten?'

Ze zweeg en verwachtte eraan te worden herinnerd dat ze nog een motief had, waarvan de politie niet op de hoogte was.

'Hoe laat was Will bij jou, Cathy?'

Ze verstijfde in haar stoel. 'Waarom vraag je dat?'

'Ik hoorde Randy tegen zijn hulpsheriff zeggen dat de mensen van het forensisch lab met succes een duidelijke set bandensporen van een jeep hebben kunnen overnemen aan de andere kant van de weg dan waar Trey's auto stond.'

Cathy kreeg het koud en probeerde zich te herinneren wie er in het dorp nog meer in een jeep reed. Niemand met een motief om Trey Hall te vermoorden. De eigenaren kenden hem niet eens. Haar afgrijzen groeide, want ze wist zeker dat de bandensporen van Will waren. Ze herinnerde zich Wills verontruste gezicht, zijn agitatie de hele avond, de vreemde blikken die hij in haar richting had geworpen, de vragen die hij had gesteld. *Waar was je vanmiddag? Wanneer hoorde je dat Trey Hall stervende was, mam?*

Lieve hemel! Ze had Wills bezorgdheid verkeerd geïnterpreteerd. Hij vreesde niet voor haar reputatie als ze die middag op de weg naar Harbison House was gezien; hij was bang dat ze geen alibi had voor het tijdstip van de moord. Maar hoe kon hij weten dat ze dat nodig had...

'Cathy? Geef antwoord. Ik heb maar een minuutje voor ik met Randy moet gaan praten.'

'O nee...' fluisterde ze, verstard als het stenen beeld in haar tuin dat baadde in het maanlicht.

'Cathy...'

Ze hing op.

Haar benen waren te onvast om te kunnen blijven staan. Will had op de uitgeveegde sporen van haar Lexus geparkeerd, daarom waren de sporen van de jeep zo duidelijk. Hij moest vroeg van zijn werk zijn weggegaan om naar Harbison House te rijden en Trey met zijn gedrag te confronteren. Hij was na haar gekomen en had het lichaam gevonden. Cathy drukte haar vingers tegen haar mond. Dacht haar zoon dat zij Trey Don Hall had vermoord?

Maar de politie zou denken dat hij het geweest kon zijn. Als hij vroeg was weggegaan, zouden de presentielijst en de bandensporen voor Randy voldoende reden zijn om hem te verdenken, en zij wist dat haar zoon onschuldig was.

Als ze hem aanklaagden, zou zij het misdrijf bekennen. Ze had zijn bloed op de mouw van haar vest om het te bewijzen en haar motief om Trey te doden was sterker dan dat van Will. Haar zoon had voor de moord niet geweten dat Trey niet zijn vader was, maar zij wel, en ze had hem in onbeheersbare woede doodgeschoten. Pastoor John kon haar boosheid bevestigen. De autoriteiten zouden geen andere keus hebben dan haar te geloven, maar eerst moest ze zich van het geweer ontdoen. De verdwijning daarvan zou als verder bewijs van haar schuld worden gezien. Ze zou zich ervan ontdoen zodat, als zij ervan werd verdacht Trey te hebben vermoord, het moordwapen niet gevonden zou worden.

De telefoon ging weer. Ze keek op het schermpje van de nummermelder. Will! Ze kon zichzelf echter niet vertrouwen als ze met hem zou praten en ze moest zo snel mogelijk een plek vinden waar ze het geweer kwijt kon raken.

60

De moord op de nationaal bekende football-held Trey Don Hall kreeg voorrang op andere zaken die om de aandacht van het kantoor van de lijkschouwer in Lubbock vroegen, evenals op de plannen die de patholoog-anatoom wellicht voor de zaterdag had gemaakt. Hetzelfde gold voor Charles Martin in het forensisch lab van de Dienst Openbare Veiligheid in Amarillo. Met vereende krachten werd een autopsie uitgevoerd en werd het bewijsmateriaal van de plaats delict geanalyseerd en tegen de middag had Randy Wallace de bevindingen van beide diensten in zijn bezit. Trey Don Hall was neergeschoten met een .30-30-kaliber jachtgeweer. Er waren duidelijke vingerafdrukken, niet die van het slachtoffer, aangetroffen op zijn leren horlogebandje, waarschijnlijk achtergelaten door de moordenaar toen die Trey Don Halls handen op zijn borst had gevouwen. Er was DNA gewonnen uit traanvlekken op het zijden hemd van het slachtoffer, dicht bij de plek waar de kogel was binnengedrongen. Verder was er de afdruk die was gemaakt van de jeepsporen aan de overkant van de weg waar het lichaam was gevonden. Er mochten geen resultaten uit de onderzoeksrapporten aan de pers worden vrijgegeven.

De nieuwsmedia kwamen als ratten uit het niets naar Kersey, bezetten de paar hotels in het district en hingen rond bij Bennie's, bij het kantoor van de plaatselijke krant en het kantoor van de sheriff. Om Will Benson te ondervragen reden Randy en Mike, zijn hulpsheriff, beiden met een pet op in plaats van de Stetsons die bij hun uniform hoorden, in Randy's privéauto van het parkeerterrein bij het bureau weg, opdat ze niet zouden worden herkend en gevolgd door 'de paparazzi', zoals hij ze vol walging noemde.

De reden voor zijn tochtje om Will te ondervragen was simpel. Will Benson was de enige persoon in het dorp die een jeep had en een motief om Trey Don Hall te vermoorden, hoe zwak dat ook was. Zijn moeder had een motief, maar zij reed niet in een jeep. Randy kon zich niet voorstellen dat een van hen beiden ook maar iemand zou vermoorden. Cathy Benson was een van de evenwichtigste vrouwen die hij kende, en Will was een van de weinige jongens die in het district waren opgegroeid die niet jaagden en hij had waarschijnlijk niet eens een geweer. Succes was de zoetste wraak van allemaal en zowel moeder als zoon kon de man die hen in de steek had gelaten de ogen uitsteken met hun behaalde prestaties, maar waarom zouden ze hem vermoorden?

Hij moest echter ergens beginnen en hij had diverse redenen om naar Wills huis te rijden. De jeepsporen waren er daar een van, maar hij had eerder die ochtend Linda Hadley wakker gebeld, de receptioniste van de Morgan Petroleum Company, om haar te vragen hoe laat Will gisteren naar huis was gegaan. Hij deed het met tegenzin, want Linda was de grootste roddelaarster van het dorp en zou beslist de geruchten in omloop brengen dat de sheriff onderzoek deed naar Will Benson. De jongen had al genoeg te lijden gehad van het geroddel in het district, maar hij volgde Deke Tysons gedachtegang. Als Will zoals gewoonlijk om zes uur van zijn werk was vertrokken, kon hij zichzelf de rit besparen en hem schrappen als verdachte.

Maar goeie genade, Linda had hem verteld dat Will om halfzes was vertrokken, ongebruikelijk voor hem, omdat hij de regels van het bedrijf tot op de letter opvolgde. Dat zou hem voldoende tijd hebben gegeven om ter plaatse te zijn op het tijdstip dat TD was vermoord. Linda was uit zichzelf met nog wat meer interessante informatie naar voren gekomen. Ze had gezegd dat Cathy Benson haar zoon gisteren rond de middag een onverwacht bezoek had gebracht. En dát was beslist ongebruikelijk. Randy lunchte altijd bij Bennie's en hij kon zich niet één keer herinneren, behalve gisteren, dat Cathy op dat moment van de dag geen toezicht hield op het restaurant. Toen hij pastoor John de namen had gevraagd van degenen die wisten dat Trey in Harbison House logeerde, had hij gezegd dat hij het niet zeker wist.

'Nou, geef me dan de namen van de mensen van wie je het wel weet,' had Randy tegen hem gezegd.

'Deke Tyson en… Cathy Benson,' had hij schoorvoetend geantwoord. 'Betty hoorde pas vandaag rond de middag dat Trey zou komen.'

'En wanneer hoorde Cathy het?'

'Vanmorgen.'

Het leek Randy vrij zeker dat Cathy haar zoon persoonlijk het schokkende nieuws zou zijn gaan vertellen dat zijn waardeloze vader in het dorp was. Het klonk ook zinnig dat Will hem zou willen spreken. Verder – Randy merkte dat hij weer als Deke Tyson dacht – was er de manier waarop Trey Halls handen op zijn borst waren gevouwen, en de vlekken van tranen op zijn shirt. Die handen vouwen en erbij huilen… was dat niet echt iets wat een zoon, die toch nog gevoelens had voor zijn vader, zou doen nadat hij hem had doodgeschoten?

'Dat een knappe vrijgezel als Will Benson hier zo achteraf woont terwijl hij een leuk leventje zou kunnen hebben in het nieuwe appartementencomplex in het dorp,' merkte zijn hulpsheriff op toen Randy voor een ranchhuis parkeerde dat eruitzag alsof het was gebouwd in de tijd van de indianen en bizonkuddes.

'Hij wilde een plek waar hij een paar paarden kon houden en waar zijn hond de ruimte had om te rennen,' zei Randy. De locatie paste bij wat hij van de jongen wist uit de jaren dat zijn zoon en Will op de middelbare school in hetzelfde baseballteam speelden. Will had toen al een beetje een eenling geleken, die de voorkeur gaf aan rust en stilte en het gezelschap van zijn dieren boven dat van zijn luidruchtige teamgenoten. Als vader had Randy geconcludeerd dat Wills voorkeur voor zijn eigen gezelschap te maken had met de omstandigheden van zijn geboorte.

Zwijgend wees Mike naar de jeep die onder een aangebouwde carport stond. Randy knikte en liep de versleten treden van de verweerde veranda op. De deur ging open voor hij de kans kreeg aan te kloppen.

'Kom binnen, sheriff,' zei Will. 'Ik hoorde u aan komen rijden.'

Ik had u… min of meer verwacht.' De jongen zag eruit alsof hij geen oog had dichtgedaan.

Dat had Randy trouwens ook niet. 'Sorry dat ik je op zaterdag stoor, Will, maar we hebben een paar vragen voor je.'

'Dat dacht ik al.'

'Gecondoleerd met je verlies, wat het dan ook was.'

'Niet veel,' zei Will en hij stak zijn handen in de zakken van zijn spijkerbroek. 'Lusten jullie een kop koffie?'

'Dat kan ik best gebruiken,' zei de hulpsheriff.

Randy knikte instemmend. 'Klinkt goed.'

De mannen gingen zitten en er kwam een hond binnen, een Siberische husky, die met zijn staart zwaaide. Hij snuffelde vluchtig aan hun laarzen en daarna volgde hij Will naar de keuken. Toen Will met drie dampende mokken terugkwam, nam Randy de zijne voorzichtig aan. Hij was zich ervan bewust dat hij de mok zonder bevelschrift niet mee mocht nemen, maar had een andere manier bedacht om legaal aan Wills vingerafdrukken te komen.

'Will,' begon hij terwijl hij zijn zakdoek uit zijn kontzak haalde, 'we moeten naar jou en je moeder kijken als de enigen in het dorp die een reden kunnen hebben je vader te doden.'

'Dat begrijp ik, maar mijn moeder zou een ratelslang niet doden en ik zou het op prijs stellen als u Trey Hall niet mijn vader wilt noemen.' Will ging zitten, zijn sterke, mooie handen – zijn slagmanhanden – om de mok gevouwen.

'Prima. En jou kennende, kan ik maar moeilijk geloven dat je er iets mee te maken zou hebben, maar ik moet mijn werk doen en je vragen waar je gisteren tussen zes en zeven was. Neem me niet kwalijk…' Hij zette zijn mok neer en niesde hard in zijn zakdoek.

'Ik was bij mijn moeder,' zei Will toen Randy zich had hersteld. 'Ze had gekookt voor pastoor John en mij.'

Randy hoestte zwaar, met zijn vuist voor zijn mond. 'De hele tijd?'

'Het grootste deel.'

'O? Hoe laat ging je bij Morgan Petroleum weg?'

Randy, die zich opmaakte om weer te niezen en de verbaasde

blik van zijn hulpsheriff negeerde, merkte een lichte aarzeling op.
'Ik ben vroeg weggegaan,' zei Will. 'Rond halfzes of zo.'

'Waarom?'

'Ik was van slag. Mam was daarheen gekomen om me te vertellen dat Trey Hall in het dorp was en ik bleef hopen dat hij naar me toe zou komen of zou bellen, maar dat deed hij niet.'

'Ben je van je werk rechtstreeks naar je moeder gegaan?'

'Nee, ik ben hierheen gereden om mijn beesten te voeren voor ik naar mam reed. Ik denk dat ik tegen zeven uur daar was.'

Randy maakte zijn zwarte uniformstropdas los. 'Kan iemand dat bevestigen?'

Will schudde zijn hoofd en keek naar zijn hond, die zich naast zijn stoel op de grond had neergevlijd. 'Alleen Silva hier. Sheriff, is alles in orde met u?'

'Ja, prima,' zei Randy, maar daar zag het helemaal niet naar uit. Hij knipperde hard, alsof zijn ogen geïrriteerd waren. 'En je moeder? Was die toen thuis?'

'Natuurlijk. Ze had de hele middag staan koken.'

Randy glimlachte vriendelijk boven de zakdoek uit die hij tegen zijn neus gedrukt hield. 'Had ze niets van het restaurant meegebracht?'

Will grinnikte zacht. 'Alles vers gemaakt – lasagne en kwarktaart – in haar eigen keuken.'

'Goed dan, dat zou voldoende…' Randy stond op, maar greep toen naar zijn borst en zijn koffiemok viel op de grond.

De hond en Will kwamen allebei overeind.

'Nee, nee!' zei Randy naar adem happend en een hand uitstekend om te voorkomen dat de husky tegen hem op zou springen. 'Blijf daar.'

'Randy!' riep de hulpsheriff. 'Heb je een hartaanval?'

'Nee! Nee! Ik ben… allergisch voor honden.'

'Waarom hebt u dat niet gezegd?' vroeg Will. 'Wat kunnen we voor u doen?'

Randy kuchte luid. 'Water. Geef me wat water. Mijn keel staat in brand.'

'Breng Silva naar buiten terwijl ik wat water voor hem haal,' zei Will tegen Mike, en hij rende naar de keuken. Er klonk stromend water en Will was binnen een paar tellen terug met een plastic bekertje, dat Randy, die nog stond, bij de bodem vastpakte en gulzig leegdronk.

Zwaar ademend zei Randy: 'Neem me niet kwalijk, Will. Ik dacht dat ik het kwijt was,' en hij liep naar de deur alsof hij wanhopig behoefte had aan frisse lucht.

'Moet ik een dokter bellen?' vroeg Mike toen ze buiten stonden.

'Nee, ik moet alleen bij die hond uit de buurt.' Hij wierp Mike de sleutels toe. 'Rij jij maar. Will, bedankt voor je tijd. Ik weet zeker dat ik je niet meer lastig zal hoeven vallen.'

Toen ze wegreden zei de hulpsheriff: 'Ik wist niet dat je allergisch was voor honden, sheriff.'

'Er is wel meer dat je niet over me weet, jongen,' zei Randy, geheel hersteld het bekertje met zijn zakdoek bij de rand vasthoudend.

61

Will zag de politiewagen in een stofwolk verdwijnen. Was hij nou voor de gek gehouden? Was Randy's aanval van allergie een list geweest om zijn vingerafdrukken te pakken te krijgen? Hij had hem het plastic bekertje vrijwillig gegeven, dat zou zijn hulpsheriff bevestigen. Het bekertje was niet verkregen bij een illegale huiszoeking, maar zolang als Will sheriff Wallace en zijn gezin al kende, had hij nog nooit iets over een allergie voor honden gehoord.

Silva kwam naast hem zitten en leek te vragen of hij nu in de problemen zat. 'Nee, jongen,' zei Will, en hij bukte om de hond achter de oren te krabben, 'maar ik misschien wel.'

Als een idioot had hij zijn vingerafdrukken op het horlogebandje achtergelaten, en zijn tranen op het shirt. Hij had beide moeten verwijderen. Hij had geen alibi voor het tijdstip van de moord. Sheriff Wallace had geweten dat hij loog toen hij vertelde waar hij was geweest. Zijn spijt en medelijden voor een schoolvriend van zijn zoon was onmiskenbaar aan zijn ogen af te lezen.

Nou ja, beter hij dan zijn moeder, dacht Will, en hij klopte tegen zijn been om aan te geven dat Silva hem naar binnen moest volgen, zodat Will zijn vader kon bellen.

Ze zagen elkaar in Johns kantoor in St.-Matthew's. 'Wat is er nou aan de hand, jongen?' vroeg John, hopend – biddend, zoals hij de hele nacht had gedaan – dat hij het niet al had geraden. De bandensporen van de jeep en Wills algemene antipathie jegens Trey waren voldoende om de aandacht op hem te vestigen als een verdachte. John had de hele nacht zitten zweten op de namen van alle mogelijke personen die de koelbloedigheid en het motief konden hebben om Trey na al die jaren te vermoorden. Wie, behalve Cathy, Will en Deke wisten waar Trey logeerde? Wie zou Trey hebben herkend en voor wie zou hij zijn gestopt? Hij zou Will niet hebben herkend, tenzij die hem met gebaren had laten stoppen.

'Ik denk dat ik zal worden gearresteerd voor de moord op Trey Don Hall,' zei Will.

John had net koffie willen inschenken. Hij zette de pot terug op de brander, naast de lege kopjes. Er gingen beelden van de Pelican Bay-gevangenis door zijn hoofd.

'Een aan een priester vertelde biecht, zelfs als die priester de vader is van de verdachte en de zoon niet katholiek is, kan niet voor de rechtbank worden gebruikt, dat klopt toch, pa?' vroeg Will.

God, wees ons genadig, dacht John, en zijn oor pikte door het gebonk van zijn hartslag heen Wills ongedwongen gebruik van het woord 'pa' op. *Stond zijn zoon op het punt de moord op Trey Don Hall te bekennen?*

'Nee, jongen,' zei hij.

'Laten we dan in de biechtstoel gaan zitten.'

Achter het donkerrode fluwelen gordijn van de biechtstoel flapte Will er door het roostertje heen uit: 'Ik heb hem niet vermoord, pa. Dat moet je geloven.'

'Dat doe ik, jongen. Dat doe ik,' zei John, die even duizelig was van opluchting, 'maar waarom meen je me in de biechtstoel te moeten overtuigen van je onschuld?'

'Omdat ik denk dat ik weet wie het wel heeft gedaan.'

'Echt waar? Wie dan?'

'Mam.'

'Wat? Waarom denk je dat in vredesnaam?'

Wills gezicht werd donkerder. 'Ik wil het niet denken. Ik kan de gedachte bijna niet verdragen, laat staan die hardop uitspreken.'

'Oké, Will, adem even diep in en vertel me dan waarom je je moeder verdenkt.'

Will beschreef zijn ontdekking van het lichaam, wat John geruststelde over de aanwezigheid van de jeepsporen, een detail dat nog niet aan de pers was vrijgegeven. Hij kon zich de schrik en wanhoop van de jongen voorstellen, de pijn toen hij naast het levenloze lichaam knielde van de man van wie hij dacht dat het zijn vader was. Op zo'n moment zou hij niet aan vingerafdrukken, voetsporen of DNA denken. 'Maar waarom heb je het alarmnummer niet gebeld?' vroeg hij.

Will wendde zijn blik af. 'Omdat... vanwege mam.'

'Omdat ze op de weg was geweest waar Trey is vermoord?'

'Omdat ik dacht dat ze er misschien iets mee te maken had.'

John deed zijn uiterste best de paniek te onderdrukken. 'En waarom dacht je dat?'

Wills toon werd zwaarmoediger. 'Ik... zag haar gisteren rond kwart over zes bij het kruispunt met de weg naar Harbison House. Ze kwam uit die richting en stond voor het stoplicht. Ik was bij het benzinestation aan de andere kant van de straat. Ze zag me niet.'

'Maar ze heeft toch toegegeven dat ze naar Trey wilde gaan, maar zich had bedacht.'

'Ja, nou, als dat alles was, zou ze er niet zo doorgedraaid hebben uitgezien. Ze zag eruit alsof ze... een moord had gezien. Ik dacht dat ze er misschien heen was gegaan om weer iets met Trey te beginnen. Ze had haar kiel uitgedaan en was opgetut, maar aan haar gezicht te zien dacht ik dat hij haar weer had afgewezen, en toen ging ik erheen om het met hem uit te praten en... vond ik zijn lichaam op straat. Het kogelgat leek me van een geweerschot – een gat zoals de oude .30-30 van mijn overgrootmoeder zou maken.'

De biechtstoel leek plotseling te beklemmend en benauwd. 'Hoe weet je dat ze niet is omgedraaid voordat ze bij het lichaam kwam?'

'Omdat ik mijn moeder ken. Haar openbare gezichtsuitdrukking is getraind. Er is heel wat voor nodig wil ze die loslaten. Maar ze had gehuild en zag zo bleek als een doek.'

John dacht terug aan de avond tevoren. Cathy en Will hadden allebei niet zichzelf geleken. Hij had hun agitatie geweten aan de emotionele beroering van die dag, maar ze hadden wel erger dingen doorstaan.

'Heb je je moeder sinds gisteravond nog gesproken?'

'Ik heb haar meteen gebeld toen het nieuws bekend werd, maar ze nam niet op en haar mobiele telefoon stond uit. Ik moest een boodschap inspreken. Daar maak ik me sindsdien de hele tijd zorgen over. Ze wilde misschien gewoon op dat moment niet met me praten. Ik kan me niet voorstellen waarom ze weg zou gaan, tenzij… het was om zich van grootmoeders geweer te ontdoen.'

Will had reden om zich zorgen te maken. Nadat Randy was vertrokken, had hij zelf ook naar Cathy gebeld en haar antwoordapparaat gekregen. Vreselijk bezorgd was hij teruggereden naar haar huis, maar dat was donker. Er werd niet opengedaan toen hij aanbelde en hij kon onmogelijk zien of haar auto in de garage stond. Hij was weggegaan in de hoop dat ze zichzelf had ingesloten om Trey's dood op haar eigen manier te verwerken. Het was helemaal niets voor haar om hem buiten te sluiten, vooral nu niet, maar hij had niet anders gekund dan hopen dat het dat was.

'Heb je vanmorgen niet opnieuw geprobeerd haar te bellen?' vroeg John.

'Nee, want… er is nog meer,' zei Will en hij vertelde over het voorval van die morgen met de sheriff. 'Wanneer Randy mijn afdrukken op het bekertje vergelijkt met die op het lichaam, zal hij het bewijs hebben dat hij nodig heeft om me te arresteren. Ik heb Trey Hall niet vermoord. Dat vertel ik je onder het biechtgeheim, maar als ze me ervoor aanklagen, dan beken ik dat ik het heb gedaan.'

'Will, luister naar me!' John schoof het roostertje opzij. 'Je hebt niets verkeerds gedaan, en je moeder ook niet. Je kunt zelfs geen seconde geloven dat ze tot moord in staat zou zijn…'

'Dat geloof ik ook niet, maar de politie misschien wel.'

'Dan zullen ze het moeten bewijzen en ze hebben niets wat haar met de plaats van het misdrijf in verband brengt. Waarschijnlijk heeft ze net als jij het lijk zien liggen en was ze daarom zo van streek, dus het is nergens voor nodig dat je iets gaat bekennen wat je niet hebt gedaan. Als Randy je komt halen, zeg dan niets – nog geen woord – voordat ik een advocaat voor je heb geregeld. Je handelen was volstrekt aanvaardbaar en ook dat je de politie niet hebt gebeld was begrijpelijk. Je deed wat elke zoon zou doen die zijn vader langs de kant van de weg vond en bang was dat zijn moeder van het misdrijf zou worden beschuldigd. Je moeder had geen reden om Trey te vermoorden. Vergeet niet dat ze wist dat hij stervende was.'

'Maar ík wist dat pas nadat ik het lichaam had gevonden,' zei Will. 'Als Randy daarachter komt,' zei hij, moedeloos met zijn hoofd schuddend, 'dan is dat nog een extra nagel voor hem om in mijn doodskist te slaan.'

John masseerde peinzend zijn voorhoofd. Will had gelijk. Een autopsie zou onthullen dat Trey kanker had. Randy zou vragen wanneer Will over Trey's terminale aandoening had gehoord. Het moment waarop ze die informatie had gehoord werkte in Cathy's voordeel, maar dat gold niet voor Will.

Zijn vader kon natuurlijk voor hem liegen, maar dat was een slechte optie. Hij zou zijn ziel verkopen om zijn zoon te beschermen, maar zoals John maar al te goed wist, leidden leugens tot nog meer leugens, waarin je verstrikt raakte terwijl de waarheid je zou kunnen bevrijden.

'En in het verlengde daarvan,' zei Will, 'ik wist ook pas na zijn dood dat Trey niet mijn vader was. Ik heb bedacht… als die informatie bekend wordt, zou het er dan niet nog slechter voor me uitzien als ik voor de rechter kom? Ik heb een man gedood uit wraak omdat hij zo'n belabberde vader is geweest, terwijl hij helemaal niet mijn vader was?'

'N-n-nou, ik…' stamelde John, die zich geen raad meer wist door Wills scherpzinnige beredenering. Als Cathy en hij de waarheid bekendmaakten over zijn vaderschap, zou dat de moordaanklacht extra gewicht verlenen. Hij durfde niet openlijk aanspraak te maken op zijn zoon, althans nog niet.

'Randy komt er niet achter,' zei John. 'We houden die informatie nog voor ons. Iemand heeft Trey vermoord. Jij was het niet, en je moeder ook niet. Ik herhaal, Will, dat je onder geen beding een moord mag bekennen die je niet hebt gepleegd. We moeten er vertrouwen in blijven hebben dat de moordenaar gevonden zal worden.' Hij wees naar zijn nek en probeerde te grinniken. 'Ik draag deze boord niet voor niks.'

'Ik hoop dat die veel gewicht in de schaal legt bij de man daarboven,' zei Will, maar zijn ogen verraadden zijn twijfel.

Toen Will weg was, liep John zijn kantoor binnen en belde hij een jezuïet die met hem op de Loyola Universiteit had gezeten en als strafpleiter werkte in Lubbock. Nadat hij hem zijn zorgen had voorgelegd, zei de advocaat dat Will inderdaad wel snel gearresteerd zou worden en dat John hem moest laten weten wanneer hij in hechtenis was genomen. Hij zou onmiddellijk naar Kersey vertrekken.

John liep het schip van de kerk weer in en ging zitten op dezelfde plek waar hij lang geleden zo veel middagen had gezeten na de middag die zijn leven voorgoed had veranderd. Hij had daar sindsdien niet meer gezeten. Nu liep hij er als vanzelf heen, de plek waar hij zijn grootste smart en angst had uitgestort. Hier had hij vrede gevonden. Hier had hij het antwoord gevonden dat hij voor zijn leven zocht. Met hetzelfde wanhopige verlangen naar verlossing knielde hij neer en drukte hij zijn gevouwen handen tegen zijn voorhoofd, maar hij slaagde er met zijn gebed niet in zijn gruwelijke herinneringen aan de Pelican Bay-gevangenis uit zijn hoofd te zetten, of de gedachte aan zijn zoon die opgesloten zat in zo'n hel.

Als Will van moord werd beschuldigd, zou Cathy het misdrijf bekennen. Het motief dat ze zou opgeven was simpel: ze had TD Hall gehaat. Ze zou haar werkelijke motief, dat ze hem doodde uit angst dat hij pastoor John Caldwell zou ontmaskeren, nooit onthullen, en Will had een reden genoemd waarom ze zijn vaderschap niet als motief kon noemen. Het viel te betwijfelen of de politie haar bekentenis zou geloven, gezien de bewijzen tegen Will, maar er zou in het district zeker over gepraat worden dat zij wellicht de moordenaar was.

Voor het eerst in zijn ambt kon John niet oprecht bidden. *Uw wil geschiede...* Hij wilde dat *zíjn* wil geschiedde, en dat was dat de echte moordenaar werd gevonden en dat Cathy en zijn zoon werden vrijgesproken. Gods wil was altijd juist, maar niet altijd rechtvaardig.

John ging naar huis en hoorde daar van Betty dat Trey's advocaat, Lawrence Statton, die ochtend zou overkomen uit Californië en Lou en haar 's middags wilde spreken. 'Waar denkt u dat dat over gaat?' vroeg ze.

Schuldgevoel, had hij kunnen antwoorden. Trey had hen waarschijnlijk iets nagelaten. 'Dat zullen we moeten afwachten,' zei hij.

'Hij heeft gevraagd of u wilde helpen de begrafenis voor te bereiden. Trey zal naast zijn tante worden begraven,' zei Betty. 'Hij zei ook dat Trey heeft verzocht of u zijn begrafenis wilt leiden.' Ze gaf hem een notitieblaadje. 'Hij zal in het Holiday Inn aan de I-40 logeren. De laatste kamer die ze hadden. Op dat nummer kunt u hem dan bereiken.'

John nam het velletje papier aan en keek ernaar. Wat kon hij zeggen aan het graf van een man die zelfs dood zijn gezin nog kapot wist te maken?

62

De bisschop van het bisdom Amarillo had John geadviseerd niets te zeggen of te doen aangaande zijn bekentenis tot hij de tijd had gehad over een advies na te denken. Voorlopig was hij van mening dat omdat John zijn daad had gepleegd voordat hij zijn gelofte aflegde, het niet aan de kerk was te bepalen wat hij moest doen.

Daarom deed John zaterdagavond gewoon weer de mis in St.-Matthew's toen sheriff Randy Wallace bij de politierechter een verzoek indiende voor een arrestatiebevel voor John Will Benson wegens de moord op Trey Don Hall. Als reden presenteerde hij vingerafdrukken van een plastic bekertje dat de verdachte hem vrijwillig had gegeven en die overeenkwamen met de vingerafdrukken op de plaats delict. Er werd een arrestatiebevel uitgegeven en een huiszoekingsbevel voor Wills woning en auto zodat ze naar verdere bewijzen konden zoeken.

De sheriff en zijn twee hulpsheriffs troffen hem bij zonsondergang thuis aan; hij was zijn paarden aan het voeren met Silva op zijn hielen. Nadat ze Will op zijn rechten hadden gewezen en hem hadden toegestaan zijn moeder en pastoor John te bellen, liet Randy hem zijn bezigheden afmaken terwijl een hulpsheriff de wacht hield en Randy en Mike zijn huis en de jeep doorzochten. Het enige wapen dat ze vonden was een .22 geweer, maar in het dashboardkastje van de jeep zat een bonnetje voor benzine, die hij had getankt dicht bij de plaats waar Trey Don Hall was gevonden op de datum en tijd waarop hij was vermoord.

'We moeten je jeep in beslag nemen, Will,' zei Randy. 'We moeten je banden vergelijken met een afdruk die we op de plaats delict hebben gemaakt.'

'Mijn sleutels hangen binnen, naast de deur,' zei Will.

'En je hond kan met ons mee, als je wilt. Pastoor John of je moeder kan hem wel op het bureau ophalen en mee naar huis nemen.'

'Hoe zit het dan met uw allergie?' vroeg Will.

'O, dat was iets tijdelijks.'

63

Maandag was Will Benson voorgeleid, officieel in staat van beschuldiging gesteld en op borgtocht vrijgelaten. Dinsdag belde Randy Wallace eindelijk Deke terug. Zijn protegé had terecht aangenomen dat zijn mentor nog steeds geobsedeerd was door iets wat Trey Don Hall op zijn zeventiende had uitgehaald. Wat maakte het nu nog uit? De knul was dood.

Deke begreep dat Randy zijn handen vol had. De media hadden uitzinnig gereageerd toen de Dienst Openbare Veiligheid in Amarillo de volledige forensische en lijkschouwersrapporten aan het publiek vrijgaf, die onder andere de buitengewoon ironische informatie bevatten dat Trey Don Hall aan een terminale hersentumor leed toen hij werd neergeschoten. Dat sensationele nieuws werd gevolgd door het bericht dat Cathy Benson, moeder van de verdachte, ook bekende de moord op de voormalige NFL-speler te hebben gepleegd. Als bewijs overlegde ze een vest met bloed van het slachtoffer op de mouw en hield ze vol dat ze de bandensporen van haar Lexus had gewist met een handveger die ze in haar auto had liggen om de graven van familieleden schoon te vegen. Haar zoon was na haar vertrek op de plaats delict aangekomen en had zijn jeep op exact dezelfde plek geparkeerd als zij, tegenover de BMW van het slachtoffer, en daar duidelijke bandensporen achtergelaten. Hoe was het anders te verklaren dat dat gedeelte van de berm zo schoon was terwijl de rest van het gebied zo veel verschillende sporen bevatte dat de politie er geen enkele duidelijk kon onderscheiden? Wat haar verhaal bevestigde was de verklaring van een boer op een tractor dat hij het dak van een witte auto had gezien die rond zonsondergang 'behoorlijk hard' over de weg reed. Ze had het moordwapen weggegooid en ontkende dat ze, voordat ze hem neerschoot, wist dat het slachtoffer een inoperabele hersentumor had. Gezien de onweerlegbare bewijzen tegen Will Benson had de officier van justitie haar bekentenis weggewuifd als de wanhopige poging van een moeder om haar zoon te redden van gerechtelijke vervolging.

Deke voelde zich niet helemaal op zijn gemak toen hij Randy's telefoontje aannam. Zijn reden om Randy lastig te vallen was nu een onuitgemaakte zaak die hij niet aan de huidige sheriff bekend zou maken. Randy kon de doos met bewijsmateriaal met de datum 4 november 1985 terug op z'n plaats zetten en het glas met het logo van de jezuïetenorde zou in Deke's bezit blijven tot hij had besloten wat hij ermee zou doen. Er zou geen onderzoek worden gedaan naar pastoor John Caldwell als medeplichtige aan de dood van Donny Harbison.

Gisteren was Lou Harbison onverwacht opgedoken; hij had er jaren jonger uitgezien. Hij legde uit dat hij iets bij zich had waarvan Betty en hij vonden dat hij het moest zien. Deke had hem meegenomen naar zijn werkkamer.

'Wat is het, Lou?'

'Lees het zelf maar,' zei Lou, en hij gaf hem een brief. 'Deze hebben we van Trey Halls advocaat gekregen. Trey heeft hem geschreven toen hij hoorde dat hij stervende was. Hij had meneer Statton – zo heet de advocaat, ontzettend aardige kerel – opdracht gegeven hem na zijn dood aan Betty en mij te geven.'

Deke had gelezen terwijl Lou praatte, en zijn nekharen waren overeind gaan staan. De maanden geleden geschreven brief was een bekentenis van Trey Don Hall aan Lou en Betty Harbison dat hij verantwoordelijk was voor de dood van hun zoon op 4 november 1985. Hij legde uit waarom hij op hun erf was, beschreef het gevecht en gaf toe dat hij Donny's lichaam in de schuur had opgehangen om te doen alsof hij door auto-erotische asfyxie was overleden. Hij schreef de brief om hen te verzekeren dat hun zoon dapper was gestorven en onschuldig was aan de indruk die Trey opzettelijk had gewekt om een onderzoek te voorkomen. Hij vroeg hen hem te vergeven.

Nergens in de brief werd John Caldwells aandeel in het incident genoemd.

Met het gevoel of de lucht uit zijn longen werd geslagen had Deke gekucht en de brief teruggegeven. 'Zo zit het dus. Betty en jij kunnen rustiger slapen nu jullie de waarheid kennen.'

'Jij hebt altijd gedacht dat Donny's dood niet was wat het leek, hè, sheriff? Daar waren Betty en ik je dankbaar voor en dit bewijst dat je gelijk had.'

'In jullie beider belang had ik gewild dat de zaak eerder had kunnen worden opgelost.'

Lou boog schaapachtig zijn hoofd. 'Nou ja, we weten waarom dat niet is gebeurd, nietwaar, sheriff, en natuurlijk willen we dat deze brief een geheim blijft tussen jou, mij en Betty. Om voor de hand liggende redenen mag pastoor John niet weten dat we... de kerk hebben misleid wat de doodsoorzaak van onze zoon betreft en... ik vermoed dat het jou ook in de problemen zou brengen.'

'Maak je geen zorgen, Lou. Dit blijft onder ons. Heeft Trey Betty en jou helemaal geen indicatie gegeven van de inhoud van de brief toen hij bij jullie was?'

'Niets, behalve dat hij het over de deegroller had die in de brief wordt genoemd. Betty zegt dat hij haar heeft gevraagd of ze een nieuwe had gekocht. Ze vroeg zich af hoe hij wist dat die al die jaren geleden kwijt was geraakt. Ze zegt dat ze het er met jou over heeft gehad.'

'Ja, dat klopt.'

'Ze zei ook dat je haar hebt gevraagd of Trey kon weten dat wij die dag niet thuis zouden zijn. Dat bracht ons op het idee dat je wist dat hij bij Donny's dood betrokken was. Hoe kwam dat? En waarom nu?'

'Het doet er niet meer toe, Lou. Jullie weten nu de waarheid en dat is het enige wat telt.'

'Dat is zo, de lieve God zij gedankt. Jammer dat iemand hem moest vermoorden. We kunnen niet geloven dat Cathy of Will het heeft gedaan. Als degene die het heeft gedaan nog een poosje had gewacht, was hij vanzelf wel doodgegaan.'

Deke had zich afgevraagd wat hij met de rest van zijn vermoedens moest doen. Niets, besloot hij. De Harbisons hadden hun vrede; Trey zijn gerechtigheid... in zekere zin. Pastoor John kon zijn goede werk blijven doen en in het hiernamaals met God afrekenen, en Lou en Betty zouden hun tweede zoon niet hoeven missen. John Caldwell was zijn straf voor zijn aandeel in het ongeluk niet ontlopen. Pastoor John had geleden en zou blijven lijden, als hij de man een beetje kende. Het zat Deke niet helemaal lekker, maar hij kon er wel mee leven.

Niettemin had hij Randy een paar dingen te vertellen waarvan hij vond dat de sheriff ze moest horen. Hij bracht de hoorn naar zijn oor. 'Will heeft het niet gedaan en zijn moeder ook niet,' zei hij bij wijze van begroeting.

'Jij ook goeiemorgen, Deke, en ik hoop bij God dat je gelijk hebt,' zei Randy, 'maar wat heb je om op af te gaan behalve die fantastische intuïtie van je?'

Deke pakte een persfoto van de plaats delict tussen andere krantenknipsels over de moord vandaan, die op zijn bureau lagen. 'De jeepsporen. Ze staan parallel aan de bmw in de andere berm. Trey's lichaam is iets naar de achterkant van zijn auto gevonden alsof hij – zoals je al speculeerde – naar iemand toe liep die achter hem was gestopt. Als Will of Cathy hem had neergeschoten, zou Trey's lichaam dichter naar het midden van zijn auto zijn neergevallen. Het is een klein punt, maar wel belangrijk.'

Deke's vermoeden werd met ontzet stilzwijgen begroet.

'En ik heb nog een puntje,' zei Deke. 'Het is een logische aanname dat Trey noch de andere chauffeur elkaar herkenden voordat ze bijna op gelijke hoogte waren. Hoe zou het in die situatie mogelijk zijn dat ze allebei zo snel kunnen stoppen dat ze naast elkaar eindigen? Een van de twee zou achteruit moeten zijn gereden of verderop zijn gestopt en omgedraaid.'

Randy slaakte een vermoeide zucht. 'Jezus, Deke.'

'Het is geen bewijs van de onschuld van de Bensons, maar je kunt de locatie van de bandensporen van de jeep niet weerleggen. Ik denk dat Cathy als eerste arriveerde en het lichaam vond, in de tegenoverliggende berm parkeerde, uitstapte en in Trey's hals naar een hartslag voelde. Dat verklaart het bloed aan haar mouw.

Will komt later, vreest het ergste, maar neemt even de tijd om om zijn vader te rouwen en laat daarmee zijn DNA en vingerafdrukken achter.'

'En zijn moeder gooit haar geweer weg zodat we niet kunnen bewijzen dat het niet het moordwapen is als ze zelf de schuld op zich neemt,' maakte Randy voor hem af. 'Goeie genade, Deke, als geen van hen tweeën hem heeft vermoord, wie dan wel, verdorie?'

'Ik wou dat ik daar antwoord op kon geven. Je zult moeten blijven graven. Trey's advocaat is in het dorp. De Harbisons kunnen je vertellen waar hij logeert. Misschien kan hij je wat ideeën aan de hand doen. Trouwens, je kunt die doos met bewijsmateriaal die waarschijnlijk nog steeds in je kofferbak staat wel opruimen. Die is niet meer belangrijk.'

'Ik dacht wel dat je tot die conclusie zou komen.'

Hij had amper opgehangen toen de telefoon weer ging. Hij liet Paula opnemen en leunde met zijn stoel achterover om zijn geheugen te pijnigen voor namen van mensen in het district die een motief zouden hebben om Trey na tweeëntwintig jaar te vermoorden. Het kaliber van het geweer suggereerde dat het iemand uit de omgeving was. De vraag kwam telkens weer terug bij wie er wist dat Trey in Harbison House logeerde.

Paula verscheen in de deuropening, de hoorn van de draadloze telefoon uit de keuken tegen haar been gedrukt. 'Dit is een week vol onverwacht bezoek voor je. Je raadt nooit wie ik nu aan de lijn heb die met je wil komen praten.'

Waarom liet zijn vrouw, vroeg Deke zich een beetje geïrriteerd af, hem – na bijna vierenveertig jaar huwelijk – de naam raden van de persoon die aan de telefoon was, terwijl hij er absoluut geen idee van kon hebben wie er aan de andere kant van de lijn hing?

'Je tante Maude uit Noord-Dakota,' zei hij kortaf.

'Tante Maude is drie jaar geleden met Pasen overleden, en die woonde in Zuid-Dakota,' zei ze. 'Het is pastoor John.'

'Wát?'

'Ik dacht wel dat dat je zou verbazen,' zei Paula.

Deke pakte de hoorn van de telefoon op zijn bureau op. 'John?'

'Goedemorgen, Deke. Ik neem aan dat dit telefoontje nogal een verrassing is.'

Deke hoorde een klik toen Paula de hoorn in de keuken weer oplegde. 'Nogal, ja,' zei hij, en hij wachtte met ingehouden adem. Hij had zich afgevraagd of ze terug zouden komen op dat gespannen moment van vrijdagavond voordat hij het glas had gepikt. Ieder instinct in zijn lijf had hem toegeschreeuwd dat John op de een of andere manier had beseft waarom hij daar was.

'Ik vroeg me af of ik vandaag bij je langs zou kunnen komen,' zei John. 'Ik kan nu vertrekken en er over een uur zijn. Ik ben ervan overtuigd dat Cathy en Will onschuldig zijn en ik hoopte dat jij en ik wat details zouden kunnen doornemen die de politie wellicht over het hoofd heeft gezien, en wat andere mogelijkheden bespreken. Sheriff Wallace lijkt te denken dat de zaak in kannen en kruiken is.'

'Ik deel zowel je twijfels als je overtuiging. Wat zeg je ervan als we elkaar in Kersey ontmoeten? Ik heb vanmiddag een afspraak met Trey's advocaat om wat papieren voor Mabels huis te tekenen.'

'Het zou beter zijn als ik naar jou toe kwam, sheriff, voor het geval de media ergens lucht van krijgen. Er hangen wat verslaggevers bij Harbison House rond, en het is van belang dat ik je zo snel mogelijk spreek.'

'Kom maar dan. Ik wacht op je.'

Wel, wel, dacht Deke toen hij de hoorn ophing. *'Kom maar in mijn huisje,' zei de spin tegen de vlieg.*

64

'Je ziet eruit alsof je… kapot bent,' zei Deke op verbaasde toon toen hij de deur voor hem opendeed.

'Het is te zien, hè?' zei John. Er was bij hem niet veel voor nodig om de kilo's af te vallen die hij eigenlijk niet kon missen. Zijn laatste poging om een maaltijd te eten was vrijdagavond geweest, toen hij Cathy's lasagne en kwarktaart weinig eer had aangedaan, en hij had sindsdien nauwelijks geslapen. Hij wist dat hij er afgetobd en moe uitzag in zijn zwarte pak, een geestelijke die zijn geloof was kwijtgeraakt.

'Je ziet eruit alsof je een paar nachten niet hebt geslapen, en volgens mij heb je ook een paar maaltijden overgeslagen.'

'Je bent een opmerkzaam mens, Deke Tyson. Hallo, Paula.'

Paula was achter Deke komen staan en ook haar ogen werden wat groter toen ze hem zag. John herinnerde zich dat ze elkaar voor het laatst hadden gezien tijdens een doop in de St.-Matthew's kerk in mei, toen de wereld nog zonnig en mooi was geweest en deze vloek niet te voorzien. Ze berispte haar echtgenoot met een tik van haar theedoek. 'Let maar niet op die botterik hier, maar ik wed dat je wel een portie van mijn dochters heerlijke kipstoofschotel kunt gebruiken die ik voor de lunch heb klaargemaakt.'

'Paula, lieverd, ik denk niet dat John is gekomen om te lunchen.'

'Nou, wat zeg je dan van een glas van mijn lekkere zonnethee?' vroeg ze, en uit haar blik naar beide mannen bleek dat ze de ernst van de situatie al had begrepen.

'Dat lijkt me lekker,' zei John.

Ze gingen in Deke's overvolle werkkamer zitten. 'Bedankt dat je me zo snel kon ontvangen,' zei John, alert op alles in Deke's houding wat zijn onverwachte aanwezigheid in de mis van vrijdagavond zou kunnen verklaren.

'Is het zwaar in Kersey?'

'Behoorlijk. Cathy heeft het restaurant voor onbepaalde tijd gesloten en Will moet zich morgen melden voor een voorlopig verhoor. Het dorp is overspoeld door zwermen journalisten. Odell Wolfe heeft er eentje met zijn zweep van langs gegeven, en die verslaggever heeft een aanklacht tegen hem ingediend. Odell is vijfenzestig, in hemelsnaam.'

'Ik dacht dat Odell Ol' Bull aan de kapstok had gehangen.'

'Dat is ook zo, maar hij heeft hem weer in gebruik genomen – of dat had hij althans tot Randy hem confisqueerde. Wat zo teleurstellend en misselijkmakend is, is de algemene houding van het district.' John verhulde zijn walging niet. 'De mensen begrijpen de grieven van Cathy en Will tegen Trey, maar ze hebben er geen enkel probleem mee te geloven dat een van de twee hem heeft vermoord.'

'Dat verbaast me niet. De mensen verbazen me nog zelden; soms, maar niet vaak,' zei Deke.

John hoorde heel veel betekenis in die uitspraak, omdat die op hem leek te slaan, maar voor hij kon proberen hem te interpreteren, kwam Paula binnen en zette een dienblad met een kan ijsthee en glazen op Deke's bureau. 'Geniet ervan, jongens,' zei ze en ze gaf John een bemoedigend schouderklopje voor ze de kamer verliet.

'Je hebt een goeie aan haar, Deke,' zei John, en hij pakte een glas.

'De beste. Wat heb je op je lever?'

Daar was het weer, dacht John – de afgemeten, bijna onvriendelijke toon die hij ook tijdens hun eerdere telefoongesprek had opgepikt. Hij had zich niet vergist. Daar zou hij later op terugkomen. Hij wees naar de krantenartikelen. 'Het is goed om te zien dat je de zaak volgt.'

'Voor zover het dat is.'

'Precies. Deze zaak is niet fatsoenlijk onderzocht, ondanks het bewijs dat tegen Will is verzameld.'

'Dat heb ik vanochtend ook tegen Randy gezegd toen ik hem aan de telefoon had. Het bewijsmateriaal lijkt belastend, maar het is niet doorslaggevend.'

John ademde uit en ontspande zich een beetje toen hij zijn benen over elkaar sloeg en van zijn ijsthee nipte. Hij had er goed aan gedaan naar Deke te komen. Deke zou dit grondig uitpluizen. Hij hoopte hem ervan te kunnen overtuigen zijn eigen onderzoek te starten. 'Ik heb een goede advocaat voor Will geregeld. Enig idee wie het gedaan kan hebben?'

'Helemaal geen. Ik kom steeds terug bij de vraag wie er wist dat Trey in Harbison House logeerde.'

'Daar is Randy door geobsedeerd. Hij gelooft dat Cathy en Will de enigen waren met een motief om Trey te vermoorden die wisten waar hij te vinden was, maar stel nou eens dat iemand Trey vrijdag in het dorp heeft gezien, hem daarheen is gevolgd en later terug is gegaan om hem neer te schieten?'

Deke gromde instemmend. 'Zou kunnen. Bobby Tucker zei dat hij Trey rond de middag in het dorp had gezien, en hij vertelde me dat mijn dierbare dochter er geen geheim van heeft gemaakt dat ik het huis van Mabel Church heb gekocht en een afspraak had met Trey. Toen ik haar ernaar vroeg, zei ze dat ze niet meer wist waar ze dat allemaal had verteld, en natuurlijk was haar man ook van de koop en onze afspraak op de hoogte, maar ik heb tegen hen of Paula of wie dan ook niet gezegd dat Trey bij jou bleef slapen.'

'Nou, aangezien er dus meer mensen in het dorp van je afspraak met Trey wisten, zouden Randy en zijn hulpsheriffs dan niet naar hen op zoek moeten gaan om informatie te verkrijgen die wellicht ergens toe kan leiden?'

'Dat zou ik doen.'

John zette zijn voeten weer naast elkaar en boog naar voren. 'Deke, we weten allemaal dat Trey vijanden gehad moet hebben. Wie weet heeft iemand van buiten het district hem vermoord. Iemand uit San Diego of Santa Fe of waar hij ook uitgehangen mag hebben, die hij heeft verteld waar hij heen ging en die hem hierheen is gevolgd om hem te doden. Zou de sheriff niet moeten uitzoeken of er iemand een vreemde in het dorp heeft gezien, of in motels moeten navragen of er iemand een kamer heeft gehuurd voor maar een dag of twee – lang genoeg om de klus te klaren?' 'Het is het proberen waard,' zei Deke.

'En… ik weet dat ik naar strohalmen grijp, sheriff,' zei John, nauwelijks gerustgesteld door Deke's gebrek aan enthousiasme, 'maar… als er nou eens een prijs op Trey's hoofd stond?' Hij zag een geamuseerd trekje rond Deke's lippen. 'Een huurmoordenaar met een .30-30, John?'

'Dat had ik ook al bedacht. Het lijkt mij behoorlijk slim om het geweer van een boerenkinkel te gebruiken voor de aanslag. Zodat de politie denkt dat het iemand uit de omgeving is geweest.' Deke keek hem over zijn thee heen zuinig aan. 'Nou, het is mijn ervaring, zij het niet uit de eerste hand, dat huurmoordenaars zich er meestal niet druk om maken wie de schuld krijgt van een moord zolang ze er zelf maar mee wegkomen.'

Juist, dacht John, en hij voelde zich dwaas. Hij stak zijn handen op om toe te geven dat het een absurd idee was geweest. 'Oké, dat is misschien een beetje vergezocht, maar er moeten andere stenen zijn waar Randy en zijn hulpsheriffs zijn vergeten onder te kijken.' Teleurgesteld keek hij naar de weinig toeschietelijke Deke. *Maar waar, wie en waarom?* Die vragen teisterden hem al vier dagen en hij kon ze nog steeds niet beantwoorden. Hij was naar Deke gekomen voor antwoorden, maar hij vermoedde dat zelfs de pientere en vindingrijke Deke Tyson niet meer succes zou hebben bij het vinden ervan dan Randy en zijn mannen. De moordenaar zou voor altijd aan de autoriteiten ontsnappen. Zijn zoon zou worden veroordeeld voor een misdrijf dat hij niet had gepleegd en zijn moeder zou de rest van haar leven onder een wolk van verdenkingen moeten slijten.

Hij liet zich weer achteroverzakken in zijn stoel, plotseling ontdaan van al zijn energie, vertrouwen en hoop. Zijn brein was verdoofd door wanhoop. Hij keek Deke hulpeloos aan. 'Heb je helemaal geen ideeën, sheriff?'

'Ik zal eens rondkijken, vragen stellen. Zoals ik zei, heb ik vanmiddag een afspraak met de advocaat van Trey. Ik zal hem naar

Trey's kennissen vragen… degenen die wellicht de pik op hem hadden.'

'Wist zijn advocaat waar Trey logeerde?'

'Zijn advocaat wist dat hij stervende was, John.'

Deke had de hernieuwde hoop in zijn stem gehoord en zijn gedachten gelezen.

Beschaamd zei John: 'Juist. Schrap de advocaat maar als verdachte. Als geestelijke vind ik het vreselijk zo te denken, maar ik wil per se een onschuldige jongen de gevangenis en zijn moeder de schande besparen.'

'Dat begrijp ik.' Deke nam een slok van zijn thee.

Daar was die bitse, afwijzende toon weer, helemaal niets voor Deke, die hem altijd graag had gemogen en had gerespecteerd. Hij was hierheen gekomen in de hoop warm te worden ontvangen en geholpen te worden, maar hij werd koeltjes behandeld. Er was iets mis. 'Waarom was je vrijdag in de mis, sheriff?' De vraag ontglipte hem voor hij bewust van plan was hem te stellen, maar John had het akelige gevoel alsof het hem was gebracht op de vleugels van een engel of de vork van de duivel, dat Deke's komst naar St.-Matthew's op de avond van de moord iets met Trey's dood te maken had.

Deke was opeens druk bezig alle knipsels netjes op een stapeltje te leggen. 'Dat is nu niet van belang.'

'Alles is van belang!' zei John. 'Wat zit je dwars? Ik kan merken dat er iets is.'

'Het heeft niets met deze zaak te maken.'

'Laat mij dat maar beoordelen.'

Deke hield even op met rangschikken en keek hem streng aan. 'Geloof me, dat wil jij niet beoordelen.'

John stond op. Hij kende Deke al heel lang en had voor niemand zoveel respect als voor hem, maar hij zou hier niet weggaan voordat hij wist wat er achter die kille blik door zijn hoofd ging. Hij legde zijn handen op het bureau en boog voorover naar Deke's gezicht. 'Als het verband houdt met mij of Trey, Will of Cathy, dan moet ik het weten, sheriff.'

'Je zult er spijt van krijgen dat je het hebt gevraagd, pastoor, en ik zal er nog meer spijt van hebben dat ik je heb geantwoord. Ik zou helemaal niet antwoorden als ik niet zeker wist dat wat ik te zeggen heb nooit deze kamer zal verlaten.'

John liet zich weer op zijn stoel zakken. 'Vertel het me,' zei hij.

Deke duwde zijn stoel bij zijn bureau vandaan, strekte zijn benen en vouwde zijn handen op zijn buik. 'Goed dan. Dit is wellicht mijn enige kans om de verzekering te krijgen die ik nodig heb om mijn oude politiemangeweten te sussen.'

'Wat voor verzekering?'

'De verzekering van jouw onschuld. Hou nu je mond, dan zal ik je vertellen wat ik weet en wat ik heb uitgevogeld sinds ik vrijdagmiddag na Trey's vertrek een opgezette lynx op de zolder van Mabels huis vond. Hij miste een voorpoot... de poot die ik op 4 november 1985 heb gevonden onder de picknicktafel op het erf van de Harbisons, toen ik de dood van hun zoon onderzocht.'

Johns mond was opengevallen. Zijn starende ogen waren verstard in hun kassen. Hij voelde zich als een verlamde man die wel pijn kon voelen. Ergens in het huis sloeg een zware klok elf uur. In zijn oren klonken de slagen als trommelslagen die zijn schreden naar de galg begeleidden.

Deke ging door. 'De poot zit in een doos met bewijsmateriaal in het sheriffsbureau van het district Kersey, samen met het verlengsnoer dat voor de strop is gebruikt en wat pornoblaadjes die rond Donny Harbisons voeten verspreid lagen. Alle voorwerpen die ik destijds heb vergaard, en al mijn aantekeningen en vraaggesprekken zitten daar ook in – bewaard voor de dag dat er bewijs boven water zou komen dat Donny niet door auto-erotische asfyxie was overleden.'

Er lag geen enkel medelijden in Deke's blik, die niet uitnodigde hem tegen te spreken, ook al zou John daartoe in staat zijn geweest. Hij was dus toch niet aan de schaduwen ontsnapt. Trey's dood had hem niet verlost.

'Toen ik die poot vond, en met wat onopzettelijke hulp van Melissa,' vervolgde Deke, begon ik twee en twee bij elkaar op te tellen. Ik nam een football-trofee van John mee naar het forensisch lab in Amarillo om de vingerafdrukken daarop te vergelijken met die op het verlengsnoer en de blaadjes. Ze kwamen overeen. Er was alleen nog één set niet geïdentificeerd, maar opnieuw had ik na enig speurwerk wel een idee van wie die waren.'

'Van mij,' zei John.

'Als je een waterglas van het altaar mist, dat heb ik vrijdagavond na de mis van het altaar gepikt om het naar het forensisch lab te brengen.'

'En komen de afdrukken op het glas overeen met die op het verlengsnoer?'

Deke haalde zijn schouders op. 'Weet ik niet. Daar was ik nog niet aan toegekomen toen Trey werd vermoord. Ik heb het glas nog steeds. Wil je me vertellen wat er die middag in november is gebeurd? Wat je zegt blijft in deze kamer. Dat beloof ik je.'

John luisterde niet meer. Er daagde licht boven de duisternis van zijn wanhoop en zijn brein begon te beseffen wat voor geschenk Deke hem had gegeven. Het barstte in volle glorie open, verlamde hem, verblindde hem, vervulde hem met een blijdschap zo groot dat hij Deke wel had kunnen kussen. God had hem niet verlaten. Opnieuw had God, toen zijn geloof wankelde, hem opgeraapt. Hij had hem een manier gewezen om zijn zoon te redden.

Deke zei, met zacht aansporende toon nu: 'Je kunt het me wel vertellen, John. Ik denk dat het allemaal het krankzinnige idee is geweest van die schavuit Trey om die dag naar de Harbisons te gaan en dat jij mee bent gegaan om te zorgen dat hij geen problemen veroorzaakte. Ik weet zeker dat dat idee van wurgseks ook van hem kwam, maar wat me het meest heeft dwarsgezeten aan deze zaak – aan jou, een katholiek – is het verdriet waaronder jullie de Harbisons al die jaren hebben laten lijden, door hen te laten geloven dat hun jongen op zo'n gênante manier was gestorven.'

John slaakte een kreetje van blijdschap en stond op. Hij trok zijn schouders naar achteren en knoopte zijn jas dicht, een man die niet langer een gewicht op zijn schouders meetorste. Deke was verbijsterd over de plotselinge verandering.

'Dat zal spoedig worden rechtgezet, sheriff, en het idee van auto-erotische asfyxie kwam van mij, niet van Trey, juist omdat ik katholiek ben. Ik ga Betty en Lou de waarheid over die middag vertellen zodra ik terug ben in Kersey.'

Deke stond haastig op en stootte bijna zijn theeglas omver.

'Nee, dat is niet nodig. De Harbisons weten de waarheid al... in elk geval een deel ervan. Ik kan je niet vertellen hoe ik dat weet, maar ik weet het. Je moet me wat dat betreft vertrouwen.'

'O, ik vertrouw je, sheriff... volledig. Daarom weet ik dat je je plicht zult doen en mij zult inrekenen voor de moord op Trey.'

'Wat?'

'Ik heb Trey gedood om te voorkomen dat hij mij zou ontmaskeren wanneer hij de Harbisons vertelde hoe Donny werkelijk is gestorven.' Zijn stem klonk krachtig en vol vertrouwen. Zijn kracht was terug. 'Trey ging dood en wilde zijn geweten zuiveren van onze zonde. Hij zou de Harbisons alles vertellen wanneer Lou met de kinderen terug was van de mis. Dat kon ik niet toestaan. Het geloof van de mensen in mij – in de kerk – zou vernietigd worden. Ik zou alles kwijtraken wat me aan het hart ging – de genegenheid van de Harbisons, mijn parochie, mijn priesterambt...'

Deke kwam om zijn bureau heen gelopen. 'Denk na wat je zegt, John. Denk erom dat je het tegen een gepensioneerde wetsdienaar hebt. Waarom vertel je me dit?'

'Ik kan Will Benson niet naar de gevangenis laten gaan. Ik kan mijn zoon niet toestaan de schuld op zich te nemen voor iets wat ik heb gedaan.'

Deke's mond viel open. 'Je zóón!'

'Will Benson is mijn zoon.'

Deke deinsde zowat achteruit. 'Wát?'

'Dat was een andere waarheid die Trey kwam onthullen. Trey was sinds zijn zestiende onvruchtbaar door een ernstig geval van de bof. Hij heeft dat voor Cathy en mij verzwegen en ons twee-entwintig jaar laten geloven dat Will van hem was. Zij en ik hebben... een momentje gehad nadat Trey het met haar had uitgemaakt. Dus je ziet dat ik voldoende motieven had om TD Hall te doden.'

471

Deke hapte naar adem. 'Ik geloof je niet.'

'Dat hoeft ook niet. Als de jury me maar gelooft. En nu zou ik, als Paula het niet erg vindt, je willen vragen met me mee te gaan zodat ik mezelf bij Randy kan aangeven. Je hoeft het glas niet mee te nemen. Ik laat je met plezier mijn vingerafdrukken nemen. En, Deke, dit zal geen weerslag op jou hebben. Je had in 1985 geen bewijs dat Trey en ik schuldig waren aan de dood van Donny Harbison.'

Deke ging snel tussen John en de deur in staan. Hij stak zijn handen op. 'Ik kan je dit niet laten doen. Je was in de kerk toen Trey werd vermoord. Je hebt een alibi.'

'Vijftien minuten van tevoren niet. Pastoor Philip kan getuigen dat ik te laat was voor de mis.'

'Maar je hebt hem niet vermoord,' zei Deke kreunend.

'Mijn bekentenis en het bewijsmateriaal zullen aantonen dat ik dat wel heb gedaan.'

65

De mensen van de nieuwsmedia zaten nog steeds op het parkeerterrein voor het sheriffsbureau van district Kersey toen John en Deke in hun auto's aan kwamen rijden. Ze roken nieuw voer voor hun verhalen toen ze de priester en de voormalige sheriff van het district aan zagen komen. De mannen waren nauwelijks uitgestapt of ze kregen al microfoons onder hun neus geduwd. John en Deke duwden ze opzij en liepen naar de dubbele glazen deur, de verslaggevers achterlatend in het kielzog van hun 'Geen commentaar'.

Randy luisterde met open mond en stomme verbijstering naar Johns bekentenis. De doos met de bewijsmaterialen uit 1985 en opnames van ondervragingen door Deke stond op zijn bureau. Hij had die nog niet teruggebracht naar de opslagruimte. Alleen hij en Deke waren aanwezig. Zijn twee hulpsheriffs waren gaan lunchen.

'Daar zit het allemaal in, nietwaar, Deke?' zei John, naar de duidelijk gemarkeerde doos wijzend.

Deke trok een gezicht en knikte.

Randy begon uit zijn verstarring te ontdooien. Hij kneep zijn ogen dicht en stak zijn handen op als een man die zich overgeeft, maar verwacht toch te worden neergeschoten. 'Even voor de duidelijkheid. Nu bekent ú dat u Trey Don Hall hebt neergeschoten, pastoor John?'

'Dat klopt. Je hebt al het bewijs dat je nodig hebt om me te arresteren. Ik had een motief en de gelegenheid. Will Benson is onschuldig.'

'Je zoon.'

'Mijn zoon.'

Randy tuitte zijn lippen. 'Waar is het geweer?'

Deke luisterde aandachtig. Hij had gehoopt dat die vraag zou komen.

'Wat?'

'Het geweer. Het moordwapen. Waar is het?'

'Dat… heb ik weggegooid.'

'Waar?'

'Ergens op de prairie.'

'Had u een .30-30-kaliber jachtgeweer, meneer pastoor? Waarvoor?'

John keek perplex. Deke en Randy keken elkaar veelbetekenend aan.

'Luister eens,' zei Randy, die opstond alsof hij meer ruimte nodig had. Hij hees zijn koppelriem naar een wat comfortabeler positie. 'Ik zal naar Amarillo moeten rijden om uw vingerafdrukken te laten analyseren, en dan weer terug.' Hij zette de papieren zak met zijn glas in de doos met bewijsmateriaal. Deke had het glas meegebracht om John de gêne te besparen op het sheriffsbureau zijn vingerafdrukken te moeten laten afnemen. 'Als je afdrukken jouw verhaal dat je betrokken bent bij de dood van die jongen van Harbison dan al mochten ondersteunen, zal ik het papierwerk en de aanvraag voor een arrestatiebevel niet eerder kunnen regelen dan morgen na lunchtijd. Mavis Barton laat op woensdagochtend haar haren en nagels doen en god sta me bij als ik hare majesteit de politierechter dan stoor. Gaat u maar naar huis, meneer pastoor, tot ik hier samen met de officier van justitie een touw aan kan vastknopen. Ik neem aan dat u intussen het een en ander met de Harbisons te bespreken hebt.'

Deke nam Randy terzijde toen John de gang in stapte. 'Wat je babbeltje met de officier van justitie betreft, sheriff,' zei hij zacht, 'ik zou het op prijs stellen als jullie dat gedeelte over Johns bekentenis stilhielden tot het absoluut noodzakelijk is het openbaar te maken.'

'Geloof me, dat doen we. Ik ben hier gewoon misselijk van. John mag dan een joekel van een motief hebben gehad, maar als hij TD Hall heeft vermoord, dan mogen de wormen me opvreten. De gaten in zijn verhaal zijn zo groot dat er een vrachtwagen dwars in past. Maar ik wil je wel iets laten zien wat Trey kort voor zijn dood heeft geschreven en op Johns bureau heeft neergelegd.' Hij opende een la en haalde er een plastic bewijszak uit met een briefje erin. Deke las het korte bericht. 'Voor de kinderen. Ik ga weg, Tiger. Ik heb er nog eens over nagedacht en heb besloten het niet te doen. Ik vertrouw erop dat jij zult blijven zwijgen, zoals je altijd hebt gedaan. Bespaar me die smet op mijn naam. Ik zou je gebeden op prijs stellen. Liefs tot het einde toe, Trey.'

'Goeie genade,' zei Deke.

'Dat briefje bevestigt Johns verklaring, en met de bewijzen die jij hebt vergaard en als zijn vingerafdrukken overeenkomen met die op het verlengsnoer...' Randy keek hem gekweld aan. 'Zelfs met twee andere verdachten die het misdrijf al hebben bekend...'

'Zou John nog degene kunnen zijn die hangt,' zei Deke.

'Bid maar dat hij een goede advocaat krijgt.'

Voor ze het gebouw verlieten en om aan de camera's en microfoons te ontsnappen, vroeg Deke of John hem een eind verderop wilde ontmoeten voordat John naar Harbison House ging en Deke naar zijn afspraak met Lawrence Statton.

Toen de man in het zwart uit de Silverado stapte, kon Deke niet anders dan hem vergelijken met de tiener die in zijn sportjack uit zijn oude pick-up stapte toen zijn toekomst nog als een rode loper voor hem openlag. Als die middag in november er niet was geweest en Trey Don Hall niet alles had verpest, zou hij dan nu ook het zwart en wit van een jezuïetenpriester dragen, of een Super Bowl-ring? Het deed er niet toe. Welke weg hij ook zou hebben gekozen, John Caldwell zou nog steeds over die rode loper lopen.

'John, ik moet je iets vertellen,' zei Deke toen ze tussen hun auto's in bij elkaar stonden. Johns afgrijzen en pijn om wat hij in Harbison House zou gaan doen waren even duidelijk zichtbaar als zijn eigen gezicht in Paula's glimmende pannen. 'Ik heb gezworen dat ik het niet zou doen, maar ik moet wel, omwille van Lou en Betty Harbison. Toen Trey hoorde dat hij dood zou gaan, heeft hij een brief geschreven en zijn advocaat opdracht gegeven die na zijn dood aan hen te overhandigen. Hij bekent daarin het ongeluk en neemt de volle verantwoordelijkheid voor Donny's dood op zich. Jouw naam wordt niet genoemd. Lawrence Statton heeft hen de brief gegeven en Lou is gisteren naar Amarillo komen rijden om te bewijzen dat ik gelijk had met mijn twijfels omtrent Donny's dood.'

John keek verbaasd. 'Heeft Trey hun een brief geschreven? Nou, dat verklaart dan waarom Betty en Lou de laatste paar dagen opgewekter lijken, ondanks wat er is gebeurd. Donny's foto stond altijd gedeeltelijk verborgen. Nu staat die op een plank bij het aanrecht, waar Betty ernaar kan kijken.'

Deke ging dichter bij John staan en keek hem strak aan in de hoop dat hij door de koppige schedel heen tot een redelijker brein door kon dringen. 'Ze zullen je die brief niet laten zien, omdat ze bang zijn dat je minder over hen zult denken omdat ze de omstandigheden van Donny's dood voor de kerk hebben verzwegen. Gun ze hun vrede zo lang mogelijk. Misschien hoeven ze nooit iets te weten over jouw aandeel daarin. Zelfs als ze zouden vermoeden dat Trey een medeplichtige had, zullen ze jou nooit verdenken.'

'Ik zie niet in hoe mijn bekentenis vermeden kan worden.'

'Je bent priester, John. Een beetje vertrouwen kan geen kwaad.'

'Ik ben schuldig, sheriff.'

'En mijn neef is een aap. Denk over mijn advies na. Hou zo lang mogelijk je mond hierover tegen hen.'

Een uur later draaide Lawrence Statton het dopje terug op de vulpen waarmee hij de laatste papieren met betrekking tot het bezit van Trey D. Hall had ondertekend, waardoor Deke nu wettig eigenaar was van het huis van Mabel Church. Hij was een kleine man, gekleed in een marineblauw krijtstreeppak, zijn stropdas precies midden tussen de puntige kraag van zijn helderwitte overhemd. Het was een ongewoon warme dag voor de tijd van het jaar en ze zaten op een picknickterrein langs Highway 40 de vliegen van zich af te slaan en de koffie op te drinken die Deke bij Whataburger had gehaald, maar de advocaat zag er zo fris en keurig uit alsof hij het laatste halfuur had doorgebracht in de koelruimte van een bloemisterij.

'Nou, dat was het dan, meneer Tyson,' zei hij. 'Ik vertrouw erop dat mevrouw Tyson en u het erg naar uw zin zullen hebben in het huis.'

'We zouden het meer naar onze zin hebben gehad als hij niet zo aan zijn eind was gekomen.'

'Dat kan ik goed begrijpen,' zei de advocaat. 'Ik zou Trey ook liever met iets minder ophef ten grave hebben gedragen, maar ik ben blij dat zijn goede vriend John Caldwell erin heeft toegestemd de begrafenis te leiden. Trey gaf hoog van hem op. Hij lijkt me een heel goed mens.'

'Hij is een goed mens. Wanneer wordt Trey begraven?'

'Vanmiddag.'

Deke ging verbaasd rechter zitten. 'Wordt Trey vanmiddag begraven?'

'Ja, om zes uur. In heel besloten kring, heel geheim. Ik ben vastbesloten de informatie uit de media te houden. Het kantoor van de lijkschouwer in Lubbock was zo vriendelijk de pers niet mede te delen dat zijn lichaam is vrijgegeven. Het is gisteravond naar begrafenisonderneming Jamison gebracht. Als ik Trey maar met zo weinig mogelijk drukte kan begraven...' Hij haalde een smetteloos witte zakdoek tevoorschijn om zijn bril schoon te poetsen en keek Deke kippig aan. 'Zou u misschien willen blijven voor de begrafenis? Trey had respect voor u. Dat had hij niet voor veel mensen. Hij was erg blij dat u het huis van zijn tante kocht.'

'Om zes uur, zei u?' Deke keek op zijn horloge. Het was vier uur. Vroeg genoeg om naar een bloemist te gaan en op tijd terug te zijn voor de begrafenis. 'Natuurlijk kom ik,' zei hij.

Ze schudden elkaar de hand en gingen uiteen, Deke naar Martha's Flowers in Kersey om een grafkrans te bestellen. 'Rode anjers,' zei hij tegen de eigenares, omdat hij dacht dat Trey van de kleur rood zou hebben gehouden.

'Die zijn allemaal op,' zei Martha.

'Allemaal op? Ik dacht dat een bloemist altijd wel rode anjers had.'

'Niet als er een klant komt die ze allemaal koopt.'

'O, ik begrijp het. Witte dan maar?'

Deke was vroeg op de begraafplaats. Lawrence Statton was er nog niet. Zoals gewoonlijk in juni in de Panhandle was de voortdurende wind bij het dalen van de zon aangewakkerd. Het zou een mooie zonsondergang worden. Dat was fijn. Deke droeg de krans van witte anjers naar een open graf naast de laatste rustplaats van Mabel Church. *Trey Don Hall* stond er in cursieve letters op een houten kruis dat zou blijven staan tot er een grafzerk kon worden geplaatst.

Deke ging op een stenen bankje zitten. De wind deed op het hele kerkhof de bloemen ruisen die door dierbaren in vazen of tegen de grafzerken van de overledenen waren gezet. De meeste waren kunstbloemen. Sommige waren echt en stonden of lagen te verwelken in de zon. Wat verderop zag hij twee graven naast elkaar met hele hopen verse bloemen. *Aha, daar waren zijn rode anjers.*

Hij tuurde even peinzend naar de vele bloemen, stond toen op en liep er langzaam heen. Een oud vertrouwd gevoel dreunde door zijn hoofd. Zelfs voor hij de sierlijke grafstenen had bereikt, was hij er vrij zeker van welke namen erop zouden staan, wie de tientallen rode anjers had gekocht en waarom. Het kaartje tussen de bloemen gaf hem zekerheid. 'Rust nu eindelijk in vrede, mijn lieve schatten.'

Deke slaakte een kreet. *Dwaas! Dwaas! Dwaas!* Hoe had hij zo blind kunnen zijn dat hij het voor de hand liggende pal onder zijn neus niet had gezien?

Hij rende als een bezetene naar zijn auto, pakte zijn mobiele telefoon en toetste Melissa's nummer in. *Laat haar thuis zijn. Laat haar thuis zijn.*

Ze was thuis. 'Papa?' zei ze met een stem die de laatste dagen voortdurend vervuld leek van verbazing wanneer ze haar vader sprak.

'Melissa, ik moet je iets heel belangrijks vragen en er hangt heel veel van je antwoord af. Ik wil dat je terugdenkt aan de zomer na je laatste jaar op de middelbare school en dat je me vertelt of mijn vermoeden juist is.'

Een lang stilzwijgen. 'Papa, moeder en ik maken ons zorgen over je.'

'Melissa!'

Deke stelde zijn vraag.

'Dat gerucht deed onder de leerlingen wel de ronde,' antwoordde zijn dochter, 'maar uit respect voor haar ouders hielden we onze speculaties voor ons. Ze hadden het al moeilijk genoeg, en verder leek iedereen hun verhaal te geloven. Zou Trey iets met haar begonnen zijn? Van z'n lang zal ze leven niet. Hij verachtte haar.'

O jee, dacht Deke, en hij dacht aan de enige regel literatuur die hij zich nog herinnerde van de Engelse les op de middelbare school: 'O, welk een ingewikkeld web weven wij wanneer we eenmaal beginnen te liegen.'

66

De lijkwagen arriveerde, gevolgd door de auto van Lawrence Statton, en Deke zag ook de Silverado van John door de poort van het kerkhof komen. Hij merkte dat hij beefde toen hij naar de advocaat toe stapte. 'Meneer Statton, het spijt me verschrikkelijk, maar er heeft zich iets heel belangrijks voorgedaan dat mijn onmiddellijke aandacht vereist. Ik kan niet blijven voor de begrafenis.'

Lawrence keek over zijn schouder naar de witte anjers. 'Dank u voor de krans, in elk geval. Dat was erg vriendelijk van u.'

'Ik heb uw nummer. Ik bel u straks met nieuws dat u vast wel wilt horen.'

'Ik zal u niet ophouden met mijn nieuwsgierigheid, maar ik kijk uit naar uw telefoontje.'

Deke opende het portier van Johns truck bijna voor de Silverado helemaal stilstond. 'Heb je het hun verteld?'

'Vanavond,' zei John, en hij keek Deke verbaasd aan. 'Ik heb besloten te wachten tot vanavond.'

'Godzijdank.' Deke ademde luidruchtig uit. 'Zeg geen woord tegen hen voor je van mij hebt gehoord. Ik meen het, John. Je moet me vertrouwen. Waar kan ik je bereiken?'

'Ik ga straks met Will bij Cathy eten. We willen als gezin samen zijn voordat...'

'Wacht daar dan op me. Ik moet jullie allemaal spreken.'

'Deke, wat is er aan de hand?'

'Dat kan ik je nu niet vertellen. Je hoort het straks. En jij onderneemt helemaal niets voordat je van mij hebt gehoord.'

Tien minuten later reed Deke de oprijlaan op van het huis waar de moordenaar van Trey Don Hall woonde. Hij wist zeker dat hij achter een van de deuren van de driedubbele garage de laatste witte Lexus van diens vrouw zou aantreffen, de auto die een boer vanaf zijn tractor hard weg had zien rijden van de plaats van de moord. De moordenaar was op weg geweest naar Harbison House om Trey dood te schieten en mogelijk daarna de hand aan zichzelf te slaan, maar was het onderwerp van zijn wraaklust onderweg tegengekomen. Trey zou zijn gezicht hebben herkend en meteen zijn gestopt.

Deke voelde even medelijden met Trey in die laatste seconden van zijn leven, de pijn en verbazing die hij gevoeld moest hebben toen het idool uit zijn jeugd een geweer op hem richtte. Hij haalde een Colt Python uit het dashboardkastje en stak die achter zijn rug in zijn riem.

Het duurde even voor de deur openging nadat hij had aangebeld. Deke was verbaasd over de verandering in de man die in de deuropening verscheen. Hij was gladgeschoren en netjes gekleed. Hij rook naar een recente douche en duur reukwater. 'Hallo, coach,' zei Deke.

'Deke!' riep Ron Turner opgewekt. 'Wat leuk om je weer te zien. Je bent precies op tijd. Kom binnen! Kom binnen!'

'Op tijd, waarvoor?' vroeg Deke terwijl hij naar binnen stapte.

'Ik heb net een brief getypt en jij bent net de juiste man om die even af te geven. Kom mee naar achteren. Wil je koffie?'

'Een kop koffie zou lekker zijn, coach, maar is koffie niet een beetje ongewoon voor jou?'

Ron glimlachte over zijn schouder naar hem. 'Ja, maar soms is verandering noodzakelijk.'

Er hadden andere veranderingen plaatsgevonden sinds vrijdag, zag Deke toen hij in de keuken en eethoek rondkeek. Ze zagen er opgeruimd en schoongemaakt uit, en naast de achterdeur stonden zakken vol bier- en sterkedrankflessen netjes naast elkaar.

'Die moet ik nog buiten zetten voor de vuilniswagen morgen,' zei Ron, die Deke ernaar zag kijken. 'Schenk jezelf even koffie in. Ik moet mijn brief alleen nog even in een envelop stoppen. Dat is zo gebeurd.'

Hij was snel terug en likte aan de flap van de envelop. 'Zou jij hem voor me af willen geven?'

Deke keek hem aan. Ron keek terug, volstrekt kalm, afgezien van een laagje nauwelijks zichtbaar zweet op zijn bovenlip. 'Voor wie is de brief?' vroeg Deke zacht.

'Randy Wallace.'

'Aha,' zei Deke terwijl hij de brief aannam. 'Het ging om je dochter, nietwaar?'

'Het ging om Trey's verraad!'

Er verspreidde zich een zo heftige emotie over Rons gezicht dat Deke dacht dat een speldenprik een hevige bloeding zou veroorzaken.

Hij is gek, dacht Deke. Alcohol, verdriet en blind geloof in zijn eigen interpretatie van het gebeurde hadden zijn verstand aangetast. 'Wat bedoel je?'

'Ik bedoel dat ik Trey vertrouwde met Tara. Ik vertrouwde erop dat hij geen misbruik zou maken van haar... zwakte – uit respect voor mij als het niet voor haar was – maar die klootzak maakte haar zwanger.'

'Zwanger? O, Ron...'

'Ik kwam er pas achter toen Tara al ruim een maand onderweg was dat zij en Trey elkaar in het geheim hadden ontmoet nadat hij Cathy een paar weken na hun eindexamen had gedumpt,' zei Ron.

'En zij vertelde je dat Trey de vader was.'

'Ja!' Ron sperde zijn ogen open.

'En ze stierf aan een abortus, niet aan een gescheurde blindedarm.'

'Een verprútste abortus! We hebben haar daarna nog maar een maand gehad toen de infectie de kop opstak. We vertelden het verhaal over de gescheurde appendix om mijn vrouw te beschermen tegen het geroddel in het dorp. Niet dat het veel verschil heeft gemaakt.' Rons mond vertrok. 'Het verlies van onze dochter was te veel voor haar. Flora leed aan congestief hartfalen, maar ze stierf aan een gebroken hart. Wat mij betreft heeft Trey hen allebei vermoord.'

'Voelde je niets voor de jongen toen je de trekker overhaalde, Ron?'

'Niets. Helemaal niets. Hij maakte mijn dochter zwanger en liet haar in de steek, net als Cathy Benson.'

Deke werd van boven tot onder vervuld van triestheid om de ellende van een goed mens – een fantastisch mens – die een fout had gemaakt. Hij had even tijd nodig. Hij was groter dan Ron en keek over hem heen naar een streep zwarte schimmel op de eens lichte keukenmuur. Uiteindelijk ademde hij in en keek hij Ron recht in het gezicht. 'Trey was onvruchtbaar, coach... sinds hij op zijn zestiende de bof heeft gehad. Hij kan Tara niet zwanger hebben gemaakt.'

Ron Turner rukte zijn hoofd naar achteren als om een klap te ontwijken. 'Dat lieg je. Hij is toch ook de vader van Cathy's kind.'

'Nee, Ron. Een van de redenen waarom Trey terugkwam was om voor zijn dood aan Cathy op te biechten dat hij niet Wills vader was.'

Ron gaapte hem aan, zijn ogen kille poelen van ongeloof. Deke kon wel naar zijn gedachtegang raden. Hij herinnerde zich de keer dat Trey tijdens de voorjaarstraining in zijn tweede jaar ziek was geweest. Het hele dorp had zijn adem ingehouden terwijl ze wachtten op de diagnose van de ziekte die hun veelbelovende quarterback had geveld. De bof, luidde het oordeel van de dokter en de bevolking had opgelucht uitgeademd. De lokale krant had een artikel geschreven over het bezoek van de hoofdcoach aan het ziekbed van zijn speler en zijn bewondering voor de jongen die zijn pijn had verbeten en liever het bezoek aan de dokter had uitgesteld dan zijn team en coaches teleur te stellen. Deke zag het besef van zijn vreselijke vergissing in Rons blik doorsijpelen, maar alle mededogen die Deke had kunnen voelen werd onderdrukt doordat hij zich de blik in Trey's ogen voorstelde toen zijn oude coach de trekker overhaalde.

'Maar... wie dan...?' fluisterde Ron.

'Dat kan ik je niet zeggen.'

Ron hing tegen het aanrecht als een in elkaar gezakte marionet. Het felle rood in zijn gezicht werd ziekelijk grauw. 'John Caldwell,' zei hij verbluft. 'Will Benson moet Johns zoon zijn... God wees me genadig. Wat heb ik gedaan?'

'Hoe wist je waar je Trey kon vinden?' vroeg Deke.

Ron duwde zich van het aanrecht weg en liep stijfjes naar de haard in de huiskamer om de foto van zijn vrouw en dochter van de schoorsteenmantel te pakken. Ernaar turend zei hij: 'Tony Willis vertelde het me. Hij kwam Trey tegen bij het sportveld van de middelbare school. Trey was daar langsgegaan vanwege vroeger. Tony dacht dat een reünie met mijn enige All-State-quarterback me wel zou opkikkeren. Hij stelde voor dat ik naar Harbison House zou rijden om hem te verrassen.' Ron zette de foto terug. 'Hoe heb je het uitgedokterd?'

'Ik zag de rode anjers op de graven van je vrouw en dochter en las het kaartje dat eraan hing. Toen begon ik wat dingen te begrijpen. Melissa vulde de rest voor me in.' Woede om de tragische zinloosheid van het geheel maakte zijn tong scherper en dwong hem te zeggen: 'Je hebt een stervende en onschuldige man gedood, coach. Volgens Melissa zou Trey Tara nooit hebben aangeraakt... uit zijn toewijding en respect voor jou.'

Ron kneep zijn ogen stevig dicht en wankelde even. 'Ze wist hoeveel ik om hem gaf... Mijn god. O, Trey... Trey, vergeef me, vergeef me...'

Even later deed Ron zijn ogen weer open. 'Weet je, Deke, je bent altijd een verdomd goede politieman geweest. Jammer dat je geen sheriff meer bent. Weet je wat? Geef me een minuutje, dan kun je me inrekenen. Randy Wallace verdient die eer in elk geval niet. Hij stond klaar om Will op te hangen en iedere idioot weet dat die veel te fatsoenlijk is om iemand te vermoorden. Ik heb oprecht spijt van de hel waar ik de jongen en zijn moeder doorheen heb laten gaan. Ze waren bijna familie voor me. Wil je hen laten weten hoezeer het me spijt en dat ik Will er nooit voor zou hebben laten opdraaien? Ik had alleen tijd nodig om nuchter te worden.'

'Dat kun je ze zelf wel vertellen, Ron.'

'Juist,' zei hij. 'Nou, laat me even gaan sassen en een blazer pakken. Ik wil er goed uitzien voor de kranten. Zet het koffiezetapparaat even uit, wil je?'

Hij was nog geen minuut weg toen Deke het schot hoorde. Voor de tweede keer die dag schold hij zichzelf uit voor een dwaas, erger dan een dwaas, toen hij naar de envelop in zijn hand staarde. Hij was een idioot geweest om niet in te zien wat Ron van plan was.

Met Silva naast haar zat Cathy op het verandatrapje van haar zoons gehuurde ranch en ze bedacht dat dit de tweede keer was dat ze dit moment meemaakte. De eerste keer was tweeëntwintig jaar geleden toen ze op haar grootmoeders veranda op John Caldwell had gewacht die langs zou komen voor hij naar de Loyola Universiteit vertrok. Ze was toen drie maanden zwanger, Trey was al een paar weken weg en het vooruitzicht Johns oude pick-up voor het laatst voor het huis te zien stoppen, was als een mes in haar borstkas geweest. Ze had toen, net als nu, de vage hoop gekoesterd dat John met haar zou trouwen, de vader van haar kind zou worden. Nu zou haar droom, net als toen, weer niet uitkomen. Het was de tweede keer dat ze hem kwijtraakte aan God.

Ze had gedacht dat ze hun leven terug hadden gekregen toen Deke Tyson was komen vertellen dat Ron Turner een brief had geschreven waarin hij de moord op Trey Don Hall bekende, en dat hij daarna zelfmoord had gepleegd. John, Will en zij waren voor een laatste avond bij elkaar gekomen voordat Will de volgende morgen formeel zou worden beschuldigd van moord. John was echter komen zeggen dat hij zelf de moord had bekend en in Wills plaats zou worden gearresteerd. Hij had Randy een veel dwingender motief gegeven dan dat van Will en de bewijzen om het te ondersteunen. Buitengewoon geschokt had Will geluisterd toen zijn vader hem over de bewijzen vertelde die vast en zeker tot zijn veroordeling zouden leiden.

'Maar, pa, je was toen nog maar een jochie, en je hebt Trey niet vermoord!'

'Jij ook niet.'

'Je gaat niet in mijn plaats. Dat sta ik niet toe. Je bent te oud!'

'En jij bent te jong. Je bent mijn zoon.'

'En jij bent mijn vader!'

Ze hadden elkaar vastgepakt en hadden allemaal staan huilen toen Deke aanbelde, even later gevolgd door Lawrence Statton, die met zijn koffertje arriveerde.

De volgende dag bracht Deke nog beter nieuws. Hij had Randy gevraagd wat die van plan was te doen met de doos met bewijsmateriaal tegen John Caldwell.

Randy had gefronst. 'Welk bewijsmateriaal? Bedoel je dit?' Hij had Deke de gemarkeerde doos gegeven. 'Als je die nou eens in de vuilnisbak gooit als je terug bent in Amarillo, en pastoor John zijn drinkglas teruggeeft?'

Zelfs toen de donkere wolken waren overgewaaid, hadden ze allemaal geweten dat hun levens nooit meer hetzelfde zouden zijn. Het dorp had opnieuw laten zien hoe snel het klaarstond met een oordeel over haar en Will. Morgan Petroleum had Wills verzoek om overplaatsing ingewilligd. Het restaurant was nog steeds gesloten en Bebe en Odell hadden betaald verlof. En John…

Cathy zuchtte. Ze had aangenomen dat John met zijn reputatie intact, zijn prestaties onbezoedeld, en na de bekendmaking over en acceptatie van zijn zoon, zijn werk in de parochie waarvan hij hield zou voortzetten. Ze had beter moeten weten. Hij zou de rest van zijn leven boete blijven doen.

'Ik kan niet blijven, Cathy,' had hij gezegd. 'Ik kan niet nog langer de liefde en toewijding van de Harbisons aanvaarden die ik niet verdien. Ik kan mijn leugenachtige leven niet blijven vervolgen in hun bijzijn. Ze redden zich nu ook wel zonder mij. Pastoor Philip neemt mijn plaats als directeur van Harbison House in en Lou en Betty zullen mettertijd ongetwijfeld net zo dol op hem zijn als op mij.'

Terwijl ze afwachtten in welk licht de kerk zijn zonde van lang geleden zou beoordelen, had ze heimelijk en schaamteloos gehoopt dat de omwenteling in zijn leven en zijn liefde voor haar en hun zoon John ertoe zou brengen uit het priesterambt te stappen en met haar te trouwen. Trey had zijn huis in Californië aan haar nagelaten. De verkoop zou hen het geld opleveren om ergens opnieuw te beginnen.

De bisschop had zijn oordeel geveld. De kerk zou geen actie tegen John ondernemen voor wat hij had gedaan voordat hij tot de orde van de jezuïeten was toegetreden, maar willigde wel zijn verzoek in om te worden ontslagen van zijn taak als pastoor van St.-Matthew's en directeur van Harbison House.

'Laten we een stukje gaan rijden, Cathy,' had hij haar uitgenodigd op de dag dat hij het had gehoord. 'Ik kom je wel halen.'

Dat was een week geleden. Het was een rit geworden naar het verleden. Ze waren langs haar grootmoeders huis gereden, waar nu een stel met twee kleine kinderen woonde. De schommelbank stond nog steeds op de veranda en in de voortuin lag een hond de wacht te houden over een peuter op een driewieler. Cathy's ogen waren vochtig geworden.

Daarna waren ze langs Johns oude huis gereden. De eigenaar had geprobeerd het te renoveren, maar had dat halfslachtig gedaan. Het zag er nog steeds verwaarloosd uit, maar aan de achterkant groeiden gele klimrozen tegen het latwerk van zijn moeders tuinhuisje. De lagere school en het omringende speelplein waren praktisch niets veranderd sinds zij en de jongens de zware stormveilige deuren hadden opengeduwd. Het geheel zag er nog net zo vreugdeloos uit, het omringende grasveld hard aangetrapt, onvriendelijk voor kwetsbare jonge ellebogen en knieën.

Tot slot waren ze naar de middelbare school gereden. Ze hadden geen van beiden veel gezegd, maar de cabine van de pick-up was vervuld geweest van hun gedachten en gevoelens, hun afscheid. John parkeerde op de plek waar Old Red een groot deel van zijn bestaan had doorgebracht, naast de plek waar Trey's Mustang altijd had gestaan. De zomerschool was begonnen. Vanaf het speelveld dreven hun stemmen tegemoet toen ze uitstapten in de junizon en de milde wind. Net als vroeger leunden ze tegen het metaal van het voertuig en sloegen ze hun armen over elkaar.

'We hebben leuke tijden gehad, Cathy.'

'Ja, dat klopt.'

'Hij hield van ons, weet je.'

'Dat weet ik.'

'Vergeef je hem?'

'Dat komt nog wel.'

Ze spraken zonder elkaar aan te kijken. John draaide zijn hoofd niet naar haar om toen hij vroeg: 'Wanneer werd je verliefd op me, Cathy?'

Ze had geschokt moeten zijn dat hij het wist, maar ze was de schok voorbij. Ze had zelf ook voor zich uit gekeken, naar een stukje papier dat pirouettes draaide in de wind als op de maat van een liedje. *Jack is verliefd op iemand die verliefd is op mijn broer Jim, en hij is verliefd op iemand die niet verliefd is op hem.*

Zo was het leven.

'Ik geloof niet dat er een exact moment was,' zei ze. 'Op een dag, jaren geleden, was het gevoel er gewoon. Hoelang weet je het al?'

'Al een hele poos. Op een dag was het besef er gewoon.'

'Je was geen tweede keus, bij gebrek aan beter. Ik wil dat je dat weet.'

'Dat heb ik altijd al geweten.'

De warmte van het metaal was aangenaam tegen hun rug. Het was een kristalheldere dag. Na een poosje zei John: 'Ik ga weg, Cathy. Ik heb gevraagd om aan Loyola les te mogen geven.'

Ze keek naar de overkant van de weg, waar de prairie begon. De wilde bloemen gingen dood. Deden ze dat niet altijd? Maar de volgende lente zouden ze weer bloeien. 'Wanneer?' vroeg ze.

'Over een week.'

'Waarom zo snel al? De lessen beginnen toch pas in de herfst, of niet?'

'Ze willen dat ik de zomerschool op me neem.'

'O.'

Hij haalde zijn armen van elkaar en pakte haar hand vast. 'Wat ga jij doen?'

Op dat moment nam ze haar beslissing. 'Ik draag het restaurant over aan Bebe en gebruik het geld van de verkoop van Trey's huis om medicijnen te gaan studeren.'

Ze voelde zijn verbazing, maar ook zijn gebrek daaraan. 'Dat zou Trey leuk vinden.'

'Ik ben straks op mijn vijftigste waarschijnlijk de oudste arts die ooit is afgestudeerd.'

Hij kneep bemoedigend in haar hand. 'En de beste.'

Ze zouden feestdagen en vakanties met elkaar doorbrengen, uitstapjes maken en elkaar op zondagavond bellen. De afstand zou hen niet kunnen scheiden. Ze waren een gezin. Daar kon ze wel mee leven.

Ze hoorde gerommel aan de poort een heel eind verderop. Silva stoof onder haar hand vandaan toen Wills jeep in het zicht kwam. Vader en zoon zaten voorin. Will had zijn vader geholpen met inpakken. De Silverado was aan de parochie overgedragen en over een poosje zou Will John naar New Orleans rijden. De lunch wachtte, hun laatste gezamenlijke maaltijd voorlopig. Cathy stond op om hen te begroeten en hield haar hand boven haar ogen tegen de stekende zon.

EMMA'S HEETWATER-MAÏSBROOD

Doe twee kopjes geel maïsmeel in een royale
mengkom.

Strooi er een snufje zout over.

Giet *kokend* water over het mengsel en roer met een
houten lepel tot het op zachte maïsmeelpap lijkt.

Laat het eetlepel voor eetlepel in hete olie vallen. Bak
tot ze bruin en knapperig zijn. Draai om en bak de
andere kant tot die bruin en knapperig is.

Laat uitlekken op keukenpapier en serveer met
stroop of honing.

Eet smakelijk!

Dankwoord

Van start gaan met het idee voor deze roman betekende dat ik me op een terrein moest begeven dat ik nog nooit had betreden of had verwacht te zullen betreden. Als protestant wist ik niets van de katholieke jezuïetenorde. Omdat ik altijd zit te lezen in de kamer die ik met mijn man deel terwijl hij op zondagmiddag naar American football kijkt, was het enige wat ik over de sport wist dat de teams verschillend gekleurde sporttenues dragen. En toch voel ik om een of andere reden de aandrang te schrijven over een priester, een quarterback en een meisje dat hamburgers serveerde, en aldus begon mijn reis naar het onbekende. Ik ben voor altijd dank verschuldigd aan degenen die licht op mijn pad hebben geworpen en aan wie ik begrip en respect heb te danken voor werelden die ik anders nooit zou hebben gekend. Zonder hun inbreng zou ik mijn verhaal nooit hebben voltooid. Eventuele fouten in details en informatie zijn uitsluitend aan mij te wijten. Mijn dank gaat uit naar:

Michael S. Bourg, lid van de raad van bestuur voor bevordering, jezuïeten van het bisdom New Orleans. Mike, onze tijd met jou in New Orleans en later in San Antonio bij Onze Lieve Vrouwe van Guadalupe was… meer dan magisch.

Pastoor Martin (Marty) Elsner, s.j., die lang geleden en ver weg het verschil duidelijk maakte tussen een Hollywood-eind en het echte werk.

Eerwaarde Richard A. Houlahan, OMI, bestuurder kapelaansdiensten van het Federal Bureau of Prisons (Amerikaans ministerie van Justitie), gepensioneerd. Vader Richard, dit is wat je krijgt als je zo charmant bent.

Paul Jette jr, verdedigingscoördinator en tweede coach van de Miami Hurricanes, 1985. Paul zei tegen me toen ik uiting gaf aan mijn dankbaarheid: 'Ik heb niets anders gedaan dan antwoord geven op de juiste vragen die je stelde.' Waarop ik dacht: *Bull, met jouw uitleg trok je me het tenue aan en stuurde je me het veld op.*

Christopher Palmer, aanvalscoördinator bij de Tennessee Titans, quarterback-coach voor mannen als Drew Bledsoe, Tony Romo, Eli Manning en Mark Brunell, drager van een Super-Bowl-ring, verdiend als quarterback-coach voor de New York Giants in 2007. Chris, er zijn geen woorden om mijn dank uit te drukken (of voldoende ruimte om al je prestaties te noemen).

Onderweg waren er ook mensen wier eenvoudige professionele beleefdheid en hulp veel voor deze roman hebben betekend. Dank je, Mary Jo Sarkis en Regina M. Morales. En altijd met mij in de pas, mijn man Arthur Richard iii, met wie ik twee koningen heb, en Janice Thomson, mijn vriendin in alle seizoenen.

En natuurlijk zoals altijd mijn voortdurende dankbaarheid voor het drietal wier rol in mijn schrijvende leven me het gevoel geeft dat God me tussen de ogen heeft gekust. Ze zijn onvergelijkelijk: mijn dierbare agent David McCormick; mijn onverschrokken redacteur Deb Futter, hoofdredacteur bij Grand Central Publishing; en haar fantastische assistente Dianne Choie.

En tot slot ben ik wijlen mijn broer dankbaar voor de herinneringen die ik heb aan zijn jaar als highschool-quarterback. Die wierpen van tijd tot tijd een glimp licht op mijn pad. Semper Fi, Leiland.

Lees ook

Rozen

het schitterende debuut van Leila Meacham

Vlak voor de Eerste Wereldoorlog erft de zestienjarige, vroegwijze Mary Toliver haar vaders katoenplantage Somerset. Haar moeder en broer zijn woedend, ze voelen zich verraden en keren zich tegen haar. Maar Mary is verknocht aan de plantage en ze zet alles op alles om het succes van haar vader voort te zetten.

Dan vraagt houtmagnaat Percy Warwick, de liefde van haar leven, Mary om de plantage op te geven om met hem te trouwen, maar daarmee vraagt hij haar het onmogelijke: Mary's hart ligt boven alles bij Somerset en ze wijst Percy's aanzoek af. Ze trouwen beiden iemand anders maar moeten de rest van hun leven de gevolgen dragen van deze fatale beslissing: de geheimen, het bedrog en het knagende gevoel van wat als…

Gebonden, 624 pagina's, ISBN 978 90 325 1228 6, ISBN e-book 978 90 325 1503 4